RIO DE JANEIRO

Pão de Açúcar, ©Brasil2/iStockphoto.com

Gerente Geral	Cynthia C. Ochterbeck

GUIA VERDE MICHELIN DO RIO DE JANEIRO

Editor	Rachel Mills
Principais redatores	Françoise Klingen, John Malathronas, Sue Chester, Jane Egginton, Huw Hennessy
Colaboração	Carlos-Eduardo Pinho, Milly Salem, Norma Tait, Linda Lee

Com um especial agradecimento ao Governo do Estado do Rio de Janeiro:
Governo do Estado do Rio de Janeiro, Secretaria de Turismo Esporte e Lazer do Estado do Rio de Janeiro, Empresa de Turismo do Estado do Rio de Janeiro – TURISRIO.

Gerente de Produção	Natasha G. George
Cartografia	GeoNova Publishing, Inc. Thierry Lemasson
Editor de Fotografia	Yoshimi Kanazawa
Layout & Design	Natasha G. George, Rachel Mills
Design da Capa	Laurent Muller and Ute Weber
Fale conosco	The Green Guide Michelin Maps and Guides One Parkway South Greenville, SC 29615, USA www.michelintravel.com
	Michelin Maps and Guides Hannay House 39 Clarendon Road Watford, Herts WD17 1JA, UK ℰ01923 205240 www.ViaMichelin.com travelpubsales@uk.michelin.com
Vendas	Para compras em grande quantidade, edições customizadas e vendas premium, contate-nos através dos nossos Departamentos de Atendimento ao Cliente

USA	1-800-432-6277
UK	01923 205240
Canada	1-800-361-8236

Nota do Editor
A redação e verificação do presente guia foram objeto de grande cuidado por parte de sua equipe editorial. Foi feito o possível para garantir que as informações nele disponibilizadas fossem as mais atualizadas disponíveis até o momento da sua impressão. No entanto, devido a sua natureza dinâmica, dados como preços, endereços, condições e horários de visitação, números de telefones, sites e endereços na Internet, etc. são meramente indicativos e estão sujeitos a mudanças. Michelin Apa Publications Ltda. não se responsabiliza pela exatidão das informações contidas neste guia no momento de sua divulgação.

Nossa equipe…
Um compromisso com a Qualidade

Só há uma razão para que nossa equipe se empenhe em fazer guias e mapas de alta qualidade : Você, nosso leitor.

Em nossos guias, nós oferecemos **informações práticas**, **dicas de viagem** e **sugestões** para que você encontre os melhores lugares em sua visita.

Os **passeios de carro** ajudam você a descobrir e desfrutar melhor os destaques da região visitada. Os **passeios a pé** fazem de você o seu próprio guia, graças às indicações, aos mapas e às informações especializadas.

Visitamos todas as atrações e as classificamos com um **sistema de estrelas**, descrevendo o que você vai encontrar nos locais.

Os **Mapas Michelin** foram feitos para este guia e oferecem indicações claras, precisas e objetivas sobre as atrações, de plantas detalhadas de museus a grandes mapas regionais.

Indicações de **onde se hospedar** e **onde comer** são essenciais em uma viagem; por isso, pesquisamos **hotéis e restaurantes** que acreditamos serem os mais adequados à sua viagem e os organizamos por área geográfica e preços. Nós orientamos você também para as melhores opções de compras e locais de diversão e entretenimento.

Testamos e retestamos, checamos e rechecamos para assegurar que nossos guias sejam o que são: um guia único para ajudá-lo a desfrutar ao máximo a sua visita. E, se mesmo assim, você quiser guias especializados locais, nós listamos onde você poderá encontrá-los para guiá-lo em passeios de barco, de ônibus, históricos, culinários e qualquer outro que você queira.

Em suma, nós queremos antecipar suas expectativas e que você aproveite a sua viagem tanto quanto nós.

Equipe Guia Verde Michelin

PLANEJE SUA VIAGEM

PASSEIOS DE CARRO	**12**
QUANDO E ONDE IR	**13**
Quando visitar o Rio	13
O que visitar no Rio	14
Sugestões de itinerários	14
INFORME-SE ANTES DE IR	**16**
Sites Úteis	16
Centros de Informações Turísticas	16
Visitantes Internacionais	17
Requisitos para entrar no País	17
Saúde	18
Acessibilidade	18
COMO CHEGAR E PASSEAR NA CIDADE	**18**
De Avião	18
De Navio	20
De Trem	20
De Metrô	20
De Ônibus	21
De Carro	21
Dirigir no Rio	21
De Táxi	23
De Bicicleta	24
O QUE VER E FAZER	**25**
Atrações Turísticas	25
Diversão ao Ar Livre	31
Atividades para Crianças	35
Livros	35
Filmes	36
CALENDÁRIO DE EVENTOS	**36**
INFORMAÇÕES BÁSICAS	**38**

©Antonio Lacerda/UPPA/Photoshot

BEM-VINDO AO RIO DE JANEIRO

O RIO DE JANEIRO HOJE	**46**
Evolução da Cidade	46
Economia	47
Governo	47
População	48
Segurança	50
Religião	51
Gastronomia	51
HISTÓRIA	**53**
Pré-História	53
Descobrimento e Conflitos	53
Colonização	58
Independência e Monarquia	61
A República Velha	62
Da Ditadura à Democracia	64
A Nova República	66
ARTE E CULTURA	**68**
Arquitetura	68
Paisagismo	74
Escultura	74
Pintura	75
Cinema e Televisão	77
Música	78
Teatro e Literatura	80
Carnaval!	82
NATUREZA	**84**
Paisagem	84
Clima	85
Flora	86
Fauna	89

CONTEÚDO

DESCUBRA O RIO DE JANEIRO

CENTRO HISTÓRICO E ARREDORES   **94**
Praça XV 98
Castelo e Cinelândia 106
Largo da Carioca 112
Praça Tiradentes. 115
Zona Norte. 120
Lapa 122
Glória 125

AS PARTES ALTAS DO RIO   **126**
Santa Teresa 128
Laranjeiras 132
Corcovado e Cristo Redentor 134
Parque Nacional da Tijuca. 139

ZONA SUL PERTO DA BAÍA   **144**
Parque do Flamengo 146
Flamengo e Catete 148
Botafogo. 150
Urca 152

PRAIAS DA ZONA SUL   **154**
Leme 158
Copacabana. 159
Ipanema 162
Leblon 166

LAGOA E ARREDORES   **168**
Lagoa. 170
Gávea. 172
Jardim Botânico 174

PRAIAS DA ZONA OESTE   **178**
São Conrado 181
Barra da Tijuca 184
Recreio dos Bandeirantes 186
Guaratiba e Arredores 187

EXCURSÕES   **190**
Baía de Guanabara e Niterói. 192
Búzios 196
Ilha Grande 200
Paraty 204
Petrópolis. 208
Vale do Café. 212

TurisRio

SUA ESTADA NO RIO DE JANEIRO

ONDE SE HOSPEDAR   **216**
Escolhendo um bairro 216

ONDE COMER   **232**
Escolhendo um bairro 232

DIVERSÃO   **248**
Vida noturna 248
Música ao vivo 254
Artes cênicas 257

COMPRAS   **260**
Antes de comprar 260
Onde comprar. 261
O que comprar 263

ESPORTE ESPETÁCULO   **272**
Futebol 272
Vôlei 275
Corridas de cavalo 275

SAÚDE E BEM ESTAR   **276**
Academias 276
Spas 276
Yoga. 277
Outras atividades esportivas 277

Índice 278
Mapas. 285
Legenda dos mapas. 285

COMO USAR ESTE GUIA

PLANEJE SUA VIAGEM

A seção com separador azul, PLANEJE SUA VIAGEM oferece **ideias para sua viagem** e **informações práticas** para ajudar você a se organizar.

Você encontrará informações básicas, sugestões de passeios, um calendário de eventos, atividades para crianças e muito mais.

BEM VINDO AO RIO DE JANEIRO

A seção com separador laranja, BEM-VINDO AO RIO DE JANEIRO, apresenta **O Rio Hoje**, a seção **História**, da colonização do Brasil à República atual; a seção **Natureza,** com o clima, a flora e a fauna, incluindo os Parques Nacionais e Estaduais; a seção **Arte e Cultura,** que inclui arquitetura, arte, literatura, música e Carnaval.

Quadros

Ao longo do guia, você encontrará quadros de texto cor pêssego (como este), com fatos interessantes, história, detalhes e informações gerais.

DESCUBRA O RIO DE JANEIRO

A seção com separador verde, DESCUBRA O RIO DE JANEIRO, descreve as principais atrações do Rio Janeiro, organizadas por região, incluindo as mais interessantes **Atrações, Passeios de Carro, Passeios a Pé** e as **Excursões e Passeios de Carro**.

Sempre que possível, são fornecidas Informações para contato, Preços das entradas, Horário de funcionamento e muitas outras **informações para o visitante**. Os preços das entradas são para um adulto, a não ser que esteja especificado em contrário.

CLASSIFICAÇÃO POR ESTRELAS★★★

A Michelin tem uma classificação por estrelas há mais de cem anos. Se você tiver pouco tempo, recomendamos que visite primeiro as atrações com ★★★ ou ★★.

★★★   Altamente recomendada
★★   Recomendada
★   Interessante

Endereços – Onde se Hospedar, Onde Comer e mais...

ONDE SE HOSPEDAR

Fizemos uma seleção de hotéis e os organizamos por bairros e por categoria de preços, visando cobrir todos os orçamentos (*consulte os códigos de preço na Legenda da aba da contracapa*). Na maioria das vezes, selecionamos as acomodações com base em sua qualidade e reputação local. Onde quer que você queira ir no Rio de Janeiro, poderá encontrar um hotel próximo. *Ver Onde se Hospedar no final do guia, para ler os comentários completos.*

ONDE COMER

Achamos que você gostaria de conhecer alguns dos locais mais conhecidos para fazer uma refeição. Não estamos classificando a qualidade da comida e do serviço. Apresentamos os restaurantes que são referências locais, organizados por bairros e categorizados por preço (*consulte os códigos de preço na Legenda da aba da contracapa*) para atender a disponibilidade do leitor. *Ver Onde Comer no final do guia, para ler os comentários completos.*

MAPAS

- O **Mapa da Cidade do Rio de Janeiro** com as Principais Atrações em destaque.
- **Mapas dos Bairros** com as Principais Atrações em destaque, junto com itinerários recomendados.

Todos os mapas neste guia estão orientados para o norte, a menos que esteja indicado por uma seta direcional. O termo "Mapa Local" refere-se a um mapa dentro do capítulo ou região turística.

 Dicas

Os quadros verdes encontrados neste guia contêm dicas práticas e informações úteis relacionadas com a atração na seção Descubra o Rio de Janeiro.

Uma lista completa dos mapas aparece no final do guia, junto com um índice remissivo e uma lista de restaurantes e hotéis.

Consulte a Legenda do mapa no final do guia para ver uma explicação dos símbolos dos mapas.

PAINÉIS DE ORIENTAÇÃO

Em cada região da seção DESCUBRA O RIO DE JANEIRO:
- **Informações:** Dados de contato do Centro de Informações Turísticas.
- **Oriente-se:** Localização com referência às ruas, outros bairros e à cidade.
- **Estacionamento:** Onde estacionar.
- **Não perca:** Coisas imperdíveis para fazer.
- **Organize seu tempo:** O que ver primeiro, quanto tempo passar, como evitar as multidões, horários de abertura das atrações.
- **Para crianças:** Atrações de interesse específico para as crianças.
- **Ver também:** Principais atrações próximas e que estão descritas em outra parte do guia.

SÍMBOLOS

- Interessante para as crianças
- Ver também
- Centro de Informações Turísticas
- Horário de funcionamento
- Horário de encerramento
- Fechado ao público
- Preços das entradas
- Não são aceitos cartões de crédito
- Acessível a cadeirantes
- Visitas guiadas
- Estacionamento no local
- Indicação do caminho
- Refeições servidas no local
- Dica
- Aviso

Contato – Os endereços, números de telefone, horários de abertura e preços publicados neste guia estavam corretos na época da publicação. Recebemos, com prazer, correções e sugestões que possam nos auxiliar na preparação da próxima edição. Por favor envie seus comentários para:

Reino Unido
Michelin Maps and Guides
Hannay House
39 Clarendon Road
Watford, Herts WD17 1JA
travelpubsales@uk.michelin.com
www.michelin.co.uk

Brasil
Michelin
Diretoria de Comunicação e Marcas
Avenida das Américas, 700 Bloco 4
Rio de Janeiro - RJ - Brasil
22 640-100
www.michelin.com.br

Desfile da Escola de Samba Beija-Flor no Carnaval
©Antonio Lacerda/UPPA/Photoshot

PLANEJE SUA VIAGEM

PLANEJE SUA VIAGEM

PASSEIOS DE CARRO

A não ser que você esteja decidido a dirigir, uma boa opção é alugar um carro com motorista, através de uma agência de viagens. Normalmente os motoristas recomendam os melhores lugares para tirar fotos e para comer.

COSTA DO SOL

Rio de Janeiro a Búzios: 167 km; aproximadamente 3 horas.

▸ *Saia do Rio pela ponte Rio-Niterói e, após o pedágio, pegue à esquerda a BR-101, conhecida como Niterói-Manilha, em direção à Região dos Lagos. Em Rio Bonito, pegue à direita a RJ-124. Esta estrada bem pavimentada e pedagiada, vai até São Pedro da Aldeia, junto a uma das maiores lagoas do Brasil, a Lagoa de Araruama.*

Ao longo da pitoresca *Costa do Sol*, encontram-se belíssimas praias e cidades de veraneio. Quando você chegar à Península de Cabo Frio encontrará três localidades com praias de águas cristalinas: São Pedro da Aldeia, Arraial do Cabo e Cabo Frio. Mais adiante está a elegante **Búzios** (ver p.196). *Se você estiver indo direto para Búzios, antes de São Pedro da Aldeia, suba um viaduto e tome a RJ-106, dobrando, alguns quilômetros depois, à direita em uma estrada que passa pela Praia Rasa. Se você estiver em Cabo Frio, tome a Estrada Velha de Búzios.*

INTERIOR: PETRÓPOLIS E TERESÓPOLIS

Rio de Janeiro a Teresópolis: 125 km; aproximadamente 2 horas.

Dica

As distâncias indicadas nas placas nas rodovias baseiam-se nos limites do município, não do centro da cidade, o que pode tornar sua viagem consideravelmente mais longa, principalmente nas grandes cidades.

Passeios de Carro

Poucos turistas usam carro no centro da cidade. É fácil encontrar táxis e os preços são muito razoáveis; além disso, os meios de transporte públicos são baratos e eficientes. Para um roteiro de carro, consulte a seção a seguir em Descubra o Rio de Janeiro:

PRAIAS DA ZONA OESTE

▸ *Saia do Rio pela Linha Vermelha. Depois da entrada para o aeroporto, continue em frente e pegue, à direita, a BR-040, direção Petrópolis, uma estrada parcialmente pedagiada. Siga a sinalização até o centro da cidade.*

Petrópolis (ver p.208), a *Cidade Imperial*, pode ser visitada em uma excursão de um dia a partir do Rio. A estrada sinuosa sobe pela montanha, onde há locais próprios para parar e tirar fotos da impressionante paisagem. Se tiver oportunidade e o tempo estiver bom, vá até a localidade de **Itaipava** e de lá tome a linda e tortuosa estrada para **Teresópolis** (ver p.87) e lá passeie no Parque Nacional da Serra dos Órgãos, com seus impressionantes picos, como o famoso Dedo de Deus.

COSTA VERDE

Rio de Janeiro a Paraty: 244 km; aproximadamente 4 horas. Saia do Rio pela BR-101, direção Paraty.

A *Costa Verde* é uma das regiões mais bonitas do Brasil. A estrada percorre o litoral, junto a florestas e praias, onde estão vilas coloniais encantadoras em belas e tranquilas baías. No caminho para **Paraty** (ver p.204), uma linda cidade colonial, o litoral apresenta ilhas quase intocadas. No caminho está **Angra dos Reis** com suas mais de 300 ilhas, entre elas a paradisíaca **Ilha Grande** (ver p.200).

QUANDO E ONDE IR

Reveillon, a festa de Ano Novo da Cidade - fogos na Praia de Copacabana

Quando visitar o Rio

O Rio de Janeiro fica na costa sul do Oceano Atlântico, acima do Trópico de Capricórnio, em uma área de clima tropical, quente e úmido o ano inteiro, podendo chover a qualquer momento. Se você deseja evitar multidões e o calor, as melhores épocas para visitar a cidade são entre abril e junho e entre agosto e outubro. A média da temperatura nesses períodos fica entre 25°C, durante o dia, e 15°C, à noite, o que é bem confortável.

A temporada de férias de verão vai do início do mês de dezembro até o final de fevereiro ou o início de março, dependendo de quando será o Carnaval. Nessa época, o clima é mais quente e úmido o dia todo. Durante o dia, a temperatura pode atingir os 40°C, podendo cair para 20°C, somente à noite. Fortes pancadas de chuva são frequentes no final do dia, mas o céu volta a ficar claro ao anoitecer.

É também a época mais cheia do ano, quando os brasileiros vêm ao Rio para as férias de verão, especialmente para as festas do Ano Novo e do Carnaval (este geralmente em de fevereiro ou início de março).

Os voos e os hotéis devem ser reservados com antecedência, as praias mais conhecidas e os restaurantes ficam lotados e o preço da hospedagem sobe até 30%.

O período de inverno, entre maio e setembro, tem céu mais claro e dias mais frescos e secos, bastante ensolarados. É uma boa ideia trazer roupas apropriadas para essas manhãs e tardes mais frias. Tenha em mente que se você vier ao Rio nessa época do ano, embora tenha mais espaço e tranquilidade nas praias, a cidade estará menos movimentada.

Mês	Temp	Umidade	Chuvas
Janeiro	26°C	Alta	125mm
Fevereiro	26°C	Alta	122mm
Março	25°C	Média	130mm
Abril	24°C	Média	107mm
Maio	22°C	Média	79mm
Junho	21°C	Leve	53mm
Julho	20°C	Leve	41mm
Agosto	21°C	Leve	43mm
Setembro	21°C	Leve	66mm
Outubro	22°C	Média	79mm
Novembro	23°C	Média	104mm
Dezembro	25°C	Média	137mm

PLANEJE SUA VIAGEM

O que visitar no Rio

O Rio de Janeiro é o espaço ideal para os que gostam da vida ao ar livre, com praias espetaculares, ilhas, montanhas e morros impressionantes, cobertos de florestas, bem como parques e jardins em meio à cidade.

Mergulhe na vida carioca, em uma de suas muitas praias, que vão do Leme a Grumari, passando por Copacabana, Ipanema, Leblon, São Conrado, Barra, Recreio dos Bandeirantes, Macumba e Prainha, cada uma com sua personalidade. Existem também as praias da Baía de Guanabara, como as da Urca, de Botafogo e do Flamengo, quase sempre, impróprias ao banho de mar. Em um dia claro, a prioridade do visitante é ver o Rio de um de seus marcos naturais — o Pão de Açúcar e o Corcovado — o que permitirá entender a organização do espaço e apreciar a vista desta cidade cheia de curvas. Entretanto, há muito mais no Rio do que pode parecer à primeira vista. Como antiga capital do país, é uma cidade cheia de história e arte. A arquitetura do Centro antigo oferece obras-primas, como a Antiga Sé, joias do estilo Neoclássico, como a Casa França-Brasil, ou do estilo Eclético, como o Theatro Municipal, assim como bairros curiosos, como Santa Teresa. O Rio é uma cidade vibrante, cuja população de cerca de cinco milhões de habitantes se espalha pelas planícies e pelos morros.

Para conhecer uma das regiões mais bonitas da América do Sul, siga a rodovia costeira, em direção a São Paulo, e passeie ao longo da Costa Verde.

Praia Vermelha com vista do Pão de Açúcar

Sugestões de itinerários

APRECIE O RIO DO ALTO

De manhã   Tome o trenzinho para subir o Corcovado, até a estátua do Cristo Redentor★★★, e admire o Rio de cima (ver p.134).

À tarde   À boêmia Santa Teresa★★ se chega de bonde, que sai do Centro da cidade (ver p.128). Almoce no terraço do Restaurante Espírito Santa (ver p.236), e depois vá ao Centro Cultural Parque das Ruínas★ (ver p.129) para apreciar a maravilhosa vista.

Ao entardecer   Caminhe na Pista Cláudio Coutinho★ (ver p.153) que contorna a base do Morro da Urca, bem junto ao mar. Depois, tome o bondinho para subir o Pão de Açúcar★★★ (ver p.152) e ver o lindo pôr do sol do Rio.

RIO ESPORTIVO

De manhã   Experimente o voo de asa delta em São Conrado (ver p.181). Pratique esportes de praia em Ipanema★★ (ver p.162).

À tarde   Almoce no Garota da Ipanema (ver p.163) onde foi composta a famosa canção da Bossa Nova. Visite o templo do futebol, o estádio do Maracanã, ou melhor ainda, compre os ingressos e vá a um jogo de futebol.

À noite   Entre no clima de Carnaval da cidade e assista a um dos ensaios de uma escola de samba (ver p.106) ou vá ao show da Cidade do Samba (ver p.106).

QUANDO E ONDE IR

Vista do Parque da Cidade - Morro Dois Irmãos, Pão de Açúcar e Corcovado em uma só foto

ARTE E CULTURA NO CENTRO

De manhã Visite o Museu de Arte Moderna (MAM)★★★ (ver p.146) localizado no Parque do Flamengo★ e depois vá à Antiga Sé★ (ver p.104) ou ao Mosteiro de São Bento★★★ (ver p.103).

À tarde Almoce na Confeitaria Colombo (ver p.234) no Centro histórico e dê uma parada no Theatro Municipal★★★ (ver p.109) para uma visita ou vá ao Centro Cultural Banco do Brasil★★ (ver p.102) para ver as exposições temporárias de nível internacional.

À noite Jantar e show com música ao vivo na colorida Lapa★ (ver p.122).

RIO TROPICAL E NATURAL

De manhã Suba até o Pico da Tijuca★ no exuberante Parque Nacional da Tijuca★★★ (ver p.139). Faça um piquenique, ali mesmo, no Bom Retiro.

À tarde Visite o esplêndido Jardim Botânico★★★ (ver p.174) e o Parque da Catacumba (ver p.171) para apreciar de cima a Lagoa Rodrigo de Freitas.

PERTO DO RIO

De manhã Atravesse a Baía de Guanabara de barca para visitar o Museu de Arte Contemporânea★★, de Niemeyer (ver p.192).

À tarde Alugue um táxi e visite algumas praias de Niterói ao longo da via litorânea. Para o almoço, dirija-se ao Zéfiro (ver p.245) no complexo da Fortaleza de Santa Cruz da Barra★★ (ver p.193). Mais tarde, faça um passeio guiado pela histórica fortaleza e aprecie a vista espetacular da baía.

À noite Não dispense o táxi, para uma ida-e-volta ao Parque da Cidade (ver p.194) para ver um incrível pôr do sol★★★ na parte mais alta da rampa de voo livre.

Passeios a pé

Listamos abaixo os locais da seção Descubra o Rio de Janeiro neste guia onde você pode encontrar passeios a pé:

- PRAÇA XV
- SANTA TERESA
- IPANEMA
- JARDIM BOTÂNICO

PLANEJE SUA VIAGEM

INFORME-SE ANTES DE IR

Sites Úteis

www.turisrio.rj.gov.br
Site oficial da TURISRIO a empresa
oficial de turismo do Estado do Rio
de Janeiro; muitas informações úteis,
como atividades e calendário de
eventos.

www.rio.rj.gov.br/riotur
Site oficial da RioTur, a empresa
oficial de turismo da cidade do Rio
de Janeiro; muitas informações úteis,
como hospedagem, atividades e o
calendário de eventos.

**www.riodejaneiro-turismo.
com.br**
Resumo das principais atrações
turísticas, notícias e eventos,
hospedado pela RioTur.

www.aescrj.com.br
Site oficial da Associação das Escolas
de Samba do Rio de Janeiro, com
reservas *on-line* para os desfiles de
Carnaval e informações práticas, como
detalhes sobre as escolas de samba.

www.rcvb.com.br
Para passeios ou a negócios, o site Rio
Convention and Visitors Bureau traz
informações úteis para você planejar
sua viagem, com as datas do Carnaval
e de outros eventos que ainda vão
acontecer.

www.riothisweek.com
Abrangendo tanto o Rio quanto São
Paulo, esta elegante revista *on-line*
informa sobre música ao vivo, vida
noturna, cultura e vida moderna.

www.embratur.gov.br
Este endereço leva a www.braziltour.
com onde podem ser obtidas
informações sobre regiões e destinos
turísticos de todo o Brasil.

Centros de Informações Turísticas

NO EXTERIOR

◆ **Portugal**
Embaixada do Brasil em Lisboa
Estrada das Laranjeiras 144
1649-021 Lisboa
☎+351 21 7248510
geral@embaixadadobrasil.pt

NO RIO DE JANEIRO

RioTur (☉*ver Sites Úteis acima*) é a
autoridade oficial de turismo e tem
vários quiosques de informações por
toda a cidade; neles estão disponíveis
mapas e folhetos grátis.

No Aeroporto Internacional, há
balcões abertos diariamente, das
06h00h às 24h00:

Terminal 1, Chegadas Internacionais,
☎21 3398 4077; Chegadas
Domésticas, ☎21 3398 3034.

Terminal 2, Chegadas Internacionais,
☎21 3398 2245; Chegadas
Domésticas, ☎21 3398 2246.

Na **Rodoviária Novo Rio**, o balcão de
informações funciona diariamente,
das 08h00h às 20h00;
☎21 2263 4857/3213 1800.

Em **Copacabana**, há um quiosque
de informações na Avenida Princesa
Isabel, 183; aberto de segunda a sexta-
feira, das 09h00h às 18h00; ☎21 2541
7522/2542 8004/2542 8080.

Há também um **serviço telefônico**
em português e em inglês,
Alô Rio, que funciona de segunda
a sexta-feira, das 09h00h às 18h00;
☎21 2542 8080/2542 8004/0800
285 0555.

INFORME-SE ANTES DE IR

Condições de Entrada no País

PASSAPORTE E VISTO

Na chegada, os visitantes não brasileiros preenchem um formulário de imigração; parte deste deverá ser guardada junto ao passaporte, para ser mostrada na partida.
Quem tem passaporte dos países da União Europeia não precisa de visto para entrar no Brasil como turista.
O passaporte dos visitantes deve ser válido por um mínimo de seis meses. Na chegada também podem ser pedidas ao visitante a passagem de volta e uma comprovação do dinheiro disponível para a viagem. Os visitantes podem ficar por até 90 dias, período que pode ser estendido a critério da Polícia Federal, por mais 90 dias. Não é permitido ao turista trabalhar no Brasil.

CONTROLE ALFANDEGÁRIO

Além de roupas e objetos de uso pessoal, os visitantes podem trazer somente uma unidade dos seguintes itens: rádio, CDplayer, laptop, IPod, filmadora e máquina fotográfica, assim como 2 litros de bebida alcoólica e 400 cigarros para uso pessoal, mas nenhum laticínio ou alimento.

> **Dica**
> Como em todos os aeroportos internacionais, após o 11 de setembro, há regulamentos severos de segurança a respeito do que se pode se levar na bagagem; somente 100 ml de qualquer líquido, inclusive aerosol e gel, são permitidos após o check-in.

Isenção de taxas aduaneiras

O visitante pode adquirir, nos aeroportos, tanto na entrada quanto na partida, produtos isentos de taxas, em moeda estrangeira ou em cartões de crédito.

Saúde

A saúde privada, os cuidados odontológicos e as farmácias cariocas são de alto padrão. Os serviços médicos particulares são caros; recomenda-se aos visitantes um seguro de saúde.

Vacinas

O Rio de Janeiro não está na área de risco da malária nem da febre amarela. Entretanto, para outras áreas do Brasil, como a Amazônia e o Pantanal, é obrigatória a vacinação contra a febre amarela. Ela também é obrigatória se, nos três meses anteriores à sua visita

Instalações para deficientes na Praia de Ipanema

PLANEJE SUA VIAGEM

ao Brasil, você tiver estado em áreas afetadas da África ou de outras partes da América do Sul. Para maiores detalhes, visite o site *www.MASTA.org*. No Rio há mosquitos, especialmente nos dias quentes e úmidos. A dengue é transmitida por mosquitos e tem havido surtos nos últimos anos. Não existe vacina, mas você pode se proteger com um bom repelente.
A vacina antipólio é obrigatória para crianças de três meses a cinco anos *(e deve ser comprovada com o cartão de vacinação ou uma carta do seu médico)*.

Acessibilidade

Facilidades para visitantes deficientes são escassas no Brasil e no Rio, limitadas principalmente aos aeroportos, shopping e alguns hotéis e restaurantes. Há elevadores especiais e rampas para usuários de cadeiras de rodas em algumas estações do Metrô. Visite *www.metrorio.com.br/acessibilidade.asp*.
A Coop Táxi RJ oferece um serviço de táxis especializado para pessoas com mobilidade reduzida; 21 3295 9606.

COMO CHEGAR E PASSEAR NA CIDADE

De avião

O Rio de Janeiro é servido pelas principais linhas aéreas, com voos regulares partindo dos Estados Unidos, da Europa e do resto do mundo.
Os dois principais aeroportos são: o **Aeroporto Internacional do Rio de Janeiro/Galeão – Antonio Carlos Jobim** que atende aos voos internacionais e à maioria dos domésticos, enquanto que o **Aeroporto Santos Dumont** é usado principalmente pela ponte aérea Rio–São Paulo.
Reserve pelo menos uma hora para chegar ao aeroporto internacional nas horas de pico. O check-in é minucioso e pode ser lento: reserve duas horas de check-in para os voos domésticos e três horas para os internacionais. Geralmente, a taxa de embarque de US$ 38 está incluída na passagem mas, se não estiver, deverá ser paga em dólares ou em reais, antes do check-in.

AEROPORTO INTERNACIONAL DO RIO DE JANEIRO / GALEÃO – ANTONIO CARLOS JOBIM

O principal aeroporto internacional do Rio, chamado de Galeão, fica na Ilha do Governador, na Baía da Guanabara,

 Dica

Cuidado com os táxis piratas, que procuram visitantes recém chegados; os preços que eles cobram variam muito e alguns motoristas não muito escrupulosos o conduzirão por rotas muito longas ou perigosas, aumentando a tarifa.

a uns 20 km ao norte do Centro da cidade (21 3398 4526; *www.infraero.gov.br*). Há dois terminais ligados por um corredor com esteiras rolantes; a maioria dos voos de empresas estrangeiras usa o Terminal 1, ficando o Terminal 2, mais novo, para os voos internacionais e domésticos das companhias brasileiras.
O aeroporto conta com um balcão de informações da RioTur, casas de câmbio, caixas eletrônicos, correios, um depósito de bagagens, lojas, restaurantes, hotel e cafés.

AEROPORTO SANTOS DUMONT

O aeroporto doméstico do Rio, de frente para a Baía da Guanabara e para o Pão de Açúcar, fica a 10 min a pé da estação do Metrô na Cinelândia (21 3814 7070; *www.infraero.gov.br*). A maioria dos voos são da ponte aérea

COMO CHEGAR E PASSEAR NA CIDADE

para São Paulo, de frequência diária, com diversos horários e companhias, com conexões para outros voos, domésticos e internacionais, nas cidades de destino.

TRASLADO DO AEROPORTO

Para sair do aeroporto internacional, uma boa opção é pagar uma corrida de táxi no balcão das cooperativas oficiais de táxis, no hall de Chegadas *(aceita-se a maioria dos cartões de crédito)*. Os preços variam entre R$ 58,00, do aeroporto para o bairro do Flamengo e R$ 67,00, para os hotéis em Copacabana e Ipanema.

Os táxis cooperados custam em torno de 30% a mais do que os táxis comuns, mas você pode relaxar e desfrutar da cidade sem se preocupar com custos imprevisíveis. A tarifa mínima do táxi comum é de R$ 4,30, e a corrida para Copacabana deve ficar em torno de R$ 40,00.

Há também ônibus do aeroporto internacional à Zona Sul da cidade, muito confortáveis e com ar condicionado, de hora em hora, que passam pelo Centro da cidade, pelo Aeroporto Santos Dumont e pelos principais hotéis da orla, indo até o terminal de ônibus da Barra da Tijuca, no entroncamento das Avenidas das Américas e Ayrton Senna. A passagem varia entre R$ 4,00 e R$ 7,00, segundo o trajeto.

EMPRESAS AÉREAS DOMÉSTICAS

 Gol e Varig
(nacional no terminal 1; internacional no terminal 2)
📞 0300 115 2121
www.voegol.com.br
Varig 📞 21 4003 7000
http://portal.varig.com.br

 TAM
(nacional e internacional no terminal 2)
Aeroporto Internacional
📞 0800 570 5700
www.tam.com.br

PRINCIPAIS EMPRESAS AÉREAS

Essas empresas atuam no Terminal 1

 Air France
Aeroporto Internacional
📞 21 3398 4526
www.airfrance.com

 American Airlines
Av. Pres. Wilson 165
Centro
📞 21 3398 3259
www.aa.com

 Iberia
Aeroporto Internacional
📞 21 3398 3168
www.iberia.com

 United Airlines
Praça Floriano 55
Centro
📞 21 2217 1950
www.united.com

 TAM
Aeroporto Internacional
(atendimento pessoal)
📞 21 4002 5700 (informações)
www.tam.com.br

 TAP Air Portugal
Aeroporto Internacional
📞 0300 210 6060 (informações)
www.flytap.com

De Navio

CRUZEIROS INTERNACIONAIS

Os cruzeiros Princess e Crystal incluem o Rio em itinerários longos, visitando outros destinos na América do Sul, com partidas de Nova Iorque ou Miami. Muitos navios e transatlânticos chegam ao Rio para a Festa de Ano Novo e para o Carnaval.

LINHAS DE CRUZEIROS

 Princess
Richmond House Terminus Terrace
Southampton SO14 3PN, UK
📞 +44 845 3555 800

PLANEJE SUA VIAGEM

Crystal Cruises
2049 Century Park East, Suite 1400
Los Angeles CA 90067, USA
(ligação gratuita) +1 888 722
0021/ +1 866 446 6625

PORTO

Os navios de cruzeiros atracam no
terminal Pier Mauá, na Praça Mauá, de
onde os passageiros embarcam em
ônibus e táxis especiais para os
passeios. Tome um táxi à noite, já que
o entorno da Praça Mauá pode ser
perigoso, sobretudo depois que
escurece. 21 2516 2618.

BARCAS

Uma excursão pitoresca é atravessar
a Baía da Guanabara, em direção a
Niterói, à Ilha de Paquetá ou à Ilha do
Governador, de barca, de catamarã ou
de aerobarco. Eles partem da Estação
das Barcas, na Praça XV, no Centro
do Rio.

Niterói — a cada 10–30 min,
diariamente, 06h00–23h30; R$ 2,50
somente ida; a travessia leva 20 min.

Para a Ilha de Paquetá — nove
partidas diárias, 06h00–23h30; Seg–
Sex R$ 4,50 somente ida; Sáb–Dom
R$ 17,00 ida e volta; a travessia leva
70 min.

Para Cocotá, Ilha do Governador —
10 partidas somente Seg–Sex, 08h10–
19h50 (e às 21h00 nas Sex); R$ 3,40
somente ida; a travessia leva 55 min.

Para Charitas, Niterói —
de catamarã: Seg–Sex, a cada 15 min,
06h50–21h00; R$ 7,00, 07h00–16h29,
e R$ 8,00 a partir das 16h30 somente
ida; a travessia leva 20 min.

A Companhia Barcas S.A. opera
também as barcas para a Ilha Grande
(ver p.203) saindo de Mangaratiba e
de Angra dos Reis, na *Costa Verde*.

Barcas S.A.
0800 7044113
www.barcas-sa.com.br

De Trem

Os trens são usados somente pela
população de baixa renda e servem os
subúrbios e a Baixada Fluminense.
Os trens não são úteis para a maioria
dos destinos turísticos.

De Metrô

Ver também Mapa do Metrô p.22.
O serviço de Metrô do Rio, moderno e
com ar refrigerado, é pequeno porém
eficiente, limpo e confortável. É a
maneira mais rápida de se ir do Centro
aos principais bairros da Zona Sul.
*(20 min até Copacabana; ainda não há
estações em Ipanema ou Leblon — elas
estarão prontas em breve).*

Há duas linhas: a **Linha 1** vai da
estação Cantagalo, em Copacabana, à
Praça Saens Peña, na Tijuca; a **Linha 2**
liga o bairro do Estácio ao subúrbio
da Pavuna. A interseção entre as duas
linhas é na estação Estácio, por onde a
Linha 1 passa. Um serviço Metrô/ôni-
bus liga as estações do Metrô a outras
áreas da cidade. O Metrô funciona
de segunda a sábado, das 05h00 às
24h00. Nos domingos e feriados, ele
circula das 07h00 às 23h00. O serviço é
estendido pela noite toda no *Reveillon*
e no Carnaval.

Metrô Rio
0800 595 1111
www.metrorio.com.br

*Uma viagem de Metrô custa R$ 2,30.
Há o bilhete múltiplo mas o preço da
viagem é o mesmo.*

De Ônibus

Os ônibus urbanos locais são baratos,
em grande número e existem linhas
que servem diversas áreas da cidade.
Os ônibus têm paradas ao longo das
principais ruas e os números da linhas
estão indicados em placas, fixadas
nos postes. A entrada é pela porta da
frente e a saída pela traseira. Leve o
dinheiro exato, já que terá que passar

COMO CHEGAR E PASSEAR NA CIDADE

pela roleta ao entrar.
Os ônibus são considerados bastante seguros durante o dia, mas tenha cuidado com batedores de carteiras durante o horário de pico (evite viajar perto da saída). É melhor tomar um táxi à noite se estiver levando bagagem ou valores.

Rio Ônibus
(ligação gratuita) 0800 5952000
http://www.rio.rj.gov.br/smtr

Uma viagem custa de R$ 2,00 a R$ 3,50.

ÔNIBUS INTERMUNICIPAIS

O terminal de ônibus intermunicipais é a Rodoviária Novo Rio, Av. Francisco Bicalho 1, Santo Cristo, na zona portuária, (021/3213 1800; www.novorio.com.br). Os ônibus vão a todos os pontos do estado, como Petrópolis, Paraty e Búzios. Por questões de segurança, é aconselhável tomar um táxi para chegar ou sair da rodoviária. Há vales pré-pagos para os táxis, em um balcão próximo ao ponto de táxis. Existem também frescões (ônibus com ar condicionado) que vão da Rodoviária à Zona Sul e à Barra da Tijuca, cuja passagem custa R$ 6,50. Um táxi comum custa cerca de R$ 21,00.

De Carro

Dirigir no Rio de Janeiro não é recomendado aos não iniciados. Os brasileiros, de uma forma geral, dirigem perigosamente rápido. O trânsito pode ficar, rapidamente, muito congestionado; somente o taxista astuto encontra o caminho para sair dos engarrafamentos. Não se recomenda dirigir à noite fora da cidade, a menos que seja numa rodovia pedagiada. Estas estão se tornando cada vez mais comuns mas podem ser caras pois o pedágio pode ser pago mais de uma vez, como para São Paulo. O pedágio entre Rio e Petrópolis é de R$ 7,20. Fique atento nas rodovias intermunicipais: o tráfego é rápido e geralmente o espaço é dividido com caminhões pesados e ônibus que

Estação de metrô Cantagalo

andam em alta velocidade.
Os motoristas freiam de repente para evitar serem fotografados pelas câmeras nos radares de velocidade ("pardais"), bem como antes de passar sobre os quebra-molas, que nem sempre são bem sinalizados.

Dirigir no Rio

ALUGUEL DE CARRO

Há várias agências de aluguel de carros. A idade mínima para alugar um carro é 25 anos e você vai precisar de um cartão de crédito e de uma habilitação definitiva (de preferência a internacional, embora a habilitação estrangeira seja aceita pela maioria das agências). A polícia aceita a habilitação estrangeira, desde que você esteja no país como turista (esteja pronto para prová-lo com seu passaporte) (ver p.17).

Avis
Avenida Princesa Isabel 350
Copacabana 22011-010
21 2543 8481
www.avis.com

Europcar
Avenida Princesa Isabel 245
Copacabana
21 2275 0460
www.europcar.com

PLANEJE SUA VIAGEM

Horário de funcionamento / Subway schedule
Segunda a sábado: 5h a meia-noite / Monday to Saturday: 5AM to midnight
Domingos e feriados: 7h às 23h / Sundays and Holidays: 7AM to 11 PM

Tempo de viagem / Travel Time (aproximado):
Siqueira Campos - Cinelândia: 14'56   Estácio - Maracanã: 4'18"
Siqueira Campos - Saens Peña: 28'28"   Estácio - Pavuna: 32'27"

0800 595 1111
WWW.METRORIO.COM.BR

Localiza
Avenida das Américas 679,
– Loja C Barra da Tijuca
21 2494 5762/2493 4477
www.localiza.com.br

GASOLINA OU ÁLCOOL

Os carros mais antigos usam só álcool ou só gasolina, enquanto os mais novos usam ambos (flex). No momento em que escrevemos, um litro de gasolina custa mais ou menos R$ 2,80, e o álcool, 65% desse valor.

Qualquer posto vende gasolina, porém fora das principais cidades, pode não haver álcool.

SEGURO

O seguro é obrigatório. Então, certifique-se de que seja incluído no valor do aluguel. Antes de dirigir, faça uma inspeção rigorosa no carro, à procura de danos ou você poderá ser responsabilizado por eles quando devolver o veículo.

22

COMO CHEGAR E PASSEAR NA CIDADE

CÓDIGO DE TRÂNSITO

O limite de velocidade dentro da cidade é variável e está indicado em placas, sobretudo nas vias expressas. Uma mesma via pode ter mais de um limite de velocidade. Nas rodovias, o limite varia entre 80 km/h e 110 km/h. É proibido dirigir alcoolizado; recentemente, foi aprovada a lei de tolerância zero – a Lei Seca – e o limite permitido é de 0,2 grama de álcool por litro de sangue, o que significa que uma cerveja ou uma taça de vinho o levará além do limite. Tenha sempre com você seu passaporte e sua habilitação.

ESTACIONAR

Pode ser um problema achar uma vaga segura (não deixe objetos de valor visíveis); vale a pena pagar um pouco mais por um hotel com garagem ou por um estacionamento rotativo.

NO CASO DE ACIDENTES

Em uma emergência, disque **190,** para a Polícia, ou **193**, para os Bombeiros. Se você alugar um carro, certifique-se de que a locadora lhe forneça uma lista com os números de telefone a chamar em caso de acidentes leves.

De Táxi

Os táxis comuns são amarelos com uma faixa azul; geralmente, o taxímetro fica junto ao para-brisa. A tarifa mínima *(no final de 2008)* era de R$ 4,30. A bandeira 1 é usada de Seg–Sáb, das 06h00–21h00; a bandeira 2, um pouco mais cara, é usada aos domingos e feriados e nos demais dias da semana, entre 21h00 e 06h00. No Natal, a bandeira 2 pode ser usada durante o dia todo. Você pode chamar táxis pelo telefone que cobram preços fixos. O táxi especial do hotel, tem um preço fixo mais alto, mas é mais confiável. Há cooperativas de táxi, chamadas por telefone, que oferecem um bom serviço e seu preço é semelhante aos dos táxis comuns;

> ☺ **Dica** ☺
>
> Existem pontos de paradas ao longo das principais rodovias brasileiras, onde os ônibus interestaduais permanecem por alguns minutos para que os passageiros façam pequenas compras. Essas paradas oferecem lanchonetes, lojas e banheiros.

outras têm táxis especiais e oferecem um serviço superior, por um preço fixo mais alto.

Coop Táxi RJ

(Serviço especial 24 horas para pessoas com mobilidade reduzida e também corridas com intérpretes)
☏ 21 3295 9606
http://especialcooptaxirj@ig.com.br

- ◆ **Coopatur Radiotaxi**
  ☏ 21 3885 1000/2573 1009

- ◆ **Cootramo**
  ☏ 21 3976 9944/3976 9945

- ◆ **RoyalCoop**
  ☏ 21 2548 5897

- ◆ **Transcoopass**
  ☏ 21 2590 6891

- ◆ **Transcootour**
  ☏ 21 2590 2300

De Bicicleta

Há várias pistas para bicicletas (ciclovias), bem como empresas de aluguel, próximas às praias. Não se recomenda andar de bicicleta nas principais ruas e avenidas em meio ao trânsito. Para um passeio, a Lagoa Rodrigo de Freitas tem uma pista de cooper e de bicicletas por toda a sua volta; há também ciclovias à beira mar em Copacabana, Ipanema, Leblon, Barra da Tijuca e Recreio dos Bandeirantes. O Parque do Flamengo também possui pistas para bicicletas. Aos domingos, as avenidas da orla e as pistas do Parque do Flamengo, em direção ao Centro, ficam fechadas para os veículos e se tornam áreas de lazer.

PLANEJE SUA VIAGEM

Ciclovia na Praia de Copacabana

Essas áreas, mesmo assim, não são destinadas à bicicletas, cabendo aos ciclistas usarem as ciclovias. Porém existem bicicletas para mais de uma pessoa que devem circular somente nas áreas de lazer, pois ocupam muito espaço.

Empresas especializadas organizam excursões de bicicletas por trilhas nas montanhas (*ver Diversões ao ar livre p.31*).

ALUGUEL DE BICICLETAS

As tarifas de aluguel variam muito, bem como a qualidade das bicicletas; de R$ 10,00–R$ 100,00 por dia; R$ 30,00–R$ 160,00 por semana.

Bike & Lazer
www.bikeelazer.com.br

Ipanema — Rua Visconde de Pirajá 135 – Loja B 21 2267 7778
Laranjeiras — Rua das Laranjeiras 58 – Loja A 21 2285 7941

Special Bike
www.specialbikebotafogo.com.br

Botafogo — Rua São João Batista 28-A 21 2539 3980
Copacabana — Rua Barata Ribeiro 458-D 21 2547 9551,
Ipanema — Rua Teixeira de Melo 53 – Lojas J/K 21 2513 3951
Jardim Botânico — Rua Jardim Botânico 719 – Loja 2 21 2239 9700

Projeto Pedala Rio
Existem diversas estações de aluguel de bicicleta. As estações têm capacidade para abrigar de 10 a 14 bicicletas e funcionam das 06h00 às 22h00. Para utilizar o sistema, o ciclista deve se cadastrar pela Internet e pagar uma taxa de R$ 10,00 por um passe diário; R$ 30,00 pelo semanal; e R$ 350,00 pelo anual. Haverá um bloqueio caução de outros R$ 350,00 no cartão de crédito ou depósito bancário identificado, devolvidos quando a bicicleta for entregue nas mesmas condições da aquisição.
www.Mobilicidade.com.br.

O QUE VER E FAZER

Atrações Turísticas

Se seu tempo for curto, temos sugestões de itinerários na seção O que Visitar no Rio (ver p.14).
A seguir, apresentamos uma seleção mais ampla de atividades e lugares para visitar.

HORÁRIOS DE FUNCIONAMENTO

As atrações principais, como o **Pão de Açúcar**★★★ (ver p.152) e o **Corcovado**★★★ (ver p.134), estão abertas diariamente, porém a maioria das galerias e museus está fechada às segundas-feiras. A **Catedral Metropolitana**★★ (ver p.113) e as principais igrejas estão abertas diariamente, apesar de nem todas abrirem nos mesmos horários. Evite circular em uma igreja durante uma missa ou, caso o faça, seja o mais discreto e silencioso possível.

PRAIAS

As belas praias do Rio são os principais espaços de lazer da cidade: **Copacabana**★★★ (ver p.159) e **Ipanema**★★★ (ver p.162) são nomes conhecidos mundialmente. Todas as manhãs, na alta temporada, as areias são niveladas por tratores, preparando a praia para receber um grande número de banhistas. A praia é o lugar onde os cariocas se reúnem sem distinção social. Os homens vestem apenas uma camiseta, com bermudas ou sungas, e, as mulheres, biquíni e canga. E o calçado obrigatório: sandálias.
Cada praia ou trecho de praia possui seu próprio perfil, atraindo públicos diferentes: Copacabana é o melhor lugar para o futebol de praia principalmente entre os Postos 4 e 5). Ipanema continua sendo a praia com as últimas tendências do Rio, além de ser o melhor lugar para vôlei de praia e futevôlei. **São Conrado**

Dica

Apesar de ser comum o uso do biquíni, bastante sumário, nas praias do Rio, a prática de topless ou de nudismo em público não é socialmente aceitável. A única praia naturista para homens e mulheres é a Praia do Abricó, escondida no final da Praia de Grumari, na Zona Oeste do Rio.

Y. Kanazawa/Michelin

(ver p.181) é a área de pouso para as asas delta. As praias mais afastadas: **Barra da Tijuca**★★, **Recreio dos Bandeirantes**★, **Prainha**★★ e **Grumari**★ (ver Praias da Zona Oeste) são as melhores para os surfistas e outras atividades como wind surf e kitesurf.
Ao longo das calçadas das principais praias você encontrará pessoas fazendo jogging, andando de bicicleta e cuidando do corpo. Para famílias com filhos pequenos, há áreas destinadas a crianças como o chamado Baixo Bebê, localizado no final da praia do **Leblon**★★ (ver p.166) As praias mais próximas do centro da cidade, como **Botafogo** e **Flamengo**, são frequentadas pelos moradores dos bairros, porém, infelizmente, a água é muito poluída e não é aconselhada para o banho.
Para ir à praia, tudo que você precisa é uma toalha ou canga, o protetor solar e um chapéu ou boné. Deixe os artigos

PLANEJE SUA VIAGEM

de valor no cofre do hotel e nem se preocupe em levar um livro: é muito mais divertido observar as pessoas. Há vários lugares na orla onde é possível comprar água de coco gelada. Há vendedores que andam pela praia oferecendo sorvetes, cachorros-quentes e outros salgados. É possível alugar cadeiras de praia e guarda-sóis por uma média de R$ 4 por dia.
Como a cidade está localizada na costa sul do Atlântico, a água do mar não é muito quente e as ondas podem ser fortes; portanto tome cuidado com a correnteza. Os postos salva-vidas estão localizados ao longo da praia, começando com o Posto 1, no **Leme** (ver p.158), até o Posto 12, no final do **Leblon**. Eles têm salva-vidas de serviço durante o dia e chuveiros.
Aos domingos, uma das pistas em frente à orla é interditada desde o Aterro do Flamengo até o Leblon, dando mais espaço para as famílias, ciclistas, esquetistas e corredores.

MUSEUS E GALERIAS

Com sua rica história cultural e artística, por ter sido capital do Brasil, o Rio possui excelentes museus e galerias. É possível visitar desde instituições importantes, como o Museu de Arte Moderna, até museus menores como a Casa do Pontal, que possui uma magnífica coleção de arte popular. Muitos deles estão localizados em belos prédios, tanto modernos como coloniais, em locais especialmente interessantes.

Principais Coleções
Museu de Arte Moderna (MAM)★★★

Situado em um prédio projetado por Afonso Eduardo Reidy, esta coleção impressionante possui mais de 11 mil trabalhos de arte moderna dos principais artistas brasileiros e internacionais. O museu realiza também exposições especiais de design e fotografia e encontra-se em uma área com projeto paisagístico de Roberto Burle Marx.

Museu Nacional de Belas Artes★

A maior coleção de arte brasileira do país, com 20 mil peças do séc. XVII ao séc. XX. O museu também conta com obras de arte de outros países.

Museu Histórico Nacional★

Um dos maiores museus do Rio, contém um impressionante retrato da história do Brasil, desde o período pré-colombiano até os tempos modernos. O museu está localizado em um belo conjunto de arquitetura Neo-colonial.

Museu Internacional de Arte Naïf (MIAN)

Uma das melhores coleções do mundo de arte naïf, com mais de 8 mil peças do Brasil e de outros países. O acervo foi reunido há 40 anos pelo designer de joias francês Lucien Finkelstein e está instalado em um antigo casarão, perto da estação do trenzinho do Corcovado.

Museu da República★★

Este museu histórico, situado no belíssimo Palácio do Catete, é o local onde o presidente Getúlio Vargas cometeu suicídio em 1954. Possui uma bela coleção de objetos e obras de arte, assim como um cinema, café e livraria.

Museu de Arte Moderna

O QUE VER E FAZER

Parque Nacional da Tijuca

Museus Especializados
Museu da Casa do Pontal★★
Esse altamente reputado museu de arte popular possui em seu acervo uma grande coleção de 8 mil peças, incluindo objetos de cerâmica e madeira e pinturas que representam a vida brasileira desde a década de 1950 até os dias atuais. Ele está situado em uma área ambientalmente protegida.

Museu da Chácara do Céu★★
Uma pequena, porém excelente, coleção de arte moderna, móveis e objetos, exibidos em uma ampla mansão no topo do bairro de Santa Teresa. Sua posição privilegiada proporciona linda vista da cidade e dos arredores.

Museu do Índio★
Este museu, apoiado pela FUNAI (Fundação Nacional do Índio), é dedicado aos povos indígenas do Brasil e possui em seu acervo uma coleção impressionante de objetos, documentação e fotografias de mais de 270 grupos existentes no país. No museu também são realizadas exposições especiais, seminários e workshops.

Museu Villa-Lobos
O Museu está instalado em um casarão antigo e é dedicado ao maior compositor da América Latina, que produziu mais de mil obras durante a primeira metade do século XX, inclusive sua obra mais conhecida: as *Bachianas Brasileiras*. O museu contém um enorme arquivo musical, itens pessoais, inclusive seu piano, fotografias e obras de arte.

PARQUES E JARDINS

Se estiver fazendo muito calor nas praias, o Rio de Janeiro possui espaços verdes onde você pode se refugiar à sombra de grandes árvores: são desde pequenos gramados bem cuidados em algumas praças até espaços maiores de floresta tropical, nas encostas das montanhas e parques.

Jardim Botânico★★★
O elegante e tranquilo Jardim Botânico foi criado no século XIX para proteger espécies importadas e possui como atração principal a imponente Aleia Barbosa Rodrigues, também conhecida como Aleia das Palmeiras. Hoje em dia, o lago de vitórias-régias gigantes, as fontes, as orquídeas e o jardim dos beija-flores fazem com que essa seja uma das atrações mais importantes do Rio. O jardim é reconhecido pela UNESCO como área de Reserva da Biosfera.

Jardim Zoológico
O Zoológico do Rio possui um conjunto de 2 mil animais, incluindo espécies nativas e estrangeiras. É um local popular principalmente para famílias com crianças e oferece um

PLANEJE SUA VIAGEM

programa de adoção de animais em risco de extinção, como o Mico Leão Dourado.

Parque Nacional da Tijuca★★★
Este enorme parque nacional é o pulmão da cidade. Ele se estende por diversos bairros e abrange a maioria das atrações principais da cidade, como o Corcovado. Centenas de trilhas cruzam as florestas do parque e nele se localizam o Pico da Tijuca e a Pedra da Gávea, oferecendo algumas das melhores e mais completas vistas da cidade.

Sítio Roberto Burle Marx★★★
Este enorme sítio abriga milhares de plantas brasileiras e de outros países. A área que, antigamente, era uma plantação de bananas possui uma capela do século XVII, um antigo entreposto de café reformado e obras de arte exibidas no estúdio original do famoso artista plástico.

Parque do Flamengo★
Os gramados bem cuidados e o espaço aberto verde deste parque são conhecidos como Aterro, porque este esplêndido logradouro projetado por Burle Marx foi anexado do mar. É aqui que se encontra o Museu de Arte Moderna. Este parque é um local excelente para as famílias se divertirem e praticarem esportes, sobretudo nos fins de semana.

Igreja de Nossa Senhora da Glória do Outeiro

Parque Ecológico Chico Mendes
Este santuário de vida selvagem recebeu o nome do ecologista que foi assassinado em 1988 devido ao seu ativismo ambiental. Passeios com guia levam os visitantes pela área de 90 ha, onde muitos pássaros e répteis podem ser observados. Nesse parque há também uma torre de observação de pássaros e um playground para crianças.

IGREJAS E MOSTEIROS

O Rio de Janeiro possui lindas igrejas e mosteiros históricos. A maioria está localizada nas proximidades do Centro, Lapa e Santa Teresa.

Igreja da Candelária★
A exuberante Igreja da Candelária foi construída com mármore de Verona e projetada com base na Basílica de Lisboa. Construída em 1775, a imponente igreja, com sua monumental cúpula, foi restaurada em 1898.

Igreja de Nossa Senhora da Glória do Outeiro★★
Esta linda joia barroca do século XVIII está localizada no topo de uma colina, com vista panorâmica para a Baía de Guanabara. Seu interior possui altar em madeira finamente esculpida e uma barra de azulejos azuis e brancos com cenas da Bíblia.

Igreja e Mosteiro de São Bento★★★
Fundado em 1590, este é o mosteiro/igreja mais antigo da cidade e também é considerado um dos mais belos do Brasil. O destaque do seu interior é a sua decoração dourada e a capela do Santíssimo Sacramento, uma maravilha do estilo rococó.

Catedral Metropolitana de São Sebastião★★
Esta impressionante igreja moderna, projetada (1976–84) por Edgar de Oliveira da Fonseca, em forma de uma pirâmide cônica, destaca-se orgulhosa entre os prédios e os Arcos da Lapa. No seu interior podem ser apreciados imensos vitrais.

O QUE VER E FAZER

Igreja e Convento de Santo Antônio★ e Igreja de São Francisco da Penitência★★

A igreja e o mosteiro de Santo Antônio é o segundo convento mais antigo do Rio, datado de 1726. Um de seus ícones religiosos mais importantes é a estátua de Santo Antônio, que atrai os devotos cariocas em busca de casamento. A fantástica Igreja de São Francisco da Penitência, uma das obras primas do Barroco, está ao lado da anterior. Ambas têm acesso pela mesma entrada, próxima à estação do metrô do Largo da Carioca.

VISTAS PANORÂMICAS

Com sua topografia complexa formada por baías, montanhas e morros cobertos de florestas, o Rio é um paraíso para os fotógrafos. Há diversos *mirantes* que proporcionam maravilhosos panoramas da cidade e de seus arredores.

O **Pão de Açúcar★★★** (ⓒ*ver p.152*) e o **Corcovado★★★** (ⓒ*ver p.134*), proporcionam maravilhosas vistas panorâmicas da cidade. É mais recomendável visitar o **Corcovado★★★** durante a manhã, antes de a névoa aparecer e, se for de carro, pare no caminho para aproveitar a vista do **Mirante Dona Marta★★★** (ⓒ*ver p.140*), a 340 m acima do nível do mar. O Pão de Açúcar oferece uma vista linda das praias no pôr do sol.
Niterói★★ (ⓒ*ver p.192*) — de barco ou de suas praias — também oferece vistas excelentes da Baía de Guanabara e do Pão de Açúcar.

Há também diversos mirantes no caminho do **Parque Nacional da Tijuca★★★** (ⓒ*ver p.139*). A Pedra da Gávea, um dos mais altos picos do parque, oferece uma vista panorâmica da cidade, mas para chegar ao seu topo é necessário o serviço especializado de um guia.

Do **Centro Cultural Parque das Ruínas★** (ⓒ*ver p.129*) e de outros locais de **Santa Teresa★★** (ⓒ*ver p.128*), há

uma bela vista da paisagem moderna do Centro da cidade, assim como do Pão de Açúcar e do Corcovado. No **Parque da Catacumba** (ⓒ*ver p.171*), na Lagoa Rodrigo de Freitas, há um caminho até um mirante, de onde é possível desfrutar uma fantástica **vista★★** de Ipanema e Leblon, tendo ao fundo a Floresta da Tijuca e o mar.

ARTE E CULTURA

Especialistas locais organizam caminhadas e excursões guiadas pela cidade, abrangendo diversos temas como filme, teatro, artes, fotografia, moda, história e arquitetura.

- ◆ **Acadetur** ✆ 21 3113 1920
- ◆ **Iko Poran Community Tour** www.ikoporan.org ✆ 21 3852 2916
- ◆ **Lisa Rio Tours** www.lisariotours.com ✆ 21 2237 4615/9894 6867
- ◆ **Novos Rumos** ✆ 21 2247 7662
- ◆ **Roteiros Culturais** www.culturalrio.com.br ✆ 21 9911 3829
- ◆ **Solar de Santa Turismo** www.solardesanta.com ✆ 21 2221 2117

CULINÁRIA

Combinando com a diversidade cultural dos habitantes do Rio, a cidade oferece uma gama maravilhosa e variada de pratos provenientes de todas as regiões do país, desde a tradicional *feijoada* até receitas nordestinas ou de influência africana, utilizando frutos-do-mar.
Também são oferecidos menus para crianças. Além disso há cursos particulares de arte culinária, a maioria com duração de duas horas, quando você pode degustar sua própria criação gastronômica.
A partir de R$ 108 por pessoa, incluindo os ingredientes, esses cursos são interessantes, para os gourmets.

- ◆ **Cook Rio** www.cookrio.com

PLANEJE SUA VIAGEM

- **Curumim Eco Cultural Tours**
  www.curumim.tur.br
  ✆ 21 2217 7199 / 9999 4157

PASSEIOS TEMÁTICOS

Favelas

Há mais de 600 favelas no Rio e elas são a moradia de mais de 1 milhão de cariocas, o equivalente a 20% da população total da cidade. Apesar da imagem negativa das favelas, a maioria de seus habitantes são trabalhadores e levam suas vidas de forma tranquila e em condições difíceis. Os tours organizados oferecem uma oportunidade de vivenciar as favelas de perto. Algumas incluem interação com os moradores, em workshops na comunidade e em escolas, shows de funk e aulas de capoeira. Esta visita é interessante, porém certifique-se de realizá-la com uma empresa reconhecida e cadastrada.

- **Favela Tours**
  www.favelatour.com.br
  ✆ 21 3322 2727
- **Mangueira**
  www.mangueira.com.br
  ✆ 21 3872 6786 / 3872 6787
- **Pousada Favelinha**
  www.favelinha.com
- **2 Bros Foundation**
  www.faveladodarocinha.com.br

Música

O Carnaval oficial dura somente cinco dias por ano, mas felizmente é possível vivenciar a atmosfera exuberante desta festa desde o mês de julho. As 14 Escolas de Samba da cidade realizam ensaios semanais para o grande evento. Estes eventos são abertos ao público, muito divertidos e sempre contam com a presença de muitas pessoas. Algumas das Escolas de Samba estão localizadas dentro ou próximo às favelas; então, para participar destes eventos, é aconselhável um tour organizado. Existem outros tours específicos que levam os visitantes a eventos mais alternativos, como bailes funk na favela.

- **Baile Funk Tour**
  www.bealocal.com
  ✆ 21 9643 0366
- **Henrique Joriam**
  www.agenteseveporai.com.br
  ✆ 21 2205 6048
- **Rio Carnival**
  www.rio-carnival.net

Uma das atrações mais recentes para os visitantes do Rio é a Cidade do Samba (ⓒ ver p.106). Inaugurada em 2005, é um conjunto de prédios construído especialmente para ser a nova casa cultural do Carnaval e encontra-se na área portuária, em revitalização. Cada Escola de Samba possui seu próprio atelier, onde é possível observar os carros alegóricos sendo construídos e as fantasias em exposição. Shows semanais são realizados durante a preparação para o Carnaval.

Futebol

Tours no estádio e jogos no Maracanã levam os fãs ao coração de um dos maiores estádios do mundo (ⓒ ver p.121): dentro dos vestiários, chuveiros e na área interna para aquecimento. Além disso, é possível visitar o museu, a loja e a calçada da fama, com as marcas dos maiores craques do futebol brasileiro, como Garrincha, Pelé, Zico e Roberto Dinamite.

As partidas geralmente acontecem no final da tarde. As agências de turismo pegam os grupos nos hotéis e os levam em ônibus com ar-condicionado até o estádio.

- **Be a Local**
  www.bealocal.com
  ✆ 21 9643 0366
- **Henrique Joriam**
  www.agenteseveporai.com.br
  ✆ 21 2205 6048
- **Lisa Rio Tours**
  www.lisariotours.com
  ✆ 21 2237 4615 / 9894 6867
- **Complexo Esportivo do Maracanã**
  www.suderj.rj.gov.br
  ✆ 21 2334 1705
- **Rio Sports Tour**
  www.riosportstour.com

O QUE VER E FAZER

Passeios de Táxi

Agências de turismo e guias turísticos licenciados oferecem tours de táxi pela cidade. Apesar de o custo ser mais alto do que o de outras formas de transporte, este serviço oferece maior flexibilidade e conforto. Além disso, os guias locais falam os principais idiomas e conhecem os lugares como a palma da mão. Contate a RioTur para obter a lista das agências recomendadas (*21 2271 7000; www.riodejaneiro-turismo.com.br*).

Passeios de Barco

As baías e ilhas do Rio podem ser apreciadas em excursões de barco, como o passeio de barca à Ilha de Paquetá e a Niterói, e até pequenos cruzeiros que visitam os principais pontos da Baía de Guanabara, a bordo do rebocador *Laurindo Pitta,* construído na Grã-Bretanha durante a Primeira Guerra Mundial. Se desejar ir um pouco mais longe, iates e lanchas maiores podem ser fretados para visitar a Costa Verde, até Angra dos Reis e Paraty, ou a Costa do Sol, até Arraial do Cabo, Cabo Frio e Búzios. Também é possível visitar navios e bases navais brasileiras.

- **Espaço Cultural da Marinha**
  21 2104 6992
- **Fantasia Turismo**
  www.fantasiatur.com.br
  21 2548 6172
- **Marlin Yacht Charters**
  www.marlinyacht.com.br
  21 2225 7434/9986 9678
- **Pink Fleet**
  www.pinkfleet.com.br
  21 2555 4063
- **Barcas S/A, Estação Praça XV**
  0800 704 4113
- **Saveiros Tour**
  www.savelros.com.br
  21 2225 6064/9448 7558
- **Tropical Cruises Brasil**
  www.tropicalcruises.com.br
  21 99636172/2487 1687

Passeios de Helicóptero

Várias empresas oferecem passeios aéreos. Desde voos com duração de 6 a 7 minutos, passando pelas principais atrações da cidade, por R$ 150 por pessoa, até voos com duração de uma hora, por R$ 875 por pessoa, cobrindo toda a cidade, até a Barra da Tijuca e Niterói.

- **Helisight**
  www.helisight.com.br
  21 2511 2141/2542 7895
- **Heli-Rio**
  www.helirio.com.br
  21 2437 9064/7065

Diversão ao Ar Livre

ESPORTES DE AVENTURA

Asa delta, parapente, mergulho, montanhismo e rapel são algumas das atividades oferecidas pela magnífica natureza do Rio. Agências especializadas registradas junto às organizações profissionais são essenciais para a realização dessas atividades.

Asa Delta e Parapente - Vôo duplo de instrução

A asa delta e o parapente são muito populares no Rio, com ventos excelentes, correntes de ar quente sobre os morros e florestas, e uma aterrissagem macia nas areias da praia do Pepino, em São Conrado. O vôo duplo de instrução é uma aula básica, que dá a noção do que é o esporte e você decide se quer seguir adiante. A rampa de decolagem fica na Pedra Bonita, que faz parte da Floresta da Tijuca *(até R$ 240 por vôo)*. As duas atividades também estão disponíveis no Parque da Cidade de Niterói *(os vôos podem ser mais baratos em Niterói)*.

- **Fly Tour**
  www.flytourbrasil.com
  21 7814-4102
- **Associação Brasileira de Voo Livre**
  www.abvl.com.br/
- **Just Fly**
  www.justfly.com
  21 9985 7540/9798 1804
- **Luciano Miranda** (Niterói)
  21 9761 6113

PLANEJE SUA VIAGEM

- **Superfly**
  www.riosuperfly.com.br
  📞 21 322 2286

Para sky-diving há cursos no Aeroporto de Jacarepaguá, na Barra da Tijuca; contate Barra Jumping 📞 *21 2258 0700/8112 4320; www.barrajumping.com.br;* e Rio Turismo Radical, 📞 *21 8133 7787; www.rioturismoradical.com.br.*

Mergulho e Pesca

Os melhores lugares para mergulho, com águas mais claras, mais corais e vida selvagem, estão na Costa do Sol, na região de Arraial do Cabo e de Cabo Frio e, também, na Costa Verde, em Angra dos Reis e na Ilha Grande, assim como na própria cidade do Rio, nas Ilhas Cagarras, onde há naufrágios.

- **Brazil Divers**
  📞 21 3717 5065/7843 3840
  www.brazildivers.com.br
- **Tridente**
  📞 21 7834 0804/2645 1705
  www.tridente.tur.br
- **Dive Point**
  www.divepoint.com.br
  📞 21 2239 5105/8816 5267
- **Traineira**
  www.traineira.com.br
  📞 21 7845 6033

CAMINHADAS

Da aleia de palmeiras imperiais no Jardim Botânico (ⓘ *ver p.175*), até as cachoeiras e a floresta tropical do Parque Nacional da Tijuca (ⓘ *ver p.139*), o Rio de Janeiro é uma das cidades mais verdes do mundo. Agências especializadas, com guias qualificados em biologia e fotografia, realizam passeios ao ar livre, que vão desde caminhadas fáceis de duas horas de duração até os mais desafiantes que duram o dia todo.

- **Curumim Eco Cultural Tours**
  www.curumim.tur.br
  📞 21 2217 7199/9999 4157
- **Florestaventura**
  www.florestaventura.com
  📞 21 2556 9462/9256 9361
- **Indiana Jungle Tours**
  www.indianajungle.com.br
  📞 21 2484 2279/9298 3071
- **Rio Hiking**
  www.riohiking.com.br
  📞 21 2552 9204/9721 0594
- **Trilhas do Rio**
  www.trilhasdorio.com.br
  📞 21 2424 5455
- **Trilharte**
  www.trilharte.com.br
  📞 21 2225 2426/2205 0654

CICLISMO E MOUNTAIN BIKING

Os tours ciclísticos guiam os grupos pelas ciclovias na orla, de Copacabana ao Leblon ou na Barra da Tijuca e no Recreio dos Bandeirantes, em torno da Lagoa Rodrigo de Freitas e no Aterro do Flamengo. Se desejar algo mais desafiante, ciclistas profissionais treinam no Leblon e na Lagoa e também é possível encontrar excursões de mountain bike e de ciclismo de rua.

- **Pack Tours**
  www.packtours.com.br
  📞 21 5053 9810/3807 2146
- **Trilhas do Rio**
  www.trilhasdorio.com.br
  📞 21 2424 5455

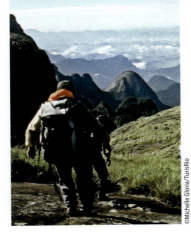

Montanhismo no Parque Nacional da Serra dos Órgãos

©Michelle Gloria/TurisRio

O QUE VER E FAZER

GOLFE

Há três clubes de golfe na cidade, todos nas Zonas Sul e Oeste: **Gávea Golf Club** (☎21 3322 4141), em São Conrado, **Golden Green Golf Club** (☎21 2434 0696) e **Itanhangá Golf Club** (☎21 2494 2507), na Barra da Tijuca.

Pergunte no hotel se existe alguma parceria para os hóspedes utilizarem estes clubes. O Itanhangá é o mais exclusivo, porém o Gávea realiza torneios amadores e semiprofissionais. Há um campo de 9 buracos no **Banana Golf**, no Recreio (☎21 3411 6110), mais básico, porém aberto a todos. Existem também excelentes clubes de golfe em Búzios e na Costa Verde.

MONTANHISMO E ESCALADA

Com suas montanhas e blocos enormes de granito, o Rio possui diversas oportunidades para escaladas com vistas fantásticas. Há rotas para escalar o Pão de Açúcar, o Morro da Urca, o Corcovado e os picos mais altos do Parque Nacional da Tijuca, como a Pedra da Gávea.

O principal polo de montanhismo fora da cidade do Rio de Janeiro, é o Parque Nacional da Serra dos Órgãos e o Parque Nacional de Itatiaia. Agências especializadas e clubes de montanhismo oferecem diversas opções de escaladas, tanto na cidade como em locais mais distantes, planejadas para satisfazer tanto os profissionais experientes como os iniciantes em busca de desafios.

- ◆ **Centro Excursionista Brasileiro (CEB)**
  ☎21 2252 9844
  www.ceb.org.br.
- ◆ **Trilhas do Rio**
  www.trilhasdorio.com.br
  ☎21 2424 5455
- ◆ **Clube Excursionista Carioca**
  ☎21 2255 1348
  www.carioca.org.br.

- ◆ **Crux Eco Adventure**
  ☎21 9392 9203
  www.cruxecoaventura.com.br.
- ◆ **Rio Hiking**
  ☎21 9721 0594
  www.riohiking.com.br

OFF ROAD

Ao longo da Costa do Sol, jipes e bugres fazem passeios nas florestas exuberantes e em praias com dunas. Geralmente estes passeios incluem uma parada para almoço e um mergulho no mar ou em uma cachoeira de águas límpidas.

- ◆ **Hoca Tour**
  www.hocatour.com.br
  ☎21 9322 0870/3472 7576

CAVALGADAS

Para um passeio tranquilo a cavalo, existem haras perto da Barra da Tijuca e até em Paraty. Existem clubes que oferecem aulas e cursos tanto para iniciantes como para cavaleiros experientes.

- ◆ **Pousada Picinguaba**
  www.picinguaba.com
  ☎21 3836 9105
- ◆ **Clube Marapendi**
  www.clubemarapendi.com.br
  ☎21 3325 2440
- ◆ **Haras Horse Shoe**
  www.horseshoe.com.br
  ☎21 2428 1023

TÊNIS

Os cariocas não são apaixonados por tênis, em comparação com outros esportes. Porém há alguns clubes abertos com boas quadras de tênis: **Rio Sports Center** na Barra da Tijuca (☎21 3325 6644, *www.riosportscenter. com.br*) e **Novo Rio Country Clube**, (☎21 2490 1393/2490 7038, *www.clubenovorio.com.br*). As duas atividades também estão disponíveis no, na Lagoa e no Aterro do Flamengo. Alguns grandes hotéis possuem quadras abertas ao público, como o **Sheraton,** na

PLANEJE SUA VIAGEM

Avenida Niemeyer, no Leblon (☎2529 1104/25291103).
Para obter mais informações, contate: **Confederação Brasileira de Tênis**, (☎11 3325 0160, www.cbtenis.com.br) ou a **Federação de Tênis do Estado do Rio de Janeiro** (☎21 3416 0924, www.fterj.com.br).

ESPORTES AQUÁTICOS

É possível realizar qualquer tipo de atividade aquática no Rio, desde a natação e o surf até o mergulho e o iatismo. Há diversas empresas especializadas e obrigatórias para a realização de algumas dessas atividades.

O mar não é quente e os iniciantes devem tomar cuidado com a correnteza na maioria das praias. Fora do Rio, sobretudo na Costa do Sol e na Costa Verde, as atividades ligadas ao mar são muito difundidas, algumas cidades sediando regatas internacionais.

Iatismo

Regatas são realizadas na Baía de Guanabara e na Lagoa Rodrigo de Freitas. Iates do mundo inteiro atracam na Marina da Glória, a principal base para as regatas.

> 😊 **Dica** 😊
>
> O mar do Rio é imprevisível, com ondas muito fortes, e a correnteza pode pegá-lo de surpresa. O melhor a fazer é observar se as pessoas locais estão nadando e, em caso positivo, ficar perto de outros, principalmente se não for um bom nadador.

Perigo de correnteza forte na Prainha

Existem clubes fechados de iatismo, no Rio e em Niterói. Alguns deles dispõem de barcos para aluguel e oferecem cursos de vela:

- **Aluguel de Barcos**
  www.sailing.com.br
  ☎21 3154 9977
- **Clube dos Caiçaras**
  Lagoa
  ☎21 2529 4800/2529 4823
- **Federação de Vela do Rio de Janeiro (FEVERJ)**
  www.feverj.org.br
  ☎21 2533 0194

Surfe e esportes afins

O Rio possui excelentes condições para surfistas. As praias da Zona Sul (Arpoador, Ipanema e Leblon) são boas, mas as que têm as melhores ondas são as da Zona Oeste: Barra, Macumba, Pontal, Prainha e Grumari.

Bodyboard, kitesurf, wakeboarding, parasailing e windsurf também podem ser praticados nas praias da Zona Oeste, sobretudo na Barra da Tijuca. Há diversas empresas de surfe e de esportes aquáticos:

- **Rico Surf**
  www.ricosurf.globo.com
  ☎21 2438 1821/2438 4096
- **Surf Bus Beach Tours**
  www.surfbus.com.br
  ☎21 2539 7555/8702 2837

Para obter mais recomendações, contate:

- **Federação de Surf do Estado do Rio de Janeiro**
  ☎21 8891 0754/2490 0754
  www.feserj.com.br.

Natação

Os grandes hotéis possuem suas próprias piscinas, geralmente localizadas no terraço, que são ótimas para se refrescar e, ao mesmo tempo, aproveitar a vista. Se você for um bom nadador, as melhores praias para nadar são **Ipanema** e **Leblon**. Mas tome cuidado e nade somente onde o pessoal local estiver nadando.

O QUE VER E FAZER

Atividades para Crianças

No decorrer do guia, as atrações de interesse especial para crianças estão indicadas pelo símbolo **Kids** .

Os cariocas adoram crianças e a socialização entre as famílias é uma regra, em todas as horas do dia e à noite. No Dia da Criança, 12 de outubro, há atividades especiais e diversão por toda a cidade.

DIVERSÃO PARA A FAMÍLIA

As principais atrações para crianças são:

Praias — **Copacabana**★★★ (*ver p.160*) e **Ipanema**★★ (*ver p.163*) são adequadas para crianças, incluindo a área Baixo Bebê, no final do **Leblon**★ (*ver p.166*). Há também um playground na Praça Nossa Senhora da Paz, localizada a três quadras da praia, bem no centro de Ipanema.

Parques e Jardins — O **Jardim Botânico**★★★ (*ver p.175*) com suas palmeiras imperiais, lagos de vitórias-régias gigantes e o jardim dos beija-flores certamente encantará os jovens amantes da natureza. O **Parque do Flamengo**★ (*ver p.146*) é um espaço aberto, excelente para o lazer e a prática de esportes, com pistas de cooper, ciclismo e patinação. Aos domingos e feriados as avenidas internas que cruzam o parque são fechadas ao tráfego das 07h00 às 18h00, ficando liberadas para o lazer.

Zoológico — o **Jardim Zoológico** (*ver p.121*) é uma excelente atividade para crianças pequenas, possuindo uma área especial com animais domesticados e um esquema de adoção de espécies em risco de extinção.

Planetário — O **Planetário da Gávea** (*ver p.172*) é um local excelente para as crianças e adultos aprenderem Calendário de Eventos de astronomia. Aqui encontramos também o Museu do Universo, que tem telescópios avançadíssimos que as crianças podem usar para observar as estrelas.

Pão de Açúcar e Corcovado — A vista panorâmica pode impressionar as crianças mais velhas, mas o passeio no bondinho até o **Pão de Açúcar**★★★ (*ver p.152*) ou no trenzinho até o **Corcovado**★★★ (*ver p.134*) serão as atrações para a maioria das crianças, além da possibilidade de observar a vida selvagem nas trilhas dos parques.

Passeios de Jeep — As crianças vão adorar passear de jeeps abertos pela cidade para o **Corcovado**★★★ (*ver p.134*), **Baía de Guanabara**★★ (*ver p.192*), **Pão de Açúcar** ★★★ (*ver p.152*), **Parque Nacional da Tijuca** ★★★ (*ver p.139*) e o **Jardim Botânico**★★★ (*ver p.174*)... Os jeeps buscam você e as crianças pela manhã para a aventura de sua escolha. Os guias falam diversos idiomas e a frota tem 35 veículos em bom estado de conservação. (*21 2108 5800; www.jeeptour.com.br*)

Livros

Carnaval no Fogo. Ruy Castro (Companhia das Letras, 2003). Uma descrição vibrante, apaixonante e com uma visão detalhada da história social do Rio de Janeiro, escrita por um dos escritores mais respeitados da cidade.

Futebol: O Brasil em Campo. Alex Bellos (Jorge Zahar, 2003, tradução de Jorge Viveiros de Castro). Uma descrição forte e criteriosa do motivo pelo qual o "jogo bonito" está no sangue de muitos brasileiros.

Brazil in Focus. Jan Rocha (Latin American Bureau, 2001). Um guia conciso do Brasil moderno incluindo política, cultura, sociedade e economia; um pouco ultrapassado, porém útil.

A Viagem do Descobrimento. Eduardo Bueno (Editora Objetiva, 1998). Um outro olhar sobre a expedição

PLANEJE SUA VIAGEM

Central do Brasil

de Cabral. Uma forma interessante e bem humorada de contar a história do descobrimento do Brasil.

Rio Bossa Nova. Ruy Castro (Editora Casa da Palavra, 2006). Um mapa sobre o melhor do Rio em termos de Bossa Nova, um roteiro de onde ver, ouvir e relembrar o importante movimento cultural ocorrido no Rio de Janeiro.

Rio de Janeiro 360 graus. Luiz Claudio Lacerda e Rogério Randolph (360 Editora, 2004). Fotografias da cidade do Rio de Janeiro, com imagens em 360 graus. Este recurso permite uma visão de tudo aquilo que seria possível observar em um giro completo sobre o próprio eixo.

Prosas Cariocas. Vários autores (Editora Casa da Palavra, 2004). Contos e crônicas sobre a cidade e seus habitantes.

Casa Grande e Senzala. Gilberto Freyre (Global Editora, 2003). Interessante análise antropológica do povo brasileiro e de seus três principais vetores de formação: o branco, o índio e o negro.

Filmes

Rio, 40 Graus. (Dir. Nelson Pereira dos Santos, 1955.) Um semidocumentário que acompanha um grupo de garotos de uma favela da periferia da cidade: eles vendem amendoim em Copacabana, vão assistir a um jogo no Maracanã e encontram outros personagens. Um clássico que ainda possui muita relevância nos dias atuais. O filme estreou Nelson Pereira dos Santos no cinema, iniciando sua carreira como um dos diretores mais importantes do Brasil.

Central do Brasil. (Dir. Walter Salles, 1998.) Uma história tocante e, ao mesmo tempo, não sentimental da professora Dora, que escreve cartas para seus clientes analfabetos na maior estação de trem do Rio de Janeiro, e de Josué, um garoto à procura de seu pai.

Cidade de Deus. (Dir. Fernando Meirelles, 2002.) Uma visão brutal, porém convincente, da violência causada pelas gangues juvenis das favelas do Rio de Janeiro.

O Povo Brasileiro. DVD. (Dir. Isa Grinspun Ferraz, 2005.) A visão do antropólogo Darcy Ribeiro sobre a formação cultural do brasileiro e seus traços mais marcantes.

CALENDÁRIO DE EVENTOS

Eventos Anuais

Abaixo encontra-se uma seleção dos eventos anuais mais populares do Rio de Janeiro. O destaque do ano é o Carnaval, para o qual é necessário fazer as reservas com meses de antecedência. Para informações detalhadas contate a **RioTur** (*ver p.16*).

JANEIRO

20 Jan
Festa de São Sebastião Procissão vespertina em honra do padroeiro da cidade, da Igreja São Sebastião dos Capuchinhos, na Tijuca, à Catedral Metropolitana, no Centro. As festividades também incluem um festival de umbanda no Monumento do Caboclo, em Santa Tereza, e uma corrida de rua de 10 km, do Flamengo a Botafogo. *21 2240 2669*.

Jan–Fev
Rei da Praia Torneio de vôlei, na Praia de Ipanema, onde a vencedora é coroada Rainha da Praia e o vencedor da competição masculina, Rei da Praia. *www.reidapraia.com.br. 21 2495 7426 / 3154 7944*.

FEVEREIRO

Fev–Mar
Carnaval (*ver p.82*) Aclamado como a "maior festa do mundo", o Carnaval do Rio domina a cidade por quatro dias e noites, incluindo o espetacular desfile das Escolas de Samba, assim como bailes e festas de rua. *www.rio-carnival.net 21 271 7068 (RioTur)*.

MARÇO

1º Mar
Fundação do Rio de Janeiro Missa na igreja de São Sebastião dos Capuchinhos, marcando a fundação do Rio de Janeiro, em 1º de março de 1565, por Estácio de Sá.

Início Mar
Oi Vert Jam Competição de skate e exposição, Lagoa Rodrigo de Freitas. *www.rioskatejam.com.br/ 21 3478 7400*

ABRIL

Início Abr
Café Cachaça e Chorinho Eventos voltados para a degustação desses produtos e concertos nas fazendas do Vale do Café.

23 Abr
Dia de São Jorge Vigília em honra a São Jorge, a principal figura do sincretismo religioso afro-brasileiro. Missa e procissão na Igreja de São Jorge, Rua da Alfândega 382.

Ano Novo no Rio de Janeiro

Reveillon, a festa de Ano Novo da cidade, só perde para o Carnaval, em tamanho, espetáculo e exuberância. O município do Rio organiza festas gratuitas em toda a cidade, sendo a maior na Praia de Copacabana. Até cinco milhões de pessoas festejam a noite inteira e assistem o nascer do sol sobre o mar. As principais estrelas do rock brasileiro e internacional participam de shows ao ar livre na areia e um espetáculo pirotécnico deslumbrante ilumina o céu à meia-noite. A maior concentração de pessoas é em frente ao Hotel Copacabana Palace, mas também é possível assistir a queima de fogos ao longo da Avenida Atlântica e nas areias da praia.

PLANEJE SUA VIAGEM

MAIO

Final
Festa do Divino de Paraty Festa de música e cor, com procissões e eventos de música.
www.paraty.com.br/calendario

Meados Mai
Festa de Corpus Christi na Costa do Sol Festa religiosa com montagem de imensos tapetes coloridos de sal e serragem nas ruas.

Mai–Jun
Festival de Jazz e Blues de Rio das Ostras Realizado no balneário de Rio das Ostras, 170 km a leste do Rio, este é um dos melhores festivais de música do Brasil, atraindo importantes artistas brasileiros e internacionais.
www.riodasostrasjazzeblues.com

JUNHO

Festas Juninas As festas dos principais santos católicos duram o mês inteiro; as principais são os dias de Santo Antônio (13), São João (24) e São Pedro (29).

Meados–fim Jun
Maratona do Rio 42 km costeiros, na Zona Sul da cidade, além de meia maratona e corrida em família de 6 km. *www.maratonadorio.com.br*
📞 *21 2223 2773 / 7840 7583*

JULHO

Início Jul
Portas Abertas Festival de arte de estúdio, aberto ao público, no bairro de Santa Teresa, com eventos relacionados à pintura, escultura e gastronomia.
www.arco-iris.org.br
📞 *21 2507 5352*

Meados Jul
FLIP Festa Literária Internacional de Paraty Evento que reúne escritores brasileiros e internacionais para debates e apresentações ao público.
www.paraty.com.br/calendario

Festival de Inverno da Região Serrana (Petrópolis, Teresópolis e Nova Friburgo) Festival de Música, com apresentação de artistas nacionais e internacionais.

Anima Mundi Festival, Rio de Janeiro Festival internacional do desenho de animação, com lançamentos, exibição de filmes, oficinas de criação e palestras.
www.animamundi.com.br

Festival Vale do Café Concertos de música clássica e cursos, com eventos de gastronomia, palestras e manifestações da cultura popular.

FLIP Festa Literária Internacional de Paraty

CALENDÁRIO DE EVENTOS

AGOSTO

Primeiro Domingo
Grande Prêmio do Brasil Importante corrida de cavalos realizada no Jockey Club na Gávea.
📞 21 3534 5000

15 Ago
Festa da Assunção de Nossa Senhora Missa e procissão da Igreja de Nossa Senhora da Glória do Outeiro, que tem vista para o Centro da cidade e para a Baía de Guanabara, com barraquinhas e eventos.

SETEMBRO

7 Set
Dia da Independência Comemoração da Independência do Brasil, proclamada por D. Pedro I em 1822. Grande parada militar na Av. Presidente Vargas, da Candelária até a Praça XI.

Fim Set–início Out
Festival do Rio Um dos mais importantes festivais de cinema da América Latina, com exibições espalhadas por toda a cidade.
www.festivaldorio.com.br
📞 21 2579 0352

OUTUBRO

Todos Domingos (e 1º Domingo de Nov)
Festa da Penha Uma das mais populares festas religiosas do Rio, com comemorações animadas no bairro da Penha na Zona Norte.

12 Out
Festa de Nossa Senhora Aparecida Feriado nacional da Padroeira do Brasil e Dia da Criança, com eventos na cidade inteira para as crianças.

Out
Parada do Orgulho Gay do Rio Ultrapassada somente pela Parada do Orgulho Gay de São Paulo, este

Verão no Morro

evento comemora a diversidade sexual com uma enorme festa de rua nas praias da Zona Sul.

NOVEMBRO

Nov–Fev
Noites Cariocas Festival de verão com concertos noturnos nos fins de semana no Pier Mauá, no Centro.
http://oinoitescariocas.oi.com.br/
📞 21 8871 0194/8883 0327

Festival de Cinema de Búzios Festival internacional de cinema com diversos eventos e sessões, com lançamentos.
www.buzioscinefestival.org.br

DEZEMBRO

Dez–Fev
Verão do Morro Concertos de música popular e rock nos fins de semana no cenário panorâmico do Pão de Açúcar atraem as principais bandas e DJs brasileiros.
www.morrodaurca.com

31 Dez
Iemanjá Importante festa do candomblé afro-brasileiro em honra à Deusa do Mar, em todas as praias do Rio mas, sobretudo, em Copacabana.
Reveillon O ano começa e acaba espetacularmente na festa de Ano Novo da cidade. (*Ver acima.*)

PLANEJE SUA VIAGEM

INFORMAÇÕES BÁSICAS

Horário Comercial

Bancos — Seg–Sex 10h00–16h00.
Escritórios — Seg–Sex 09h00–18h00.
Lojas — Shopping Centers: abertos de Seg–Sáb 10h00–22h00. Os shopping centers maiores também estão abertos aos domingos das 15h00–21h00. A maioria das outras lojas de rua está aberta de Seg–Sex 09h00–19h00 e Sáb 09h00–13h00.
Supermercados — Abertos Seg–Sáb 08h00–22h00; alguns estão abertos aos domingos e poucos são 24 horas.
Postos de gasolina — Alguns são 24 horas.

Comunicação

JORNAIS E REVISTAS

Os jornais diários mais populares no Rio são *O Globo (www.oglobo.com.br)*, *Extra (www.extraonline.com.br)* e *O Dia (http://odia.terra.com.br)*.
As edições do fim de semana incluem um caderno de entretenimento, como o *Rio Show* do O Globo *(sexta-feira)* e o suplemento de domingo da Veja: *Veja Rio*. As revistas semanais de notícias mais conhecidas são a *Época*, *Veja* e *Isto é*. Revistas e jornais internacionais estão disponíveis em vários locais, como nas bancas de jornal ou nos hotéis maiores.

TELEFONE

Há vários telefones públicos no Rio, conhecidos como *orelhões* devido ao formato curvo da cobertura de plástico. Eles aceitam *cartões telefônicos,* que podem ser adquiridos nos Correios e bancas de jornal, porém não aceitam moedas.
É possível ligar diretamente para a maioria dos países do mundo nos orelhões azuis, onde está indicado DDI. Disque 00 primeiro, o código da operadora (21 para Embratel ou 23 para Intelig), o código do país, seguido pelo código de área (ignorando o zero) e o número do telefone.
Os orelhões amarelos permitem somente chamadas nacionais, dentro do Rio ou do Brasil (DDD).
Para ligar para o Rio do exterior, disque primeiro o código de acesso internacional do país onde está, 55 (código do Brasil), 21 (código do Rio) e o número de destino.

CELULARES

É possível utilizar seu celular no Rio, mas primeiro contate seu provedor de serviços, pois a cobertura e as tarifas variam dependendo da operadora e de uma parte do Brasil para outra. Em geral o serviço é muito caro e nem sempre é bom. Como alternativa, a ConnectCom oferece um serviço de aluguel de celulares que custa R$ 10 por dia em média, mais as tarifas das chamadas (*21 2215 0002/9311 1112 (24 h); www.connectcomrj.com.br)*.

INTERNET

É possível encontrar vários Internet cafés (cybercafés), principalmente em Copacabana, Ipanema e em outras áreas turísticas. As tarifas variam de R$ 4 a R$ 8 por hora. Os hotéis geralmente fornecem acesso à Internet aos hóspedes, às vezes até conexão de banda larga sem fio nos quartos. No entanto, as tarifas podem ser altas e

Orelhões
Y. Kanazawa/Michelin

INFORMAÇÕES BÁSICAS

Banca de jornais no Centro

a velocidade da conexão pode variar. Wi-fi grátis na orla de Copacabana e Ipanema.

RÁDIO E TV

A Rede Globo é umas das maiores redes de mídia do mundo, incluindo televisão. Os hotéis mais simples, geralmente, possuem somente canais brasileiros, porém a maioria dos hotéis possui canais via satélite ou a cabo, incluindo canais americanos e europeus, como CNN e BBC Worldwide.
Depois da Rede Globo, o SBT é o segundo canal mais popular, seguido pela Bandeirantes, Record, Rede TV e TVE.
Há diversas estações de rádio nacionais e locais, incluindo Rádio Globo, a maior de todas. As rádios transmitem por FM, AM, ondas curtas e também digitalmente pela TV e Internet.
As estações locais estão listadas no Radio Station World *(http://radiostationworld.com)*; ou visite o BBC World Service *(www.bbc.co.uk/worldservice)* e confira a programação da América do Sul.

Segurança

O Rio de Janeiro, como toda cidade grande, tem problemas de segurança, frequentemente mediatizados, o que, por vezes, contribui para piorar esta imagem. Mesmo sabendo que os turistas não são as únicas vítimas, há precauções que devem ser tomadas por todos para evitar uma situação indesejada.

Rio Pass

Se estiver planejando visitar diversas atrações turísticas, o RioPass pode ser uma forma de economizar dinheiro: custa R$ 93,50, é válido por sete dias e inclui quatro das principais atrações da cidade, como o Pão de Açúcar e o Corcovado *(www.riopass.com, 21 2240 2359)*.

Eletricidade

A maioria dos lugares usa 110 V ou 120 V. Porém, alguns hotéis também têm 220 V. As tomadas possuem dois encaixes e a maioria aceita plugues com pinos redondos ou chatos.

Emergências

Hospitais de Emergência

- **Lourenço Jorge**
  Av. Ayrton Senna 2000
  Barra da Tijuca
  21 3111 4680

- **Rocha Maia**
  Rua General Severiano 91
  Botafogo
  21 2295 2295

41

PLANEJE SUA VIAGEM

TELEFONES DE EMERGÊNCIA
Ambulância **192**
Bombeiros **193**
Polícia **190**
Delegacia do Turista **21 3399 7170**

- **Souza Aguiar**
  Praça da República 111
  Centro
  21 3111 2629

- **Miguel Couto**
  Rua Mario Ribeiro, 117
  Gávea
  21 3111/3800 ou 3111/
  3799 ou 3111/3798

Farmácias 24 horas
- **Drogaria Pacheco**
  Av. N S Copacabana, 534/A, B
  Copacabana
  21 3208 4600

- **Farmácia do Leme**
  Av. Prado Junior, 237/A
  Leme
  21 2275 3847

Correios

O horário de abertura dos *Correios* varia, mas a maioria abre de Seg–Sex 09h00–17h00 e até o meio dia no sábado. O serviço postal é geralmente confiável: calcule pelo menos uma semana para cartões postais e cartas, em qualquer uma das duas direções. Há caixas de correio amarelas localizadas nas ruas, porém é mais seguro ir até as agências dos Correios. Também é possível adquirir selos nas bancas de jornal e nos hotéis.

Serviços expressos também estão disponíveis: SEDEX e Express Mail Service (EMS). Para obter endereços das agências de correios do Rio, visite *www.correios.com.br*.

Dinheiro

MOEDA

A moeda brasileira é o **real** (R$). O real possui 100 centavos. As moedas disponíveis são: 1, 5, 10, 25 e 50 centavos e 1 real. As notas disponíveis são: 1 *(em fase de eliminação)*, 2, 5, 10, 20, 50 e 100 reais.

Câmbio
Dólares americanos e euros são as moedas estrangeiras mais aceitas. Há uma pequena diferença nas taxas de câmbio, entre os bancos e as casas de câmbio. As taxas das casas de câmbio são melhores que as dos bancos, que cobram comissão pela transação. As casas de câmbio estão abertas até mais tarde e também nos fins de semana. A taxa de câmbio oficial é publicada diariamente nos jornais.

CARTÕES DE CRÉDITO

Os principais cartões de crédito internacionais são aceitos no Brasil e os mais populares são o Mastercard, Visa e American Express. Os recibos dos cartões serão impressos em reais, porém você será cobrado na moeda de seu próprio país, com uso da taxa de câmbio oficial. Geralmente, os hotéis permitem que somente seus hóspedes utilizem cartões de crédito para sacar reais.

Banheiro público na Praia Vermelha

INFORMAÇÕES BÁSICAS

CAIXAS ELETRÔNICOS

Existem caixas eletrônicos do lado de fora dos bancos ou em shoppings e supermercados nos quais cartões internacionais podem ser usados. Verifique se seu cartão pode ser utilizado fora do país. É recomendado usar os caixas localizados dentro dos bancos, shoppings e supermercados e durante o dia. Os caixas eletrônicos não funcionam das 22h00–06h00.

PREÇOS

Preço do metrô/ônibus: R$ 2,40
Chope: R$ 3,00
Garrafa grande de água mineral:
R$ 2,50
Selo de cartão postal por via aérea:
R$ 3,00
Táxi de Copacabana ao Centro/
Lapa (durante o dia): R$ 20,00
Bondinho do Pão de Açúcar: R$ 44,00
Trenzinho do Corcovado: R$ 45,00

Feriados estaduais (2010)

1º de janeiro	Dia de Ano Novo
12–17 de fevereiro	
	Carnaval
2 de abril	Sexta-feira Santa
21 de abril	Dia de Tiradentes
23 de abril	Dia de São Jorge
1º de maio	Dia do Trabalho
3 de junho	Corpus Christi
7 de setembro	Dia da Independência
12 de outubro	Dia de N. Sra. Aparecida
2 de novembro	Finados
15 de novembro	Dia da Proclamação da República
20 de novembro	Dia da Consciência Negra
25 de dezembro	Natal

😊 Dica 😊

Tire fotocópias das páginas principais do seu passaporte e anote os números da sua apólice de seguros, travelers cheques, vistos e cartões de crédito. Guarde uma cópia separada dos originais e deixe uma cópia em casa.

Fumo

Não é permitido fumar nos transportes ou locais públicos fechados, inclusive lojas e restaurantes. Alguns restaurantes e bares possuem áreas para fumantes, mas a cada dia elas são mais raras. As restrições antifumo começaram a ficar mais rigorosas, como na Europa ou nos Estados Unidos.

Fusos Horários

O horário do Rio de Janeiro é três horas a menos que GMT. Entre novembro e fevereiro, os relógios avançam uma hora durante o horário de verão e o fuso horário muda para duas horas a menos que GMT.

Gorjetas

Diferente da Europa e dos Estados Unidos, não é obrigatório deixar gorjetas no Brasil. Os restaurantes geralmente acrescentam 10% de serviço automaticamente na conta.

Banheiros

A não ser nos aeroportos, rodoviárias e nas principais atrações turísticas, os banheiros públicos são raros no Rio. Você pode tentar usar os de um restaurante movimentado ou de um shopping center.

Bondinho passando sobre os Arcos da Lapa indo para Santa Teresa
©Gräfenhain Günter/SIME/4Corners Images

BEM-VINDO AO RIO DE JANEIRO

BEM-VINDO AO RIO DE JANEIRO

O RIO DE JANEIRO HOJE

Capital do Estado do Rio de Janeiro, a cidade do Rio é uma metrópole cosmopolita cheia de alegria; um enorme Jardim do Éden de belezas naturais inspiradoras, com uma mistura de florestas, montanhas e quilômetros de praias ensolaradas; é também um centro histórico-cultural onde a cultura local recebeu a influência europeia e africana.

Evolução da Cidade

O estabelecimento do Rio de Janeiro por Estácio de Sá, em 20 de janeiro de 1565, foi principalmente um ato estratégico. A Baía de Guanabara era o melhor porto natural entre a Bahia e o Rio da Prata e, com as invasões francesas, a principal preocupação dos governadores do Rio era a defesa. Em 1567, foi construído um forte no Morro do Castelo e a cidade cresceu à sua volta. Apesar de o Rio de Janeiro ter passado por três grandes períodos de transformação — o primeiro, quando se tornou a capital do Brasil, em 1767; o segundo, com a chegada da Corte Portuguesa, em 1808; o terceiro, durante a primeira parte do reinado de D. Pedro II, nas décadas de 1850 e 1860 — seu aspecto colonial não mudou significativamente até o início do séc. XX.

De 1902–1906, o prefeito Pereira Passos deu início à maior transformação urbana da cidade. Naquele tempo, o Rio de Janeiro tinha cerca de 500 mil habitantes concentrados em torno do Morro do Castelo, que quase não tinha mudado em 300 anos. Pereira Passos e seu secretário de saúde, Oswaldo Cruz, iniciaram um programa de eliminação dos mosquitos, saneamento básico e vacinação obrigatória contra a varíola (que foi mal interpretado pela população e levou a prolongados tumultos em novembro de 1904). Pereira Passos adotou o modelo de Haussman, em Paris, no fim do séc. XIX, abrindo grandes avenidas: a Avenida Central (atual Avenida Rio Branco) e a Avenida Mem de Sá, atravessavam o emaranhado de ruelas coloniais do Centro; a Avenida Beira Mar, que corria paralela à costa e serviu de base para o desenvolvimento da Zona Sul; e a magnífica Avenida Atlântica, inaugurada em 1906.

Em 1920, o Morro do Castelo foi derrubado, gerando espaço para a reconstrução do Centro da cidade. O morro foi utilizado para o aterro da região onde hoje se encontra o Aeroporto Santos Dumont.

Em 1938, foi preparado um plano, cuja principal preocupação era o descongestionamento do Centro. A Zona Norte e a Zona Sul da cidade, separadas por uma cadeia de montanhas, deveriam ser ligadas, sem passar pelo Centro. Para isso, deveriam ser abertos grandes túneis entre as duas áreas, solução que se tornaria uma característica do sistema viário do Rio de Janeiro.

Os projetos foram realizados em duas fases. A primeira foi durante o governo de Enrique Dodsworth, em 1942–1943, que consistiu na abertura da Avenida Presidente Vargas, a maior artéria da cidade, que ainda absorve a maior parte do tráfego entre o Centro e a Zona Norte. A segunda fase foi completada durante a administração do governador Carlos Lacerda (1960–1965), com a abertura de dois grandes túneis entre a Zona Norte e a Zona Sul: o Túnel Santa Bárbara e o Túnel Rebouças. O Parque do Flamengo,

Avenida Rio Branco na década de 1950

© INTERFOTO Pressebildagentur/Alamy

O RIO DE JANEIRO HOJE

uma obra-prima de projeto urbano de **Roberto Burle Marx** (🌿 *ver p.74*), foi inaugurado em 1961, completando a transformação do Rio, facilitando a ligação entre o Centro e a Zona Sul.

O crescimento da Zona Oeste da cidade, sobretudo da Barra da Tijuca, foi concebido no final dos anos 60 e no começo dos anos 70 por Lúcio Costa. Esta foi uma urbanização organizada que, ao contrário das tentativas anteriores, buscou preservar as lagoas naturais e o formato da orla. Ela propôs a criação de núcleos urbanos ao longo da Avenida das Américas, separados entre si por grandes espaços abertos. Ao mesmo tempo, zonas industriais foram incluídas nos planos, ao invés de crescerem sem fiscalização. Apesar de não ter sido seguido estritamente, este plano atraiu a classe média para a Barra da Tijuca e Jacarepaguá e acelerou a expansão urbana da região.

Economia

Depois do Distrito Federal e de São Paulo, o estado do Rio de Janeiro tem a terceira maior renda per capita do Brasil, US$ 13,500 por pessoa, e contribui com 12% para o PIB do país. Aproximadamente dois terços da economia são baseados em serviços. O turismo é um dos grandes geradores de emprego e renda, principalmente durante o verão e, sobretudo, durante o Carnaval, quando o Rio de Janeiro recebe cerca de 400 mil visitantes em uma semana; mas esta não é sua única fonte de renda.

O desejo de viver na cidade a tornou um grande centro financeiro, comercial e de mídia, abrigando, entre outras, a sede da Globo, o maior conglomerado de mídia da América do Sul, a Petrobras, uma das maiores empresas petrolíferas do mundo, e a Vale, a maior empresa de energia e mineração do Brasil. É um dos maiores centros de fabricação têxtil do mundo, com muitas das grandes casas europeias e dos EUA transferindo sua produção de roupas para Petrópolis, Nova Friburgo ou Valença. Com muitos institutos, escolas superiores e universidades, o Rio de Janeiro é o segundo maior centro de pesquisas do Brasil, correspondendo a 17% das pesquisas realizadas no país.

É surpreendente que um estado que acumulou uma grande riqueza do perío-do áureo do café tenha somente 1% do seu PIB ligado à agricultura. Cerca de 30% da renda do Rio de Janeiro hoje provém do setor industrial. O estado é o segundo mais industrializado do Brasil, depois de São Paulo, com o maior complexo petroquímico do país em Macaé, ao norte do Rio de Janeiro; a maior siderúrgica da América do Sul, em Volta Redonda; e estaleiros, no sul do Estado, que representam 90% da produção naval do país.

Do ponto de vista comercial, o Rio de Janeiro sempre foi um grande porto de entrada e saída de mercadorias, desde o ouro de Minas Gerais até o café, no séc. XIX, e, atualmente, tantos outros produtos industrializados. Desde o séc. XVIII, a cidade do Rio de Janeiro tem sido proeminente no comércio e fabrico de joias, pedras preciosas e metais.

A cidade tem uma grande tradição esportiva, tendo sediado os Jogos Pan-americanos de 2007. Em 2009, a cidade do Rio de Janeiro foi escolhida, entre três outras candidatas, para ser a cidade sede dos Jogos Olímpicos de 2016. A cidade também deve sediar a Copa do Mundo de 2014.

Governo

O Rio de Janeiro foi a capital do Brasil Colônia a partir de 1763; passou a ser a capital do Reino de Portugal e Algarves em 1808 e do Brasil independente em 1822. Em 1889 passou a ser a capital da República, até 1960. Em 1892, formou-se a cidade-estado da Guanabara. Em 1976, o estado do Rio de Janeiro, que circunda a cidade, foi unificado com o estado da Guanabara para fins administrativos, formando o atual estado do Rio de Janeiro, com a cidade do Rio como sua capital.

A bandeira do estado é composta por quatro quadrados diagonais azuis e brancos com o brasão no centro. Em primeiro plano voa uma águia, símbolo da família real brasileira, sobre o Dedo de Deus, na Serra dos Órgãos. Na

BEM-VINDO AO RIO DE JANEIRO

Palácio Guanabara - Sede do governo do Estado do Rio de Janeiro

parte externa do brasão há um ramo de cana-de-açúcar, à esquerda, e de café, à direita, culturas que proporcionaram sua riqueza no passado. A data no brasão: 9 de abril de 1892, é a data da formação do estado.

Já o emblema da cidade do Rio de Janeiro é composto da cruz azul de Santo André, com as armas reais portuguesas no centro. Nas estrelas da bandeira do Brasil, o Rio de Janeiro é representado pela estrela Beta (Mimosa), do Cruzeiro do Sul.

O sistema de estados federais do Brasil se assemelha ao dos EUA. O estado do Rio de Janeiro é administrado por um governador eleito, diretamente, por quatro anos; o Estado tem três senadores no Senado Federal, em Brasília, assim como 46 deputados federais na Câmara dos Deputados. O mandato do governador atual, **Sérgio de Oliveira Cabral dos Santos Filho**, termina em 2010.

A cidade do Rio de Janeiro é governada por um prefeito eleito diretamente a cada quatro anos. O mandato do atual prefeito, **Eduardo da Costa Paes**, acaba em dezembro de 2012.

População

A população do estado do Rio de Janeiro é de 15,4 milhões, dos quais 6,1 milhões vivem no Grande Rio (estimativa de 2007), a segunda maior no Brasil, depois de São Paulo. O crescimento da população varia entre 0,8 e 1,4% ao ano, em grande parte devido à imigração europeia, principalmente de Portugal, e do nordeste do Brasil. Ainda assim, todos são carinhosamente chamados de "cariocas".

O "CARIOCA"

A designação "Carioca" indica não só uma pessoa nascida na cidade, mas também aqueles que adotaram o Rio de Janeiro como seu lar. Sua origem ainda é discutida, mas o consenso é que a palavra seja de origem Tupi e signifique a "casa branca" ou "casa de branco", uma alusão às primeiras instalações portuguesas na região. Alguns escritores até identificaram a que casa branca se refere: uma velha construção de 1503, na Praia do Flamengo, construída por Gonçalo Coelho.

As características típicas dos cariocas são sua índole afetuosa, seu temperamento extrovertido e sua espontaneidade encantadora. Como todos os brasileiros, eles são muito expressivos, usam o contato físico, abraçando ou beijando, não somente a família, mas também em saudações entre amigos. Eles são muito orgulhosos do Rio de Janeiro e de sua beleza e gostam que os visitantes confirmem e elogiem a cidade. A relação do carioca com os seus corpos é muito diferente da relação dos europeus oci-

O RIO DE JANEIRO HOJE

dentais e norte-americanos. Na praia, espaço privilegiado de lazer do carioca, é muito natural uma mulher passear de short e camiseta, assim como os homens sem camisa e descalços.

A maneira de se vestir, de uma forma geral, também é muito informal. Os homens só usam gravata para ir trabalhar em alguns escritórios no Centro da cidade ou em cerimônias: jeans e camisetas são a norma na maioria dos lugares. Bermudas são comuns para homens e mulheres e o calçado universal são as sandálias ou chinelos, mesmo à noite, em ambientes descontraídos. Devido ao calor, a limpeza é de grande importância — afinal, esta é a terra onde os marinheiros europeus aprenderam a tomar banho para se aproximarem dos índios.

Os cariocas são uma mistura de três raças: os índios nativos, os europeus, principalmente os portugueses, e os negros africanos que chegaram como escravos para a exploração do açúcar no séc. XVII, do ouro no séc. XVIII e do café no séc. XIX. Cada raça contribuiu para a constituição dos cariocas, sua aparência física, os elementos da sua cultura, a língua, a culinária, a religião e seu jeito de ser em geral.

POPULAÇÃO INDÍGENA

Os indígenas que viviam no litoral do Rio de Janeiro eram do grupo Tupi. Há um extenso material etnográfico sobre eles do Frei Franciscano André Thevet e do padre calvinista Jean de Léry que viveram entre eles na década de 1550. Sabe-se que eles andavam "nus como saíram do ventre", que eram extremamente hospitaleiros com os estranhos que consideravam aliados, que as índias não eram muito recatadas e que eles adoravam dançar em cerimônias dirigidas a seus deuses.

Infelizmente, os índios desapareceram da história por volta do início do séc. XVII, tendo sido dizimados pelos portugueses em combates ou por doenças importadas, contra as quais não tinham imunidade.

O que sobrevive destes primeiros habitantes, no entanto, são os nomes de alguns locais: Guanabara ("Baía que parece o mar"), Ipanema ("Água ruim", isto é, que não é boa para pescar por causa das ondas) e Tijuca ("pântano"), lugares que os índios batizaram há tanto tempo atrás e que ainda identificam o Rio de Janeiro contemporâneo.

ANCESTRAIS AFRICANOS

Cerca de quatro milhões de escravos chegaram ao Brasil durante 300 anos de tráfico negreiro. Além de influenciar a língua — muitos termos infantis brasileiros são de origem africana — suas tradições religiosas, amalgamadas com o Cristianismo, criaram o atual sincretismo religioso do Candomblé e, especialmente no Rio de Janeiro,

Pessoas caminhando de roupa de banho em Copacabana

BEM-VINDO AO RIO DE JANEIRO

da Umbanda. Finalmente, os escravos também trouxeram sua culinária, suas danças e sua forte música, com muita percussão, que sofreu transformações até chegar ao samba atual.

Foi somente no fim do séc. XX que a imensa contribuição dos africanos e da população miscigenada para a vida e cultura do Rio de Janeiro foi reconhecida e celebrada, como uma característica que torna a cidade única e especial.

EUROPEUS

Os portugueses cristãos foram os colonizadores da terra brasileira. Assim, não é de surpreender que sua cultura tenha prevalecido: sua religião, Cristã Católica; a língua portuguesa, embora misturada com termos tupis e africanos; e sua arte, baseada em cânones europeus. Isto também se reflete na composição racial da área metropolitana (censo de 2000) onde 53% são brancos, 35% pardos e 10,5% negros, enquanto do restante somente 0,3% são identificados como indígenas. Contudo, vale a pena notar que esta predominância racial é um fenômeno recente. Em 1600, o Rio de Janeiro tinha uma população de cerca de 2000 pessoas (com quase nenhuma mulher europeia); em 1700, o número de habitantes chegou a 10.000 e, em 1800, a cidade chegou a ter por volta de 45.000 habitantes, compostos principalmente de escravos africanos e cidadãos livres de descendência mista (pardos). Foi somente durante o final do séc. XIX e início do séc. XX que a imigração começou a dar predominância branca à cidade e ao país, e as proporções atuais foram atingidas.

Paisagem urbana

Todo visitante notará imediatamente a grande desigualdade social, revelada na distribuição e ocupação do espaço urbano. Esta desigualdade acarretou problemas que as autoridades buscam resolver. Os programas governamentais estão se empenhando em melhorar os serviços e a infraestrutura básica para cerca de dois milhões de pessoas que vivem nos bairros mais pobres e nas favelas. As favelas, cujos moradores na sua maioria, são cidadãos trabalhadores e respeitadores da lei, são locais que podem ser visitados em passeios temáticos (*ver p.30).

A grande maioria dos turistas que vem ao Rio de Janeiro sai sem nenhum problema e uma pesquisa recente revela que todos os que visitam a cidade gostariam de voltar.

Favela da Rocinha com vista para condomínios de São Conrado e a Pedra da Gávea

O RIO DE JANEIRO HOJE

Fiéis do Candomblé carregando um barco em homenagem a Iemanjá na praia de Copacabana

Religião

Para a segunda maior cidade do país católico mais populoso do mundo, o Rio de Janeiro é surpreendentemente diversificado: no censo de 2000, apenas 54% identificaram-se como Católicos. A religião historicamente predominante, em cujo nome o país foi colonizado, está perdendo espaço para religiões evangélicas recentes. Igualmente surpreendente é a porcentagem dos cariocas que se consideram ateus (16,7%), uma proporção duas vezes maior do que no resto do Brasil.

As igrejas evangélicas vêm crescendo rapidamente nas últimas duas décadas. 22% dos cariocas pertencem a uma das muitas variações de igrejas evangélicas estabelecidas na cidade, com a grande maioria (14%) sendo Pentecostais.

Cerca de 5% acreditam em uma das religiões africanas, como o candomblé e a umbanda, ou frequentam um centro espírita — conjunto de princípios que acredita na imortalidade da alma, na reencarnação e que não tem nenhuma relação com as religiões africanas. Tanto o candomblé quanto a umbanda são caracterizados por um sincretismo do cristianismo com as crenças africanas, onde os santos católicos e suas imagens são representações de divindades africanas, chamados de Orixás, como Xangô, o deus do raio e do trovão; Oxóssi, o deus das florestas; Ogum, o deus da guerra; Iemanjá, a deusa do mar; e Exu, o demônio.

Embora estas religiões africanas tenham sido perseguidas até pouco tempo atrás, elas não só sobreviveram, como também são responsáveis pela segunda festa mais espetacular do Rio, superada somente pelo Carnaval, na noite de 31 de dezembro, quando parece que toda a população da cidade vai à Praia de Copacabana, vestida de branco, para deixar suas oferendas em honra a Iemanjá.

Gastronomia

A característica cosmopolita da gastronomia do Rio é evidente na grande variedade de pratos de todo o Brasil, que são servidos em milhares de restaurantes da cidade. Você encontra facilmente: moquecas (peixe cozido) e vatapás (purê feito de pão, camarão, leite de coco e azeite de dendê), pratos tradicionais do norte e do nordeste, com ingredientes e temperos africanos e indígenas; churrascos, típicos do sul do país; e cozidos, de influência portuguesa.

Com o ritmo frenético de uma grande cidade, no entanto, refeições rápidas também são populares, normalmente acompanhadas por sucos de frutas tropicais ou refrigerantes, comidos de pé, nos balcões das lanchonetes, que se multiplicaram tão rapidamente quanto as grandes franquias internacionais de fast-food.

BEM-VINDO AO RIO DE JANEIRO

Feijoada

A feijoada é o prato típico do Rio de Janeiro. Tradicionalmente, é comida aos sábados. Originariamente, as partes menos nobres do porco eram deixadas para os escravos que as cozinhavam com feijão preto. Atualmente, a feijoada ainda contém partes do porco e outras carnes, que vão desde costelas, linguiças, paios e bucho até pé e orelha de porco, cozidos com óleo, alho, cebola e louro. O acompanhamento indispensável é arroz branco, couve com torresmo e farofa (farinha de mandioca cozida na manteiga até dourar) com uma pitada de molho de pimenta.

Parecido com a feijoada, o cozido é uma tradição carioca de origem portuguesa: numa panela grande, põe-se diferentes tipos de carne (de vaca, frango, porco, paio e linguiça) e legumes (abóbora, cenoura, batata, tomate, vagem, cebola etc.), deixa-se cozinhar bem devagar por até oito horas, sendo que os vários ingredientes vão sendo adicionados aos poucos dependendo do tempo de cozimento.

Pratos de origem portuguesa são comuns no Rio de Janeiro, sede da corte portuguesa depois de 1808. Como entrada, que tal experimentar o caldo verde? Uma sopa feita com couve, paio e batatas. Como sobremesa, existem vários doces de origem portuguesa, alguns à base de gema de ovo, como o quindim de côco, assim como doces de frutas e compotas. As próprias frutas tropicais (abacaxi, manga, melancia etc.) e mesmo as europeias, aclimatadas ao Brasil, são apreciadas como sobremesa.

Por causa do clima, os cariocas não são grandes bebedores de vinho. A cerveja domina a preferência — e gostam dela estupidamente gelada e, para isso, ela deve ser conservada em caixas e recipientes de isopor, para que o calor não esquente a bebida, enquanto relaxam e a saboreiam. Você pode pedir uma cerveja de duas maneiras: um chope, quando é tirada do barril, ou uma cerveja, quando é de garrafa ou de lata.

A **caipirinha** é o típico exemplo de bebida brasileira, que consiste em cachaça, açúcar e limões amassados misturados com gelo picado. Hoje já existem caipirinhas de várias bebidas alcoólicas, como a vodka ou saquê. Sua popularidade levou a várias combinações chamadas batidas que são misturas de sucos de fruta, cachaça e açúcar. Existe uma enorme variedade de sabores: maracujá, côco, caju, pêssego, banana e abacaxi, para citar apenas alguns.

Caipirinhas

HISTÓRIA

HISTÓRIA

O Rio de Janeiro é a joia da Baía de Guanabara e seu papel na história do Brasil é muito importante, antes mesmo de sua própria fundação. O Rio testemunhou batalhas entre portugueses, franceses e índios; viveu os ciclos econômicos do pau-brasil, do ouro e do café; foi capital política e continua sendo a capital cultural do Brasil e da América do Sul, uma história longa e memorável que se estende por mais de 500 anos.

Pré-História

Os estudiosos estão de acordo sobre o fato que a América do Sul foi o último grande continente a ser povoado por tribos nômades, vindas da Ásia pelo Estreito de Bering, por volta de 13 ou 15.000 anos atrás, embora alguns objetos encontrados na Serra da Capivara tenham sido datados pelo teste do carbono 14 como sendo de uma era muito anterior. Diferente dos Andes, o clima e o meio ambiente não ajudaram o desenvolvimento de uma civilização complexa na floresta virgem, implacável em cobrir qualquer traço cultural. Até hoje, nada que aponte para uma civilização antiga complexa foi encontrado no Rio de Janeiro; os fragmentos de cerâmica mais antigos datam de 1000 a.C.

Durante o séc. XVI, quando os europeus iniciaram a colonização do Brasil e da América do Sul, eles chamaram os habitantes locais de "índios" indiscriminadamente. Nessa época, só no Brasil, existiam mais de 400 grupos étnicos, que se diferenciavam uns dos outros através da língua, das tradições e das instituições. Cada tribo vivia em aldeias que, por sua vez, formavam comunidades independentes. Em geral, os índios se dedicavam à caça, à pesca (sem anzóis de metal), à colheita de frutas e um pouco à agricultura. Eles viviam também em permanente estado de guerra, com ataques às tribos vizinhas, buscando fazer prisioneiros, que eram, em algumas tribos, consumidos em rituais antropofágicos. Não havia distinção de classes e, embora a posse individual das ocas e de ferramentas fosse habitual, a terra, os rios e todos os recursos naturais pertenciam coletivamente à comunidade. Interessante é que algumas tribos, principalmente os Guaranis, acreditavam na existência de um Ser Supremo, um Criador de todas as coisas. Entretanto, era mais frequente a adoração de heróis mitológicos, que tinham ensinado à sua tribo os rituais e regras de sobrevivência. As manifestações artísticas se limitavam a danças, cantos, pinturas rupestres, pintura corporal e a produção de utensílios de transporte, de armazenagem e de guerra, como canoas, cestas e potes, bem como maças (os tacapes) e flechas, algumas se dedicando à arte plumária. Deve-se salientar que o material padrão e preferido — pedra, argila, madeira ou palha — variavam muito de tribo para tribo.

Há hoje cerca de 200 grupos étnicos no Brasil, conscientes de seus laços de sangue, de suas tradições e de sua história, embora muitos tenham perdido suas características originais e tenham se aculturado. No total, a população indígena soma cerca de 300.000 pessoas, das quais 155.000 falam alguma língua ameríndia. Estima-se que duas dúzias de tribos ainda não tiveram contato com a civilização.

Descobrimento e Conflitos (1500–1568)

O descobrimento do Brasil é atribuído a **Pedro Álvares Cabral**, que conduzia uma expedição portuguesa às Índias mas foi desviado da sua rota e acabou chegando á atual região de Porto Seguro, na Bahia. Entretanto, há mapas que sugerem que os espanhóis já haviam estado no continente sul americano e há quem acredite que a descoberta de Cabral não foi acidental, mas que ele estaria numa missão secreta. Cabral batizou a terra

BEM-VINDO AO RIO DE JANEIRO

Os primeiros habitantes do Rio de Janeiro

Quando da chegada dos portugueses, algumas das tribos indígenas que ocupavam o litoral brasileiro faziam parte da família linguística Tupi-Guarani. Eles viviam onde hoje é o estado do Rio de Janeiro, numa larga faixa entre Cabo Frio e Angra dos Reis. Nesta área habitavam dois grupos rivais que falavam a língua Tupi-Guarani: os Tupinambás ou Tamoios e os Temiminós ou Maracajás.

Desse mesmo grupo linguístico, havia os Tupiniquins, na costa norte, e os Guararapes, no vale do Rio Paraíba do Sul. Faziam também parte desse grupo linguístico, os Goitacás, na região da atual cidade de Campos, e os Guaianás, mais ao sul, nas proximidades de Paraty. Aqueles que não falavam Tupi-Guarani eram designados pelos portugueses como Tapuias. Os Temiminós foram catequizados rapidamente e, como eram inimigos mortais dos Tamoios, aliaram-se aos portugueses. Os Goitacás e, principalmente, os Tamoios ofereceram grande resistência às incursões portuguesas, sofrendo perseguição incansável até seu extermínio.

descoberta como Ilha de Vera Cruz, porque acreditava ter desembarcado numa ilha e não num continente.

A primeira expedição a explorar as terras recém descobertas foi comandada por Gaspar de Lemos em 1501. O passageiro mais ilustre desta expedição era o navegador italiano Américo Vespúcio, cujas cartas dirigidas a Lourenço de Médici prestavam contas da viagem, associando seu nome ao continente inteiro. Como era costume na época, os locais eram batizados de acordo com o calendário religioso. Exemplos: Cabo de São Tomé, onde chegaram em 21 de dezembro de 1501, e Angra dos Reis (neste caso, os Reis Magos), onde chegaram em 6 de janeiro de 1502. O próprio nome Rio de Janeiro, onde a expedição passou o primeiro dia de 1502, foi uma designação incorreta, pois a pequena entrada da Baía de Guanabara (cerca de 1 km de largura) levou os portugueses a pensarem que haviam encontrado a foz de um rio.

Em 1570, numa grande festa em Coimbra, três pessoas representando o rio Ganges, o Nilo e o "Rio de Janeiro" prestaram homenagens ao rei português D. Sebastião. A expedição relatou que o litoral da nova terra estava cheio de árvores de pau-brasil (*Caesalpinia echinata*), da qual se podia extrair um precioso corante vermelho e que acabou dando nome à nova colônia: Brasil.

A exploração do pau-brasil foi imediatamente declarada monopólio da coroa portuguesa, mas como era impossível policiar toda a costa, isto atraiu aventureiros, principalmente corsários franceses. De fato, foram os franceses, não os portugueses, que colonizaram inicialmente o litoral do Rio de Janeiro, onde havia vastas florestas desta árvore.

A história dos 70 anos seguintes fala de lutas entre portugueses e franceses pela posse da terra e pelo controle do comércio de pau-brasil. No fim, os portugueses saíram vitoriosos, principalmente porque o interesse português no novo país era maior do que as intenções francesas e Lisboa não deixava de mandar reforços para combater os invasores.

Pau-brasil no Jardim Botânico

Y. Kanazawa/Michelin

HISTÓRIA

Carta do Brasil (1519) de Lopo Homem-Reinéis, representando a exploração do pau-brasil

22 de abril de 1500 — Descobrimento do Brasil, por Pedro Álvares Cabral.

1501–1502 — Primeira expedição ao Brasil e descobrimento casual da Baía de Guanabara, chamada, a princípio, de Rio de Janeiro.

1503 — A coroa portuguesa envia uma segunda expedição para explorar o território brasileiro, sob o comando de Gonçalo Coelho. Uma divisão chega ao Rio de Janeiro e a outra, sob o comando de Américo Vespúcio, ancora próximo a Cabo Frio por cinco meses, onde constrói um armazém fortificado.

1503–1504 — Chegada ao Rio de Janeiro de Binot Paulmier de Gonneville, o primeiro explorador francês no Brasil e que consegue quebrar o monopólio português de pau-brasil. Quando volta para a França, alega ter descoberto uma nova "Terra Austral". Séculos depois, essa declaração é usada pelos franceses para reivindicar o continente australiano.

1516–1519 e **1525–1528** — Devido à exploração contínua de pau-brasil pelos franceses, a coroa portuguesa organiza duas expedições militares sob o comando de Cristóvão Jacques. Em julho de 1527 ele consegue expulsar os franceses na primeira de várias batalhas navais entre as duas potências pelo controle do comércio de pau-brasil.

Dezembro de 1519 — Durante a viagem de circunavegação, Fernão de Magalhães e seus marinheiros passam duas semanas na Baía de Guanabara, a qual descrevem como "paraíso".

1532 — O rei português D. João III organiza a primeira expedição colonizadora, comandada por Martim Afonso de Souza. Ele inicia o cultivo da cana de açúcar com um engenho em São Vicente, perto de onde é hoje o Porto de Santos, no litoral de São Paulo. Na atual Praia

BEM-VINDO AO RIO DE JANEIRO

do Flamengo, no Rio de Janeiro, ele constrói o que alguns autores descrevem como engenho mas outros como um simples depósito.

1534–1536 — O Rei D. João III tenta promover o comércio no Brasil e estimular o povoamento, dividindo o litoral brasileiro em 14 capitanias hereditárias (faixas de terra, do litoral ao interior, que deveriam ser guardadas e exploradas por Capitães Donatários e seus herdeiros), visando receber uma taxa de 10% de todos os produtos tributáveis da colônia. O Rio de Janeiro fica parcialmente sob o domínio da Capitania de São Vicente, doada a Martim Afonso de Souza, e parcialmente sob o domínio da Capitania de São Tomé, doada a Pero de Góis.

1547 — Seiscentos colonos e seis usinas de açúcar já trabalham na capitania de São Vicente.

1548 — Embora as capitanias hereditárias ainda existam no séc. XVIII, somente duas prosperam: a de São Vicente, no sul, e a de Pernambuco, no nordeste. A incapacidade de policiar os colonos e o insucesso do sistema de capitanias leva à criação do estado do Brasil, sob a jurisdição do Reino de Portugal e Algarves.

1549 — O primeiro governador, Tomé de Sousa, chega à Bahia e funda Salvador, a primeira capital do Brasil.

1555 — O líder huguenote Almirante Gaspar de Coligny envia o francês Nicolau Durand de Villegaignon ao Brasil, com o objetivo de fundar uma colônia: a França Antártica. Villegaignon chega com dois navios e 600 colonizadores e ergue o Forte Coligny, o primeiro posto avançado protestante no Novo Mundo, numa pequena ilha fortificada na Baía de Guanabara. Hoje, a ilha leva o nome de Villegaignon e abriga a Escola Naval do Rio de Janeiro.

1559 — Villegaignon volta para a França, pressionado pela disputa religiosa entre seus compatriotas e não retorna mais ao Brasil.

Março de 1560 — Uma esquadra comandada pelo terceiro governador do Brasil, Mem de Sá, expulsa os franceses do Forte Coligny, mas estes ficam no continente, ajudados e instigados pelos índios Tamoios, que são hostis aos portugueses.

14 de setembro de 1563 — Os padres jesuítas Manoel da Nóbrega e José de Anchieta conseguem pacificar um ramo dos Tamoios perto da atual Paraty, através da assinatura do Tratado de Paz de Iperoig, com o líder indígena Cunhambebe. Esse primeiríssimo tratado entre nativos e europeus quebra a resistência aos portugueses e torna possível um ataque aos franceses.

20 de janeiro de 1565 — Finalmente, os portugueses iniciam a colonização da Baía de Guanabara: o Capitão Estácio de Sá, sobrinho de Mem de Sá, funda o forte militar de São Sebastião do Rio de Janeiro, no atual bairro da Urca. A lembrança de Estácio de Sá perdura no bairro que leva seu nome.

Janeiro de 1567 — Após dois anos de lutas sangrentas, os franceses e os Tupinambás, seus aliados, são completamente derrotados pelos portugueses e seus aliados Temiminós, em duas grandes batalhas. Em 20 de janeiro, o Capitão Estácio de Sá é morto por uma flecha

HISTÓRIA

Litografia retratando um engenho de açúcar em Viagem Histórica e Quadrinhesca ao Brasil (séc. XIX) de Jean-Baptiste Debret

O comércio de escravos

Por volta de 1550, a política dos portugueses era clara: proteger as colônias contra as invasões estrangeiras e instalar engenhos para aproveitar a explosão do valor do açúcar na época. De fato, a população da Colônia aumentou vinte vezes, de 6.500 pessoas, em 1546–48, para 150.000, no final do séc. XVI. A princípio, os índios foram utilizados como mão de obra nos engenhos, mas não estavam acostumados com este tipo de trabalho e não tinham imunidade às doenças trazidas pelo colonizador. Os portugueses foram buscar mão de obra na África, entre o Golfo da Guiné e Angola, onde já tinham instalado postos comerciais.

Por volta de 1570, o comércio escravo atingiu o seu clímax. Os historiadores estimam que, somente do porto de Luanda, entre 1575 e 1587 saíram 2600 escravos por ano e, entre 1587 e 1591, esta quantidade dobrou para mais de 5000 escravos. Cerca de 50% dos escravos morriam no transporte até o Brasil e o trabalho nos engenhos fazia com que o período de vida médio do homem escravo fosse de sete anos, o que levava a uma necessidade constante de substituição dessa mão de obra.. Os africanos enviados ao Brasil pertenciam a diferentes grupos: no séc. XVI, eram principalmente do Senegal e de Gâmbia; no séc. XVII, de Angola e do Congo; no séc. XVIII, do Benin. Na chegada, eles eram separados, para evitar ações de grupo e para forçá-los a falar português. No total, cerca de 40% de todos os escravos que vieram para as Américas ficaram no Brasil, cerca de 3.650.000 de pessoas, mais da metade tendo chegado depois de 1800.

A escravidão no Brasil foi mais institucionalizada do que em qualquer outro país, o que afetou profundamente a psicologia coletiva e a composição racial. Consequentemente, não é nenhuma surpresa constatar que foi o último país a abolir a escravidão.

BEM-VINDO AO RIO DE JANEIRO

envenenada na batalha de Uruçu-mirim (perto dos bairros da Glória e do Flamengo de hoje), enquanto ao norte seu tio e terceiro governador do Brasil, Mem de Sá, ataca as posições em Paranapecu (atual Ilha do Governador).

Março de 1567 — Mem de Sá muda a instalação militar criada por seu sobrinho para o Morro do Descanso, na atual região do Centro da Cidade do Rio de Janeiro, que se torna o núcleo da futura metrópole. Uma fortaleza acastelada é edificada no topo, com outras construções religiosas e administrativas, dando origem ao nome, Morro do Castelo, destruído em 1922.

Colonização (1568–1808)
O Ciclo do Açúcar (1568–1693)

Entre 1600 e 1650, mais de 90% da renda brasileira vinha da exportação de açúcar, enquanto o comércio do pau-brasil, muito menos lucrativo, declinava. Entretanto, o Rio de Janeiro continuava sendo o porto mais estratégico, entre Salvador e o Rio da Prata, e continuou a crescer, até sobrepujar São Vicente: em 1583 havia apenas três engenhos no Rio de Janeiro, comparado com os mais de 100 na Bahia e em Pernambuco. Ainda assim, enquanto os engenhos se multiplicavam no Novo Mundo, foram os fatos ocorridos no Velho Mundo que determinaram o destino das colônias portuguesas. O jovem rei D. Sebastião desapareceu em batalha numa expedição contra os Mouros no Marrocos. Ele não deixou herdeiros diretos e nos próximos 60 anos o Brasil foi governado pela união das coroas de Portugal e Espanha, sob o soberano espanhol Felipe II. Como consequência, a fronteira entre as colônias espanholas e a portuguesa foi temporariamente suspensa e a luta pelo

poder na Europa atravessou o oceano. Os franceses, aliados dos espanhóis, não mais fizeram incursões no Brasil, mas foram substituídos pelos holandeses, inimigos mortais da coroa espanhola. Com mais sucesso do que os franceses, os holandeses fincaram pé no Brasil e governaram no nordeste por cerca de 30 anos. Apesar do sucesso, eles também se retiraram quando sua atenção foi desviada para uma guerra prolongada com a Grã-Bretanha. Em 1640, a restauração da monarquia portuguesa sob os Bragança finalmente trouxe o Brasil de volta ao controle português, mas as atenções permaneciam no nordeste, onde o plantio de cana ainda era muito lucrativo, até a descoberta de ouro no sul. Embora os dois primeiros governadores do Brasil (Jorge e Vasco Mascarenhas) sob os Bragança tenham recebido o título de Vice-Rei, foi somente em 1714 que o vice-reinado do Brasil foi estabelecido oficialmente.

1568 — Mem de Sá doa as terras do outro lado da Baía de Guanabara ao Chefe Arariboia, dos Temiminós, como agradecimento por sua ajuda contra os franceses. Batizado, ele adota o nome Martim Afonso e funda o povoado de São Lourenço dos Índios (a atual Niterói).

1572 — O Rei D. Sebastião, em cuja honra o povoado de São Sebastião do Rio de Janeiro foi batizado, divide o Brasil em duas regiões administrativas: Norte e Sul. O governo do Norte é instalado em Salvador e o do Sul, no Rio de Janeiro.

1575 — O governador do Rio de Janeiro, Antonio Salema, organiza uma expedição para combater os franceses que permanecem em Cabo Frio, ajudados pelos Tamoios. Ele expulsa os franceses e massacra seus aliados índios. O Governador constrói também um engenho para o próprio rei, próximo à Lagoa Rodrigo

HISTÓRIA

1578 — de Freitas, com dinheiro dos cofres reais.

1578 — O governo da colônia é novamente unificado, com Salvador como capital, refletindo sua crescente importância no comércio de açúcar.

1578 — Desaparecimento do Rei D. Sebastião na batalha de Alcácer-Kibir.

1580 — União das coroas ibéricas sob Felipe II, da Espanha.

1584 — Felipe II fecha todos os portos espanhóis e portugueses aos holandeses, que se revoltam contra seu domínio.

Março de 1599 — O navegador e bucaneiro holandês Olivier Van Noort aporta sorrateiramente na Baía de Guanabara e tenta saquear o Rio de Janeiro, mas é rechaçado. Ele continua a viagem e se torna o primeiro holandês a circunavegar o globo.

1624–1627 — Invasão holandesa em Salvador, na Bahia.

1630–1654 — Invasão e ocupação holandesa em Recife e Olinda, em Pernambuco. Entre 1637 e 1644 o Conde e Príncipe holandês João Maurício de Nassau-Siegen administra a Companhia das Índias Ocidentais no Brasil.

1640 — Proclamação do Duque de Bragança como Rei D. João IV de Portugal e fim da união das coroas ibéricas.

O Ciclo do Ouro (1693–1808)

Há várias alegações sobre quem descobriu ouro no Brasil, mas o consenso favorece Antônio Rodrigues Arzão. Em 1693, ele extraiu o precioso metal nas montanhas de Itaverava, no atual Estado de Minas Gerais. Foi um fato significativo, não apenas para a história do Brasil, mas, principalmente, para o Rio de Janeiro, que se tornou o principal porto de exportação do ouro de Minas Gerais.

Alferes Joaquim José da Silva Xavier, o Tiradentes (1940) por J. W. Rodrigues
Museu Histórico Nacional

No auge do Ciclo do Ouro (1735–1754), a média das exportações era de 14-15 toneladas por ano. A riqueza recém descoberta do Rio novamente atraiu o interesse dos franceses. Em 1710, uma esquadra composta de seis navios com 1.200 homens sob o comando de Jean François Duclerc tentou tomar o Rio de Janeiro à força, mas foi derrotada. Duclerc foi feito prisioneiro e misteriosamente assassinado. Luís XIV se enfureceu e jurou vingança: no ano seguinte, o almirante francês René Duguay-Trouin, navegando com 17 embarcações, 600 canhões e 6.000 homens, conseguiu capturar um Rio de Janeiro muito bem fortificado e defendido, depois de 11 dias de batalha. Ele libertou os prisioneiros franceses da expedição de Duclerc, exigiu resgate pelo governador português Castro Morais e obteve régio pagamento em ouro. Foi a maior vitória naval francesa no Brasil, embora as consequências não tenham durado: foi uma expedição de pilhagem; o sonho da França Antártica tinha desaparecido. Em 1763, o governo do Brasil foi unificado e transferido integralmente para o Rio de Janeiro, que se tornou a nova capital do país. Isto representou uma mudança

59

BEM-VINDO AO RIO DE JANEIRO

Passeio Público hoje

fundamental do centro de gravidade econômico do norte para o sul do país. Inspirados pela revolução americana e pelas ideias iluministas francesas, vários notáveis de Minas Gerais organizaram uma conspiração, conhecida no Brasil como Inconfidência Mineira, com o objetivo de declarar a independência do Brasil. Em 1789, eles são traídos, presos e exilados, menos o líder, o alferes Joaquim José da Silva Xavier, cuja alcunha era Tiradentes. Em 1792, ele é enforcado em praça pública no Rio de Janeiro, num patíbulo erguido próximo de onde hoje é a Praça Tiradentes.

Muito do ouro serviu para financiar as artes: era a época do Barroco brasileiro e as irmandades leigas competiam umas com as outras na construção de igrejas profusamente decoradas, sobretudo em Minas Gerais, na Bahia e no Rio de Janeiro. Nesta mesma época, o Vice-Rei Dom Luís de Vasconcelos e Souza encomendou as primeiras obras públicas para a cidade do Rio de Janeiro, entre elas o **Passeio Público** (*ver p.124*), o primeiro parque público das Américas, resultante da drenagem de uma lagoa. Assim, embora a cidade continuasse a crescer, ainda era uma colônia atrasada, até as Guerras Napoleônicas obrigarem a corte portuguesa a se mudar para o Brasil.

1693 — Antonio Rodrigues Arzão descobre ouro em Minas Gerais.
1704–1705 — Garcia Rodrigues Paes inaugura o Caminho Novo, uma estrada que serpenteia a Serra do Mar, desde as minas de ouro de Minas Gerais até os portos de Paraty, Angra dos Reis e Rio de Janeiro.
1710 — O almirante Jean François Duclerc tenta capturar o Rio de Janeiro mas é rechaçado.
21 de setembro de 1711 — O almirante francês René Duguay-Trouin captura o Rio de Janeiro e parte, depois de exigir resgate.
1714 — Instituição oficial do Vice-Reinado do Brasil.
1727 — Sementes de café são contrabandeadas da Guiana Francesa para o Brasil, por Francisco de Melo Palheta.
1763 — O Rio de Janeiro torna-se a capital do Brasil.
1770 — O desembargador João Alberto de Castelo Branco, inicia o plantio de café no Rio de Janeiro. As primeiras mudas brotam num jardim na atual Rua Evaristo da Veiga, perto do Theatro Municipal.
1785 — A rainha de Portugal D. Maria I proíbe o estabelecimento de qualquer indústria no Brasil. Este decreto, chegando no momento em que as minas estavam se exaurindo, acarreta um grande descontentamento na colônia.
1789 — A Inconfidência Mineira é descoberta e seus líderes, presos.
1792 — Tiradentes é enforcado no Rio de Janeiro.

Independência e Monarquia (1808–1889)

Mais uma vez, os acontecimentos na Europa influenciaram decisivamente a história do Brasil. As invasões de Napoleão na Península Ibérica forçaram a Família Real Portuguesa a fugir para a colônia de além mar e a transferir o trono para o Rio de Janeiro. No total,

HISTÓRIA

15.000 pessoas entre cortesãos, aristocratas e administradores vieram para o Rio, numa época em que a cidade contava com 45.000 habitantes, a maioria, escravos. Foi a primeira e única vez na história em que uma cidade colonial se tornou capital europeia; nesta qualidade, o Rio de Janeiro passou a ser o centro do império português com a distribuição de títulos de Conde, Visconde e Duque à elite local. O Regente — e com a morte de D. Maria, a Rainha Louca, em 1816, Rei — D. João VI começou a transformar a cidade do Rio de Janeiro na capital do reino, criando e fundando várias instituições públicas, escolas, biblioteca, banco, imprensa e o Jardim Botânico (ver p.174). Revogou a proibição da criação de indústrias e liberou o comércio com todas as nações amigas, sendo que a Grã-Bretanha, antiga aliada de Portugal, recebeu termos alfandegários particularmente vantajosos.

Em 1816, D. João VI convidou ao Brasil um grupo de artistas franceses, para fundar a Escola de Belas Artes. Seus membros mais famosos foram o pintor Jean Baptiste Debret (1768–1848), que retratou a cidade, seus costumes e personagens de 1816 a 1831, quando deixou o Brasil, e o arquiteto Grandgean de Montigny, que introduziu o Neoclassicismo na arquitetura e cujo principal exemplar é a Casa França-Brasil.

Embora as Guerras Napoleônicas tivessem acabado em 1815, foi com muita relutância que D. João VI deixou o Brasil e voltou para Portugal em 1821, deixando como Regente seu filho mais velho, D. Pedro. Descontente com as interferências da corte portuguesa no país, D. Pedro declarou a independência do Brasil às margens do riacho Ipiranga, em 7 de setembro de 1822. Reinou no Rio de Janeiro como D. Pedro I, mas enfrentou resistência do seu governo quando tentou propor uma constituição absolutista.

D. Pedro I deixou o Brasil em 1831 para ocupar o trono de Portugal, que ficara vago. Por sua vez, ele deixou o poder

Retrato de D. João VI e Dona Carlota Joaquina (séc. XIX) pintado por Manuel Dias de Oliveira

Museu Histórico Nacional

Um longo caminho até a Abolição

1831 Sob pressão da Grã-Bretanha, todos os escravos que chegam ao Brasil são considerados livres e a importação de escravos é proibida. Entretanto, as autoridades apenas fingem cumprir a lei e fecham os olhos ao comércio: nas décadas de 1830 e 1840 o número médio de escravos trazidos da África por ano ainda é 35.000.

1850 O comércio de escravos finalmente é abolido; os navios brasileiros são proibidos de carregar escravos africanos, sob pena de pesadas multas.

1864–1869 Guerra do Paraguai. Os escravos recebem promessas de libertação e lutam como voluntários ao lado de soldados mais pobres, criando uma relação de amizade que perdurou após a o final do conflito..

1871 Assinatura da Lei do Ventre Livre, libertando os filhos das escravas.

1885 Assinatura da Lei dos Sexagenários, que liberta os escravos com mais de 60 anos.

13 de maio de 1888 Assinatura da Lei Áurea, pela Princesa Isabel, - Regente, pois Dom Pedro II, estava em viagem ao exterior . É a lei que emancipa, de uma vez por todas, os 700.000 escravos que ainda existiam no país.

BEM-VINDO AO RIO DE JANEIRO

Dom Pedro II

para seu filho, D. Pedro II, que tinha somente cinco anos de idade. Após um período regencial, D. Pedro II teve a sua maioridade antecipada e com 15 anos assumiu o trono do Brasil. Nos seus mais de 50 anos de reinado, D. Pedro II moldou o Brasil imperial do séc. XIX. Depois do pau-brasil e do ouro, era agora o cultivo do café, na capital e arredores, especialmente no Vale do Paraíba, que enriquecia as elites e destacava a importância da cidade.

1808 — A Família Real Portuguesa e a Corte deixam Lisboa em direção ao Brasil. Quando da chegada ao Rio de Janeiro, decretação da Abertura dos Portos brasileiros às nações amigas de Portugal, criação da Imprensa Régia e fundação do Banco do Brasil.

1809 — Fundação do Jardim Botânico no Rio de Janeiro.

1810 — Criação da Biblioteca Real (atual Biblioteca Nacional ⓒ ver p.111).

1815 — Elevação do status do Brasil criando o Reino Unido de Portugal, Brasil e Algarves — com a capital no Rio de Janeiro.

1816 — Morte de D. Maria, a Rainha Louca, e ascensão de seu filho a Rei, como D. João VI.

1821 — D. João VI retorna a Portugal para reassumir o trono, deixando seu filho D. Pedro no Brasil.

7 de setembro de 1822 — D. Pedro proclama a Independência do Brasil, exclamando "Independência ou Morte!", e passa a ser D. Pedro I do Império do Brasil.

1824 — Primeira constituição brasileira.

7 de abril de 1831 — D. Pedro I abdica em favor do filho Dom Pedro II, que tem apenas cinco anos de idade.

1840 — Depois de uma regência de dez anos, D. Pedro II ascende ao trono, com apenas 15 anos.

1840–1870 — Era de ouro do cultivo do café no Vale do Paraíba, perto do Rio de Janeiro.

1844 — Tarifas alfandegárias protecionistas, favoráveis à industrialização do Brasil, são fixadas pelo ministro Alves Branco.

1854 — Inauguração da primeira linha férrea brasileira, ligando a Baía de Guanabara ao interior.

1861–1868 — Reflorestamento das encostas do maciço da Tijuca, constituindo o que viria a ser a Floresta da Tijuca e, posteriormente, o Parque Nacional da Tijuca (ⓒ ver p.139).

1864–1870 — Guerra do Paraguai

1871 — Aprovação da Lei do Ventre Livre, libertando os filhos nascidos de escravas

1885 — Assinatura da Lei dos Sexagenários, libertando os escravos com mais de 65 anos.

1888 — Abolição da escravatura, com a assinatura da Lei Áurea. A cafeicultura no Vale do Paraíba entrou em decadência.

HISTÓRIA

A República Velha (1889–1930)

O descontentamento com o governo de D. Pedro II começou com a Guerra do Paraguai (1864–1870) e seus resultados desastrosos do ponto de vista político e econômico. A libertação dos escravos, em 1888, foi altamente impopular entre a aristocracia rural. Com isso, o exército e a elite econômica se sentiram fortalecidos para proclamar a República. O primeiro presidente foi o Marechal Deodoro da Fonseca, sucedido pelo temido Marechal Floriano Vieira Peixoto, que consolidou a república reprimindo violentamente a dissidência.

A República Velha recebeu o apelido de política do café com leite devido aos postos de presidente e de governadores estarem ligados às oligarquias de São Paulo, produtoras de café, e às de Minas Gerais, produtoras de leite, enquanto que a classe dominante do Rio de Janeiro participava da burocracia e das estruturas governamentais. A república não era amada por todos. No sul, os estados de Santa Catarina e do Rio Grande do Sul rebelaram-se e precisaram ser dominados.

A Marinha revoltou-se no próprio Rio de Janeiro mas também foi controlada. Em 1896–1897, uma insurreição de fundo místico, de trabalhadores rurais e escravos recém libertados, eclodiu em Canudos, no interior da Bahia. Foram necessárias cinco campanhas e uma grande força militar para dominá-los. Essa insurreição forneceu à literatura brasileira um de seus maiores épicos, *Os Sertões*, de Euclides da Cunha.

Manoel Deodoro da Fonseca

Um fato curioso ligando Canudos ao Rio é a origem da palavra favela: os soldados que lutaram na Revolta de Canudos, ao voltarem ao Rio, receberam um morro para se instalarem e deram a este local, de habitações precárias, o nome de Favela, uma alusão ao Morro da Favela (favela era o nome de uma planta que cobria este morro), que havia na região de Canudos. Este termo passou a designar todas as implantações de baixa renda nas encostas dos morros.

Bandeiras do Brasil na Praia de Ipanema

A bandeira do Brasil

O exército brasileiro inspirou-se profundamente na filosofia positivista — atualmente fora de moda — que tinha muitos adeptos no final do séc. XIX. O criador e principal patrocinador desta filosofia foi Augusto Comte (1798–1857), que acreditava em uma sociedade leiga e industrial, governada pela razão e pela lógica. O lema positivista foi inscrito na bandeira do Brasil: Ordem e Progresso, onde permanece até hoje na faixa branca. O verde representa as florestas do Brasil; o amarelo seu ouro e o azul é o céu do Rio de Janeiro na noite de 15 de novembro de 1889 (o dia da Proclamação da República); cada estrela representa um estado da federação.

BEM-VINDO AO RIO DE JANEIRO

15 de novembro de 1889 —Proclamação da República sob a presidência do Marechal Manoel Deodoro da Fonseca.
1891 — Primeira constituição republicana do Brasil.
1893–94 — Revolta da Armada no Rio de Janeiro.
1896–1897 — Guerra de Canudos.
1914 — A 1ª Guerra Mundial interrompe as importações e encoraja a expansão das atividades industriais locais. O Brasil entra na guerra do lado dos Aliados em 27 de outubro de 1917 e captura 46 navios alemães que estavam ancorados em portos brasileiros.
1929 — Crise na Bolsa de Nova Iorque e queda dos preços do café, desestabilizando a economia brasileira e a política do café com leite.

Da Ditadura à Democracia e à Ditadura novamente

Com o colapso do preço do café em 1929, um golpe militar deu fim à República Velha e ao domínio da política do café com leite, onde se alternavam no poder, representantes dos interesses dos Estados de São Paulo e Minas Gerais. Em 1930, mesmo após a eleição de Julio Prestes, Getúlio Vargas (1883–1954), com o apoio de alguns estados e do exército, dá um golpe militar e assume a chefia do governo provisório, dissolve o Congresso, suspende a Constituição de 1891, nomeia interventores no lugar de governadores eleitos nos Estados e decreta que nenhum ato do governo provisório pode ser contestado pelo Judiciário, até o retorno da ordem social e política. Como o estado de direito não foi implantado, uma revolução constitucionalista eclodiu em São Paulo, em 1932, uma assembleia nacional constituinte é convocada e uma nova Constituição é promulgada em 1934. Um novo mandato presidencial de Getúlio Vargas começa em 1934 e deveria ir até 1938 mas, em 1937, sob a ameaça de uma revolução comunista forjada, Getúlio dá um novo golpe e implanta o Estado Novo, que dura de 1937 a 1945, com forte intervenção do governo na economia.

Após grande pressão dos americanos, o Brasil entrou na 2ª Guerra Mundial do lado dos Aliados e lutou junto com eles, notadamente na Itália, mas quando a guerra acabou, o espírito antiditatorial dominante pôs fim ao Estado Novo e foram convocadas eleições. Getúlio Vargas fundou um partido e se candidatou, mas perdeu. Manteve seus contatos e teve um retorno triunfal em 1951,

General Getúlio Vargas (sentado, no centro), na época Presidente da Junta Militar, chegando de trem ao Rio de Janeiro para assumir o novo governo em 19 de novembro de 1930

HISTÓRIA

quando venceu amplamente com um programa populista de esquerda.

Porém, uma vez no poder, as coisas não aconteceram como previsto e a imprensa hostil, o colapso do preço do café e uma crise na balança de pagamentos foram demais para Getúlio. Um de seus colaboradores mais próximos tentou assassinar Carlos Lacerda, um dos jornalistas mais críticos de seu governo.

Lacerda apenas se feriu, mas seu guarda-costas morreu. Getúlio foi implicado, apesar de negar as acusações, e sua reação dramática ainda hoje divide os brasileiros: em 24 de agosto de 1954, ele se matou com um tiro no Palácio do Catete (☝ver p.148), no Rio de Janeiro, deixando um dramático bilhete suicida que tocou o sentimento de uma nação emocionada.

Esse desfecho o absolveu de qualquer culpa e o transformou numa lenda do trabalhismo aos olhos de muitos brasileiros. O vice-presidente de Getúlio Vargas, João Café Filho, assumiu a presidência e continuou a governar até 1956, quando Juscelino Kubitschek, um político de centro, ganhou as eleições com uma visão positiva do futuro. Sua estratégia de industrialização rápida, representada pela frase 50 anos em 5 anos, e a construção da nova capital, Brasília, na árida região do centro-oeste, causaram uma crise na balança de pagamentos. Para financiá-la, mandava-se imprimir dinheiro, contrariando os conselhos dos economistas ortodoxos, e o governo assumiu a posição de recusar a ajuda do FMI – Fundo Monetário Internacional. Esta estratégia foi popular internamente, mas gerou uma inflação enorme na economia: em 1955, a inflação estava em 11,7%; em 1964, já tinha chegado a 89,9%.

Ainda assim, em quatro anos, a nova capital estava pronta e, em 21 de abril de 1960, aniversário de morte de Tiradentes, a capital foi oficialmente transferida do Rio de Janeiro para Brasília.

O momento crítico foi no governo de João Goulart, que assumiu o poder após o sucessor de Kubitschek, Jânio Quadros, renunciar depois de apenas nove meses no poder, justificando sua decisão com pressões internas e externas que sofria. João Goulart era um

Líderes da ditadura militar 1964–1985

1964–1967	Marechal Humberto de Alencar Castelo Branco
1967–1969	Marechal Arthur da Costa e Silva
1969–1974	General Emílio Garrastazu Médici
1974–1979	General Ernesto Geisel
1979–1985	General João Baptista de Oliveira Figueiredo

protegido de Getúlio e foi responsável por um aumento de 100% no salário mínimo, o que contrariava as elites. Suas supostas ligações com o Partido Comunista, proscrito, eram inaceitáveis para as Forças Armadas. João Goulart foi deposto em 1° de abril de 1964, por um golpe militar, tendo à frente o Marechal Humberto de Alencar Castelo Branco, qua assumiu o poder, mergulhando o Brasil na ditadura mais longa e severa de sua história.

De fato, depois de 1968, a forte censura, implantada com a ditadura militar, forçou vários políticos, jornalistas, cineastas, músicos e intelectuais a se exilarem em países mais liberais, tanto na Europa como na América do Sul.

A ditadura militar durou 21 longos anos. Foi uma época de crise de confiança para o Rio de Janeiro, que perdera o status de capital em 1960 e o status de estado, em 1976, com a fusão com o estado do Rio de Janeiro: dos 21 jornais diários circulando em 1960, somente sete permaneciam em funcionamento regular em 1980, enquanto que as 15 revistas semanais fecharam.

Apesar de uma pequena explosão econômica, entre 1968 e 1973, quando a economia brasileira registrou um crescimento anual de 14%, os planos econômicos e sociais não beneficiaram diretamente a população e não propiciaram um desenvolvimento social sustentável.

1930 — Revolução de 1930 e ascensão de Getúlio Vargas.

1943 — O Brasil entra na 2ª Guerra Mundial e luta na Itália ao

BEM-VINDO AO RIO DE JANEIRO

Soldados defendendo o Ministério da Guerra no Rio de Janeiro durante a noite de 1º de abril de 1964

lado dos Aliados.
1946–1951 — Eurico Gaspar Dutra ganha as primeiras eleições democráticas em 20 anos.
1951–1954 — O ex-ditador Getúlio Vargas volta constitucionalmente ao poder.
1954 — Getúlio Vargas comete suicídio.
1956–1961 — O presidente Juscelino Kubitschek de Oliveira ganha as eleições, prometendo construir Brasília.
21 de abril de 1960 — (Dia de Tiradentes) Transferência da capital do Rio de Janeiro para Brasília. O Rio de Janeiro torna-se a cidade-estado da Guanabara.
1961 — O presidente Jânio Quadro é eleito e renuncia.
1961–1964 — João Belchior Marques Goulart assume a presidência mas é deposto por um golpe militar.
1960–1970 — Abertura dos túneis para a Zona Sul e a classe média se desloca para Copacabana, Ipanema e, mais tarde, Barra.
1974 — A descoberta de petróleo na Bacia de Campos, a 80 km do litoral do Rio de Janeiro, revitaliza o Estado.
1975 — Fusão dos estados da Guanabara e do Rio de Janeiro, ficando a cidade do Rio de Janeiro, como capital do novo estado.

Plataforma na Bacia de Campos

A Nova República

Uma dívida externa crescente, uma inflação desenfreada que atingiu 235% em 1985, uma crise na balança de pagamentos, mais a pressão internacional levaram à convocação de eleições para presidente, mesmo que

HISTÓRIA

indiretamente.

Tancredo Neves, eleito, no dia da posse, teve problemas de saúde vindo a morrer dias depois, assumindo o poder seu vice-presidente José Sarney. Como muitos antes dele, Sarney tentou estabilizar a moeda e dominar a inflação galopante (1.783% em 1989) mas sem sucesso.

Fernando Collor de Mello tornou-se o primeiro presidente brasileiro eleito por voto direto, herdando uma inflação de quase 100% ao mês. Apesar de várias medidas econômicas, tais como a redução do orçamento federal, o congelamento de poupanças e preços, a eliminação de empregos públicos e a privatização de empresas, a inflação não cedeu. Acusado de corrupção, ele passou a ser o alvo de uma investigação no Congresso e de um *impeachment* no final de 1992.

O vice-presidente, Itamar Franco, assumiu o poder e nomeou para Ministro da Fazenda Fernando Henrique Cardoso, que atacou a inflação com um plano complexo, cujo foco foi a criação de uma nova moeda, o real, em 1994.

Fernando Henrique Cardoso teve êxito no combate à inflação e foi eleito presidente por dois turnos. O programa de reformas de FHC trouxe uma estabilidade há muito necessária e investimentos estrangeiros.

As eleições de 2002 trouxeram ao poder Luiz Inácio Lula da Silva, que se tornou o primeiro presidente brasileiro do Partido dos Trabalhadores, o PT. Lula vem conseguindo impulsionar a indústria e o comércio junto com um programa de combate à fome. Em 2006, ele foi reeleito para um segundo mandato.

Luiz Inácio Lula da Silva

1985 — Eleição indireta do presidente Tancredo Neves, que morre antes de assumir.

1985–1990 — Governo de José Sarney.

1988 — A mais nova Constituição do Brasil institui o sufrágio universal.

1990–1992 — Fernando Collor de Mello é o primeiro presidente eleito diretamente. Escândalos de corrupção resultam em seu *impeachment*.

1992–1995 — O vice-presidente Itamar Augusto Franco assume a presidência.

1994 — Fernando Henrique Cardoso, consegue dominar a inflação criando uma nova moeda, o real.

1995–2002 — Primeiro e segundo mandatos do Governo de Fernando Henrique Cardoso.

2002 — Luiz Inácio Lula da Silva, do Partido dos Trabalhadores, ganha as eleições, com 60% dos votos.

2006 — O presidente Lula é eleito para um segundo mandato.

O sucesso do Plano Real

Ano	Taxa de inflação anual %
1994	929
1995	22
1996	11
1997	4

BEM-VINDO AO RIO DE JANEIRO

ARTE E CULTURA

"Tupi or not Tupi, that is the question", esta é a famosa frase do poeta Oswald de Andrade que, irônico, demonstra o dilema existencial dos artistas brasileiros, divididos entre suas raízes africanas e ameríndias e as influências europeias. No entanto, apesar das dificuldades iniciais, a arte e a cultura brasileiras desenvolveram-se extraordinariamente. Exemplos disso são as igrejas Barrocas, os edifícios Modernistas e uma literatura de classe mundial no Rio de Janeiro, assim como uma variedade enorme de música de alta qualidade.

Arquitetura

ARQUITETURA COLONIAL

Da arquitetura colonial original da cidade, pouco sobreviveu às várias transformações urbanas do Rio de Janeiro. Um edifício remanescente e que é o melhor exemplo da arquitetura colonial no Rio de Janeiro é o **Paço Imperial**. Este foi construído, em 1743, pelo arquiteto português **José Fernandes Pinto Alpoim** (1700–1765) para o governador do Rio, Gomes Freire de Andrade. Depois de 1767, foi utilizado pelos Vice-Reis do Brasil e, mais tarde, pela família real como residência e, depois, como palácio de despachos, conservando esta função no período imperial. É um exemplo típico da arquitetura do séc. XVIII, que ainda pode ser vista nas cidades históricas de Minas Gerais: dois andares, com o andar superior dominado por grandes janelas e varandas ornamentadas com gradis, pátios internos, paredes grossas e portas e tetos de madeira de lei espessa.

É principalmente nas **fazendas de café** do vale do Rio Paraíba que o visitante hoje pode encontrar alguns exemplos da arquitetura chamada colonial, na verdade uma adaptação da arquitetura urbana para o meio rural. Quando estas casas foram construídas, os barões do café já tinham praticamente abandonado o estilo tradicional dos *engenhos* de açúcar dos séc. XVII e XVIII: casas grandes, sóbrias e simples de um andar térreo somente. Uma fazenda de café, no final do séc. XVIII e no séc. XIX, estava organizada dentro de um quadrado (quadrilátero funcional) com os seguintes espaços: a *casa-grande*, residência do proprietário; um pátio aberto para secar os grãos; armazéns onde o café era armazenado; e, finalmente, a *senzala*, as instalações dos escravos. Embora fossem amplas e grandes, as casas eram muito rudimentares devido à falta de materiais adequados e de mão-de-obra especializada. Elas eram construídas pelos escravos, usando técnicas, como "pau-a-pique", com pedras e paredes de adobe e estruturas de madeira. As

Arquitetura Colonial: Paço Imperial

ARTE E CULTURA

fachadas, portas e janelas tendiam para o estilo Neoclássico, já no período real e imperial; a decoração do interior usava papel de parede importado e grandes pinturas com temas da antiguidade clássica.

BARROCO E ROCOCÓ

Estes estilos apareceram no Brasil muito mais tarde do que na Europa e, de todas as manifestações artísticas, foi na arte e na arquitetura religiosa que o Barroco, e em especial o Rococó, encontraram sua expressão máxima. Isto não surpreende, porque o Barroco tinha-se estabelecido como a arte religiosa da Contrarreforma, como reação à pureza Protestante. O Barroco foi introduzido no Brasil primeiro no nordeste (Bahia e Pernambuco) e mais tarde no Rio de Janeiro e Minas Gerais.

Há três etapas distintas da evolução do Barroco no Brasil. Inicialmente (1549–1640) os artífices anônimos procuraram reproduzir os padrões e regras europeus sem, contudo, usar materiais adequados. Os resultados eram imitações fracas, com pouco mérito artístico; portanto, qualquer interesse nos edifícios e objetos tende a ser puramente histórico. A segunda fase pode ser situada entre a Restauração dos Bragança (1640) e a transferência da capital do Brasil para o Rio de Janeiro (1763). Isto corresponde à evolução tardia do estilo Maneirista e à introdução do Barroco. A descoberta do ouro trouxe muitos artistas portugueses para o Brasil, aumentando assim a qualidade e os padrões criativos. Finalmente, a partir da segunda metade do séc. XVIII e até à chegada da **Missão Francesa**, em 1816, a riqueza criada pelo ouro atingiu seu apogeu. Enquanto as irmandades leigas — as "ordens terceiras" — competiam umas com as outras em devoção, riqueza e ostentação, este período também coincide com o auge do Rococó Brasileiro, que se manifestou em vários estilos distintos.

O modelo de arquitetura adotado pela **Companhia de Jesus** baseava-se em linhas simples e austeras. O plano geral incluía um pátio retangular, rodeado pela própria igreja, o colégio, as oficinas e as residências dos Jesuítas. O objetivo era a educação e a instrução dos nativos: havia muito espaço à frente, no *terreiro*, que foi a origem de muitas praças do país. A igreja que personifica este estilo no estado do Rio de Janeiro é a de **São Pedro d'Aldeia**: uma única nave sem pilares serve de grande sala de congregação, boa acústica e um altar visível de todos os ângulos.

Os **Franciscanos** construíram grandes mosteiros rodeados por galerias cobertas, mas à medida que as ordens se enriqueciam eles construíram igrejas adjacentes. Um destes casos é a Igreja de **São Francisco da Penitência,** no Rio de Janeiro, junto ao convento de Santo Antônio — apesar da riqueza de seus membros, todo o complexo preserva, externamente, o caráter ascético da confraria monástica.

As construções das ordens **Carmelita** e **Beneditina** são igrejas opulentamente decoradas a ouro, apelando para a sensibilidade dos fiéis e demonstrando ostentação e poder. Em uma fase posterior, mais próxima do Rococó, as obras já são realizadas pela segunda geração de artífices nascidos e educados no Brasil, isolados das tendências na Europa, e mostravam mais liberdade na aplicação dos

Arquitetura Barroca: Igreja Nossa Senhora da Glória do Outeiro

H. Choimet/Michelin

princípios estéticos. A obra-prima do Barroco carioca é o **Mosteiro de São Bento**, construído em 1617 e continuamente ampliado e enriquecido ao longo de 200 anos — cujo exterior Maneirista, bastante simples, oculta um interior opulento de três naves ricamente decorado com talha dourada, criando o que é conhecido como "uma floresta de ouro".

As joias da fase posterior do Rococó são a **igreja de Nossa Senhora da Glória do Outeiro** (1739), com sua entrada incomum sob uma torre sineira ornada com arcos e as duas igrejas Carmelitas: **Nossa Senhora da Ordem Terceira do Monte do Carmo** (1770) e, junto a esta, a igreja de **Nossa Senhora do Carmo da Antiga Sé** (1761), recentemente restaurada, com seu extraordinário altar de prata, que funcionou como catedral do Rio até a inauguração da moderna **Catedral de São Sebastião,** em 1976.

NEOCLASSICISMO

Contrariamente aos movimentos anteriores, o Neoclassicismo surgiu no Brasil ao mesmo tempo que na Europa, com a chegada da **Missão Francesa** trazida para o Brasil por D. João VI, em 1816, talvez o acontecimento que mais influenciou a história da artes no Brasil. Depois, com o Imperador D. Pedro II, o Neoclassicismo ganhou um protetor com o reconhecimento cultural e o poder de que qualquer tendência arquitetônica precisa para poder prosperar plenamente. Foi adotado como principal estilo urbano do Rio de Janeiro: a área dos edifícios aumentou, favorecendo maiores dimensões; as telhas dos telhados desapareceram, cobertas pelas platibandas e frontões; as fachadas adquiriram simetria, com filas de janelas em volta de um pórtico característicamente triangular, com colunas Dóricas, Toscanas ou Jônicas no térreo, enquanto nos andares superiores se dava preferência às colunas Coríntias.

A **Casa França-Brasil** foi o primeiro edifício Neoclássico do Rio de Janeiro. Construída em 1819, por **Auguste Henri Victor Grandjean de Montigny**, sua influência foi enorme e pode ser comprovada pelos edifícios que se seguiram: o velho Hospício Pedro II, atualmente **Universidade Federal do Rio de Janeiro**, em Botafogo; a casa da Marquesa de Santos, atual Museu do Primeiro Reinado, em São Cristóvão; o **Palácio do Catete**, residência presidencial do Brasil de 1894 a 1960; e o **Palácio Imperial** em Petrópolis, que é o melhor exemplo de Neoclassicismo fora da cidade do Rio de Janeiro, junto com algumas casas-grandes nas fazendas de café do vale do Rio Paraíba, que seguem também esta tendência arquitetônica. Alguns elementos da arquitetura do séc. XVIII continuaram a ser usados em algumas casas e por vezes podemos ver paredes "pau-a-pique" e telhados de telhas inclinados tipicamente coloniais junto a colunas Dóricas Neoclássicas típicas.

A Rua do Comércio, na cidade de Paraty, é um excelente exemplo desta mistura de dois estilos.

ECLETISMO

O Ecletismo começou a se manifestar no Rio de Janeiro no final do séc. XIX e prolongou-se até bem depois do início do séc. XX. Uma de suas características era a justaposição de estilos múltiplos no mesmo edifício, sendo predominante a Renascença Italiana, o Renascimento Gótico, o Neoclássico ou o Império Francês, que teve uma influência especialmente forte nos prédios públicos. O **Museu Nacional de Belas Artes** e o **Theatro Municipal** são os padrões

Museu Imperial, Petrópolis

ARTE E CULTURA

Ecletismo: Teatro Municipal

deste estilo, cujos elementos principais são os telhados de mansardas, os arcos redondos, as colunas Coríntias e as fachadas alternando o linear e o circular. Infelizmente, o dogma modernista, a falta de preocupação com a preservação dos monumentos e a tendência de preponderância da funcionalidade sobre o estético ou o histórico derrubaram alguns dos melhores exemplos de Ecletismo carioca, como o Palácio Monroe, na Praça Floriano, construído entre 1904 e 1906, que foi sede do Senado até 1960 e demolido em 1976. Felizmente restam ainda belos exemplares deste estilo no Rio, como o **Palácio Laranjeiras**, no Parque Guinle, e o charmoso **Hotel Copacabana Palace** (1923), cuja fachada elegante, baseada no Hotel Carlton de Cannes, dá um ar de fim de século francês à praia mais famosa do Rio.

As grandes mansões particulares adotaram vários estilos regionais europeus, de acordo com o gosto de seus proprietários. Eles viajavam à Europa — principalmente aos sanatórios da Suíça, por motivos de saúde — e admiravam os chalés de madeira assim com as casas rústicas da França e os *palazzos* florentinos ou venezianos, adaptados ao clima do Rio. Em consequência, apareceram reproduções mais ou menos fiéis no Rio de Janeiro, principalmente

Neogótico: Palacete da Ilha Fiscal

BEM-VINDO AO RIO DE JANEIRO

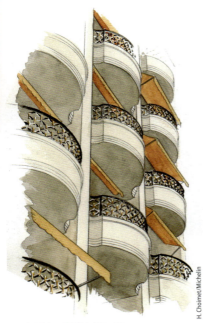

Art Déco: Edifício Biarritz

Desenhado por Adolfo José Del Vecchio, como castelo Neogótico, por ordem expressa de D. Pedro II, para "condizer com a vista da Serra do Mar", situada ao fundo, este foi o último grande edifício construído com o trabalho escravo e inaugurado em abril de 1889, poucos meses antes da queda da monarquia no Brasil.

O Ecletismo dominou completamente o Rio de Janeiro até meados da década de 1920, quando foi parcialmente substituído pelo Art Nouveau, com sua preferência por decorações com motivos da flora, linhas curvas e grades de ferro, e pelo Art Déco, com suas linhas mais estilizadas, vidro com chumbo e zigurates. O monumento de Art Déco mais famoso do Rio de Janeiro — e talvez do mundo — é, claro, a estátua do **Cristo Redentor** (1931) no Corcovado.

Após a orgia de reconstrução das décadas de 1960 e 1970, foi um milagre que algumas casas Art Nouveau ou Art Déco tenham sobrevivido no Rio de Janeiro. Elas se encontram no bairro da Urca, como a linda casa da Rua Urbano Santos 26; no bairro de Copacabana, edifícios nas Ruas Ronald de Carvalho e Viveiros de Castro; no bairro do Flamengo, o Castelinho do Flamengo, na Praia do Flamengo 158, que abriga o **Centro Cultural Oduvaldo Vianna Filho;** o **Edifício Seabra,** na Praia do Flamengo 88, o primeiro edifício de apartamentos do Rio, construído em 1910, apelidado

na cidade de Petrópolis, onde o visitante pode passear por ruas onde convivem, no mesmo espaço, chalés e mansões nos estilos Neoclássico e Eclético, o que dá a estas construções, colocadas lado a lado, um caráter "excêntrico". O **Palacete da Ilha Fiscal**, na ilha do mesmo nome, na Baía de Guanabara, próximo à Praça XV, é também um magnífico exemplo.

Década de 1930: Copacabana Palace

ARTE E CULTURA

Contemporâneo: Museu de Arte Contemporânea, Niterói

"O Dakota Carioca", devido a sua semelhança com o Edifício Dakota de Nova Iorque, e o **Edifício Biarritz**, o marco do Art Déco, na Praia do Flamengo 268, desenhado, no início da década de 1940 pelo arquiteto francês Henri Sajous, que também construiu a admirável Igreja da Santíssima Trindade, na Rua Senador Vergueiro (1938). Vale ressaltar, na Praia do Flamengo 340, a **Casa de Arte e Cultura Julieta Serpa**, construída em 1920, que deve ser vista iluminada à noite para se poder apreciá-la plenamente em seu estilo francês.

MODERNISMO

Ironicamente, enquanto a Missão Francesa definiu a arquitetura pública Neoclássica e os chalés influenciaram outras construções, foi um arquiteto franco-suíço, **Le Corbusier** (1887–1965), quem desencadeou uma revolução arquitetônica no Brasil na década de 1930.
Em 1936 um grupo de jovens arquitetos, sob a direção de **Lúcio Costa** (1902–1998), recebeu a tarefa de desenhar a nova sede do Ministério da Educação e Saúde.
O resultado foi o **Palácio Capanema**, que exemplificou uma nova arquitetura caracterizada pelo emprego de estruturas metálicas, parede frontal de vidro e o concreto armado, que acabara de ser desenvolvido. Neste mesmo ano, Le Corbusier veio ao Rio de Janeiro para uma série de palestras sobre suas teorias funcionalistas que iriam inspirar o espírito arquitetônico do Brasil. A partir daí a arquitetura Moderna passou a ser uma expressão da cultura nacional, tentando interpretar os princípios de Le Corbusier e dando-lhe um toque brasileiro, transmitindo uma visão futurista em sintonia com o progresso do país.
O discípulo mais notável de Le Corbusier foi **Oscar Niemeyer** (n. 1907), um dos maiores nomes da arquitetura do séc. XX, cujas criações curvilíneas em concreto revelam uma fantástica mistura do barroco brasileiro com a imaginação modernista. Carioca da gema, formou-se pela Escola Nacional de Belas Artes em 1934 e trabalhou com Lúcio Costa de 1937 a 1943. Extremamente prolífico, na década de 1970 já tinha concluído 600 projetos em quatro continentes, incluindo o edifício das Nações Unidas em Nova Iorque (juntamente com Le Corbusier), a sede do Partido Comunista Francês em Paris e a maioria dos edifícios da nova capital, Brasília.
Embora o sonho Modernista tenha sido realizado em Brasília, há muitos exemplos de Modernismo no Rio de Janeiro além do importante Palácio Capanema, tal como o **Aeroporto Santos Dumont** (1937) de Milton e Marcelo Roberto, o **Museu de Arte Moderna**, de Affonso Eduardo Reidy, a **Catedral Metropolitana** (1976) de Edgar Fonseca, e o extraordinário **Museu de Arte Contemporânea,** em Niterói (1996), desenhado pelo próprio Niemeyer.
Atualmente a nova **Cidade da Música** na Barra da Tijuca (2008), ainda não aberta ao público, desenhada pelo arquiteto marroquino **Christian de Portzamparc** — um edifício sobre pilotis que domina um jardim concebido pelo premiado arquiteto brasileiro **Fernando Chacel** — parece ter herdado o título de estrutura modernista mais original fora de Brasília.

BEM-VINDO AO RIO DE JANEIRO

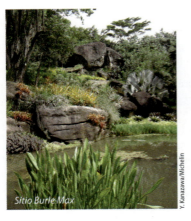
Sítio Burle Marx

Paisagismo

O paisagismo não é frequentemente objeto de análise do poder criativo de um país, exceto se o país for o Brasil, terra natal de **Roberto Burle Marx** (1909–1994) que é considerado o maior designer de paisagismo tropical do séc. XX.

Nascido em São Paulo, ele se mudou com seus pais para o Rio de Janeiro com quatro anos de idade. Depois estudou pintura em Berlim, na Alemanha, onde descobriu a beleza da flora de sua terra natal no Jardim Botânico daquela cidade. Regressou ao Brasil em 1930 e formou-se pela Escola Nacional de Belas Artes. Ainda com apenas 29 anos, criou os memoráveis jardins do Palácio Capanema, em 1938, e continuou a desenhar planos para os espaços abertos e terrenos de vários edifícios públicos e residências usando espécies belas e exóticas.

Seu trabalho no Rio de Janeiro inclui o **Instituto Moreira Salles** (1950), onde também desenhou seus vibrantes azulejos azuis, os jardins do **Museu da Chácara do Céu,** em Santa Teresa (1972), o paisagismo do Museu de Arte Moderna, entre muitos outros. Entre as criações mais famosas de Burle Marx estão os **mosaicos ondulados** em preto e branco das calçadas da Praia de Copacabana e seu maior projeto, o acolhedor **Parque do Flamengo** (1961).

O primeiro amor de Burle Marx foi sempre a horticultura. Em 1949 ele comprou 36,5 ha de uma plantação antiga em Guaratiba onde cultivou plantas tropicais raras. Em 1985 doou seu patrimônio ao governo federal, que agora o transformou no **Sítio Burle Marx**, um dos lugares mais belos do Rio.

Escultura

Até meados do séc. XVIII a escultura no Brasil era elemento na composição dos altares, das capelas laterais e sacristias das igrejas, ou as "talhas", esculturas de santos e anjos, em madeira ou terracota. A maioria das imagens mais antigas desse período foi criada por artistas anônimos. Mas no **Mosteiro de São Bento**, podemos encontrar amostras do extraordinário entalhador desse período, o monge português **Domingos da Conceição** (1643–1718). Embora tenha desenhado e esculpido parte da nave e a primeira capela, suas obras-primas são as enormes estátuas

A Semana de Arte Moderna em São Paulo

Se a chegada da Missão Francesa foi o evento que impulsionou a arte brasileira, a Semana de Arte Moderna (11–18 de fevereiro de 1922), em São Paulo, correspondeu a uma revolução cultural. Nesse pequeno espaço de tempo, artistas de todo o país reuniram-se e foi adotada uma nova consciência brasileira, que refletia a história do país e englobava todas as influências culturais. Este evento representou o primeiro gesto coletivo de ruptura com os valores tradicionais do século anterior e foi o despontar de um movimento de arte autóctone.

Uma consequência direta disto foi o renascimento do estilo Colonial, que adaptou elementos da arquitetura portuguesa dos séc. XVII e XVIII aos conceitos modernos. No Rio de Janeiro isto está bem patente na Casa do Trem, que passou a pertencer ao Museu Histórico Nacional, depois da renovação do edifício para a exposição do centenário da Independência do Brasil em 1922.

ARTE E CULTURA

Mestre Valentim

O escultor mais importante do Rio de Janeiro no final do séc. XVIII foi Valentim da Fonseca e Silva, conhecido como Mestre Valentim (c. 1740–1813). Coube a ele executar importantes obras públicas durante a administração do Vice-Rei Dom Luís de Vasconcelos e Souza (1779–1790) e seu principal projeto foi a construção do Passeio Público, o primeiro parque urbano das Américas. Para isto recebeu ajuda dos melhores artistas cariocas seus contemporâneos, como o pintor Leandro Joaquim e os decoradores Francisco dos Santos Xavier e Francisco Xavier Cardoso de Almeida.

As esculturas de Mestre Valentim têm traços do Rococó com nuances neoclássicas e românticas. As esculturas podem ser apreciadas em talhas e imagens em muitas igrejas do Rio, como as de Nossa Senhora da Conceição e Boa Morte e da Santa Cruz dos Militares, assim como os gigantescos lampadários de prata da Igreja do Mosteiro de São Bento. Seu trabalho mais impressionante, contudo, são as talhas em ouro da Capela do Noviciado da Igreja da Ordem Terceira de Nossa Senhora do Monte do Carmo, na Praça XV. Ele construiu também duas elaboradas fontes, o chamado Chafariz do Mestre Valentim, situado na Praça XV, e o Chafariz das Saracuras, que hoje embeleza a Praça General Osório em Ipanema. Seu busto no Passeio Público foi inaugurado em 1913.

de São Bento, Santa Escolástica e de Nossa Senhora de Montserrat a quem a igreja é dedicada.

Na década seguinte **Manuel** e **Francisco Xavier de Brito** trouxeram a escultura Barroca de Lisboa para o Brasil. Seu trabalho de 1726 para a Igreja de São Francisco da Penitência, no Rio, no altar esculpido em jacarandá, nas portas e no coro, definiu o que seria designado como "estilo Brito", onde se destacam elaborados medalhões ovais ou circulares enquadrando anjos e querubins.

O mais famoso escultor do final do séc. XVIII foi o **Mestre Valentim da Fonseca e Silva** (1740–1813), cujas produções aproximavam o Rococó e o Neoclássico, cuja obra-prima é a Capela do Noviciato, na Igreja do Carmo, na Praça XV. Também foi arquiteto e paisagista, tendo realizado diversas obras de embelezamento da cidade para os Vice-Reis, como o Passeio Público.

Posteriormente, o escultor carioca mais importante foi **Rodolfo Bernardelli** (1852–1931), um dos melhores representantes da escultura decorativa eclética do Rio de Janeiro.

Depois de estudar na Itália, desenvolveu o gosto pelo Classicismo, expresso em linhas de austeridade geométrica. Suas esculturas, geralmente em bronze, foram adotadas nos edifícios públicos da época e podem ser apreciadas no Theatro Municipal, no Centro Cultural do Tribunal Regional Eleitoral, na Biblioteca Nacional e em diversos monumentos da cidade.

O Modernismo no Rio de Janeiro também teve grandes nomes, como **Celso Antônio Silveira de Menezes** (1896–1984) e **Bruno Giorgi** (1905–1993), que contribuíram no projeto do Palácio Capanema. Das obras de Celso Antônio pode-se destacar a *Moça Reclinada*, em granito não polido, nos jardins do Palácio Capanema, e *Maternidade,* em frente ao número 242 da Praia de Botafogo. Bruno Giorgi é mais conhecido por seu trabalho monumental em Brasília, assim como pelo *Monumento à Juventude Brasileira, de* 1947, que também está nos jardins do Palácio Capanema.

Pintura

Os primeiros pintores que chegaram ao Brasil nos séc. XVI e XVII eram quase na totalidade monges que trabalharam anonimamente nas cidades maiores, decorando igrejas com base em cópias de modelos europeus. Um dos primeiros pintores brasileiros famosos foi **Ricardo do Pilar** (1630–1702), que trabalhou no Mosteiro de São Bento. Ele foi influenciado pela pintura Barroca Holandesa, que chegou ao Brasil durante a ocupação de Pernambuco, através de pintores

BEM-VINDO AO RIO DE JANEIRO

Viagem Histórica e Quadrinhesca ao Brasil (1839) de Jean-Baptiste Debret

como **Albert Eckhout** (1610–1665) e **Frans Post** (1612–1680); Post concentrou-se no desenho de paisagens brasileiras enquanto Eckhout trabalhou em naturezas mortas e retratos de indígenas.

Nos períodos Barroco e Rococó do séc. XVIII, grande parte das pinturas incluía afrescos de igrejas e tetos ilusionistas *trompe l'oeil* de artistas como **Caetano da Costa Coelho**, cuja identidade definitiva só foi confirmada na década de 1940, **José Joaquim da Rocha** (1737–1807), que trabalhou principalmente no nordeste, e, o mais conceituado, **Manuel da Costa Ataíde** (1762–1830), que estava radicado em Minas Gerais.

A chegada da Missão Francesa trouxe para o Rio de Janeiro pintores como **Nicolas-Antoine Taunay** (1755–1830) e **Jean-Baptiste Debret** (1768–1848), ambos conhecedores do ideal Neoclássico Europeu. Em suas séries de pinturas da vida brasileira do séc. XIX, eles desenvolveram um romantismo brasileiro único, idealizando a figura do indígena. Na academia que eles fundaram, estudaram pintores locais, como o discípulo de Debret, **Manuel de Araújo Porto-Alegre** (1806–1879), o primeiro caricaturista brasileiro, e **João Zeferino da Costa** (1840–1916), cujos trabalhos mais importantes estão na Igreja de Nossa Senhora da Candelária. A independência e o império moldaram uma monumental escola de pintura Romântico–Nacionalista, dita acadêmica, que teve seu apogeu com **Victor Meirelles** (1832–1903), e obras como a *Batalha dos Guararapes* (1879) e a *Batalha Naval de Riachuelo* (1883). Desta mesma escola pode-se citar **Rodolfo Amoedo** (1857–1941), cujos trabalhos podem ser vistos nas rotundas do Theatro Municipal, na Biblioteca Nacional e no Palácio Pedro Ernesto, na Praça Floriano, e **Pedro Américo** (1843–1905), cujas obras estão no Museu Nacional de Belas Artes.

Ainda no início do séc. XX se destacam **Eliseu Visconti** (1866–1944), que pintou o Theatro Municipal, incluindo seu monumental pano de boca, e **Antônio da Silva Parreiras** (1860–1937), considerado um dos melhores paisagistas da pintura brasileira.

Na Semana de Arte Moderna de 1922, em São Paulo, surgem as novas tendências da pintura com artistas como Anita Malfatti, Tarsilla do Amaral e vários artistas, comprometidos em criar uma arte nacional, quebrando paradigmas acadêmicos europeus. O movimento revelou grandes artistas como **Lasar Segall** (1891–1957) e **Emiliano Di Cavalcanti** (1897–1976), conhecido por pintar retratos e belas mulatas cariocas.

A partir dos anos 20 apareceram no eixo Rio de Janeiro–São Paulo manifestos e tendências reacionárias em cada década. A lista é longa e impressionante houve grupos como o núcleo Bernardelli, de 1931, no qual artistas como **Milton da Costa** (1915–1988), **Yoshiya Takaoka** (1909–1978) e **José Pancetti** (1904–1958) encontraram inspiração nas

ARTE E CULTURA

O Cinema Novo

Em 1955, o filme *Rio 40 graus*, de **Nelson Pereira dos Santos**, foi uma produção de referência na indústria cinematográfica brasileira e o precursor de um novo estilo de direção de baixo orçamento, influenciado pelo Neorrealismo italiano do pós-guerra. Em 1963 o Cinema Novo, cujo espírito se resumia na frase "uma câmera na mão e uma ideia na cabeça", atingiu sua maturidade com *Vidas Secas*, do mesmo diretor. Alguns filmes e diretores ganharam repercussão internacional, especialmente o premiado **Glauber Rocha** (1939–1981), com seus filmes *Deus e o Diabo na Terra do Sol* (1964) e *O Dragão da Maldade contra o Santo Guerreiro* (1969) que lhe valeu o prêmio de melhor Diretor no Festival de Cinema de Cannes.

paisagens dos bairros do Rio, ainda idílicos na época; Neoconcretismo (ou Op-art) que foi criado em torno do grupo Frente, no final da década de 1950, com pintores como **Ivan Serpa** (1923–1973), **Franz Weissman** (1911–2005), **Lygia Clark** (1920–1988), **Amilcar de Castro** (1920–2002), **Lygia Pape** (1927–2004) e **Hélio Oiticica** (1937–1980); a arte abstrata nos anos 60, a arte conceitual nos anos 70, a "performance art" nos anos 1980 e, finalmente, o Pós-Modernismo e a Desconstrução nos anos 90, com diversos artistas contemporâneos.

Cinema e Televisão

O cinema brasileiro nasceu no Rio de Janeiro, onde, já em 8 de julho de 1896, foi realizada a primeira projeção no Brasil. Um ano mais tarde foi inaugurado o primeiro cinema, na Rua do Ouvidor. A cidade foi a estrela do primeiro filme produzido no país, em 1898, por Alfonso Segreto, que filmou a paisagem da Baía de Guanabara, que ainda hoje é uma importante inspiração para os realizadores brasileiros.
Desde os anos 40 até meados dos anos 60 prevalece no Brasil o sistema dos estúdios de Hollywood e suas produções transformaram o Rio de Janeiro no núcleo cinematográfico do país. Em especial as produções dos Estúdios da Atlântida, as chamadas *chanchadas*, que tiveram imenso êxito popular, sendo uma mistura de comédia, romance e musical. O filme brasileiro mais conhecido desse período inicial é *Orfeu Negro*, do diretor francês Marcel Camus, que foi filmado no Rio de Janeiro e que ganhou o prêmio de Melhor Filme em Cannes em 1959. Este filme baseou-se na peça *Orfeu da Conceição, de* Vinícius de Moraes, que acontece durante o Carnaval do Rio e que por sua vez é uma adaptação da lenda grega de Orfeu e Eurídice.
Em 1954, o filme *Rio 40 graus*, de Nelson Pereira dos Santos, assinalou o início de um novo ciclo autoral, fora dos estúdios. Era o **Cinema Novo**, sintetizado na frase "uma câmera na mão e uma ideia na cabeça", que defendia o nacionalismo, a abordagem dos problemas sociais do país e os custos baixos de produção, sob razoável influência do Neorrealismo italiano. Alguns filmes e cineastas alcançaram projeção internacional, especialmente os do baiano **Glauber Rocha** (1939–1981), como *Deus e o Diabo na Terra do Sol*.
O cinema brasileiro sofreu com a ditadura das décadas de 1960 e 1970 e só ressurgiu internacionalmente com o drama-documentário *Pixote* (1981) do

Cidade de Deus

BEM-VINDO AO RIO DE JANEIRO

argentino Hector Babenco, que usou em seu elenco crianças de rua para ilustrar a vida nas grandes cidades. O cinema brasileiro desfruta atualmente de uma grande notoriedade, iniciada pelo filme *Central do Brasil* (1998), indicado para o Oscar, que projetou seu realizador **Walter Salles**. Um dos filmes brasileiros mais vistos é *Cidade de Deus* (2002), de **Fernando Meirelles**, que gerou a série de TV *Cidade dos Homens* (2002–2005), também de Fernando Meirelles, e os filmes *O Homem do Ano* (2002) de José Henrique Fonseca, *Carandiru* (2003) de Hector Babenco, assim como *Ônibus 174* (2002) e *Tropa de Elite* (2007) de José Padilha.

A maior sensação da mídia, contudo, é o sucesso internacional das *telenovelas* brasileiras, produzidas principalmente pela Rede Globo de Televisão. Estas telenovelas possuem um argumento que é serializado apenas por um período limitado, mas cuja transmissão inunda as telas de televisão seis dias por semana. A primeira telenovela, *2-5499 Ocupado*, de Dulce Santucci, foi transmitida em 1963 e, como todas as tentativas iniciais, era excessivamente melodramática e semelhante às telenovelas da rádio da década de 1950. Em novembro de 1968 foi lançada a fase moderna das telenovelas com *Beto Rockfeller*, com um diálogo coloquial animado, um romance central, um desfecho culminante e uma ambientação localizada, elementos que a partir de então definiriam todas as novelas.

Até hoje as telenovelas brasileiras têm sido exportadas para mais de 125 países e, acima de tudo, trouxeram novas audiências para autores clássicos brasileiros cujas obras são adaptadas para TV.

Música

Durante séculos os tipos de música dos principais grupos raciais do Brasil permaneceram separados e desconectados. A música dos índios era na maior parte repetitiva, longa e monótona; era cantada durante os festivais rituais e as danças cerimoniais. Para os Jesuítas, que procuravam converter os índios, foi uma tarefa simples redirecionar o interesse destes para os hinos cristãos; na realidade, as tribos eram muito sensíveis e tinham bom ouvido para música coral. Por outro lado, nas plantações e nos serviços religiosos afro-brasileiros, cantava-se a música de percussão altamente rítmica dos escravos negros, enquanto a música dos colonizadores europeus se caracterizava pela nostalgia, expressando a saudade dos portugueses face aos desafios das novas terras.

A música clássica foi uma das paixões dos Bragança e, com a chegada da família real portuguesa ao Brasil, seu desenvolvimento recebeu forte patrocínio. O clérigo carioca **José Maurício Nunes Garcia** (1767–1830), influenciado por Mozart, Bach, Handel e Haydn — embora nunca tenha saído da cidade — tornou-se o Mestre da Capela Real e produziu várias obras notáveis, como o Te Deum, um Réquiem, e oratórios, como *A Decapitação de João Batista*, a *Missa de Santa Cecília* e a *Missa de Nossa Senhora do Carmo*. Um de seus alunos foi outro carioca, **Francisco Manoel da Silva** (1795–1865), que compôs o hino nacional brasileiro em 1831. Após a década de 1840, a música clássica brasileira permaneceu fortemente ligada à ópera italiana e produziu um compositor de talento, **Carlos Gomes** (1836–1896), que foi enviado por D. Pedro II para estudar na Itália, onde foi decisivamente influenciado por Verdi e Ponchielli. Sua ópera mais conhecida, *O Guarani*, com libreto baseado no livro de José de Alencar, foi encenada, em 1870, na La Scala

Carmen Miranda

ARTE E CULTURA

em Milão.

O elo entre a música clássica e a música popular no Brasil ocorreu com o *choro*, música eminentemente instrumental que surgiu no Rio de Janeiro entre 1860 e 1870. Já foi chamado de "jazz brasileiro", embora tenha surgido várias décadas antes deste gênero. O principal compositor de choro e de outras músicas populares foi **Chiquinha Gonzaga** (1847–1935), professora de piano clássico muito admirada nos círculos da música e do teatro da época. Ela entrou para a história em 1899 quando lhe pediram para escrever a primeira marcha de Carnaval, encomendada especialmente para esse evento, a composição *Ô abre alas*.

O marco seguinte da evolução da música popular brasileira foi o ano de 1917, com o aparecimento do primeiro samba gravado, *Pelo Telefone,* da autoria de Donga e Mauro de Almeida. Inicialmente a palavra "samba" significava um grupo de amigos numa festa, mas por volta de 1920 tinha se tornado a música específica do Carnaval. A cidade do Rio de Janeiro, em breve, se tornou a capital do samba e a principal plataforma de seus compositores e intérpretes: **José Barbosa da Silva** ou **Sinhô** (1888–1930); **Ernesto Joaquim Maria dos Santos,** ou **Donga** (1889–1974); **Américo Jacomino,** ou **Canhoto** (1889–1928); **Angenor de Oliveira,** ou **Cartola** (1908–1980); assim como músicos do choro como **Alfredo da Rocha Vianna Filho,** ou **Pixinguinha** (1898–1973) e **Jacob do Bandolim** (1918–1969).

Embora tenha nascido em Portugal, a pessoa que promoveu o Rio de Janeiro e o samba em todo o mundo foi **Carmen Miranda** (1909–1955), com seus trajes excêntricos de Carnaval e seus chapéus extravagantes. Apelidada "A Pequena Notável", ela apareceu em 14 filmes de Hollywood entre 1940 e 1953 que deram forma à imagem redutora do Rio de Janeiro como uma cidade sempre em festa e que permanece até os dias de hoje.

No fim da década de 1950, outro formato musical carioca gozou de sucesso internacional: a bossa nova, um estilo de canção íntima e melancólica, com harmonias complexas, influenciadas pelo jazz e letra que expressava sentimentos

Antônio Carlos Jobim

ou retratava a vida no Rio de Janeiro. Foi lançada com o álbum *Canção do Amor Demais,* da cantora Elizete Cardoso, em 1958. Este álbum viu a colaboração dos dois mestres do gênero: **Vinícius de Moraes** (1913–1980) e **Antônio Carlos Jobim** (1927–1994). Mais tarde eles escreveram juntos *Garota de Ipanema* (Música: Tom, letra: Vinícius) que se tornou uma canção famosa e ganhou um prêmio Grammy em 1965. Na segunda metade dos anos 60 houve outros movimentos de renovação musical, em São Paulo e na Bahia. A música brasileira incorporou o rock e o pop com o *tropicalismo,* através de artistas como Caetano Veloso, Gilberto Gil, Maria Bethânia, Gal Costa e Rita Lee, entre outros. Este conjunto de estilos e gêneros se transformou na discreta e homogênea MPB, (Música Popular Brasileira), o equivalente ao AOR nos Estados Unidos, que tem dominado as rádios desde a década de 1980. A palavra-chave era fusão: até mesmo o samba tradicional se misturou com rock e influências funk, tipificado na música de Jorge Ben Jor, ou se diversificou e combinou com estilos "nordestinos" tais como o pagode, tipificado por Zeca Pagodinho e Jorge Aragão.

No entanto, os tradicionalistas ganharam terreno desde meados dos anos 90. Enquanto uma ramificação do samba representada por músicos como Martinho da Vila e Paulinho da Viola permaneceram fiéis a suas raízes e continuaram se identificando com o espírito carioca, uma nova geração tem redesco-

BEM-VINDO AO RIO DE JANEIRO

berto as delícias do choro — em grande medida esquecido desde o advento da bossa nova — com grupos jovens como Regional Carioca, Trio Madeira Brasil e Tira a Poeira. No ano 2000 o dia do nascimento de Pixinguinha (23 de abril) foi declarado Dia Nacional do Choro, em que se celebra em todo o país este ritmo puramente brasileiro de 130 anos.

Possivelmente o maior músico carioca contemporâneo de renome internacional é **Chico Buarque de Holanda**. Artista de muitos talentos (músico, compositor, poeta e autor), ele compôs bossa nova nos anos 60, quando começou a escrever canções e peças teatrais de protesto, durante a ditadura do Brasil. Seu trabalho foi muito censurado e ele teve de procurar refúgio no exílio, passando a ser um dos críticos mais ardentes do regime militar; regressou ao Brasil depois da anistia.

Teatro

Em sua fase inicial o teatro no Brasil foi usado para a catequese dos nativos. O Jesuíta José de Anchieta escreveu a primeira peça brasileira para esse fim. Embora tenham sido encenadas peças europeias na Bahia e Minas Gerais, no séc. XVII, o Rio de Janeiro tem sido o palco da maior parte da história do teatro brasileiro depois da chegada da família real portuguesa, especialmente depois da inauguração do Teatro Real de São João, em 1813, hoje chamado **Teatro João Caetano**. Hoje a cidade do Rio de Janeiro tem cerca de 30 teatros, situados principalmente no Centro e na Zona Sul, enquanto o imponente Theatro Municipal, no centro da cidade, se dedica exclusivamente à ópera, ao balé e à música erudita.

O início do séc. XIX testemunhou a emergência do gênio cômico do escritor **Luís Carlos Martins Pena** (1815–1848), cujas farsas foram chamadas de *comédias de costumes*, enquanto o final do séc. XIX e o início do séc. XX foram períodos marcados por forte influência das revistas francesas. A Praça Tiradentes tornou-se o epicentro desta forma de teatro, com autores famosos como **Arthur Azevedo** (1855–1908) e seu principal parceiro

Moreira Sampaio (1851–1905).

Em 1938, **Paschoal Carlos Magno** (1906–1980) fundou o Teatro do Estudante, uma companhia carioca de teatro alternativo formada por estudantes universitários. 1943 testemunhou o nascimento do teatro brasileiro moderno com a produção de *Vestido de Noiva* de **Nélson Rodrigues** (1912–1980), sob a direção do altamente influente **Zbigniew Marian Ziembiński** (1908–1978). A isto se seguiram duas décadas douradas — até o advento da ditadura. Devido à censura rigorosa que se seguiu, o teatro sofreu tanto quanto o cinema.

Hoje os filmes e as telenovelas parecem monopolizar o trabalho dos atores e o teatro passou a ser uma forma de arte de nicho que atrai principalmente as classes média e alta. Contudo, a antiga capital administrativa ainda é a capital cultural do país e continua a ser o trampolim para a fama, a plataforma central para lançar um ator em uma carreira nacional ou internacional.

Literatura

A primeira descrição da Baía de Guanabara foi enviada numa carta por Tomé de Souza, no fim de 1552, descrevendo as belezas naturais da terra ao Rei de Portugal. O francês Jean de Léry, que esteve no Brasil entre 1557 e 1558, deixou testemunhos mais significativos no seu livro *Viagem à Terra do Brasil*, assim como Pero de Magalhães Gandano, com sua *História da Província de Santa Cruz* em 1576.

Mais uma vez, foi a chegada da corte portuguesa ao Rio de Janeiro em 1808 que estimulou a literatura na cidade. A chegada da imprensa nesse mesmo ano resultou no estabelecimento de revistas como a *Gazeta do Rio de Janeiro*, em 1808, o *Correio do Rio de Janeiro*, em 1822, e o *Jornal do Comércio*, em 1827. Com isso, passou a ser possível transmitir rapidamente as novas tendências da literatura europeia, influenciando diretamente a vida intelectual da capital. Um dos primeiros a chegar com a corte foi o comerciante britânico **John Luccock**, que escreveu o primeiro livro em inglês sobre o Rio, *Notes on Rio de Janeiro*

ARTE E CULTURA

and Southern Parts of Brazil (Notas sobre o Rio de Janeiro e o sul do Brasil), baseado em sua estadia, de 1808 a 1818. O livro foi publicado em 1820 e descrevia as condições materiais, as pessoas, os costumes e a vida intelectual da cidade nessa época.

Foi em meados do séc. XIX que a literatura nacional do país começou a ter forma adotando como estilo o Romantismo, em voga na Europa nessa época. Houve muitos autores deste período que ambientaram seus romances no Rio de Janeiro. Um dos mais ilustres foi **José de Alencar** (1829–1877), cujo romance O Guarani (1847) se passa na Serra dos Órgãos, perto de Teresópolis. Seu livro Senhora, publicado em 1875, é um romance urbano cheio de pormenores animados e comentários sobre a vida social da capital na época.

O jornalista e médico carioca **Joaquim Manoel de Macedo** (1820–1882) escreveu mais de 40 romances, entre os quais A Moreninha, que é considerado sua obra-prima. Joaquim Manoel de Macedo foi também um grande observador do Rio de Janeiro, como se pode constatar nas suas obras Um Passeio pela Cidade do Rio de Janeiro (1862–63) e Memórias da Rua do Ouvidor (1878).

Manuel Antônio de Almeida (1831–1861) publicou apenas um livro, Memórias de um Sargento de Milícias (1853), no qual retrata vividamente a vida diária e os costumes do Rio de Janeiro. Com seu estilo simples e direto e sua visão objetiva da sociedade, ele é considerado o pai do realismo.

Joaquim Maria Machado de Assis (1839–1908) é o mais ilustre representante da literatura brasileira e um dos escritores brasileiros mais traduzidos desta época. O Rio de Janeiro aparece em quase todos os seus livros, como Quincas Borba (1891), Dom Casmurro (1900) e Esaú e Jacó (1904). Seu humor negro sarcástico, peculiar e discreto, é considerado como pioneiro e certamente à frente de seu tempo.

Seu herdeiro intelectual é **Afonso Henriques de Lima Barreto** (1881–1922), que retratou o ambiente, costumes e

Paulo Coelho

Paulo Coelho (n. 1947) é o autor carioca mais conhecido no mundo. Ele iniciou sua carreira escrevendo canções de rock, mas depois de uma peregrinação a Santiago de Compostela, começou a escrever livros com um sucesso espetacular: Seu livro O Alquimista (1987) é talvez o livro brasileiro mais vendido de todos os tempos. Hoje Paulo Coelho é um dos autores de maior sucesso, tendo vendido mais de 100 milhões de livros em mais de 150 países e suas obras foram traduzidas para mais de 65 idiomas.

tradições cariocas, como nas Memórias do Escrivão Isaías Caminha (1909) e em Vida e Morte de M.J. Gonzaga de Sá (1919). Lima Barreto e Machado de Assis influenciaram muitas obras que surgiram posteriormente no Rio de Janeiro, sob a forma de crônica, em prosa analisada com irreverência, humor e ironia. Estes temas foram seguidos por autores cariocas como **Paulo Mendes Campos** (1922–1991), **Fernando Sabino** (1923–1994) e o cartunista, humorista e dramaturgo **Millôr Fernandes**.

Na década de 1940, a literatura brasileira passou a ter como foco o homem e seus problemas existenciais. Escritores como **Clarice Lispector** (1920–1977), **Pedro Nava** (1903–1984) e seus romances urbanos, ou **João Guimarães Rosa** (1908–1967), cujas descrições do sertão de Minas Gerais são de grande inspiração, lidaram com as questões existenciais. Finalmente, entre os grandes poetas ligados ao Rio, **Manuel Bandeira** (1886–1968) acrescentou uma dimensão transcendental aos temas do cotidiano, e **Carlos Drumond de Andrade** (1902–1987), o cristalizador do movimento modernista brasileiro. Seus poemas revelam a situação do homem moderno num mundo em crise, onde, apesar de tudo, sempre há espaço para a esperança, o amor e a ternura.

Carnaval!

Considerado uma das maiores festas do mundo, o Carnaval do Rio de Janeiro é o acontecimento sobre o qual o mundo construiu a imagem da cidade e, consequentemente, de todo o Brasil.

O maior espetáculo do Carnaval no Rio é, sem dúvida, o desfile das escolas de samba no domingo e na segunda-feira no Sambódromo, um local especialmente construído em 1984 para receber este grande evento, com capacidade para 60.000 pessoas. Mas também há o Carnaval de rua, com as animadas festas, blocos e bandas, quando multidões seguem dançando por um percurso de rua, sendo as mais conhecidas a Banda de Ipanema, o Cordão do Bola Preta, no Centro, e o Suvaco do Cristo, no Jardim Botânico. Existem também inúmeros bailes de máscaras em clubes e hotéis que contam com a participação de artistas internacionais.

Originariamente uma herança do entrudo português, o Carnaval do Rio de Janeiro foi adotado como grande festa popular somente na década de 1920. Em 1928 foi criada a primeira Escola de Samba no bairro da Mangueira. Em seguida foram criadas outras escolas de samba em diferentes bairros da cidade: estas escolas eram, no início, associações de vizinhos e amigos para construírem um carro alegórico para desfilar no Carnaval, mas agora se transformou em uma indústria de milhões de dólares.

As escolas de samba podem ter entre 3.000 e 5.000 membros, que participam do desfile mas também da produção dos carros alegóricos, das fantasias e dos efeitos especiais que serão usados no desfile no Sambódromo.

As 20 maiores escolas de samba pertencem ao Grupo Especial, cujos desfiles se realizam no domingo e na segunda-feira de Carnaval — as noites mais populares — enquanto as escolas do Grupo de Acesso desfilam na sexta-feira e no sábado. As escolas entram no Sambódromo pela Avenida Presidente Vargas, na área chamada de Armação, e acabam o desfile na Praça da Apoteose. Elas têm exatamente 90 minutos para atravessar 700 m da antiga Avenida Marquês de Sapucaí.

O desfile é uma competição oficial e o desempenho das escolas é avaliado por um júri de experts, resultando na subida ou na descida de categoria. As regras do desfile, o tema do Carnaval e o júri mudam todos os anos.

Escola de Samba Imperatriz Leopoldinense desfilando no Sambódromo

ARTE E CULTURA

Sambódromo

Criado por Oscar Niemayer, o Sambódromo é o lar do espetacular Carnaval do Rio de Janeiro e por esta razão é visitado por muito mais pessoas do que qualquer outra de suas obras. Antes de sua abertura, em 1984, esta era somente uma rua normal da cidade. Atualmente, seus 700 m de comprimento são ladeados por arquibancadas de concreto e camarotes. Nas noites de desfile — e também durante os ensaios que precedem o evento principal — é um dos lugares mais empolgantes do mundo. As escolas de samba e seus gigantescos carros alegóricos seguem seu caminho pela avenida, cantando o samba enredo e dançando no ritmo da bateria que os acompanha. Quando os integrantes chegam no fim da avenida, na Praça da Apoteose, os foliões estão exaustos, mas com a esperança de que tenham feito o suficiente para obter a aprovação do júri e o título de campeã.

Desfile das Escolas de Samba

Os elementos-chave de um desfile de escola de samba são os seguintes:

Comissão de frente A comissão de frente era formada por membros da diretoria da escola, vestidos formalmente, dando as boas-vindas. Hoje, com um máximo de 15 pessoas, a sua composição é livre e a sua função é introduzir o tema da escola, por meio de uma coreografia ou uma encenação elaborada

Carro abre-alas É o carro alegórico que abre o desfile de uma escola. Frequentemente o símbolo da Escola (um leão, uma águia etc.) ou seu brasão estão nele representados.

Mestre-Sala e Porta-Bandeira Encarnam a Escola e a representam, trazendo a sua bandeira. A Porta-Bandeira roda com a bandeira, protegida e ajudada pelo Mestre-Sala. Quando apresentada a uma pessoa ou autoridade, a bandeira deve ser delicadamente beijada.

Alas São as divisões das escolas, como a tradicional Ala das Baianas, que, normalmente, é formada por mulheres, representando as tradicionais "tias" baianas, guardiãs da tradição do samba. Existem outras alas tradicionais como a da "Velha Guarda" da escola, com seus membros históricos, e a Ala das Crianças.

Carros alegóricos Suntuosamente decorados, eles apresentam um aspecto do enredo. Alguns trazem coreografias com pessoas e recursos de som e luz, de forte impacto.

Destaques Os destaques são personalidades da Escola ou do mundo artístico, assumindo um papel em um carro alegórico ou em uma ala.

Passistas São os melhores dançarinos da Escola, os que têm o "samba no pé". As mulheres se vestem com ousadia, enquanto os homens dançam com seus instrumentos de percussão. Durante todo o desfile eles exibem agilidade, destreza e ginga.

Bateria É o coração e a alma da Escola, com a função de manter o ritmo para os integrantes que cantam o samba-enredo. A bateria é principalmente composta de instrumentos de percussão e tem cerca de 300 membros. Ela é particularmente apreciada quando dá uma "paradinha" e, em seguida, continua o seu ritmo.

Samba-enredo O samba-enredo é composto todos os anos segundo o tema escolhido pela Escola, através de um concurso interno. Ele é interpretado por um cantor ("puxador") e um pequeno conjunto de músicos, em um carro de som que acompanha a Escola.

Diretores de harmonia São os organizadores do desfile, responsáveis pela sincronização para que o desfile não tenha "buracos" devido a atrasos entre as diversas alas.

Carnavalesco
É o todo-poderoso diretor artístico, normalmente um profissional de artes que concebe o conceito do espetáculo, as fantasias, alegorias, as alas, os temas e como serão tratados e representados etc.

BEM-VINDO AO RIO DE JANEIRO

NATUREZA

Os visitantes que esperam encontrar uma aglomeração de prédios, típica de uma cidade com vários milhões de habitantes, se surpreenderão com a vegetação e a floresta que cobrem as montanhas onduladas que podem ser vistas já no caminho do aeroporto para a cidade. O Rio de Janeiro possui uma mágica que toca o visitante desde o momento de sua chegada e, certamente, a integração entre a cidade e o meio ambiente é a razão disso.

Paisagem

A cidade do Rio de Janeiro é a capital do estado do Rio de Janeiro. O Estado tem uma área de 43.909 km² e um litoral de 246,2 km e está localizado na região sudeste do Brasil. Possui limites com o estado do Espírito Santo a nordeste, São Paulo a oeste, Minas Gerais a noroeste e é banhado pelo Atlântico ao sul e a leste.

A cidade do Rio de Janeiro tem a extensão de 70 km, de leste a oeste, 44 km, de norte a sul, e uma área de 1.225 km². Seu espaço geográfico possui uma enorme diversidade. São altos penhascos, junto às praias, marcos naturais, como os Morros do Pão de Açúcar, do Corcovado e a Pedra da Gávea, florestas tropicais, restingas, praias, lagoas internas e baías que proporcionam à cidade não só uma paisagem constantemente variada, mas também uma coleção de cenários, fazendo-a merecer o título de *A Cidade Maravilhosa*.

Os arredores da cidade são um reflexo da topografia do estado, que são dominados por duas cadeias de montanhas: a Serra do Mar e a Serra da Mantiqueira.

A **Serra do Mar** é uma das maiores cadeias de montanhas do Brasil, que se eleva abruptamente do litoral do Atlântico, estendendo-se por mais de 1.000 km, desde o estado de Santa Catarina até o norte do estado do Rio de Janeiro. Nomes locais são dados às seções da Serra do Mar, como Serra da Bocaina, na área de Paraty, Serra da Estrela, em Petrópolis, e Serra dos Órgãos, próximo à cidade de Teresópolis.

A **Serra da Mantiqueira**, localizada no interior do estado, é uma cadeia de montanhas que forma uma imponente escarpa e leva ao planalto central brasileiro, possuindo cumes que chegam a 2.000 m de altura. Seu centro é o maciço de Itatiaia, cujo ponto culminante é o Pico das Agulhas Negras, com 2.791,5 m, o quinto maior do Brasil.

Entre essas duas cadeias de montanhas encontra-se o Vale do Rio Paraíba, que corta o estado do Rio de Janeiro, do sudoeste ao nordeste, passando por várias cidades que são parte do itinerário histórico e arquitetônico do ciclo

Vista da cidade do Pão de Açúcar - os morros ficam bem junto à praia

NATUREZA

Costa Verde - o mar azul contrasta com o verde das montanhas cobertas de floresta tropical

do café brasileiro.

O litoral do estado do Rio de Janeiro também apresenta características de grande diversidade e de beleza excepcional, atributos explorados para fins turísticos. Há três grandes baías no litoral: a **Baía de Guanabara**, onde a cidade do Rio de Janeiro está localizada; a **Baía de Sepetiba**, mais a oeste, separada do mar pela extensa restinga da Marambaia, e a **Baía da Ilha Grande**, ao sul, com várias pequenas e charmosas praias escondidas entre as escarpas da Serra do Mar.

A **Costa do Sol**, a leste, abriga inúmeras belas praias, principalmente próximo à região de Cabo Frio, onde está localizado o requintado balneário de Búzios. Devido à presença de grandes superfícies de água, como as lagoas de Araruama e de Saquarema, a área também é chamada de "Região dos Lagos", famosa pelos céu azul e pela brisa fresca constante.

O litoral sul, entre a ilha de Itacuruçá e a cidade de Paraty, é chamado de **Costa Verde**, onde a Serra do Mar mergulha abruptamente no Atlântico. Este encontro súbito entre a montanha e o oceano criou inúmeras baías irregulares e um labirinto de ilhas perto do continente. Existem aproximadamente 300 ilhas, localizadas a uma distância de 5 km do litoral, que já foram utilizadas como abrigo e esconderijo por piratas. Estas águas abrigam cerca de 50 naufrágios, entre Angra dos Reis e Ilha Grande: testemunhas dos ataques e batalhas que ocorreram nos séc. XVI e XVII. As praias da Costa Verde são pequenas e delicadas, formando recantos tranquilos que geralmente só são acessíveis pelo mar. Este local é particularmente pitoresco devido ao forte contraste entre o mar azul e as montanhas verdes cobertas pelas densas florestas tropicais.

A paisagem da cidade do Rio de Janeiro é uma síntese do aspecto do estado, uma área de transição entre os terrenos planos da Costa do Sol e o litoral recortado da Costa Verde. Ela combina os elementos típicos dos dois, como a **Lagoa Rodrigo de Freitas**, uma lagoa interna em formato de coração, com uma área de 220 ha; penhascos rochosos que se elevam abruptamente do mar, como o **Pão de Açúcar** e a **Pedra da Gávea**; as ilhas na **Baía de Guanabara**, sendo a Ilha do Governador a maior (30 km^2); e as diversas praias que variam desde as mais fechadas e protegidas (Praia Vermelha e Praia da Urca) até as mais abertas, com ondas fortes (Ipanema, Leblon e Barra da Tijuca).

Clima

Devido ao seu relevo acentuado, o clima do estado do Rio de Janeiro pode variar dependendo da altitude, vegetação e proximidade com o oceano. Nas montanhas, as temperaturas podem ser bem baixas no inverno. No **Parque Nacional de Itatiaia** há pelo menos um mês com a temperatura média de 10°C, enquanto durante o verão o termômetro varia em torno dos 30°C. No Vale do Rio Paraíba,

BEM-VINDO AO RIO DE JANEIRO

o clima é subtropical e temperado. As cidades de **Petrópolis** e **Teresópolis**, na Serra do Mar, possuem temperaturas mais baixas e um índice maior de chuvas do que o litoral, por isso eram os locais preferidos para as residências de verão.

Há muito sol na área litorânea, porém ela está sujeita a altas temperaturas e bastante vento, sobretudo na costa norte. Na **Costa do Sol**, como o nome sugere, chove menos e faz muito sol, resultando em temperaturas um pouco mais altas. A região de **Cabo Frio-Búzios** possui o menor índice de chuva, com somente 100 dias de chuva por ano, e os meses de junho e julho são os mais secos. Esses fatores, combinados com os ventos constantes, favorecem as atividades de navegação e explicam a popularidade da área. Na **Costa Verde**, a escarpa repentina da Serra do Mar funciona como uma barreira para os ventos úmidos oceânicos. Como resultado, as cidades de **Angra dos Reis** e **Paraty** possuem o maior índice de chuvas.

O clima da cidade do Rio de Janeiro é geralmente muito quente e úmido, com uma estação mais seca durante os meses de junho e julho. O índice de chuva anual varia entre 1.200–2.800 mm e, devido às árvores que cobrem a área, a região do **Parque Nacional da Tijuca** e o **Jardim Botânico** possuem uma umidade maior que a média. A temperatura anual média é de 22°C, porém durante o verão, entre novembro e março, as médias diárias podem ultrapassar os 35°C, com frequentes pancadas de chuva no período da tarde.

Flora

A cidade e o estado do Rio de Janeiro estão situados no bioma brasileiro da *Mata Atlântica*, a **Floresta Tropical Atlântica**, cuja enorme importância biológica está mais do que comprovada. Estendendo-se pelo litoral Atlântico, entre os estados do Rio Grande do Norte e Rio Grande do Sul, e chegando até as Cataratas do Iguaçu, a Mata Atlântica é uma das cinco principais áreas de alta biodiversidade do planeta, classificada acima da Amazônia. Nela estão contidos sete ecossistemas distintos, com cerca de 20 mil espécies de plantas, das quais 8 mil são endêmicas.

Esta alta diversidade de espécies da Mata Atlântica é o resultado de sua história geológica, sua localização e das variações ambientais extremas do bioma. Mudanças climáticas significativas no passado, altitudes que variam desde o nível do mar até quase 3.000 m (a mais alta da costa oriental do continente americano) e a localização próxima ao trópico de Capricórnio são os fatores mais importantes. O fato de ela estar próxima do Atlântico também é um fator de enorme influência, porque as florestas litorâneas têm maior abundância em termos de biodiversidade do que as do interior do continente.

À medida que exploramos a região, encontramos ecossistemas como manguezais e *restingas,* ao nível do mar; subindo mais um pouco, até 800 m, encontramos a floresta tropical. Em seguida, até os 1.500 m, está a floresta sazonal decídua ou semidecídua, que se caracteriza por um verão quente e úmido e um inverno seco, distinguindo-se das florestas tropicais que não possuem estações secas. Mais acima ainda, estão os "campos de altitude", áreas sem árvores e com vegetação rasteira, que se assemelham ao Altiplano dos Andes, situado do outro lado do continente.

Infelizmente, a "outra" floresta tropical do Brasil, como a Mata Atlântica é chamada, que por séculos dominou o litoral e o tornou impenetrável, já foi quase

Nuvens de chuva sobre a Costa Verde

NATUREZA

Maciço Itatiaia, Parque Nacional de Itatiaia

Parques Nacionais e Estaduais do Rio de Janeiro

Vestígios da antiga floresta atlântica ainda podem ser encontrados em vários parques estaduais e nacionais do Rio de Janeiro. A **Ilha Grande**★★★ é uma Área de Proteção Ambiental (56 km^2), subdividida entre um **Parque Estadual**, um **Parque Estadual Marinho** e a **Reserva Biológica da Praia do Sul**. No litoral de Paraty, o **Parque Nacional da Serra da Bocaina** (981 km^2), dividido entre Rio de Janeiro e São Paulo, começa ao nível do mar e se eleva até o pico do Tira Chapéu, a 2.200 m.

No interior, a **Área de Proteção Ambiental da Serra da Mantiqueira** (4.229 km^2) compreende o **Parque Nacional de Itatiaia**★★★ (300 km^2), um dos mais importantes da América do Sul. Criado em 1937, para ser uma base de pesquisas para o Jardim Botânico, ele é o primeiro e mais antigo Parque Nacional do país. Esta é a única região do Rio de Janeiro com possibilidade de geada ou de neve, no topo das montanhas. O parque está dividido em duas partes: a Baixa *(melhor período de visita entre out./fev.)* e a Alta *(melhor período de visita entre mai./ago.)* onde está a mais impressionante cadeia de montanhas da Mantiqueira, com altitudes de 816 m a 2.787 m.

A parte Baixa é dominada pela rara Mata Atlântica, ainda virgem, enquanto a parte Alta é dominada pelas surpreendentes formações rochosas. Cachoeiras, lagos e rios cortam a região. A fauna e a flora são ricas, esta com mais de 100 espécies endêmicas. A variedade de insetos é enorme, com mais de 4.000 espécies de borboletas e 1.000 espécies de abelhas e vespas. Existe também uma grande variedade de pássaros. A região do parque oferece locais de hospedagem, assim como as cidades próximas, como Penedo, Itatiaia e Resende. *Vindo do Rio, pegue a Rodovia Presidente Dutra (BR-116), em direção a São Paulo e a porta principal do parque fica a 5 min/8km, em estrada asfaltada, de Itatiaia. O Centro de Visitantes fica aberto das 10h00 às 16h00 e a entrada no parque custa R$ 3,00.*

Ao norte, na Serra do Mar, está localizado o **Parque Nacional da Serra dos Órgãos**★★ (120 km^2), com sua impressionante formação de picos. Criado em 1939, esta vasta área de exuberante floresta tropical abrange parte dos municípios de Guapimirim, Teresópolis e Petrópolis e é uma das melhores áreas para a prática de caminhadas e montanhismo. As temperaturas, no inverno, podem cair para - 5 graus nas partes mais altas. No verão, o ar úmido vindo da costa, se condensa nas montanhas, provocando fortes chuvas, quase sempre precedidas por neblina. *A porta principal do parque, em Teresópolis, tem um Centro de Visitantes. O parque fica aberto das 08h00 às 17h00 (com uma pequena taxa de entrada) e há possibilidade de pernoite em um camping, se marcado com antecedência.*

Finalmente, no litoral nordeste há um trecho perfeito do ecossistema de restingas no **Parque Nacional de Jurubatiba**, que atualmente está fechado ao público para a construção de infraestruturas.

BEM-VINDO AO RIO DE JANEIRO

Vista aérea da Floresta da Tijuca

completamente destruída. Hoje em dia, restaram somente 6% da área que ela cobria no passado, o resultado de cinco séculos de colonização, desmatamento para o cultivo da cana de açúcar e do café e da urbanização do século XX.

Logo, pode parecer incrível o fato de que o **Parque Nacional da Tijuca** (33 km^2), que está situado dentro dos limites da cidade do Rio de Janeiro, ainda se encontra lá. Toda a floresta, que é dividida por caminhos em quatro setores distintos, é resultado do replantio da vegetação nativa. Este foi um sonho do **Imperador D. Pedro II**, que percebeu que a monocultura desordenada estava causando danos ao frágil ecossistema atlântico do Rio de Janeiro, inclusive prejudicando os mananciais que abasteciam a cidade, e decidiu reverter o processo. O reflorestamento da Floresta da Tijuca foi iniciado em 1862 e 100.000 mudas de árvores nativas foram plantadas durante 13 anos. Na segunda fase, entre 1874 e 1887, foram plantadas mais 30.000. Este projeto foi interrompido em 1889 com a queda da monarquia. Depois disso, o parque passou por melhorias estéticas e hoje ele é semelhante às reservas primárias da Mata Atlântica.

A flora do Rio de Janeiro contém árvores como o gracioso ipê-dourado *(Tabebuia sp.)*, jequitibás gigantes como *Cariniana legalis* e *Cariniana estrellensis*, sapucaias *(Lecythis ollaria)* que podem viver por milhares de anos, o angico *(Piptadenia sp.)*, a aspargo-samambaia *(Asparagus setaceus)*, o quebracho perene *(Schinopsis sp.)* e várias plantas epífitas e trepadeiras, como orquídeas, lianas, musgos, lírios e, por último, mas não menos importantes, as begônias.

Destas plantas, 75% são endêmicas e ainda contam com algumas espécies bem conhecidas de jardins como a *Begonia egregia*. Na verdade, não é fora do comum encontrar orquídeas silvestres ou begônias brotando em árvores nas ruas do Rio de Janeiro, mesmo em áreas urbanas como Copacabana e Ipanema. Finalmente, mas não menos importante, há a família das bromélias, cuja presença é associada a uma floresta saudável.

O Brasil tem mais de mil espécies de bromélias e muitos exemplos coloridos podem ser encontrados nas encostas dos morros do Rio e nos jardins públicos da cidade. Há também uma coleção maravilhosa no Jardim Botânico (ver p.174).

Restinga da Marambaia - habitat de caranguejos e aves

NATUREZA

Beija-flor no Parque Nacional da Tijuca

Um paraíso para observadores de pássaros

Os parques que se encontram dentro e nos arredores da cidade do Rio de Janeiro são alguns dos principais locais para observação de pássaros do Brasil. Apenas um passeio pelo Jardim Botânico do Rio pode ser uma experiência e tanto: é possível ver **tucanos**, **periquitos**, **pica-paus**, sanhaços, entre outros. No litoral, é possível encontrar aves marinhas que variam desde corvos-marinhos até águias-pescadoras. Os lagos de água doce são povoados de espécies aquáticas como as **garças** e os **mergulhões**; as florestas estão cheias de aves que se alimentam de insetos, como a **choquinha-fluminense,** a **choca-barrada** e o **papa-mosca**, assim como de frugívoros, como os **tucanos** e **tucaninhos**. As áreas mais elevadas são o reinado das aves de rapina como **águias**, **falcões**, **abutres**, **milhafres** e **gaviões**. Os visitantes se apaixonam particularmente pela grande variedade de **beija-flores** e vários restaurantes e hotéis rurais penduram bebedouros em suas varandas, que atraem estes pequenos e velozes pássaros.

Há mais de 180 espécies endêmicas de pássaros no Brasil, cerca de 100 delas podem ser encontradas no Rio de Janeiro. Espécies raras e endêmicas incluem o corocochó *(Carpornis cucullatus)* e o sabiá-pimenta *(Carpornis melanocephalus)*, o cuitelão *(Jacamaralcyon tridactyla)*, 15 espécies de sanhaços como o catirumbava *(Orthogonys chlorictecus)* e a saíra-apunhalada *(Nemosia rourei)*, a choquinha-de-garganta-pintada *(Myrmoterula gularis)* e a choquinha-cinzenta *(Myrmotherula unicolor)*, a garrincha-chorona *(Schizoeaca moreirae)*, a choquinha-de-asa-ferrugem *(Dysithamnus xanthopterus)*, o formigueiro-assobiador *(Myrmeciza loricata)* e o pássaro formigueiro do Rio de Janeiro, o chororó-cinzento *(Cercomacra brasiliana)*, o tangarazinho *(Ilicura militaris)*, o caneleirinho-de-chapéu-preto *(Piprites pileatus)*, o peito-pinhão *(Poospiza thoracica)* e várias espécies de anambés como o saudade *(Tijuca atra)* e o saudade-de-asa-cinza *(Tijuca condita)*.

Fauna

A biodiversidade animal endêmica da Mata Atlântica é tão impressionante como sua flora. Há 94 espécies de répteis, 73 de mamíferos, incluindo 21 espécies de primatas, 160 espécies de pássaros e o impressionante número de 282 espécies de anfíbios. A maioria destes animais pode ser encontrada nos parques ao redor do Rio de Janeiro, especialmente em Itatiaia e na Serra dos Órgãos.

No entanto, como consequência da destruição devastadora do habitat (é aqui que estão situadas as maiores cidades do Brasil, onde vive a maior parte da população), a floresta atlântica possui o maior número de espécies em risco de extinção do Brasil. Das 202 espécies

BEM-VINDO AO RIO DE JANEIRO

Os marsupiais do Rio

Devido à fama de seus primos maiores da Austrália, os visitantes do Rio se surpreendem ao ouvir que marsupiais nativos vivem na América do Sul desde o tempo dos dinossauros. Na verdade, os *didelphis*, mais conhecidos como gambás, são os mamíferos terrestres mais antigos do planeta. O gambá-comum, *Didelphis marsupialis*, e a cuíca-de-quatro-olhos, *Philander opossum*, são facilmente encontrados nas áreas florestais ao redor do Rio de Janeiro: eles possuem o porte de um gato pequeno, medindo de 50 a 70 cm, incluindo a cauda. São onívoros, comem de tudo, desde minhocas, répteis e ovos até frutas e milho. A fêmea guarda sua ninhada por aproximadamente 90 dias em sua bolsa, onde os mamilos estão localizados, e os filhotes somente começam a ganhar peso quando são desmamados e deixam a bolsa.

de animais brasileiros que estão oficialmente em risco, 171 vivem nesse bioma, incluindo seis espécies de primatas.

Muitos dos mamíferos que vivem no Brasil podem ser encontrados no Rio de Janeiro.

Nas partes mais isoladas do Parque Nacional da Tijuca vivem os macacos-prego, pequenas raposas, antas, ariranhas, quatis, tatus, tamanduás-mirim, gambás e bichos-preguiça. Há diversos répteis que variam desde as jiboias e sucuris até as venenosas jararacas e cobras-coral.

Nos parques de Itatiaia e da Serra da Bocaina, é também possível encontrar suçuaranas, lontras, antas, macacos-uivadores, saguis, capivaras e espécies em alto risco de extinção como o muriqui *(Brachyteles sp.)*, o primata mais raro do mundo, cuja população diminuiu de milhares para apenas 1.300 que vivem em 15 diferentes áreas protegidas. O macaco-prego *(Cebus sp.)* pode ser visto nas árvores ao redor dos restaurantes e hotéis dos Parques Nacionais. Eles são a espécie primata mais comum no Brasil e podem ser facilmente reconhecidos pela tonalidade mais escura no alto da cabeça, que parece uma espécie de chapéu.

Apesar de a onça-pintada não viver no Rio de Janeiro, as onças-pardas ou suçuaranas *(Puma concolor)* não são tão incomuns nos parques maiores como o Itatiaia. Como todos os gatos, elas são solitárias e tendem a emboscar suas presas. As jaguatiricas *(Leopardus pardalis)* são os felinos selvagens que podem ser vistos com maior frequência pelos visitantes, pois elas caçam durante o dia. Como elas possuem o mesmo tamanho de um gato doméstico, não há como confundi-las com a onça-pintada. No entanto, diferente dos gatos, elas não têm medo de pular na água: são ótimas

Macacos-prego

NATUREZA

Jaguatirica

nadadoras e os peixes fazem parte de sua dieta.

Outro animal que pode ser encontrado pelo visitante é o tamanduá-mirim *(Tamandua tetradactyla)*. Este pequeno e ágil mamífero solitário, com apenas 85 cm de comprimento e uma cauda preênsil de 40 cm, já tem um relacionamento antigo com os homens: os índios costumavam tê-los como animais domésticos para eles limparem suas moradias de formigas e cupins. Apesar de serem animais bonitinhos e curiosos, devem ser tratados com respeito, pois têm quatro garras afiadas. Algumas espécies de tatu também podem ser vistas, como o tatu-peba *(Euphractus sexcinctus)* e o tatu-bola *(Tolypeutes tricinctus)*. Como os tamanduás, eles também estão sempre em busca de insetos, formigas e cupins, lambendo o chão enquanto caminham ou destruindo ninhos com suas garras. A presença das duas espécies no Parque Nacional da Tijuca ajuda a manter a população de cupins da cidade sob controle.

Os animais que mais se adaptaram à presença dos seres humanos, aproximando-se de trilhas e estacionamentos em busca de comida, são os quatis sul-americanos *(Nasua nasua)*. Eles são semelhantes a seus parentes mais próximos, os guaxinins norte-americanos, pois são do mesmo tamanho, têm olhos manchados, costas acinzentadas, barrigas brancas e caudas peludas, com manchas em forma de anel. A diferença entre eles e os guaxinins são os focinhos: longos, flexíveis e estão sempre grudados ao chão como porcos. Os quatis são animais onívoros e, com frequência, atacam latas de lixo e galinheiros nas comunidades mais afastadas.

A maioria dos outros animais são noturnos e bem camuflados, então a possibilidade de vê-los é bem remota, exceto as duas espécies de bichos-preguiça: a preguiça-de-dois-dedos *(Choloepus sp.)* e a preguiça-de-três-dedos *(Bradypous sp.)*, que ficam penduradas nos galhos o dia inteiro, indo ao chão uma vez por semana para defecar. Seus movimentos são bem vagarosos devido ao seu metabolismo lento e temperatura corporal, porque sua dieta de folhas e frutas não possui nutrientes suficientes para seu tamanho. Ainda assim, eles fazem parte dos sobreviventes da evolução: seus ancestrais apareceram há 35 milhões de anos e um deles era o extinto Megatério, que era do tamanho de um elefante.

Tamanduá-mirim

91

Praia de Ipanema com o Morro Dois Irmãos ao fundo
©Cipriani Giordano/SIME/4Corners Images

DESCUBRA O RIO DE JANEIRO

CENTRO HISTÓRICO E ARREDORES

Englobando a Praça XV, o Castelo, a Cinelândia, o Largo da Carioca, a Praça Tiradentes e a Lapa, o Centro original da cidade do Rio de Janeiro é tanto seu local de nascimento quanto seu coração histórico. Em várias praças públicas e parques encontram-se prédios e igrejas coloniais, bem como alguns dos melhores museus do país. É também um centro de entretenimento, com teatros, cinemas e bares, assim como espaços musicais e centros culturais, que revitalizam a cidade antiga. No Rio, os centros culturais não são reservados ao "bate-papo": são fonte de criatividade e de influência, com músicos, artistas e dançarinos, que estão constantemente reinventando a arte.

Destaques
1. Chá na elegante **Confeitaria Colombo** (ver p.112).
2. O deslumbrante interior da **Catedral Metropolitana** (ver p.113).
3. Na manhã de domingo, a missa na fascinante **Igreja do Mosteiro de São Bento** (ver p.103).
4. A vida noturna sob os **Arcos da Lapa** (ver p.122).
5. Exposições no **Centro Cultural Banco do Brasil** (ver p.102).

A caminho das partes altas do Rio
Tendo conseguido expulsar os franceses em 1567, os militares portugueses trocaram o núcleo inicial da cidade, entre o Morro Cara de Cão e o Pão de Açúcar, pelo Morro do Castelo, mais fácil de defender. O Morro do Castelo era cercado de lagoas e, além disso, do seu topo era possível controlar o acesso à Baía da Guanabara. Deste período até o início do séc. XIX, a cidade do Rio de Janeiro não ia além do que hoje é considerado o Centro. Dentro dessa área, havia a várzea, correspondente à área da Praça XV (ver p.98) e os morros em volta, sendo eles o Morro do Castelo, o Morro de Santo Antônio, o Morro de São Bento e o Morro da Conceição.

Vice-reis e Reis
A importância do Rio cresceu quando descobriram ouro e diamantes em Minas Gerais e a nova riqueza trouxe melhorias urbanas, como os Arcos da Lapa (ver p.122) e edifícios, como o Palácio dos

Praça Floriano e Theatro Municipal

Governadores, o atual Paço Imperial (👆ver p.100). Em 1763, o Rio se tornou a capital da colônia e a residência dos vice-reis, porém o desenvolvimento urbano só se acelerou com a chegada, em 1808, do Príncipe Regente D. João e 15.000 membros da corte portuguesa. Isto desencadeou um novo ciclo de reformas. Muito influenciadas pelo movimento Neoclássico, estilo promovido pela Missão Artística Francesa de 1816, prédios notáveis deste período incluem a Casa França-Brasil (👆ver p.103) e o requintado Palácio Itamaraty (👆ver p.117).

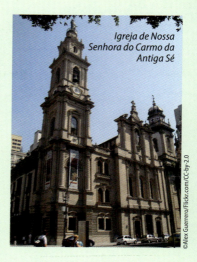

Igreja de Nossa Senhora do Carmo da Antiga Sé

Novas liberdades

Com o fim do império em 1889, o estilo Neoclássico dominante deu lugar à exuberância do Ecletismo, cujos melhores representantes são o Theatro Municipal (👆ver p.109), o Centro Cultural do Tribunal Regional Eleitoral (👆ver p.102), a Escola de Belas Artes (👆ver p.110) entre outros.

O séc. XX testemunhou sucessivos programas de modernização no Centro histórico. Muito do caráter essencial desapareceu em nome de grandes projetos de afrancesar a cidade no início do século XX.

O primeiro deles (executado pelo prefeito Pereira Passos em 1903 e muito imitado pelos prefeitos consecutivos) viu a criação da Avenida Central (atual Avenida Rio Branco) que custou a demolição de muitos prédios coloniais, como o Convento da Ajuda, onde hoje está a Cinelândia (👆ver p.107).

Mais tarde, novas avenidas foram abertas e aterros foram feitos para dar espaço ao crescimento da cidade, época em que foi construída a Avenida Presidente Vargas, que liga o Centro à Zona Norte. Finalmente, com a expansão da cidade para o sul, surge o Aterro do Flamengo, a ligação entre o Centro e essa nova área de crescimento da cidade. Mais recentemente, estamos assistindo a revitalização do Centro e a preservação dos espaços e monumentos históricos, assim como o crescimento da Zona Oeste.

Locais de adoração

No Centro histórico encontram-se as mais antigas construções de caráter religioso do Rio, algumas das quais datam do período colonial. Algumas levaram décadas para serem terminadas, como a imponente igreja da Candelária (👆ver p.105) que levou tanto tempo que apresenta vários estilos arquitetônicos. Muitas destas construções de caráter religioso foram edificadas no alto dos morros, incluindo o esplêndido Mosteiro de São Bento, cujos monges desfrutam da vista panorâmica da Baía de Guanabara, e a Igreja e o Convento de Santo Antônio, no Largo a Carioca. Muitas igrejas podem ser encontradas nas estreitas ruas do Centro histórico.

🌿 Dicas 🌿

Tenha em mente que muitas das igrejas do Rio são ainda locais de adoração, com atividades religiosas regulares. Pessoas que circulam no Centro entram para dizer suas orações na hora do almoço e depois do trabalho. Aconselha-se mostrar respeito. Por não serem consideradas atrações turísticas, simplesmente não espere o mesmo nível de informações que se encontra nos demais monumentos.

Mudando com os tempos

Alguns dos museus e locais históricos do Rio de Janeiro, especialmente nesta parte da cidade, estão sendo restaurados. Há muitas atrações, com exposições se alternando e um programa completo de apresentações teatrais e musicais. As ruas do Centro histórico são melhor apreciadas nos dias úteis porque, quando os bancos e escritórios fecham, no fim de semana, as ruas ficam praticamente desertas. Se você fizer um bom planejamento, não precisará circular por ruas desertas. Depois de escurecer, vale a pena fazer algum programa na região da Lapa e na Cinelândia.

Bares Históricos

Os botequins estão intimamente ligados à história e cultura do Rio de Janeiro. Há mais do que um punhado deles no Centro histórico, e não se deve perder uma visita a um deles. Os cariocas são muito orgulhosos de seus charmosos botequins ou botecos, assim como de suas lindas praias. Muitos deles já existem há mais de um século, servindo sanduíches, lanches e, claro, o chope, introduzido pela família real em 1808. Muitos deles foram reformados mas guardam seus traços originais. Outros, mais recentes, copiaram o modelo, com balcão e mesinhas com cadeiras.

DESCUBRA O RIO DE JANEIRO

PRAÇA XV ★

A Praça Quinze de Novembro é uma das mais famosas do Rio de Janeiro e seu nome é uma homenagem ao dia da Proclamação da República em 1889. No Rio, ela é conhecida simplesmente como Praça XV. Uma das primeiras criadas na cidade, esta praça e seus arredores estão bem no coração do Centro histórico, concentrando esplêndidas igrejas coloniais, prédios históricos e centros culturais. O ideal é explorá-la a pé, seguindo o roteiro aqui descrito.

▶ **Oriente-se:** Da Rua Primeiro de Março à Avenida Alfredo Agache: esta área abrange a praça, a doca do Mercado Velho, a Estação das Barcas e a Praça Marechal Âncora (*ver p.108*).
- **Não perca:** A missa com cantos gregorianos na Igreja do Mosteiro de São Bento aos domingos.
- **Organize seu tempo:** A maioria dos museus e centros culturais fecha às segundas-feiras, enquanto muitas das igrejas abrem.
- **Para crianças:** Suba a bordo de um submarino dos anos 70 e de um contratorpedeiro da 2ª Guerra Mundial no Espaço Cultural da Marinha.

Um pouco de história

De campina a praça central

Uma gravura desta área, datada de 1580, retrata um prédio rústico numa praia imaculada, tendo como fundo um campo deserto. Esta igreja solitária, a Ermida de Nossa Senhora do Ó, construída por Manuel de Brito, foi a origem da famosa praça do Rio. Em 1590, a igreja foi doada à ordem das Carmelitas. Logo, o velho prédio ficou pequeno demais para elas e começaram a trabalhar no seu próprio convento ao lado, em 1611. Era o **Convento do Carmo** e a área em frente ficou conhecida como Praça do Carmo. Esse terreno se expandiu graças ao recuo do mar e à presença do pequeno cais e começou a ser identificado como ponto de encontro da cidade. Foi construída no centro do espaço uma polé (o pelourinho), emblema de justiça e símbolo de todas as praças coloniais: e a praça ficou conhecida como o Terreiro da Polé. Em 1743, o Conde de Bobadela construiu uma nova sede para o governador da colônia, o Paço dos Governadores e, depois dos Vice-reis, o que reforçou ainda mais a posição da praça na vida da cidade.

Em nome do progresso

Em 1808, o Príncipe Regente de Portugal Dom João teve que deixar Lisboa para estabelecer a corte no Rio de Janeiro. Ele precisava de um lar para sua mãe,

Praça XV e Paço Imperial à esquerda

PRAÇA XV

a Rainha Maria, uma mulher religiosa e predisposta à loucura. Então, enquanto fixou residência no Palácio do Governador, D. João instalou sua mãe no Convento das Carmelitas, próximo ao Paço. Como resultado, a igreja do convento tornou-se a Capela Real e, mais tarde, a primeira Sé (ver p.104). Muitos dos aspectos originais do convento se perderam nas reformas ali realizadas. No local está instalada a Faculdade Cândido Mendes e, no seu interior, foi construído um moderno edifício de escritórios.

De volta ao futuro
Durante todo o séc. XIX, a movimentada praça foi um local popular para grandes eventos públicos. Ela abrigou desfiles de carros alegóricos e queimas de fogos de artifício; até touradas e rodeios. Hoje, a cidade está tentando revitalizar a área, com a restauração de antigos prédios.

Passeio a pé

▶ *1,5 km/1 hora. Início no Palácio Tiradentes.*

Palácio Tiradentes★
Rua Primeiro de Março. Aberto Seg–Sáb 10h00–17h00, Dom 12h00–17h00. Entrada franca. 21 2588 1411. Visitas guiadas Seg–Sex. 21 2588 1251. Exposições permanentes e temporárias podem ser vistas sem a visita guiada.
Construído entre 1922 e 1926, o Palácio Tiradentes foi erguido no local onde o herói da independência **Joaquim José da Silva Xavier** (1748–1792) esteve preso. Dentre suas atividades, ele foi soldado, homem de negócios e dentista — esta última lhe deu o apelido de **Tiradentes**. A cidade onde nasceu foi batizada com seu nome e o dia de sua morte é um feriado nacional. Em frente ao palácio, no centro da praça, há uma estátua de Tiradentes, de Francisco de Andrade. O mártir da independência é retratado simbolicamente pelo artista como uma figura messiânica, de cabelos e barbas longas, personificando o altruísmo.
O prédio, que abriga hoje a Assembleia Legislativa do Estado do Rio de Janeiro, foi construído em estilo eclético, com

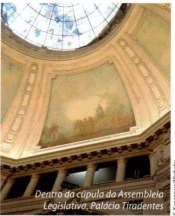
Dentro da cúpula da Assembleia Legislativa, Palácio Tiradentes

forte influência neogrega. Sua composição arquitetônica e figuras tem uma leitura e uma mensagem adequada aos ideais da república. A **cúpula central** (*acesso somente com visita guiada*) é uma recriação do céu do Rio na noite de 15 de novembro de 1889, quando a República foi proclamada. Quando o Rio de Janeiro ainda era a capital da nação, era a sede do Congresso Nacional.

▶ *Vire à direita na Rua Primeiro de Março e imediatamente à direita na Praça XV.*

Panteão de Osório
Praça XV.
Esse monumento foi erguido com uma subscrição popular em honra ao **Marechal Manuel Luís Osório** (1808–1879), Barão, Visconde e Marquês do Herval, por bravura militar na **Guerra do Paraguai** (1864–1870).
A estátua equestre do marechal foi encomendada em 1887 ao escultor Rodolfo Bernardelli (1852–1931) e forjada na oficina Thibaut em Paris com o bronze dos canhões tomados aos inimigos durante a guerra com o Paraguai. Em 21 de julho de 1892, o corpo embalsamado de Osório foi transportado para uma cripta neste monumento. A inauguração do Panteão aconteceu no dia 12 de novembro de 1894, com grande cerimônia.
O pedestal é feito de granito alpino e tem dois baixos-relevos em bronze: um mostra a batalha de Tuiuti e o outro o ataque ao Passo da Pátria.

DESCUBRA O RIO DE JANEIRO

Chafariz do Mestre Valentim
Praça XV.

A construção desta fonte, também chamada de Chafariz da Pirâmide, foi supervisionada pelo **Mestre Valentim**, de acordo com um desenho de 1780, do engenheiro Marechal Jacques Funck. Ela é composta de uma torre quadrada, tendo no topo uma pirâmide, que outrora ostentava as armas portuguesas em mármore, mas foi substituída, em 1842, por uma esfera armilar encimada pela coroa imperial em bronze.

Nos quatro cantos, colunas se destacam da base. Na frente, há uma porta e, sobre ela, uma inscrição. Nos outros lados, enormes conchas antigamente recebiam a água que era coletada em tanques logo abaixo mas, infelizmente, hoje a fonte não funciona mais. Abaixo da fonte, escavações recentes levaram à restauração do antigo *cais*, revelando o contorno da área como era ao final do séc. XVIII, junto ao mar.

Paço Imperial★★
Largo do Paço, Praça XV.
Aberto Ter–Dom 12h00–18h00.
R$ 2. 21 2533 4407.
(Restaurante Atrium; 21 2220 0193; www.restauranteatrium.com.br).

O mais importante exemplo da arquitetura colonial no Rio de Janeiro. Construído em 1743, para ser sede e residência do Governador do Rio, o prédio também abrigou a Real Casa da Moeda.

Com a chegada da família real portuguesa, em 1808, tornou-se o palácio real e, após a declaração da independência em 1822, o Paço Imperial. Entretanto, o prédio não serviu a este propósito por muito tempo. A família real não o achou confortável e se mudou para a Quinta da Boa Vista (*ver p.120*), que se tornou a residência oficial dos monarcas até 1889. O Paço só era usado para festas, cerimônias e recepções oficiais e a proclamação da república (1889) levou ao seu declínio.

Muitos fatos importantes aconteceram neste prédio: o **Dia do Fico**, nome dado ao evento de 9 de janeiro de 1822, quando o Príncipe Regente declarou à multidão reunida na rua sua intenção de permanecer no Brasil. Esta decisão insultou o parlamento em Lisboa, que queria manter o status de colônia para o Brasil, desencadeando, assim, o processo de independência. A 13 de maio de 1888, a Princesa Isabel assinou a Lei Áurea, abolindo a escravidão no Brasil, sendo aclamada pelo povo de uma das janelas do Paço.

Entre 1982 e 1985, foi executado um cuidadoso processo de restauração para devolver ao prédio suas características originais, sem tentar esconder as restaurações que haviam sido feitas ao longo dos anos. Com sucesso, ele foi transformado num espaço multicultural, dedicado às artes.

O Paço Imperial, como é conhecido, organiza exposições, tem um cinema, uma biblioteca, um bar, um restaurante, uma loja de CDs–DVDs e um amplo pátio. No primeiro andar, não perca a **Sala dos Arqueiros**, em estilo Eclético, com delicados trabalhos decorativos e uma linda claraboia. Vale visitar a **maquete** do centro da cidade, dos arquitetos Antônio José de Oliveira e Fernando Cosmeli, com uma visão bastante clara dessa parte da cidade.

> Atravesse a praça, mantendo a Baía de Guanabara à sua direita. Caminhe em direção ao Arco do Teles, que dá acesso a uma pequena rua.

Arco do Teles e Travessa do Comércio★★
Junto à Praça XV.
A largura deste arco e desta ruela revela as dimensões claustrofóbicas do Rio de

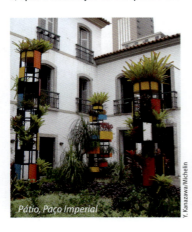

Pátio, Paço Imperial

PRAÇA XV

Janeiro antigo, construído como uma cidade portuguesa, com casas altas, de paredes grossas, muito próximas e umas de frente para as outras, com vielas calçadas de pedras.

Em 1790, o Arco do Teles quase foi destruído num incêndio violento, e ainda hoje é a entrada da estreita Travessa do Comércio. Construído pelo Brigadeiro José Fernandes Pinto Alpoim, o conjunto formado por três sobrados coloniais, com fachadas únicas, foi encomendado pela família Teles de Menezes, em cuja honra o arco foi batizado.

Hoje, a viela é uma rua de pedestres e uma encantadora volta ao passado do Rio de Janeiro, embora alguns dos antigos prédios (números 8, 10, 12, e 16) tenham apenas a fachada escondendo interiores modernos. A própria rua é cheia de sobrados, com charmosas sacadas em ferro batido e lampiões antigos. Há também vários bares e restaurantes, onde os cariocas se encontram depois do trabalho, sobretudo às sextas-feiras. (ver p.248).

Travessa do Comércio

▸ *Caminhe pela Travessa do Comércio, até chegar à Rua do Ouvidor.*

Igreja de Nossa Senhora da Lapa dos Mercadores★
Rua do Ouvidor 35.
Aberta Seg–Sex 08h00–14h00.
Entrada franca. 21 2509 2339.

Em 1747, prósperos comerciantes fundaram a Irmandade de Nossa Senhora da Lapa dos Mercadores. A irmandade construiu esta igreja, uma delicada joia barroca, embora tenha sido restaurada várias vezes. A restauração mais profunda aconteceu entre 1869 e 1872, quando a fachada foi reconstruída e o campanário e o interior finalizados. Foram acrescentados elementos Neoclássicos às características Barrocas originais. No alto encontram-se as imagens de São Félix e São João da Mata. Acima das três entradas com arcos, há janelas com molduras em mármore e sobre as duas janelas laterais há nichos com as imagens de São Bernardo e Santo Adriano. Há no centro um **medalhão** de mármore trabalhado, representando a coroação da Virgem. Este foi encontrado durante as escavações do pátio e acredita-se ter pertencido à Ordem Terceira da Penitência (ver p.115), que ocupou a propriedade vizinha. Enterrado por devotos no séc. XVIII, para escondê-lo de ataques piratas à cidade, o medalhão ficou esquecido e só foi achado durante os trabalhos de remodelação no séc. XIX.

Em 1893, durante a Revolta da Marinha, uma bala do encouraçado *Aquidabã* destruiu o campanário. Símbolo da Fé, a estátua que adornava a torre caiu ao chão, mas escapou quase intacta. O campanário foi reconstruído imediatamente e os velhos sinos foram recolocados e são os mais antigos da cidade. A irmandade mantém até hoje a bala que causou o dano e a estátua está num nicho na sacristia.

Igreja de Nossa Senhora da Lapa dos Mercadores

DESCUBRA O RIO DE JANEIRO

Centro Cultural do Banco do Brasil

▶ *Continue pela Rua do Ouvidor e caminhe na direção da Rua Primeiro de Março. Vire à direita e vá até o número 36.*

Igreja da Santa Cruz dos Militares★
Rua Primeiro de Março 36.
Aberta Seg–Sex 08h00–16h00, Sáb–Dom 08h00–12h00. Entrada franca. 21 2509 3878.
Há muito tempo foi construído neste local um pequeno forte de frente para o mar, para defender a Baía de Guanabara, chamado de Fortaleza de Santa Cruz. Em 1623, o governador Martim de Sá doou o prédio já em ruínas aos soldados da guarnição do Rio. Nos cinco anos seguintes, os soldados construíram uma capela, que usavam para o sepultamento de militares (os sepultamentos dentro de igrejas só foram proibidos em 1850). Porém, quando a construção terminou, começou uma disputa para ver quem ficaria responsável pela igreja e os militares não a assumiram até 1780, quando a igreja já estava em ruínas. Eles começaram novamente, sob supervisão do Brigadeiro José Custódio de Sá, e a nova igreja, em mármore e granito, ficou pronta em 1811. Ela foi sagrada na presença do Príncipe Regente D. João, recém-chegado de Portugal. Um **órgão** magnífico, de 1934 e meticulosamente restaurado em 2007, é usado em recitais de músicos do mundo inteiro.
A fachada é uma cópia da Igreja de Jesus, em Roma, com seus quatro nichos, suas volutas gêmeas, elevando-se em um arabesco, doze pilastras e as imagens dos Evangelistas, marcando uma influência tardia do estilo Jesuítico Romano no Brasil.

▶ *Continue pela Rua Primeiro de Março, até o número 42.*

Centro Cultural da Justiça Eleitoral
Rua Primeiro de Março 42.
Aberto Qua–Dom 12h00–19h00. Entrada franca. 21 2285 6350.
Localizado na sede do Tribunal Superior Eleitoral, uma das obras primas do estilo eclético do Rio (1896) e na qual trabalharam grandes artistas do final do século XIX, como o escultor Rodolfo Beranardeli. Este centro cultural, além de apresentar uma linda decoração interior, oferece uma grande variedade de atividades, com uma área dedicada a recitais e outros eventos artísticos, além de salas de leitura e um centro de documentação. É um dos mais modernos centros culturais do Rio.

▶ *Continue pela Rua Primeiro de Março, até o número 66.*

Centro Cultural do Banco do Brasil (CCBB)★★
Rua Primeiro de Março 66.
Aberto Ter–Dom 12h00–20h00. Entrada franca (o preço dos eventos varia). 21 2285 6350. www.bb.com.br/cultura.

PRAÇA XV

O saguão deste maravilhoso centro cultural é banhado de luz pela esplêndida cúpula de vidro. É propriedade do Banco do Brasil, que aqui teve sua sede de 1926 a 1960, quando se mudou para a nova capital, Brasília. O Banco do Brasil foi fundado em 1808 pelo Príncipe Regente D. João e ainda é uma das maiores instituições financeiras do país. O prédio data do final do séc. XIX e foi inaugurado em 1906 para ser a Associação Comercial e abrigava, também, a Bolsa de Fundos Públicos. O Banco do Brasil adquiriu o prédio em 1923 para ser sua Sede. Na década de 80 foi transformado em Centro Cultural.

O CCBB é muito movimentado e oferece uma ampla variedade de atividades: teatro, cinema, música, artes plásticas etc. Você poderá encontrar exposições temporárias de nível internacional sobre os mais diversos temas. Existe uma exposição permanente de moedas que lembram o passado financeiro do prédio, assim como os guichês antigos que funcionam como agência bancária.

Muitos dos eventos acontecem nos andares inferiores, com o inteligente uso dos cofres do banco servindo de salas para a exibição dos trabalhos de arte. O quarto andar é ocupado pelo museu e o arquivo histórico do próprio banco — sendo de interesse mais limitado. A biblioteca, no quinto andar, é aberta ao público e contém mais de 100.000 volumes, incluindo periódicos raros, em várias línguas. O CCBB possui ainda teatros e salas de cinema.

▶ *Casa França-Brasil está ao lado da entrada principal do CCBB. Vire à direita na Visconde de Itaboraí, no número 78.*

Casa França-Brasil★

Rua Visconde de Itaboraí 78.
Aberta Ter–Dom 10h00–20h00.
Entrada franca. 21 2253 5366.
www.fcfb.rj.gov.br.

O prédio da atual Casa França-Brasil deve sua existência à **Missão Artística Francesa** de 1816. Um grupo de artistas e arquitetos veio ao Rio de Janeiro a pedido de D. João VI, que acabara de ascender ao trono português. A mente iluminada da missão foi o arquiteto Grandjean de Montigny, que desenhou o prédio em estilo Neoclássico mas com toques do Barroco Brasileiro no telhado, com suas mansardas e beirais pitorescos. No início, o prédio abrigou a Alfândega e foi Tribunal, mas sofreu restaurações mal orientadas. Em 1983, concordou-se em restaurá-lo e criar um centro cultural voltado para os laços entre a França e o Brasil. Revelaram-se assim as linhas Neoclássicas da arquitetura original, criando-se um largo espaço central com galerias laterais menores. Os eventos buscam unir os dois países, com exposições sobre a história da arte, mas também abre espaço para a arte contemporânea.

▶ *Fim do Passeio a Pé.*

Outras atrações

Igreja e Mosteiro de São Bento★★★

Rua Dom Gerardo 68. Aberto Seg–Sex 07h00–12h00 e 14h00–18h00; Sáb às 07h15, Dom às 08h15. O mosteiro encontra-se fechado para restauração; a igreja está accessível. Entrada franca. 21 2291 7122. www.osb.org.br.

A alguns quarteirões da Praça XV, no alto de uma subida íngreme (que se sobe a pé ou de elevador), encontram-se a igreja e o mosteiro beneditinos. A antiga Ordem Beneditina veio da Bahia para o Rio de Janeiro no início do séc. XVII e seus devotos foram alguns dos primeiros habitantes da cidade. A igreja foi inaugurada em 1641, tendo seu frontispício acabado em 1669.

Vista do pátio externo, a igreja parece despretensiosa, mas o interior é mais do que deslumbrante. Dignas de nota especial são as complexas esculturas em madeira do talentoso artista e monge Domingos da Conceição Silva e 14 painéis do monge alemão Frei Ricardo do Pilar (1630–1641), um dos pintores coloniais mais talentosos do Brasil. A capela foi um dos primeiros trabalhos do **Mestre Inácio Ferreira Pinto** (1765–1828), que mais tarde trabalhou na Capela Real. Aos domingos às 10h00 acontece a missa solene, acompanhada de cantos gregorianos, cantados pelos monges.

103

DESCUBRA O RIO DE JANEIRO

O interior deslumbrante da Igreja de São Bento

Mesmo que você não seja religioso, tente visitá-la nesta hora, já que é uma experiência comovente — mas chegue cedo pois se trata de evento concorrido e o espaço é limitado.

Igreja de Nossa Senhora do Carmo da Antiga Sé★★
Rua Primeiro de Março s/n.
Aberta Seg–Sex 09h00–17h00.
Entrada franca. 21 2242 7766.
A princípio, esta igreja era a capela do Convento do Carmo (*ver p.98*). Construída em 1761, é geralmente chamada de "Antiga Sé", porque foi a catedral do Rio de Janeiro de 1808 até 1976. Durante o séc. XIX foi também **Capela Real** e, depois, a **Capela imperial**. Durante o reinado de D. Pedro I, a fachada foi reconstruída no estilo Neoclássico. Uma imagem da Virgem Maria coroa a torre; na fachada, está a imagem do padroeiro do Rio de Janeiro, São Sebastião.
O interior é profusamente decorado em madeira talhada e revestida a ouro no estilo Rococó. De rara delicadeza, data de 1785 e é atribuída ao **Mestre Inácio Ferreira Pinto** (1765–1828).
O arco triunfal no presbitério é particularmente bonito. Há várias galerias decoradas com pinturas do artista colonial **José Leandro Carvalho** (1788–1834). A igreja tem sete altares, o principal em prata reluzente. Na sacristia, há uma imagem evocativa de Cristo na cruz e uma pia batismal em mármore, decorada com mosaicos de mármore colorido.

A igreja foi palco de importantes fatos históricos, como a consagração do Rei D. João VI de Portugal, em 1816, o casamento de seu filho Dom Pedro com a Princesa Leopoldina da Áustria, cunhada de Napoleão. Dizem que os restos mortais de Pedro Álvares Cabral, navegador português e o primeiro europeu a chegar ao Brasil, estão na cripta. Entretanto, como ele morreu esquecido em Portugal, esta é uma alegação duvidosa. Recentemente, foram descobertos vestígios da igreja original e abertos ao público.

Igreja da Ordem Terceira de Nossa Senhora do Monte do Carmo★
Rua Primeiro de Março s/n.
Aberta Seg–Sex 08h00–15h30.
Entrada franca. 21 2242 4828.
Separada da Antiga Sé apenas por uma passagem, esta igreja (1770) possui uma elegante fachada Barroca de granito e emoldurada por dois campanários parcialmente adornados com azulejos. Outras características notáveis incluem um magnífico portal do séc. XVIII importado de Lisboa, com um medalhão da Virgem Maria, e um interior delicado no estilo Rococó decorado pelo artista Luís da Fonseca Rosa e seu discípulo Valentim da Fonseca e Silva, conhecido como Mestre Valentim.
Observe na igreja os castiçais trabalhados e o refinado altar principal, todo em prata. O Mestre Valentim decorou a Capela do Noviciado com talhas de

PRAÇA XV

grande beleza no estilo Rococó (1772–1773), uma das mais belas do Rio.

Igreja da Candelária★
Praça Pio X. Aberta Seg–Sex 08h00–16h00, Sáb–Dom 08h00–12h00. Entrada franca. ☎ 21 2233 2324.

Com 64 m de altura, esta igreja é uma das maiores e mais luxuosas do Rio de Janeiro, embora não seja a mais silenciosa devido ao tráfego à sua volta. No início do séc. XVII, os espanhóis a bordo do navio *Candelária*, prometeram que construiriam uma igreja dedicada à Nossa Senhora da Candelária para agradecer a misericórdia do Senhor se conseguissem escapar da enorme tempestade em que se encontravam. Em 1775, iniciou-se o trabalho de substituição do prédio original, um projeto que continuaria aos poucos até a finalização da cúpula em 1877.

Um dos pontos de referência do Rio, a construção da **cúpula**★ — parte de um lindo teto dourado sobre o altar — foi uma tarefa enorme. No total, foram cortadas e polidas em Lisboa 1.422 peças de pedra calcária de *Lioz* e embarcadas para serem montadas no local. As oito estátuas de **José Cesário de Sales** que adornam a cúpula também vieram de Portugal. Elas representam os quatro evangelistas São Mateus, São Marcos, São João, São Lucas e a Religião, a Fé, a Esperança e a Caridade. Também digna de nota é a porta de bronze no estilo Luís XV, de Teixeira Lopes.

Centro Cultural dos Correios
Rua Visconde de Itaboraí 20. Aberto Ter–Dom 12h00–19h00 Entrada franca. ✗ ☎ 21 2253 1580. www.correios.com.br.

O Centro Cultural dos Correios faz parte da cena artística do Rio desde 1993. São dez salas de exposições, uma galeria de arte para pequenas mostras, um teatro com 200 lugares e um amplo pátio descoberto usado em eventos.

O centro promove as artes tradicionais, bem como o cinema, vídeo, dança e música. O prédio, do início do séc. XX, preserva o **elevador** original, restaurado em sua antiga glória, uma raridade na cidade.

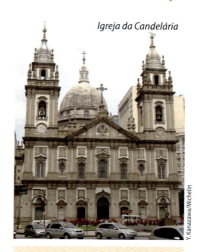

Igreja da Candelária

Doações

No centro histórico, é comum ver gente, principalmente crianças, vivendo nas ruas. Se você quiser ajudar, pense na possibilidade de fazer uma doação a uma instituição de caridade, em vez de dar dinheiro vivo. O **UERÊ** *(www.projetouere. org.br)* é uma das instituições de caridade locais que foi criada para ajudar crianças sem lar que vivem perto da Igreja da Candelária. Patrocine uma criança, faça uma doação mensal ou anual ou até, quem sabe, seja um voluntário *(para mais detalhes, visite o website).*

Espaço Cultural da Marinha Kids
Av. Alfredo Agache s/n. Aberto Ter–Dom 12h00–17h00. R$ 10, R$ 5 crianças até 12 anos. ☎ 21 2233 9125. www.mar.mil.br/sdm.

Apesar de seu nome, o Espaço Cultural da Marinha, localizado nas antigas docas da alfândega, atualmente é um pequeno museu naval. Dentro, está a *Galeota Dom João VI* — um navio doado ao rei João VI em 1818. Feita de madeiras nobres, com cabine simples coberta, é decorada com várias figuras entalhadas, incluindo um excepcional dragão na proa. Também estão expostos vários modelos em escala menor de navios famosos e uma exposição de arqueologia subaquática, com relíquias de naufrágios na costa brasileira entre 1648 e 1916.

DESCUBRA O RIO DE JANEIRO

Cidade do Samba
Rua Rivadávia Correia 60, Gamboa. ⏰*Aberta Ter–Sáb 10h00–17h00.*

Inaugurada em 2005, a Cidade do Samba é uma das mais recentes atrações do Rio de Janeiro para visitantes. O objetivo do complexo, construído especialmente na revitalizada área do porto, é ser a nova sede cultural do Carnaval. Cada Escola de Samba tem seu ateliê, onde se pode acompanhar a construção dos gigantescos carros alegóricos, a confecção das fantasias e os músicos ensaiando durante o dia. O período preparatório para o Carnaval *(de novembro a fevereiro)* é o de maior atividade. Às quintas-feiras, às 19h00, os visitantes podem aproveitar uma oportunidade única de ver uma mini versão do maior espetáculo do Brasil *(R$ 150, R$ 75 a meia entrada, bufê incluído).*

Atracado na doca, o contratorpedeiro *Bauru*, que participou de patrulhas antissubmarinos na 2ª Guerra Mundial, é agora um navio-museu, assim como o *Riachuelo*, um submarino-museu. Do píer, os visitantes podem tomar um barco para a Ilha Fiscal *(o barco parte Ter–Dom às 13h00, 14h30 e 16h00; R$ 10, crianças R$ 5).*

Museu Naval e Oceanográfico
Rua Dom Manoel 15. ⏰*Aberto Ter–Dom 12h00–16h45.* R$ 4. ☎ *21 2533 7626 / 2233 9165.*

O prédio, em estilo Eclético, foi inaugurado em 1900 para ser a sede do Clube Naval e aberto ao público como o Museu Naval e Oceanográfico em 1972. O acervo consiste em uma variedade de objetos da história da Marinha Brasileira, relíquias e pertences de importantes personalidades históricas da Marinha, bem como reproduções de mapas antigos. Há armas e itens como cartas pessoais, fotografias e medalhas relacionadas a guerras em diferentes períodos, assim como fardas, ferramentas de carpintaria naval e instrumentos de navegação.

CASTELO E CINELÂNDIA ★

Embora geograficamente próximas uma da outra, o Castelo "colonial" e a Cinelândia "Belle Époque" são duas áreas muito distintas, com sua própria história, arquitetura e identidade cultural. A área do Castelo era originalmente um povoado improvisado que se desenvolveu em volta do Morro do Castelo (demolido durante uma das reformas urbanas do Rio) e possui uma das mais antigas igrejas da cidade. Sua vizinha Cinelândia, data da inauguração de quatro cinemas na década de 1920, é uma parte tradicional da cidade.

- ▶ **Oriente-se:** No Centro Histórico, o Castelo é a área mais próxima do Aeroporto Santos Dumont. Logo a seu lado, no fim da Avenida Rio Branco, perto do Parque do Flamengo, fica a Cinelândia. Ambas as áreas ficam perto da estação de metrô Cinelândia.
- **Não perca:** Apresentações de artistas de renome internacional no Theatro Municipal.
- ⏰ **Organize seu tempo:** Aproveite os passeios históricos visitando alguns dos bares, cafés e restaurantes nesta parte da cidade. (*ver Sua estadia na cidade*).
- **Para crianças:** Se você tiver a sorte de visitar o Rio durante o Carnaval, leve as crianças à Praça Floriano no sábado de manhã para eles verem um dos blocos mais tradicionais da cidade, o Cordão do Bola Preta, abrir o Carnaval.

CASTELO E CINELÂNDIA

Um pouco de história

Sobre o Castelo...

No início do séc. XX, os prefeitos do Rio fizeram de tudo para "modernizar" a cidade. Entre suas ideias estavam o desmonte de morros, a criação de aterros sobre o mar, o alargamento das ruas existentes e a criação de largas avenidas novas. O Morro do Castelo foi removido da paisagem da cidade por um desses projetos.

A importância histórica do morro era enorme: foi aqui que a cidade de São Sebastião do Rio de Janeiro foi instalada em 1567. O morro tinha importância defensiva: a altura fornecia uma vista da entrada da baía, as encostas eram íngremes e o local era cercado por pântanos, lagoas e praias. Com a diminuição das preocupações militares no séc. XVII, sua função defensiva deixou de ser importante e o coração da cidade foi transferido para as partes baixas da região: a várzea.

Em 1922, o Rio de Janeiro estava comemorando um século da independência do Brasil. Na região do Castelo, a grande quantidade de casas em condições precárias nas encostas e no entorno do morro, assim como sua proximidade de prédios históricos, causava preocupação às autoridades. O Morro do Castelo foi desmontado e seus escombros foram usados para aterrar o litoral da Glória (*ver p.125*). As ladeiras estreitas e íngremes, densamente povoadas, foram substituídas pelas avenidas Churchill, Franklin Roosevelt, Marechal Câmara e Antônio Carlos, orientadas para escritórios e instituições públicas, como os ministérios. Entre estes encontram-se o Ministério da Fazenda, no estilo Eclético Clássico, o Ministério do Trabalho, Art Deco, e uma verdadeira obra-prima da arquitetura brasileira: o Ministério da Educação, no estilo Modernista, atualmente conhecido como Palácio Gustavo Capanema (*ver p.73*).

...e sobre a Cinelândia

O surgimento da Cinelândia está profundamente ligado à construção da **Avenida Central** (atual Avenida Rio Branco) e à demolição do Convento da Ajuda (1750), que ficava em frente à Biblioteca Nacional. Junto com o convento, centenas de outros prédios coloniais foram demolidos para a construção do primeiro grande *boulevard* do Rio de Janeiro. Com seu calçadão central, este local rapidamente se tornou o coração da vida noturna da cidade. Na área que era ocupada pelo convento, foram construídos quatro prédios — Odeon, Glória, Capitólio e Império — cada um com um cinema. Destes quatro cinemas, somente o restaurado **Odeon** (*ver Entretenimento p.259*) ainda está em funcionamento, com capacidade para 600 pessoas. Assim nasceu a Cinelândia, o nome popular da área ao redor da Praça Floriano. Nesta praça há um monumento, construído em 1910, em homenagem ao **Marechal Floriano Peixoto** (1842–1895), presidente do Brasil entre 1891 e 1894. Em 1906, foi construído o belo Palácio Monroe (antiga sede do Senado brasileiro) na extremidade da praça, do lado do mar. Mas com a construção do metrô, no final da década de 1970, o plano original da praça foi drasticamente alterado e o palácio demolido, sendo substituído por um grande chafariz em ferro fundido.

Nos dias de semana, durante a hora de almoço e após o horário de expediente, funcionários dos escritórios se encontram nos cafés e bares da Praça Floriano. Tradicionalmente, comícios e passeatas políticas começam ou terminam nesta praça, em frente à Câmara dos Vereadores do Rio de Janeiro. Durante o Carnaval, a praça ganha vida ao abrigar grandes festas e apresentações ao ar livre, entre elas a saída do Cordão do Bola Preta, uma das maiores manifestações de carnaval de rua do Rio.

Castelo

Igreja de Nossa Senhora de Bonsucesso★

Largo da Misericórdia.
Aberta Seg–Sex 07h00–15h30 (utilize a campainha para entrar). Entrada franca. 21 2220 3001.
José de Anchieta (1534–1597) foi um padre jesuíta, natural das ilhas Canárias, que teve um papel importante no

DESCUBRA O RIO DE JANEIRO

Casa do Trem, Museu Histórico Nacional

estabelecimento de povoações coloniais no Brasil e na evangelização dos índios. Em 1582, ele mandou construir uma cabana perto do Morro do Castelo para tratar a tripulação de Diogo Flores de Valdez afetada por uma febre. Um início modesto para o que viria a se tornar a Santa Casa da Misericórdia do Rio de Janeiro, um complexo hospitalar que ainda tem uma função importante na vida da cidade. Logo depois, em 1594, Anchieta acrescentou uma capela feita de pau-a-pique.

A capela passou por várias reformas até se tornar, no séc. XVIII, a **Igreja de Nossa Senhora de Bonsucesso**. Sua elegante, porém simples, fachada é típica do estilo arquitetônico Barroco Jesuítico. O interior possui decoração simples, em branco e dourado, típica dos templos dedicados à Virgem. No topo do altar-mor, há uma imagem de Cristo crucificado e, abaixo, de Nossa Senhora de Bonsucesso.

As mais antigas relíquias são três altares e um púlpito que estiveram na igreja jesuíta de Santo Inácio, no Morro do Castelo, e foram transferidos para aqui quando o morro foi demolido em 1922. Eles são os únicos exemplos do início do estilo Maneirista dos jesuítas. Acredita-se que o púlpito e os altares laterais sejam os mais antigos do Rio. O púlpito deve ter sido o local usado por José de Anchieta (*ver acima*) e Manoel da Nóbrega (1517–1570) em seus sermões durante o período colonial.

Museu Histórico Nacional★
Praça Marechal Âncora.
Aberto Ter–Sex 10h00–17h30; Sáb, Dom, feriados nacionais 14h00–16h00.
Algumas exposições estão fechadas no momento devido a reformas. R$ 6.
21 2550 9224. www.museuhistoriconacional.com.br.

Este é um dos maiores e mais importantes museus da cidade, porém é fácil se perder nele. Criado em 1922, por decreto do presidente Epitácio Pessoa, está situado numa área de quase 2 ha e engloba vários prédios interligados com diferentes estilos arquitetônicos e que remontam ao forte original que ali foi construído em 1603.

As **coleções**★★ do Museu Histórico Nacional chegam a ter quase 300.000 peças, divididas em diversas categorias como artes decorativas, armas e munições, objetos, mobiliário e transporte. Há também uma seção sobre a arte indígena, com joias, cerâmica, adornos e máscaras, juntamente com explicações de rituais. No Hall dos Arcazes, há importantes peças de arte religiosa que incluem diversas esculturas onde se destacam dois trabalhos importantes do **Mestre Valentim** entalhados em madeira: São João e São Mateus.

O **Pátio dos Canhões** é uma bela área interna, tendo ao centro uma delicada fonte, e onde estão expostos diversos canhões, escudos e brasões muito antigos.

Finalmente, a exposição "Memória do Estado Imperial" contém diversos docu-

CASTELO E CINELÂNDIA

mentos, objetos e pinturas, incluindo o impressionante óleo *Chegada da Fragata Constituição ao Rio de Janeiro* (1872), de **Edoardo de Martino** (1838–1912), e o *Combate Naval do Riachuelo,* de **Victor Meireles** (1832–1903), que retrata uma batalha entre as forças navais brasileiras e paraguaias, em junho de 1865.

Cinelândia

Theatro Municipal★★★
Praça Floriano. Aberto em diversos horários para as apresentações. Tours disponíveis Seg–Sex 13h00–16h00. 21 2332 9191. www.theatromunicipal.rj.gov.br. O teatro está atualmente passando por uma grande reforma e deverá ser reaberto no final de 2009, ano do seu centenário; contate a bilheteria para obter informações sobre tours e programação (ver Entretenimento p.257).

Talvez um dos mais bonitos edifícios do Centro do Rio e um raro sobrevivente de seu período, o Theatro Municipal também é a principal casa de espetáculos do Brasil, com seu próprio coro, orquestra sinfônica e companhia de balé. Tem capacidade para aproximadamente 2300 pessoas distribuídas pela plateia, pelas 24 frisas e 12 camarotes, dois balcões e galerias. Inspirado na **Opera Garnier,** em Paris, e construído com os melhores materiais importados da Europa, o teatro ilustra esplendidamente o estilo Eclético, em voga no Brasil no início do séc. XX. Este ambicioso projeto, desenhado por Francisco de Oliveira Passos, com a colaboração dos arquitetos franceses Albert Guilbert e René Barba, foi realizado entre 1905 e 1909, na época em que foi criada a Avenida Rio Branco. O envolvimento de grandes artistas brasileiros, como Rodolfo Amoedo, Eliseu Visconti e Henrique Bernardelli, na decoração da fachada e no seu interior, contribuiu para torná-lo um monumento de grande importância histórica, arquitetônica e artística para a cidade.

Uma mistura sutil de linhas simples e clássicas e formas tipicamente Barrocas dão à fachada um vigor dinâmico. A simbologia teatral é abundante, com elementos decorativos, como as esculturas de Bernardelli ou os nomes de grandes mestres da música e da dramaturgia, entre estes Verdi, Carlos Gomes, Molière e Martins Pena.

Suntuosamente decorado no estilo Luís XVI, com mármores de carrara, ônix, bronze, cristais e espelhos dourados, o grandioso foyer possui preciosos vitrais alemães, com alegorias em homenagem à dança, ao teatro e à música. O grande lustre central, no teto da sala principal, uma das maravilhas do teatro, é circundado pela *Dança das Oréadas* (1899), uma das obras-primas de Visconti. Cenas de dança do mundo inteiro (1916), de Rodolfo Amoedo, nas rotundas, também são dignas de nota.

Interior suntuoso do Theatro Municipal

DESCUBRA O RIO DE JANEIRO

Bossa Nova

A **Casa Villarino** (*Av. Calógeras 6; ℰ21 2240 1627; www.villarino.com.br*) é conhecida como o lugar onde nasceu a Bossa Nova. Foi neste bar, no verão de 1956, que os legendários músicos Tom Jobim e Vinicius de Moraes, compositores da Garota de Ipanema (🔴*ver p.79*), ouviram o termo Bossa Nova pela primeira vez. Juntos eles escreveram canções para a peça Orfeu da Conceição, que foi apresentada pela primeira vez ao público apenas alguns meses mais tarde no Theatro Municipal (🔴*ver p.109*), com um elenco predominantemente negro e tendo a Bossa Nova como trilha sonora. A música impressionou não só os brasileiros, mas também o cenário musical internacional.

Antes ou nos intervalos das apresentações, os espectadores devem visitar o **Assyrio**, um espaço revestido de cerâmica esmaltada, inspirado na antiga Babilônia, ou ir ao andar superior para apreciar a vista do Pão de Açúcar de uma das janelas que dão para a Praça Floriano.

Museu Nacional de Belas Artes★

Av. Rio Branco, 199. 🕐*Aberto Ter–Sex 10h00–18h00; Sáb, Dom e feriados 12h00–17h00.* 🕐*Algumas exposições estão fechadas no momento devido a reformas.* 💶*R$ 6, grátis Dom.* ℰ21 2240 0068. www.mnba.gov.br.
O imponente Museu Nacional de Belas Artes contém cerca de 20.000 obras de arte em seu acervo. Apesar de a maior parte delas serem pinturas europeias e brasileiras do séc. XVIII e XIX, também possui esculturas e gravuras, móveis, e arte popular e africana. Algumas obras foram trazidas pela família real portuguesa, em 1808, e constituíram a cole-

ção da Escola de Belas Artes, instituição criada pela Missão Artística Francesa. O prédio que abriga a coleção é de 1908 e foi um projeto do arquiteto espanhol Adolfo Morales de Los Ríos, inspirado no Museu do Louvre. Os visitantes podem apreciar as obras dos paisagistas Franz Post (1612–1680) e Nicolas-Antoine Taunay (1755–1830); retratos e paisagens do pintor oficial do imperador, **Jean Baptiste Debret** (1768–1848) e obras de arte de um dos principais artistas brasileiros, **Victor Meirelles** (1832–1903). Um destaque neste acervo é o *Navio Negreiro* (1961), tríptico de **Emiliano Augusto Di Cavalcanti** (1897–1976), um dos mestres da pintura moderna brasileira.

Academia Brasileira de Letras

Av. Presidente Wilson 203. 🕐*Aberta Seg–Sex 09h00–18h00.* 💶*Entrada franca.* ℰ21 3974 2500. www.academia.org.br.
Construído para abrigar o Pavilhão da França na exposição do centenário da Independência do Brasil (1922), cópia do Petit Trianon de Versalhes, o prédio é a sede da Academia Brasileira de Letras. Seguindo a Academia Francesa como modelo, esta grande instituição está encarregada da proteção do idioma nacional e da promoção de seu uso correto. Neste prédio, o grupo dos 40 "imortais" (os membros da Academia) se reúne para discutir, definir princípios ligados ao idioma, eleger e conceder prêmios etc. No andar superior, há objetos que já pertenceram a grandes escritores, como a escrivaninha de **Joaquim Maria Machado de Assis** (1839–1908) (🔴*ver Arte e Cultura p.81*). Um dos mais importantes do país e primeiro presidente da instituição. O prédio também inclui duas

Galeria de esculturas, Museu Nacional de Belas Artes

CASTELO E CINELÂNDIA

Escada Art Nouveau, Centro Cultural Justiça Federal

bibliotecas para estudos acadêmicos do idioma falado e escrito.

Centro Cultural Justiça Federal
Av. Rio Branco 241. Aberto Ter–Dom 12h00–19h00. Entrada franca. 21 3261 2550. www.ccjf.trf2.gov.br.
Em 2001, a antiga sede do Supremo Tribunal Federal foi transformada em centro cultural. Projetado pelo arquiteto espanhol Adolpho Morales de los Ríos, este prédio é um dos exemplos mais impressionantes do estilo Eclético em voga no início do séc. XX. Inspirando-se em diferentes estilos e épocas, externamente se destacam as enormes portas em estilo Clássico Francês, enquanto a escadaria de mármore e ferro, no interior, é um bom exemplo de Art Nouveau.
A imponente **Sala de Sessões** possui enormes vitrais, retratos e dois painéis pintados por **Rodolfo Amoedo** *(ver Arte e Cultura p.76)*, um dos artistas mais respeitados de sua geração.
O centro cultural possui 14 salas usadas como teatro, biblioteca, café, loja e até um cinema.

Biblioteca Nacional

O núcleo do acervo da Biblioteca Nacional era a coleção de D. João VI, que veio com ele de Lisboa em 1808. Ela só se tornou pública em 1814 e, desde então, cresceu de 60.000 para 13 milhões de volumes, tornando-se uma das maiores bibliotecas do mundo. Aqui está guardado o patrimônio bibliográfico e documental do Brasil. Entre os itens mais preciosos deste acervo há duas Bíblias de Gutenberg, datadas de 1462, 122 gravuras de Albrecht Dürer (1471–1528) e a primeira edição do oratório *Messias*, de Georg Frederick Händel (1685–1759). Os livros raros geralmente são mostrados em pequenas exposições temporárias, mas é o prédio que os abriga (construído 1905–1910), e sua história, que é uma atração por si mesmo.

A fachada do edifício mostra influências Neoclássicas claras, principalmente as colunas Coríntias e o frontão triangular. Há características Art Nouveau na decoração interior, como estátuas, corrimãos das escadarias e o impressionante vitral do teto (1910), feito na França. O *ex-libris* da Biblioteca Nacional foi desenhado por Eliseu Visconti, considerado um precursor do desenho gráfico Art Nouveau no Brasil. *(Av. Rio Branco 219; Aberta Seg–Sex 09h00–20h00, Sáb 09h00–15h00; Entrada franca, tours disponíveis Seg–Sex 13h00, é necessário reservar com antecedência pelo 21 2220 9484 (R$ 2); 21 3095 3879; www.bn.br).*

DESCUBRA O RIO DE JANEIRO

LARGO DA CARIOCA

Um feliz encontro entre as arquiteturas colonial e contemporânea acontece no Largo da Carioca. Parcialmente ocultados pelos altos edifícios de escritórios, nessa área estão a Catedral da cidade, totalmente modernista, um encantador café Art Nouveau e joias da arquitetura Barroca, ótimos motivos para descobrir esta movimentada parte da cidade.

- **Oriente-se:** A estação do Metrô da Carioca está situada convenientemente bem no Largo da Carioca. Na Rua Gonçalves Dias está a Confeitaria Colombo e na moderna Avenida Chile está a Catedral e outros modernos edifícios de instituições e empresas.
- **Não perca:** O fantástico interior da Catedral Metropolitana, com seus enormes vitrais de cores vibrantes.
- **Organize seu tempo:** Passe algumas horas deixando-se envolver pelo antigo e pelo novo numa visita à moderna Catedral e à antiga Igreja de Santo Antônio.
- **Para crianças:** Bolos e deliciosos doces podem ser encontrados na Confeitaria Colombo.

Um pouco de história

Origens modestas

O atual Largo da Carioca está em uma área onde, outrora existia uma lagoa. Próximo a ela foi construída uma pequena ermida por dois frades franciscanos. A construção do convento e da igreja no alto do morro ocorreu nos primeiros anos do séc. XVII. Para drenar a lagoa, os franciscanos fizeram uma vala que é a atual Rua Uruguaiana. Nessa mesma época começou a ser construída a capela da Ordem Terceira

Confeitaria Colombo

Confeitaria Colombo

Imigrantes portugueses fundaram esta adorável confeitaria em 1894. Ela se transformou em uma casa de chá e restaurante, uma verdadeira instituição local. Hoje ela relembra o tempo em que era moda ir às compras e tomar um chá no Centro.
Sua aparência atual é a mesma desde 1913 e dá ao lugar uma atmosfera Art Nouveau irresistível, que continua a encantar tanto os cariocas, quanto os visitantes. O requintado interior possui um lindo mezanino, um vitral como claraboia e janelas com caixilhos de jacarandá brasileiro, tudo no estilo Luís XV. Os monumentais espelhos belgas, o chão de ladrilhos com desenhos delicados, as mesinhas com pés em ferro fundido com tampo de mármore italiano e as cadeirinhas de palhinha, tudo contribui para a criação de um ambiente mágico que transporta o visitante ao passado. Conhecidos escritores e artistas brasileiros costumavam ser o centro das atenções dos seus frequentadores. O ex-presidente americano Roosevelt, a Rainha Elizabeth II da Inglaterra e todos os presidentes do Brasil nos últimos cem anos, todos tomaram chá aqui. Atualmente há uma filial no Forte Copacabana (ver p.161), uma experiência totalmente diferente e igualmente agradável.
Rua Gonçalves Dias 32; Aberta Seg–Sex 09h00–20h00, Sáb e feriados 09h30–17h00; 21 2505 1500; www.confeitariacolombo.com.br; ver também Onde comer p.234.

LARGO DA CARIOCA

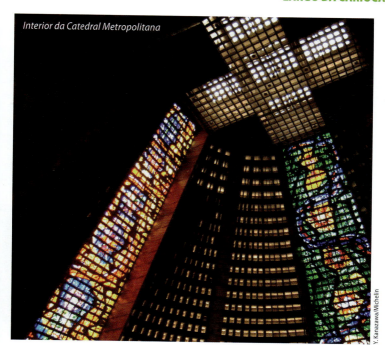
Interior da Catedral Metropolitana

de São Francisco da Penitência, ao lado do Convento e da Igreja de Santo Antônio.

Bem no centro da praça
No séc. XVIII a praça passou a se chamar Largo da Carioca pois ali foi instalado um chafariz que distribuía as águas do Rio Carioca, que vinham de Santa Teresa (ver p.128), pelo aqueduto dos Arcos da Lapa (ver p.122). Até hoje a população local é chamada de carioca por causa do rio que abastecia de água a cidade colonial. O chafariz, com suas dezesseis bicas, tornou a praça o centro da vida da cidade. Escravos e crianças de famílias pobres faziam fila para encher tonéis e jarros de água, para beber, para cozinhar e para a higiene pessoal.

Evolução
Em 1896, uma linha de bondes estabeleceu uma ligação entre o Largo da Carioca e Santa Teresa, sendo que o aqueduto foi adaptado para permitir a passagem do bonde no lugar da água. Incrivelmente, ele funciona até hoje, mas tanto o chafariz quanto a estação de bondes original não existem mais.

Estes e outros antigos edifícios deram espaço para o crescimento desta grande praça. Quando das obras do Metrô, foram encontrados muitos objetos marítimos e até barcos, uma indicação de como esta área mudou com o passar dos anos. Hoje, o Largo da Carioca é uma área vibrante, por vezes invadida pelo comércio informal.

Catedral Metropolitana★★

*Av. República do Chile 245.
Aberta diariamente 07h00–18h00.
Missa Seg–Sex 11h00, Sáb, Dom 10h00.
Entrada franca. 21 2240 2669.
www.catedral.com.br.*

Os cariocas nem sempre se referem positivamente à ultramoderna Catedral Metropolitana de São Sebastião. Entretanto, em seu interior, há um espaço impressionante e belíssimo onde os fiéis se reúnem e ouvem uma música suave, banhados pela luz dos vitrais.
A catedral é a sede da Arquidiocese do Rio de Janeiro e é dedicada ao santo padroeiro da cidade, São Sebastião.

DESCUBRA O RIO DE JANEIRO

Igreja e Convento de Santo Antônio

Muitas igrejas serviram como catedral do Rio de Janeiro, a começar pela igreja no alto do Morro do Castelo, demolido nos anos 20. A destruição parcial do Morro de Santo Antônio, em 1964, deu espaço para a construção desta catedral, consagrada em 1976.

Projetada pelo arquiteto brasileiro Edgar de Oliveira da Fonseca, o prédio tem cerca de 100 m de altura, com um diâmetro da base de dimensões parecidas. Ela possui uma acústica maravilhosa e tem capacidade para 20.000 pessoas. A porta de entrada tem 18 m de altura e apresenta 48 baixos-relevos em bronze. Enormes vitrais representam as características da Igreja, cada um com a predominância de uma cor: una (verde), santa (vermelho), católica (azul) e apostólica (amarelo). Em seu topo encontra-se uma cruz translúcida em vidro.

No subsolo da catedral, o **Museu de Arte Sacra** (*Aberto Qua 09h00–12h00, 13h00–16h00, Sáb–Dom 09h00–12h00; Entrada franca*) possui uma coleção de objetos religiosos: as pias batismais da Família Real, a estátua de N. Sra. do Rosário e o trono de Dom Pedro II. No subsolo também há um arquivo de documentos (*Aberto Ter–Qui 14h00–18h00; Entrada franca*) e uma cripta.

Outras atrações

Igreja e Convento de Santo Antônio★

Largo da Carioca s/n.
Aberto Seg–Sex 08h00–18h00, Sáb 08h00–15h00. Entrada franca. 21 2262 0129. Na época da publicação, a igreja está aberta ao público, mas o mosteiro está fechado para restauração.

A grande restauração da igreja e do Convento de Santo Antônio teve início em 2008, comemoração de seus 400 anos. Situado no que restou do morro de Santo Antônio, o complexo arquitetônico parece estar suspenso acima do Largo da Carioca, firme e definitivo, no meio da paisagem moderna da cidade e do entorno. A igreja já foi modificada algumas vezes durante sua história, mas ainda mantém as tradicionais linhas arquitetônicas franciscanas, uma construção simples, sem torres ou capelas adjacentes.

No átrio que leva à entrada, ao lado da porta da igreja, um nicho de granito guarda a famosa estátua de Santo Antônio, que diz-se ter protegido o Rio de Janeiro da invasão francesa e que continua a proteger a cidade. Seu papel foi tão importante que durante anos recebeu soldo como militar.

A característica mais importante do

PRAÇA TIRADENTES

mosteiro é a decoração Barroca dos três **altares** da capela-mor, datados do início do séc. XVIII, adornados lindamente com folhas de acanto e parreiras. Belas pinturas contam a vida de Santo Antônio e dois anjos, perto do altar principal, completam a decoração interna.

A **sacristia**, à direita do pátio, atrás do mosteiro, é considerada uma das mais belas no Rio. Seu piso e pia são feitos de mármore, os móveis são de jacarandá e há uma arca magnífica do séc. XVIII. Painéis de azulejos portugueses, delicados e tradicionais, e pinturas a óleo ilustram passagens da vida de Santo Antônio. À direita da sacristia, através de um pátio ajardinado, encontra-se o **mausoléu** onde estão os restos mortais de membros da Família Real, falecidos ainda jovens.

Igreja da Ordem Terceira de São Francisco da Penitência★★

Largo da Carioca, 5.
Aberta Seg–Sex 09h00–17h00, Sáb e feriados 9h30–17h00. Entrada franca.
21 2262 0197.

A estonteante decoração Barroca, o interior recoberto de ouro e a pintura do teto da nave central fazem dessa igreja, terminada em 1736, uma verdadeira joia da arquitetura e uma das mais belas do país. A Igreja não possui torres nem

---

😊 Dicas 😊

Tome cuidado ao andar pelo Largo da Carioca: esta área pode não ser muito segura, principalmente à noite. A entrada para a Igreja e o Convento de Santo Antônio é difícil de ser reconhecida. Da estação Carioca do Metrô, siga as grades até o portão principal e dirija-se à entrada do túnel, no final do qual encontrará um elevador que dá acesso ao topo do morro de Santo Antônio.

---

sinos devido à proximidade com a Igreja e o Convento de Santo Antônio (*ver à esquerda*). Até hoje, a simples Capela da Terceira Ordem, que é visível da igreja do convento, à direita do altar-mor, permanece fechada por cortinas e grades por causa de atritos entre a Ordem Terceira e a Ordem Franciscana.

Este é um dos melhores exemplos de decoração religiosa do país e certamente o mais importante do Rio de Janeiro. A talha em madeira — feita entre 1726 e 1743 pelos mestres **Manuel** e **Francisco Xavier de Brito** — está entre as mais impressionantes do país. Merece atenção a pintura do teto, a *Glorificação de São Francisco*, de Caetano da Costa Coelho, a primeira a usar a perspetiva no Brasil.

PRAÇA TIRADENTES

De dia, esta praça fica no coração do comércio; ao entardecer, as pessoas que trabalham na região tomam seus transportes de volta aos bairros e a Praça Tiradentes se transforma num espaço da vida boêmia muito frequentado pelos cariocas, sobretudo nos últimos anos, tendo em vista a revitalização da área.

▶ **Oriente-se:** A Praça Tiradentes fica numa extremidade da Rua do Lavradio, uma rua revitalizada que leva à Lapa e tem muitos antiquários, restaurantes e bares de excelente nível. As três estações do Metrô mais próximas são Carioca, Uruguaiana e Presidente Vargas.

😊 **Não perca:** Música brasileira e lugar para dançar no Centro Cultural Carioca.

🕐 **Organize seu tempo:** Uma visita ao Palácio Itamaraty só demora uma hora. Considere também uma visita noturna, para assistir a um espetáculo em um dos teatros ou para dançar em um dos cabarés ou gafieiras da região (😊não se deve vagar pelas ruas menos movimentadas à noite).

Kids Para crianças: Só pela experiência, dê um passeio ao longo da pitoresca Rua da Alfândega, o paraíso do comércio popular, cheia de artigos baratos, à venda tanto nas lojas como na própria rua.

DESCUBRA O RIO DE JANEIRO

Palácio Itamaraty

Um pouco de história

Praça Tiradentes

A Praça Tiradentes tem este nome em homenagem a **Joaquim José da Silva Xavier** (1746–1792), apelidado Tiradentes. Ele nasceu em 1746 e, entre as várias atividades que exerceu, incluía a de boticário e dentista, tendo participado ativamente do movimento de independência no final do séc. XVIII. Descoberto o movimento, ele foi preso e executado em 1792. Ainda se passariam 30 anos até o Brasil se tornar independente e quase um século até se tornar uma república. Tiradentes é considerado um herói nacional e o aniversário de sua morte é feriado nacional.

Segundo a tradição, Tiradentes teria sido enforcado em local próximo à atual praça que, no passado era um grande descampado, fora da cidade. A estátua que está no centro da Praça Tiradentes é a de Dom Pedro I e representa o primeiro Imperador a cavalo, declarando a independência do Brasil. Datada de 1862, é uma das mais bonitas e a primeira da cidade, tendo sido criada pelo escultor francês Luiz Rochet. A estátua do mártir da independência está em frente ao Palácio Tiradentes (ver p.99), local onde existia a Cadeia da cidade e onde Tiradentes esteve preso, antes de seu enforcamento.

No entorno da Praça Tiradentes, em seus sobrados, existem gafieiras e casas de samba.

Praça da República

Uma caminhada curta, partindo da Praça Tiradentes, leva à Praça da República, onde o fim da monarquia foi anunciado ao povo em 1889. Há vários prédios públicos na área, muitos do séc. XIX. Junto à Avenida Presidente Vargas fica a Biblioteca Pública do Estado do Rio de Janeiro, instalada em um prédio moderno. Na esquina da Rua da Alfândega, está a **Igreja de São Gonçalo Garcia e de São Jorge**, um marco do sincretismo religioso, pois São Jorge, na religião católica, corresponde, na umbanda, a Ogun, um dos orixás mais importantes e com mais seguidores. Sua festa é comemorada no dia 23 de abril, feriado na cidade do Rio de Janeiro. O Museu do Ministério da Justiça fica na esquina da Rua da Constituição e ocupa a antiga sede do Arquivo Nacional. Na parte de trás da Praça da República, fica o Quartel Central do Corpo de Bombeiros, um prédio vermelho e prateado. Inaugurado em 1902, o prédio mostra como o Ecletismo arquitetônico do início do século penetrou no cotidiano. Seguindo no mesmo sentido, mais adiante está o monumental prédio que foi a Casa da Moeda e hoje abriga o **Arquivo Nacional**, com diversas atividades culturais, e, quase na esquina com a Avenida Presidente Vargas, está a casa do **Marechal Deodoro da Fonseca** (1827–1892), que proclamou a república em 15 de novembro de 1889.

PRAÇA TIRADENTES

Palácio Itamaraty★★

Av. Marechal Floriano 196. Entrada franca. Somente em visitas guiadas marcadas com antecedência, com a carteira de identidade ou o passaporte, Seg, Qua, Sex 14h00, 15h00, 16h00. 21 2253 2828.

O Palácio Itamaraty é um dos exemplos mais deslumbrantes da arquitetura Neoclássica no Rio de Janeiro. Apesar do palácio estar à beira da rua, possui jardins com elegantes palmeiras imperiais e um lago onde moram cisnes, um verdadeiro oásis na correria da cidade. Construído pelo filho do primeiro Barão de Itamaraty, um próspero barão do café, entre 1851 e 1855, o palacete serviu de residência para sua família na cidade. **José Maria Jacinto Rebelo** (1821–1871), arquiteto oriundo da Missão Artística Francesa, encarregou-se pessoalmente da fase final da construção. O prédio serviu depois como sede do governo republicano, a partir de 1889, e foi ocupado pela presidência até 1898. Abrigou, então, o Ministério das Relações Exteriores (até 1970, quando este se mudou para Brasília).

O interior apresenta características comuns às mansões do séc. XIX, incluindo uma imponente escadaria central e saguão, bem como rico mobiliário, quadros e objetos de arte. A principal atração é o **salão de baile**, decorado em estilo Napoleão III. O saguão é quase completamente original, à exceção do brasão republicano em estuque, que decora os quatro cantos do teto. Note também a sala de jantar com a enorme mesa em jacarandá e o notável **papel de**

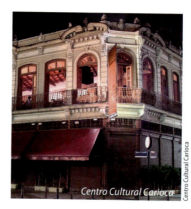
Centro Cultural Carioca

parede representando cenas da Amazônia, pintado na França no séc. XIX. Uma tradição do palácio é o seu lago com cisnes e palmeiras imperiais.

O acervo do arquivo histórico conta com seis milhões de documentos relacionados com a história da diplomacia brasileira, desde 1808. Um verdadeiro tesouro é a mapoteca — uma viagem ilustrada pela história do Brasil.

Outras atrações

Centro Cultural Carioca★
Rua do Teatro 37.
Aberto quase todos os dias, o horário varia. Os preços variam. 21 2252 6468. www.centroculturalcarioca.com.br.

O Centro Cultural Carioca, é uma casa de dois andares do início do séc. XX em estilo Eclético. A linda sacada no andar superior contempla o Real Gabinete Português de Leitura *(ver p.118)*. Entre os anos 30 e 60 — época de ouro da música e da dança no Rio — o prédio funcionou como o famoso *Dancing Eldorado*. O Centro Cultural organiza exposições de arte e de fotografia, assim como cursos completos de dança de salão *(Seg–Sex 11h00–20h00; 21 2252 5751)*, atividade já enraizada na história e na cultura da cidade. Os eventos noturnos ligados à dança de salão são muito divertidos, atraindo tanto iniciantes quanto amadores devotados e semiprofissionais. Aqui se curte um pouco da melhor música e dança cariocas *(consulte o website para o programa de eventos)*.

Salão de Baile, Palácio Itamaraty

DESCUBRA O RIO DE JANEIRO

Central do Brasil

A estação Dom Pedro II *(Praça Cristiano Ottoni, Av. Presidente Vargas; 21 2588 9494)* foi marcada mundialmente no mapa depois de aparecer no filme do diretor Walter Salles, indicado para o Oscar, *Central do Brasil* (1988). Apesar de haver uma estação neste local desde 1858, o prédio atual, em estilo Art Déco, com sua esplêndida torre do relógio, data de 1946. Os trens continuam a chegar e partir daqui e uma estação do Metrô, com o mesmo nome, está localizada à sua frente. O famoso filme mostra as multidões usando a estação, cenas que ainda podem ser vistas durante o horário de pico nos dias de semana.

Real Gabinete Português de Leitura★

Rua Luís de Camões 30. Aberto Seg–Sex 09h00–18h00. Entrada franca. 21 2221 3138. www.realgabinete.com.br.

Esta requintada biblioteca portuguesa é notável por seu acervo e por seu prédio, uma construção em estilo Gótico português, profusamente decorado, conhecido como estilo Manuelino. Inspirado no Mosteiro dos Jerônimos em Lisboa, na fachada estão as estátuas de Luís de Camões, Vasco da Gama, Pedro Álvares Cabral e do Infante Dom Henrique.

A decoração do interior é ainda mais impressionante: a ampla **sala de leitura**★★ ocupa 400 m² e eleva-se mais

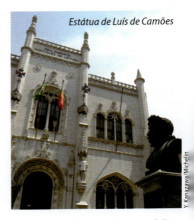

Estátua de Luís de Camões

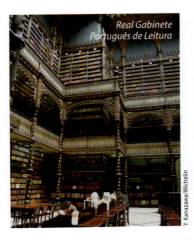

Real Gabinete Português de Leitura

de 20 m, com livros antigos em delicadas estantes em quase toda sua altura. Uma requintada claraboia em vermelho, branco e azul permite que todo o espaço seja banhado de luz natural. A quase cinco metros do chão, uma **sacada** de ferro fundido tem decoração em ouro e bronze. A biblioteca foi fundada em 1837 e hoje abriga mais de 350.000 volumes. Alguns deles são muito raros, como a cópia da primeira edição de Os Lusíadas (1572) e o "Dicionário Bibliográfico" de Inocêncio Francisco da Silva, que pertenceu a Camilo Castelo Branco, com notas de próprio punho, assim como manuscritos de Gonçalves Dias e de Machado de Assis. Esta biblioteca é uma das cinco maiores do país e a segunda do Rio de Janeiro, depois da Biblioteca Nacional. (*ver p.111*).

PRAÇA TIRADENTES

Endereços

PARADA PARA DESCANSAR

O parque do **Campo de Santana** está localizado na Praça da República, a uma pequena distância a pé da Praça Tiradentes. Um pequeno oásis composto por lagos, grutas, fontes e estátuas rodeado por enormes portões de ferro de 1873. Esta área fartamente arborizada é um agradável local para descansar um pouco da movimentada paisagem urbana do Rio. Os jardins foram um projeto do paisagista e botânico francês **Auguste François Marie Glaziou**, que veio ao Brasil em 1858, a convite de D. Pedro II, e foi responsável pelos jardins da Quinta da Boa Vista e de muitas outras residências, palácios e parques no Rio de Janeiro (ver p.120). Ele introduziu plantas brasileiras neste jardim, incluindo milhares de árvores como figueiras, casuarinas, alamandas, baobás e palmeiras, que sombreiam as aleias e os espaços de descanso. Cutias (um roedor que se parece com um esquilo sem cauda), pavões, patos selvagens e gansos vivem livremente no parque. Um riacho artificial passa pelo parque, formando lagos e uma pequena cachoeira. No centro do parque há um monumento em homenagem ao líder republicano Benjamin Constant (1836–1891), criado por Décio Villares, com baixo-relevo de Eduardo de Sá.

GALERIAS DE ARTE

Durex Arte Contemporânea
Praça Tiradentes 85 Sobrado. Aberta Seg–Sex 12h00–18h00, Sáb somente com reserva. Entrada franca. 21 2508 6098. www.durexart.com.
Esta galeria de arte toda em branco, situada em um edifício histórico do séc. XIX, é apenas um exemplo da nova geração de galerias modernas que estão sendo abertas nesta área. O seu interior reluzente e imaculado faz contraste acentuado com a antiga praça, que, contudo, está em constante revitalização. Esta galeria exibe trabalhos de artistas contemporâneos de diversas manifestações como fotografia, vídeo e instalações.

Campo de Santana

A Gentil Carioca
Rua Gonçalves Ledo 17. Aberta Ter–Sex 12h00–19h00, Sáb 12h00–17h00. Entrada franca. 21 2222 1651. www.agentilcarioca.com.br.
Esta galeria de arte é um espaço ultramoderno e diversificado, localizado na região do SAARA (ver p.263). Dirigida por artistas e decididamente eclética, as exposições incluem instalações de arte contemporânea e experimental, mas também de arte tradicional e popular. Para cada exposição, um enorme mural correspondente decora a fachada do edifício.

COMPRAS

A Rua da Alfândega, a *meca* de consumo local de baixo preço, é talvez uma das ruas mais pitorescas do Centro. Esta rua estreita, colorida e aberta somente para pedestres é famosa por seu comércio popular e animado. Na verdade ela faz parte de um conjunto de ruas chamado SAARA Sociedade dos Amigos da Rua da Alfândega e Arredores (ver p.263). Aproveite a atmosfera deste local e faça algumas compras.

FESTA LOCAL

O popular dia de São Jorge é celebrado todos os anos na **Igreja de São Jorge** *(Rua da Alfândega 382)* no dia 23 de abril. Na Igreja existe uma imagem em tamanho real do santo padroeiro de Portugal, também cultuado no sincretismo religioso afro-brasileiro como o orixá guerreiro Ogum. Procissões são realizadas pelas ruas, acompanhadas por católicos e seguidores de religiões afro-brasileiras, geralmente vestidos de vermelho.

DESCUBRA O RIO DE JANEIRO

Zona Norte

Geralmente, a Zona Norte do Rio de Janeiro só é vista pelos turistas no caminho de ida e volta do aeroporto ou da rodoviária. A Zona Norte é uma área residencial densamente povoada e seus bairros mais prósperos não ficam muito longe do Centro Histórico. Os bairros aqui possuem importantes atrações turísticas e históricas e locais únicos que vale a pena fazer um esforço extra para visitar, principalmente se a sua estada for mais longa: o Estádio do Maracanã a Quinta da Boa Vista (e o Museu Nacional que ela abriga), o Solar da Marquesa de Santos e o Jardim Zoológico da cidade. A região dispõe de sistema de transporte integrado ao Metrô.

Museu Nacional, Quinta da Boa Vista

Quinta da Boa Vista

Um dos principais parques do Rio, a **Quinta da Boa Vista** fica no bairro de São Cristóvão. Ela consiste em um imenso parque, jardins projetados no estilo romântico francês e o magnífico palácio, que foi a residência oficial de D. João VI, D. Pedro I e D. Pedro II e suas famílias. Atualmente, o palácio abriga o **Museu Nacional** *(Quinta da Boa Vista;* aberto Ter–Dom 10h00–16h00; *R$ 3 (em reforma no momento); 21 2562 6055; www.museunacional.ufrj.br),* transferido para este local em 1892. Este museu de história natural é um dos mais impressionantes da América do Sul, com coleções extensas principalmente de paleontologia e de etnologia e exposições bem organizadas. Existe uma exposição sobre as populações indígenas do Brasil, com um grande número de objetos sagrados e do dia a dia relacionados a essas culturas.

Solar da Marquesa de Santos

Localizado convenientemente perto do palácio imperial, o **Solar da Marquesa de Santos** *(Av. Pedro II 293, São Cristóvão;* aberto Ter–Sex 11h00–17h00; *Entrada franca; 21 2299 2148/4950)* foi, por um curto período, a residência de Domitilia de Castro Canto e Melo, a Marquesa de Santos, amante de D. Pedro I. Um caso duradouro, este relacionamento provocou muito escândalo e oposição na época. O luxuoso casarão de dois andares (1826) foi construído pelo arquiteto francês Pierre-Joseph Pézerat, no estilo Neoclássico, com toques de Barroco colonial. A requintada decoração interior é atribuída a alguns artistas famosos da época como: Francisco Pedro do Amaral *(Alegorias dos Quatro Continentes)* e a membros da Missão Artística Francesa. Atualmente, a mansão abriga o **Museu do Primeiro Reinado**. Sua coleção de objetos de arte decorativos recria o elegante estilo de vida da aristocracia brasileira no início do séc. XIX.

ZONA NORTE

Museu, Estádio do Maracanã

Estádio do Maracanã★

O templo do futebol, o **Maracanã**, *(Rua Professor Eurico Rabello; aberto diariamente 09h00–17h00, até as 18h00 no verão; em dias de jogos fecha cinco horas antes da partida; 21 2568 9962)* é uma das atrações mais populares da cidade. Assista a uma partida *(ver p.274)* para viver a verdadeira emoção do lugar, mas tente também fazer a visita guiada *(com reserva antecipada), que* inclui uma visita ao museu no Portão 18. Os visitantes sentem a história fascinante do estádio, que era o maior do mundo quando foi concluído em 1950. A calçada da fama possui todos os grandes nomes do futebol, porém somente de uma mulher (Marta Vieira da Silva). Subindo de elevador até o sexto andar, tem-se uma **vista panorâmica** de todo o gramado e de todos os assentos, desde os mais baratos até os que foram usados pela Rainha Elizabeth e o Papa João Paulo II. No térreo, os visitantes são levados pelo túnel, onde o barulho ensurdecedor das arquibancadas é recriado, até o vestiário e a um campo interno com grama artificial. O Maracanã também oferece eventos musicais de gabarito; astros internacionais como Frank Sinatra, Madonna e Paul McCartney já se apresentaram aqui.

Jardim Zoológico

O **Jardim Zoológico** *(Quinta da Boa Vista; aberto Ter–Dom 09h00–16h30; R$ 6, gratuito para crianças até 1 metro de altura; 21 3878 4200)* é um pequeno zoológico que abriga cerca de 2.500 répteis, mamíferos e pássaros de todo o mundo, muitos nativos do Brasil, principalmente da Amazônia. O portão de entrada é digno de nota — uma cópia do portão da Syon House, em Londres, no Reino Unido, um presente do Duque de Northumberland.

Onça no Jardim Zoológico

121

DESCUBRA O RIO DE JANEIRO

LAPA★

A Lapa é uma das áreas mais boêmias da cidade e é um ótimo local para passar uma noite animada com música brasileira ao vivo. Anos de esquecimento deixaram sinais de abandono na Lapa mas, recentemente, a área está passando por uma grande revitalização. Vários bares, restaurantes e clubes de música e dança foram abertos nos antigos casarões e uma alegre festa ao ar livre anima suas ruas nos fins de semana.

▶ **Oriente-se:** A Lapa é uma extensão do centro histórico. Em termos de ambiente, a Lapa está bem próxima do bairro de Santa Teresa (*ver p.128*).

Não perca: A Feira Rio Antigo, no primeiro sábado de cada mês.

Organize seu tempo: Depois das 22h00, as ruas da Lapa fervem nos finais de semana. Se fizer sua visita mais cedo, estique seu passeio para voltar mais tarde, para ter uma impressão mais completa da área.

Para crianças: O espaço verde do Passeio Público e, principalmente, para as crianças menores, o raro chafariz imitando um crocodilo.

Um pouco de história

Nivelamento da área
Antes da metade do séc. XVIII, a Lapa era um pântano abandonado próximo à Lagoa do Boqueirão, atual Passeio Público. Os escombros de um dos primeiros morros arrasados do Rio de Janeiro foram usados para aterrar a lagoa e o desmonte do Morro do Senado nivelou a área onde a maior parte da Lapa se encontra agora. No lugar da água parada da lagoa, foi construído o famoso aqueduto (sobre o qual passa o bondinho de Santa Tereza (*ver p.129*) até hoje).

Um grande sucesso
A década de 1920 foi formidável para a Lapa. Os barões e boêmios, poetas, prostitutas, dançarinos e artistas se mudaram para os grandes casarões antigos, gozando a boa vida e se divertindo nas *gafieiras* (salões de dança).

A área começou a decair aos poucos quando Getúlio Vargas decidiu fechar os bordéis e cassinos. O ritmo de deterioração se acelerou nos anos 60, quando a capital foi transferida para Brasília. Essa parte histórica da cidade deixou de ter tanta importância para os cariocas e os prédios começaram a ficar em ruínas. No entanto, é possível ver novos investimentos sendo feitos na região nos anos recentes, resultado da combinação de incentivos fiscais e do trabalho da população local, favorável a essa melhoria. Os antigos salões de dança, renovados estão prosperando com toda a força e felizmente, a Lapa está ganhando vida novamente.

Atrações

Arcos da Lapa★★
Com o renascimento da Lapa, o impo nente aqueduto deixou de ser uma atra ção local para ser um ícone da cidade. A impressionante construção dos 4 arcos, feitos de pedra e cimento, chama a atenção não só por sua solidez, ma também por sua beleza.

Apesar de a estrutura dos arcos datar d metade do séc. XVIII, concluída com uso de mão-de-obra escrava, o projet inicial do aqueduto teve início no fina de 1600, por nativos.

A finalidade do aqueduto era transpor tar água da região da Floresta da Tijuca acima de Santa Teresa, da Fonte da Caboclas, nascente do Rio Carioca, at o Largo da Carioca (*ver p.112*), na bas do Morro de Santo Antônio. Em 1896 quando a cidade já era abastecida po água canalizada, o aqueduto foi adap tado para ser utilizado como viadut para o novo sistema de transporte d Rio de Janeiro, o bonde, (*ver p.113* ligando o Centro a Santa Teresa, com o faz até os dias de hoje.

LAPA

Endereços

DICA
A vida noturna da Lapa é um mundo à parte (porém uma viagem de táxi leva apenas 20 min da Zona Sul até lá). Chegue tarde (nada acontece antes das 22h00) e, se puder, reserve uma mesa em uma das casas de música ao vivo (ver Entretenimento p.257). Não deixe de visitar a festa que acontece nas ruas próximas aos Arcos. Evite andar por ruas desertas e se prepare para a grande aglomeração de pessoas de todos os tipos, mas tudo faz parte do charme do bairro.

VIDA NOTURNA

Embaixo dos Arcos
Todas as noites das sextas e sábados, a partir das 22h00, os vendedores ambulantes montam suas barracas para a festa de rua e ali ficam até o amanhecer, quando as últimas pessoas vão embora. As barracas de bebidas preparam caipirinhas caprichadas na hora por somente R$ 3. Dentre as opções de deliciosas comidinhas rápidas brasileiras estão os sanduíches acompanhados por batatas fritas ou os deliciosos churrasquinhos — todos feitos na hora. A cerveja estupidamente gelada é a opção mais popular e, como há sempre alguém coletando latas e plástico para reciclagem, a festa não deixa muito lixo para trás.

Circo Voador
Rua dos Arcos s/n. Aberto nos fins de semana a partir das 22h00. Preço de entrada variado. 21 2533 0354. www.circovoador.com.br.
O Circo Voador é o nome desta construção moderna em forma de tenda localizada embaixo dos Arcos. A casa, incluindo o palco e o enorme pátio externo, pode acomodar até 3.000 pessoas e atrai particularmente o público mais jovem. O programa completo dos eventos está listado no website, mas consulte também a imprensa local para ver se algum evento o atrai. Grandes nomes de DJs e de bandas internacionais, como Franz Ferdinand, atraem muitos turistas estrangeiros, mas os eventos desta casa são bem ecléticos e podem incluir, ao mesmo tempo, cantores lendários brasileiros, como Caetano Veloso. Durante o dia, são realizados cursos de circo de várias modalidades, desde acrobacia até o trapézio.

MÚSICA CLÁSSICA
Na Lapa encontram-se dois espaços musicais muito apreciados pelos cariocas, a **Escola Nacional de Música** e a **Sala Cecília Meireles** (ver Entretenimento p.257). Os dois locais não só apresentam concertos sinfônicos de alto gabarito, mas também são edifícios históricos antigos.

Igreja de Nossa Senhora do Carmo da Lapa★
Rua da Lapa 111.
Aberta Seg–Sex 06:30–11h00, 17h00–19:40. Entrada franca.
21 2221 3887.
A construção desta igreja, projetada pelo arquiteto português José Fernandes Pinto Alpoim (arquiteto do Paço Imperial), foi iniciada em 1751. Inaugurada em 1775 com o nome de Igreja de Nossa Senhora do Desterro, recebeu seu nome atual no início do séc. XIX, quando a família real portuguesa passou a residir no Convento do Carmo na Praça XV (ver p.98), provocando

a mudança dos frades carmelitas. Uma característica peculiar desta igreja é sua elegante fachada barroca, ladeada por dois campanários (um deles não terminado) totalmente revestidos de *azulejos*. Decorada no estilo Rococó, o interior apresenta alguns aspectos interessantes: as imagens das duas santas padroeiras da igreja, Nossa Senhora da Lapa e Nossa Senhora do Carmo, uma sobre a outra; transferidas do Convento do Carmo na Praça XV, duas imagens, curiosamente fora de escala, dos profetas Elias e Eliseu, oriundas de uma outra igreja; assim como o altar-mor atribuído ao Mestre Valentim.

DESCUBRA O RIO DE JANEIRO

Fundição Progresso

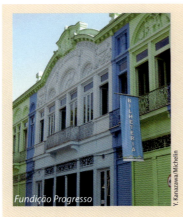
Fundição Progresso

O prédio da Fundição Progresso *(Rua dos Arcos 24; 21 2220 5070; www.fundicaoprogresso.com.br)* já foi condenado à destruição, mas retornou à vida como um vibrante centro cultural. Foi salvo da demolição por um protesto público e agora é um símbolo da revitalização da Lapa. Durante o ano todo, são realizados, no local, cursos em diversas áreas, desde música e teatro até circo e dança e *workshops* sobre ritmos latino-americanos. Diversos espaços de tamanhos variados cumprem funções diferentes, sendo que algumas das áreas maiores recebem grandes festas ou são usadas como estúdios cinematográficos. Grandes nomes latino-americanos, como Manu Chau, já se apresentaram aqui (*ver Entretenimento p.257*), mas são os seus programas educacionais que fazem com que a Fundição Progresso seja uma das instituições mais importantes da cidade.

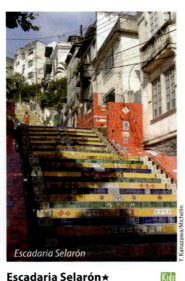
Escadaria Selarón

Escadaria Selarón★ Kids
Da Rua Joaquim Silva, Lapa, até a Rua Pinto Martins, Santa Teresa.
Aberta 24h por dia. Entrada franca. www.selaron.net.

O mosaico colorido da escadaria que chega até Santa Teresa (*ver p.128*) é o trabalho do artista chileno Jorge Selarón, que deu nome à escadaria. Os 215 degraus são cobertos por azulejos reciclados verdes, amarelos e azuis — as cores da bandeira brasileira — e representam o tributo de Selarón ao povo do país que o abrigou. Quando começou seu trabalho, na década de 1990, Selarón recolhia azulejos em obras, mas agora eles vêm do mundo inteiro.

E, como ele vive ao lado da escadaria, você pode adquirir suas pinturas ou fazer doações para que ele continue sua obra. Muitos dos azulejos possuem a pintura de uma mulher negra grávida, imagem que ele diz já ter pintado mais de 25 mil vezes. O artista afirma que continuará seu trabalho, fazendo com que sua obra esteja em constante mutação.

Passeio Público
Entre as ruas do Passeio, Teixeira de Freitas, Mestre Valentim e Luiz de Vasconcelos. Aberto diariamente 09h00–17h00. Entrada franca. www.passeiopublico.com.

Este parque público foi construído no final do séc. XVIII, quando a capital do Brasil colonial foi transferida para o Rio de Janeiro. O projeto de 1779 buscava tornar o Rio mais atraente.

O Mestre Valentim acrescentou vários elementos decorativos, como o portão e a fonte com duas pirâmides de granito e os jacarés em bronze. O Passeio só foi aberto ao público em 1793, mais tarde seus jardins em estilo francês foram remodelados seguindo o estilo inglês.

GLÓRIA

Esta extensão do Centro Histórico do Rio possui duas atrações importantes: o charmoso Hotel Glória, da década de 30, que atualmente está sendo restaurado; e, no topo de uma colina, a Igreja da Glória, um prédio Colonial do séc. XVIII (um perfeito cartão postal), que deu o nome ao bairro. Atrás da Rua da Glória, a principal via comercial da área, há algumas casas antigas entre blocos de apartamentos mais modernos nas ruas arborizadas.

▶ **Oriente-se:** A Glória fica entre o Flamengo, o Catete, Santa Tereza e a orla da Baía de Guanabara. O bairro é servido pela estação de Metrô Glória.

Não perca: A vista do Parque do Flamengo, da Marina da Glória e da Baía de Guanabara a partir do adro da igreja.

Atração

Igreja de Nossa Senhora da Glória do Outeiro★★
Praça Nossa Senhora da Glória 135.
Seg–Sex 09h00–17h00, Sáb–Dom 09h00–12h00. Missas: Dom 09h00–11h00. Entrada franca. 21 2225 2869. www.outeirodagloria.org.br.
Aconselha-se tomar um táxi para visitar a igreja, porque ela fica no topo de uma colina em uma parte da cidade relativamente deserta.
Por volta de 1560, Estácio de Sá (ver p.46) tomou este ponto estratégico (onde fica a igreja atualmente) das forças invasoras francesas, preparando o caminho para o domínio português. Em 1671, o eremita Antonio de Caminha construiu uma capela no topo do morro, substituída, em 1739, por esta linda igreja Barroca. A nave da igreja é formada por dois prismas octogonais entrelaçados, uma inovação importante na arquitetura Barroca brasileira. O pórtico de entrada, formado por três arcos de cantaria, suporta um único campanário. As **fachadas brancas** se destacam, em contraste com as colunas de pedra nos cantos, cada qual terminando em um pináculo. As janelas elípticas acima dos janelões foram desenhadas para banhar o altar com luz natural.
No interior, apesar da simplicidade, a igreja é deslumbrante. Logo depois da entrada, há duas pias do séc. XVIII em mármore português em forma de conchas. Decorando a parte inferior das paredes, há lindos painéis de **azulejos** portugueses, com desenhos monocromáticos em azul sobre fundo branco. O **altar-mor** finamente entalhado, do séc. XVIII, é um clássico do Rococó.
A Imperial Irmandade de Nossa Senhora da Glória do Outeiro conta com o pequeno **Museu Mauro Ribeiro Viegas** (Ter–Sex 09h00–17h00, Sáb 09h00–12h00, Dom 09h00–13h00; R$ 2,00).

MARINA DA GLÓRIA

A Marina da Glória é uma enseada compacta e circular com dois píeres flutuantes *(Av. Infante Dom Henrique s/n, Glória; 21 2555 2200; wwwmarinadagloria.com.br)* que está aberta a visitantes. Muitas das competições marítimas têm sua base nesta marina, assim como os barcos que realizam passeios turísticos. Há duas lanchonetes, um restaurante de frutos do mar, lojas de artigos náuticos e uma escola de vela.

Interior da Igreja de Nossa Senhora da Glória do Outeiro

AS PARTES ALTAS DO RIO

Os morros verdejantes do Rio de Janeiro, que se estendem por toda a cidade, são apenas uma das características de sua geografia extraordinária. No topo destes morros estão os pontos de onde se podem apreciar algumas das mais sedutoras vistas da cidade, que atraem visitantes do mundo inteiro. Entre esses pontos estão: o encantador bairro de Santa Teresa, com suas lojas de artesanato e restaurantes; os fantásticos mirantes na Floresta da Tijuca e, obviamente, o espetacular panorama a partir da estátua do Cristo Redentor, no alto do morro do Corcovado — considerada agora uma das sete novas maravilhas do mundo moderno.

Destaques

1 Um passeio pelo bairro boêmio de **Santa Teresa** (ver p.128).

2 Admire a arte popular brasileira genuína na **Pé de Boi** (ver p.265).

3 Tome o Trenzinho do Corcovado até o **Cristo Redentor** (ver p.134).

4 Faça um passeio ecológico pela **Floresta da Tijuca** (ver p.141) com a Terra Brasil.

5 A vista do Mirante Dona Marta no **Parque Nacional da Tijuca** (ver p.139).

Passeios empolgantes

A subida (ou descida) dos morros que existem na cidade pode ser tão agradável como a vista que se descortina a partir deles. A subida ao Cristo Redentor (ver p.135) é uma das mais interessantes, principalmente se você usar o **trenzinho**; mas também é igualmente agradável subir de carro, parando nos mirantes que existem no caminho.

☺ Dicas ☺

Escolha um dia que não esteja nublado, de preferência no outono, para visitar os mirantes do Rio. Você poderá se surpreender com a frequência da chuva e do nevoeiro na cidade em algumas épocas do ano, até mesmo no verão. Com tempo ruim, às vezes não dá para ver nada, nem mesmo a estátua do Cristo quando você se encontra a seus pés.

O **bondinho** de Santa Teresa é uma maneira curiosa de se chegar a esse recanto boêmio da cidade.

Pode-se explorar o espetacular Parque Nacional da Tijuca de carro e a pé; mas os mais aventureiros podem escolher saltar de asa delta de uma rampa na Pedra Bonita e voar até a Praia de São Conrado (ver p.179).

Morros e mirantes

Os morros oferecem vistas deslumbrantes da cidade. Os **mirantes** estão espalhados pelo Parque Nacional da Tijuca e, o mais importante, o do Cristo Redentor, permite ver a cidade do Rio de Janeiro estendida a seus pés, desde o Centro até as areias das praias da Zona Sul, e a Baía de Guanabara. Muitos locais, incluindo o Centro Cultural Parque das Ruínas, em Santa Teresa, oferecem um panorama de 360 graus da "Cidade Maravilhosa", como ela é carinhosamente conhecida.

História em evolução

Desde o séc. XVI as pessoas se estabeleceram nos bairros aprazíveis de Santa Teresa e da Tijuca, porque estas partes altas e verdes ofereciam refúgio do calor da cidade. Algumas das residências que antes pertenceram a grandes personalidades, hoje servem como uma recordação fascinante da rica história da cidade. Santa Teresa está ligada ao Centro Histórico, tanto histórica como fisicamente, tendo como elo os famosos Arcos da Lapa, um antigo aqueduto que hoje é o caminho do bondinho.

DESCUBRA O RIO DE JANEIRO

SANTA TERESA★★

Santa Teresa é um dos bairros mais encantadores da cidade, onde vivem escritores e artistas e onde se encontram belas casas históricas e museus interessantes. As pessoas vêm aqui para passar o dia e almoçar sem pressa em seus simpáticos restaurantes. Charmosos hotéis estão instalados em prédios antigos, convidando os visitantes a uma estadia fora do comum. O bondinho de Santa Teresa segue pelas ruas sinuosas deste pequeno bairro, parando, primeiro, no pequeno Largo do Curvelo, depois no Largo do Guimarães e, em seguida, no Largo das Neves, no fim da linha.

- **Oriente-se:** Próximo ao Centro histórico, Santa Teresa está a uma curta distância do bairro da Lapa, mas a caminhada vai por ruas íngremes. Exceto a rua principal, que atravessa o bairro, a Rua Almirante Alexandrino, as demais ruas do bairro formam um emaranhado e é fácil uma pessoa se perder.
- **Não perca:** Um passeio no bondinho, ao ar livre, e uma refeição num dos curiosos restaurantes do bairro. Outro local imperdível é o Largo das Neves, uma praça pitoresca, com uma igrejinha branca e um casario antigo de meados do séc. XIX, sem mencionar os aconchegantes barzinhos.
- **Organize seu tempo:** É mais seguro passear por Santa Teresa nos fins de semana, embora a área seja muito concorrida. Tome o bonde de manhã. Saboreie um almoço descontraído em um dos diversos restaurantes do bairro (*ver p.236*), dê uma olhada nas lojas de arte e artesanato e visite o mágico Museu da Chácara do Céu *(fechado às terças-feiras)*. Evite caminhar sozinho pelas ruas secundárias, principalmente depois de escurecer.
- **Para crianças:** As crianças adoram andar no bondinho amarelo que cruza o bairro de Santa Teresa. Talvez você queira levá-las ao Museu do Bonde para aprenderem um pouco sobre a sua história.

Um pouco de história

Um bairro cheio de vida…

Até o início do séc. XIX ter uma residência em Santa Teresa era muito elegante; mas os moradores mais ricos acabaram se mudando para os bairros à beira mar, quando perceberam que estes recebiam mais investimentos em infraestrutura e serviços públicos como água, esgoto e (mais tarde) eletricidade. Hoje, Santa Teresa e outras áreas próximas, voltaram a ser atraentes sob alguns aspectos, mas sofrem com a proximidade de diversas favelas.

As favelas, embora sejam interessantes do ponto de vista social e cultural, não devem ser visitadas sem um guia espe-

Subindo e descendo do bonde em Santa Teresa

SANTA TERESA

Centro Cultural Parque das Ruínas

cializado. Muitas destas comunidades estão instaladas nas encostas dos morros para estarem mais perto das oportunidades de emprego da Zona Sul e do Centro.

Passeio a pé

▸ *Ida e volta 2 horas/3 km. Este passeio começa com uma viagem no bonde partindo da estação do metrô da Carioca.*

Bondinho★★ [Kids]
Estação do Metrô da Carioca.
Aberta diariamente 06h00–20h00.
R$ 0,60. 21 2240 5709.
O *bondinho* de Santa Teresa é o último testemunho do histórico sistema de transporte que ziguezagueava por toda a cidade. Embora agora ele seja elétrico, houve um tempo em que os bondinhos usaram tração animal (burros). Hoje, a imagem do bondinho amarelo, passando sobre os Arcos da Lapa, figura em postais em toda cidade. Embora o bondinho seja uma atração turística popular, também é um meio de transporte para os moradores e custa muito menos que o ônibus. Perigosamente, muitos passageiros viajam pendurados nos estribos, graças a uma longa tradição de deixar viajar gratuitamente todos os que não estiverem sentados.

▸ *Desça do bondinho no Largo do Curvelo e percorra a pé a Rua Dias de Barros. 200 m à frente, entre à esquerda na Rua Murtinho Nobre.*

Centro Cultural Parque das Ruínas★
Rua Murtinho Nobre 169.
Aberto Ter–Dom 08h00–20h00.
Entrada franca. 21 2242 9741.
O Parque das Ruínas é o que restou da magnífica residência da grande benfeitora da Belle Époque do Rio, **Laurinda Santos Lobo** (1878–1946). A "dona de mil vestidos", como foi chamada pelo jornalista e dramaturgo João do Rio, foi famosa por reunir intelectuais, artistas e políticos em famosas *soirées* em sua casa.

Após a sua morte, o prédio caiu em ruínas e foi adaptado pelo arquiteto Ernani Freire, que criou uma esplêndida estrutura em ferro, tijolo e vidro, com um sensacional **panorama**★★ que inclui a Baía de Guanabara, Niterói, o Centro, os Arcos da Lapa e o Pão de Açúcar. Hoje a casa abriga um café *(aberto nos fins de semana)* e vários eventos culturais.

😊 Dica 😊

Para garantir um lugar, entre no bonde no ponto de partida. O bonde parte de 20 em 20 minutos, com um percurso guiado de uma hora aos sábados às 10h00. Preste atenção a seus pertences e não exiba joias nem câmeras caras.

DESCUBRA O RIO DE JANEIRO

Museu da Chácara do Céu

▶ *Ande até o fim da rua para chegar no Museu da Chácara do Céu.*

Museu da Chácara do Céu★★
Rua Murtinho Nobre 93.
Aberto Qua–Seg 12h00–17h00.
Fechado nos feriados nacionais.
R$ 2. Grátis Qua. ☎ 21 2224 8981.
www.museuscastromaya.com.br

Este encantador museu foi residência do industrial, mecenas e benfeitor **Raymundo Ottoni de Castro Maya** (1894–1968) e ainda possui sua impressionante coleção de arte. Concebida em 1954, pelo arquiteto Wladimir Alves de Souza, a casa, de linhas simples e retas, possui janelões que integram perfeitamente o interior com seu entorno. Os visitantes podem desfrutar de vistas espetaculares da cidade a partir de vários ângulos, incluindo a Baía de Guanabara (ver p.195) e o Pão de Açúcar (ver p.152). As obras de artistas europeus como Matisse, Degas, Seurat e Debret estão expostas, lado a lado, com obras de arte brasileira de Guignard, Di Cavalcanti e Portinari, além de uma coleção igualmente extraordinária de móveis e objetos. Subindo o primeiro lance de escadas, a sala de jantar tem uma grande e sóbria mesa e cadeiras inglesas do séc. XVIII, em mogno, com detalhes em bronze. Um lampadário de igreja, em prata brasileira, dá um toque elegante e austero ao ambiente. A biblioteca contém obras de arte, livros ricamente encadernados e uma grande mesa de jacarandá.

No último andar estão expostas mais obras de arte brasileira, assim como um grande arquivo de desenhos de Debret e Portinari. Pare uns momentos para admirar a encantadora vista das janelas sobre Santa Teresa e a cidade. No tranquilo e protegido jardim, concebido por **Burle Marx** (1909–1994), um pátio em pedra leva a um gramado e a um pequeno lago com peixes. Aproveite o local para descansar.

▶ *Volte ao ponto do bonde no Largo do Curvelo e siga o caminho do*

DIVERSÃO LOCAL

Cine Santa Teresa
Rua Paschoal Carlos Magno 136, Largo do Guimarães. Aberto quase todos os dias (horário variável). R$ 8. ☎ 21 2507 6841. www.cinesanta.com.br.

Este cinema miniatura (com apenas 46 lugares) é a antítese do conceito de complexo de cinemas.
Os moradores e os visitantes assistem filmes brasileiros e de autores independentes, apresentados por uma organização que trabalha com projetos sociais e culturais.
Na entrada há informações para o turista, embora as publicações disponíveis sejam em número limitado e somente para venda.
O hall é utilizado para exposições temporárias de obras de artistas locais.

SANTA TERESA

Origem do bairro

Em 1629 foi construída uma pequena igreja dedicada ao Menino Deus, ainda existente na Rua do Riachuelo. No séc. XVIII ela era frequentada por muitos peregrinos e devotos e pelas irmãs Jacinta e Francisca Rodrigues Ayres, que compraram uma pequena propriedade no morro do Desterro, ali próximo, onde instalaram uma capela. Em 1750, com a intenção de seguir sua vocação religiosa, as irmãs conseguiram permissão do governo colonial para construir um convento austero: o **Convento e Igreja de Santa Teresa** *(Ladeira de Santa Teresa e Rua Joaquim Murtinho)*, que deu o nome ao bairro de Santa Teresa.

Isolado do mundo exterior por suas paredes brancas e janelas com grades, o Convento de Santa Teresa abriga a Ordem das Carmelitas Descalças, uma ordem contemplativa. O convento não pode ser visitado, mas a igreja sim. O hall de entrada é decorado com os tradicionais azulejos portugueses azuis e brancos narrando cenas do *Livro de Gênesis*, o resto do interior é austero e possui um locutório onde as freiras podem conversar com os visitantes através de uma grade.

---

bonde, ao longo da Rua Almirante Alexandrino, até o Largo do Guimarães, um entroncamento de ruas que é o centro de Santa Teresa. Desça pela Rua Carlos Magno e vire à direita na Rua Monte Alegre, indo até o número 255.

Museu Casa de Benjamin Constant★★
Rua Monte Alegre 255.
Aberto Qua–Dom 13h00–17h00. Jardins abertos diariamente 08h00–18h00. Entrada franca. Visitas guiadas de meia hora marcadas com antecedência Qua–Dom 13h00–17h00 (grátis). ☎ 21 2509 1248.

Esta casa-museu muito bem conservada foi construída por volta de 1860 e, por algum tempo, foi a residência de **Benjamin Constant Botelho de Magalhães (1836–1891)**, o "Fundador da República". O prédio e seus belíssimos jardins são um típico exemplar de residência do final do séc. XIX, entre muitas que existiam no bairro de Santa Teresa. Seu interior mostra o dia a dia da família, com pinturas, fotografias, esculturas, mobiliário, objetos de uso pessoal, livros e documentos.

O museu organiza diversas atividades culturais e concertos ao ar livre. No local também funciona o Centro de Conservação e Preservação Fotográfica da Funarte (CCPF), uma das mais renomadas instituições, de caráter técnico, que atua na recuperação dos acervos fotográficos brasileiros.

▶ Volte ao ponto do bonde no Largo dos Guimarães e siga a linha do bonde para baixo ao longo da Rua Almirante Alexandrino e depois entre à esquerda na Rua Carlos Brant.

Museu do Bonde `Kids`
Rua Carlos Brant 14.
Aberto diariamente 10h00–16h00. Fechado nos feriados nacionais. Entrada franca. ☎ 21 2242 2354.

O pequenino Museu do Bonde, perto do Largo do Guimarães, possui muitas fotografias históricas, um bonde em miniatura e um dos uniformes originais de um condutor. Ao lado existe uma oficina que ainda é usada e que abriga vários veículos fora de uso.

Museu do Bonde

DESCUBRA O RIO DE JANEIRO

LARANJEIRAS

Este bairro discreto, bastante residencial, abriga dois marcos políticos muito conhecidos do Rio: o Palácio das Laranjeiras, residência oficial e espaço de cerimônias do governo do Estado do Rio de Janeiro, e o Palácio Guanabara, sede do governo do Estado do Rio de Janeiro. Existem também casas de música e cultura, como a Maracatu Brasil e a Casa Rosa.

- ▶ **Oriente-se:** Este pequeno bairro fica no caminho para o Corcovado e é um acesso ao Túnel Rebouças, em direção aos bairros da Zona Sul.
- **Não perca:** Os interessados em arquitetura apreciarão uma curiosa justaposição de estilos, com o ecletismo refinado do Palácio das Laranjeiras ao lado do ousado modernismo dos blocos de apartamentos do Parque Guinle, que serviram de modelo para os "superblocos" residenciais de Brasília.
- **Organize seu tempo:** Para visitar a Pé de Boi (ver compras) ou a Maracatu Brasil, evite os domingos, pois ambas estão fechadas. O centro cultural da Casa Rosa, por outro lado, está aberto somente nos fins de semana à noite.
- **Para crianças:** A Maracatu Brasil oferece aulas de música para crianças, que, além de muito divertidas, também são educacionais.

Um pouco de história

Atravessado por um rio

Laranjeiras é um dos bairros mais antigos do Rio de Janeiro, habitado desde o séc. XVII. Já esteve coberto de laranjeiras que lhe deram o nome.

As águas límpidas e puras do Rio Carioca desciam da região das Paineiras, nas faldas do Corcovado e irrigavam a parte mais plana da região junto à Praia do Flamengo (ver p.148), passando por pequenas propriedades rurais, as chamadas chácaras, que forneciam verduras e legumes para toda a cidade. Juntamente com os bairros do Flamengo, Catete, Glória e Cosme Velho, o bairro das Laranjeiras fazia parte da bacia do Rio Carioca.

Do idílico ao urbano

No fim do séc. XIX, quando a cidade foi dramaticamente modernizada, o bairro das Laranjeiras foi um dos pri-

Endereços

MÚSICA
Maracatu Brasil
Rua Ipiranga 49. Aberta Seg–Sáb 10h00–18h00 (o horário dos cursos e do estúdio varia). Fechada nos feriados nacionais. ☎21 2557 4754. www.maracatubrasil.com.br.

Esta loja de música é um tesouro. Ela vende instrumentos artesanais novos e de segunda mão e celebra as ricas tradições de música de percussão que têm suas origens na África. Professores competentes e inovadores — muitos dos quais são conhecidos no mundo da música — oferecem um programa completo de aulas de violão, reggae ou samba para músicos iniciantes e veteranos.

Casa Rosa
Rua Alice 550. Aberta Sex–Sáb 22h30–02h00, Dom 17h00–02h00. R$ 5–12 (dependendo da hora de entrada e de ser homem ou mulher). ☎21 8877 8804. www.casarosa.com.br.

A Casa Rosa, pintada de rosa vibrante, é um espaço musical muito popular com um passado muito interessante.

O edifício centenário, que funcionou como bordel, tem atualmente programas de fim de semana de música, desde o samba e música de Carnaval até funk e rock, assim como workshops de arte e dança durante o dia. Aos domingos, chegue cedo para a *feijoada* que é servida a partir das 17h00, acompanhada, claro, de música e dança.

132

LARANJEIRAS

meiros a ser transformado. As grandes propriedades foram divididas, o rio foi canalizado e foram construídos prédios de apartamentos. O Palácio das Laranjeiras e o Palácio Guanabara são exemplos da arquitetura eclética dos velhos tempos.

Atrações

Parque Guinle
Rua Gago Coutinho.
Aberto diariamente.
Este agradável parque público foi construído entre 1909 e 1914. Na entrada do parque, observe o grande portão de ferro, ladeado por duas esfinges e anjos de bronze, que era o portão de entrada da antiga residência da família Guinle (ver Palácio das Laranjeiras abaixo).
Integrado perfeitamente com a vegetação circundante, o complexo residencial (1948–1954) do Parque Guinle, obra prima da arquitetura modernista, foi concebido por **Lucio Costa** (1902–1998), que projetou Brasília.

Palácio das Laranjeiras ★
Rua Paulo César de Andrade 407.
Aberto Sáb 09h00–12h00. Entrada franca. Somente visitas guiadas com reserva antecipada pelo ☎21 2334 3229.
Este magnífico palácio onde morou Eduardo Guinle (1878–1941), um rico industrial e engenheiro, fica no topo de Parque Guinle. Desenhada por Armando Carlos da Silva Telles e Joseph Gire, a mansão foi construída em estilo Eclético, entre 1909 e 1914, e sua fachada principal foi inspirada no Cassino de Monte Carlo. No interior do majestoso

Palácio das Laranjeiras

palácio existem colunas de ônix, mármore e granito, vitrais enormes, pisos de mosaicos italianos e obras de arte (incluindo quadros de Franz Post). Em 1947, o palácio passou a pertencer ao Governo Federal, antes de ser transferido ao governo do Estado do Rio de Janeiro, em 1974.

Palácio Guanabara
Rua Pinheiro Machado.
Fechado ao público para reforma até o fim de 2010. Construído pelo comerciante português José Machado Coelho, o Palácio Guanabara (1853) foi a residência do Conde d'Eu e de sua esposa, a Princesa Isabel. Como um dos acessos ao palácio era pela Rua Paissandu, nesta foram plantadas, dos dois lados, palmeiras imperiais, fazendo desta rua uma das mais pitorescas do Rio.
Com o advento da República, em 1889, o palácio foi residência dos Presidentes da República de 1926 a 1947 e, atualmente, é a sede do governo do Estado do Rio de Janeiro.

Futebol

O **Estádio das Laranjeiras** — a que raramente o público se refere por seu nome oficial, Estádio Manoel Schwartz — foi construído em 1905 e hoje é um dos estádios mais antigos do Brasil. É a sede do time de futebol **Fluminense**. Sendo um dos quatro clubes mais populares da cidade (juntamente com o Flamengo, Vasco e Botafogo), o Fluminense venceu a Copa do Brasil em 2007. Hoje, o clube usa o Estádio das Laranjeiras principalmente para treinar. A maioria das partidas de futebol são jogadas no mundialmente famoso Estádio do Maracanã (ver p.274) ou no Engenhão (ver p.273).

DESCUBRA O RIO DE JANEIRO

CORCOVADO E
CRISTO REDENTOR★★★

Os braços abertos da estátua do Cristo Redentor, no topo do morro do Corcovado, dão as boas vindas aos milhares de visitantes do Rio. Todos querem visitar o cartão postal da cidade. Pertencente ao Parque Nacional da Tijuca, o morro do Corcovado é um enorme bloco de rocha de 710 m de altura, que sobressai da densa floresta e domina a cidade inteira. Você pode ir de táxi ou tomar o trenzinho, que tem partidas regulares do bairro do Cosme Velho e que sobe pelas vertentes do morro até seu topo.

- **Informações:** www.corcovado.com.br.
- **Oriente-se:** A estação do trenzinho fica na base do morro do Corcovado, no pequeno bairro do Cosme Velho, a parte alta do bairro das Laranjeiras.
- **Não perca:** Saindo do trenzinho na estação das Paineiras, percorra a pé parte do luxuriante Parque Nacional da Tijuca.
- **Organize seu tempo:** Conte com uma ou duas horas para visitar o Cristo Redentor, mas planeje três horas nos fins de semana ou feriados. Combine isto com uma visita ao Parque Nacional da Tijuca e escolha sempre um dia que não esteja nublado para visitá-lo.
- **Para crianças:** A viagem no trenzinho do Corcovado, que sobe lentamente o morro através de densa floresta tropical, é inesquecível para as crianças.

Um pouco de história

Através dos séculos

Já no séc. XVI os portugueses atribuíam significado religioso a este morro, a que deram o nome de Pináculo da Tentação, uma alusão à passagem bíblica onde Jesus foi tentado por Satanás no alto de um penhasco, de onde ele podia ver todas as grandes cidades do mundo.

No início do séc. XIX, a densa vegetação das encostas do Corcovado, nome pelo qual já era conhecido nessa época, era um esconderijo para os escravos fugitivos das plantações e fazendas próximas. A nobreza também construiu chácaras na floresta onde a temperatura era mais agradável. O imperador **Dom Pedro II** frequentemente subia em lombo de burro até o cume do Corcovado. A viagem era lenta e difícil; então, em 1882, para incentivar visitantes a irem a este lindo local, Dom Pedro autorizou a construção da linha do trem do Corcovado, que foi conclu-

Endereços

COMPRAS

Vitacura
Na estação do Trenzinho do Corcovado. Aberta diariamente 08h30–19h00.
A loja está situada na estação do trenzinho do Corcovado mas não é o local mais barato para comprar sua camisa da seleção brasileira ou um souvenir.
A mercadoria que é vendida aqui é de boa qualidade e, se tiver pouco tempo, é um bom lugar para comprar presentes para levar para casa.

CAFÉ

Café do Trem
No Espaço Cultural. Aberto diariamente 09h00–17h00.
Este pequeno balcão na estação do trenzinho, dentro do "Espaço Cultural" (*ver p.136*) vende bom café, sanduíches, salgadinhos e até cerveja. Embora haja um café em um terraço próximo à estátua do Cristo Redentor, este espaço é um bom lugar para matar o tempo se você tiver de esperar pela próxima partida do trenzinho.

CORCOVADO E CRISTO REDENTOR

Cristo Redentor

ída dois anos mais tarde. A ferrovia de 3.800 m de extensão era — e ainda é — considerada um milagre de engenharia, por subir uma encosta tão longa e íngreme. Em 1921 surgiu a ideia de construir uma estátua de Cristo para comemorar o centenário da independência do Brasil no ano seguinte. Contudo, a construção da estátua do Cristo Redentor só começou em 1926 e foi inaugurada em 1931.

Uma obra de arte

O monumento Art Déco é finamente esculpido, com a túnica ondulando suavemente e um rosto que é a imagem perfeita de serenidade e força. Na realidade o francês **Paul Landowski** (1875–1961) teve de criar o monumento em diversas partes separadas. Até estas partes serem enviadas da França para o Brasil e depois transportadas de trem até o topo do morro, a estátua nunca tinha sido montada. Na superfície exterior foi usada pedra sabão devido à sua resistência a variações climáticas extremas. Esta figura gigantesca está exposta ao sol escaldante e a fortes chuvas, mas tem permanecido ilesa através dos tempos e até sobreviveu à queda de vários raios, durante grandes tempestades.

Iluminação

Hoje a estátua do Cristo Redentor está iluminada de tal modo que pode ser vista de toda a cidade. Mas as coisas não correram bem na cerimônia de inauguração, quando os novos projetores deveriam ter sido acesos por um sinal de rádio emitido de bordo de um iate na costa de Nápoles, a cerca de 9.200 km de distância. Este ambicioso plano tinha sido concebido por **Guglielmo Marconi** (1874–1937) para promover seu inovador emissor de rádio, mas o mau tempo interferiu e por fim os trabalhadores locais do Rio tiveram de acender os projetores manualmente.

DESCUBRA O RIO DE JANEIRO

Um Passeio no Parque

Uma maneira de desfrutar bem o Corcovado e fugir do percurso turístico que leva diretamente à estátua do Cristo Redentor é descer do trem no meio da subida, na estação das **Paineiras**. Esta funciona como uma das portas do **Parque Nacional da Tijuca** (*ver p.139*), pois você, quase imediatamente, se encontra no meio da densa e exuberante vegetação da floresta. A partir da estação das Paineiras é uma caminhada de meia hora através de uma paisagem impressionante até três cachoeiras muito bonitas. Como alternativa, e se você se sentir cheio de energia, pode caminhar os 3 km restantes até o topo do Corcovado e a estátua do Cristo Redentor. O morro do Corcovado também atrai **alpinistas**; o lado sul possui cerca de 50 trilhas. Note que estas não são trilhas para caminhadas e só quem tem equipamento apropriado e está bem treinado ou com boa supervisão deve tentar subir por elas.

Visita

Aberto diariamente das 08h30– 18h00. R$ 30. 21 2558 2359. www.corcovado.com.br.

Das favelas aos bairros ricos, os braços abertos do Cristo Redentor abraçam toda cidade, parecendo abençoar e proteger tanto seus habitantes como seus visitantes. A enorme estátua é visível de diversos pontos da cidade do Rio — mesmo que às vezes seja apenas ao longe — e representa algo muito espiritual para os brasileiros e os turistas, independentemente de sua fé.

Em 2007, esta obra de arte foi classificada como uma das "Sete Novas Maravilhas do Mundo Moderno". A monumental estátua, de 30 m de altura, está montada sobre um pedestal de 8 m, a cabeça pesa 30 toneladas e os braços 88 toneladas. A partir da estação ou do ponto de desembarque das vans, próximo ao topo, sobe-se de elevador panorâmico e depois de escada rolante (ou escada normal), passando por cafés e lojas de souvenirs, até o mirante onde os turistas disputam o espaço para tirar fotos, onde muitos deles abrem os braços imitando a majestosa figura.

Das plataformas a seus pés se descortina uma **vista**★★★ deslumbrante das montanhas, do mar e da cidade. Na mesma posição do Cristo Redentor, à direita está a Lagoa Rodrigo de Freitas, o Jardim Botânico e o Hipódromo da

Sempre subindo

Algumas pessoas adoram fazer jogging ou caminhar até o topo do Corcovado, principalmente nos fins de semana. Contudo, se você não se sentir com energia suficiente para imitá-los, pode subir o Corcovado pelo trenzinho (*ver Trenzinho do Corcovado, à direita)*, ou de táxi. Os bilhetes para o trem são relativamente caros *(embora também incluam o preço da entrada ao monumento ao Cristo Redentor)* e o preço do táxi para duas pessoas pode ser semelhante, embora não seja fácil negociar um preço justo com o cartel de táxis em volta do Corcovado. Não é mais permitido aos **carros particulares** ou **táxis** subirem até o topo do Corcovado, todos os veículos param na estação das Paineiras e daí os passageiros tomam uma das vans licenciadas pelo IBAMA *(preço fixo)*.

Os visitantes mais espertos tentam evitar os táxis excessivamente caros na estação embaixo. Como alternativa, tome um táxi no hotel ou no ponto de partida para o Corcovado, negociando um preço que inclua levá-lo até as Paineiras e esperá-lo enquanto visita a estátua. Tirando o custo, tomar um táxi significa que não tem de esperar na fila para comprar o bilhete do trem, nem de esperar pelo trem, que só parte de 30 em 30 minutos. Se preferir o trenzinho, você pode comprar os bilhetes antecipadamente online *(www.ticketronics.net)*. Em dias de muito movimento na bilheteria, pode-se esperar uma hora ou mais por um bilhete.

CORCOVADO E CRISTO REDENTOR

Gávea, a Praia de Ipanema, os prédios de Copacabana e, ao fundo, as ilhas no do Oceano Atlântico, que parecem pequenos pontos no oceano. Em frente, fica o morro do Pão de Açúcar, junto à Enseada de Botafogo, salpicada de pequenos barcos. Mais para a esquerda, encontram-se os arranha-céus do Centro da cidade, um pouco mais atrás, claramente visível, o gigantesco estádio do Maracanã.

Na base, atrás da estátua, está a pequena **Capela de Nossa Senhora Aparecida,** em honra da santa padroeira do Brasil. Neste local único de adoração são celebradas missas, batismos e casamentos.

Visão noturna

Antes do pôr do sol é o melhor momento para visitar o Corcovado, quando a cidade *(se o tempo estiver bom)* fica banhada por uma luz alaranjada. Espere um pouco pois, antes de cair a noite, os projetores acendem. Iluminada, a estátua do Cristo Redentor parece estar suspensa no céu, como uma visão. Gradualmente, o Rio se torna um mar de luzes cintilantes e mostra, então, uma nova imagem da cidade.

Em algumas noites nubladas, a enorme figura do Cristo Redentor parece ter uma auréola dourada, como se estivesse banhada por uma luz celestial.

Trenzinho do Corcovado★ Kids
Rua Cosme Velho 513, Cosme Velho.
Aberto diariamente 08h30–18h00.
R$ 30. 21 2558 2359.
www.corcovado.com.br.

A estação do trenzinho do Corcovado é o ponto de partida para a pitoresca subida até o Cristo Redentor (ver p.134). Os primeiros trenzinhos eram a vapor, mas em 1910 passou a ser o primeiro trem elétrico de todo o país. Os trens partem de 30 em 30 minutos e a viagem demora 17 minutos, os vagões sobem lentamente a íngreme ferrovia (30% de inclinação) através da densa floresta e faz uma parada na estação das Paineiras. Os passageiros podem descer do trem aqui e em outras estações no caminho, porque, embora pareça incrível, algumas pessoas moram nestas suas encostas. Nas Paineiras, o trenzinho espera a passagem do outro que desce, antes de continuar a subida. A floresta se abre, oferecendo uma vista de todo o sul da cidade, das praias de Ipanema e Leblon, da ponte Rio-Niterói e de toda a Baía de Guanabara, apenas uma amostra do que o visitante verá no cume. Para desfrutar das melhores vistas, na subida sente-se na traseira do trem — ou do lado direito. Grupos de sambistas frequentemente entram no trem criando uma atmosfera carnavalesca.

Espaço Cultural
Rua Cosme Velho 513, Cosme Velho.
Aberto diariamente 08h30–18h00.
Fechado nos feriados nacionais.
Entrada franca.

Este espaço cultural informal está situado na entrada da estação do trenzinho do Corcovado. É um bom lugar para conhecer a história da ferrovia e da estátua, enquanto se espera pela próxima partida. Murais enormes, fotografias históricas e exposições interativas contam a fascinante história de um trenzinho tão pequeno e de uma estátua tão grande, no topo de um morro tão alto. Cópias de notícias de jornais da data de inauguração da ferrovia, em 9 de outubro de 1884, dão uma ideia da importância do fato, que contou com a presença de políticos e celebridades da época. O Imperador Dom Pedro II presidiu a cerimônia e subiu o morro no trem. Desde então, nomes famosos de todo o mundo como Albert Einstein, o

Trenzinho do Corcovado

137

DESCUBRA O RIO DE JANEIRO

Largo do Boticário

Papa João Paulo II e a Princesa Diana já subiram o morro neste trenzinho. Nesse espaço os visitantes podem ver a locomotiva elétrica original que substituiu a locomotiva a vapor, em 1910. Mas talvez o objeto exposto mais fora do comum seja um modelo da cabeça da estátua do Cristo Redentor. Feita em terracota, com 80 cm, e colocada sobre uma base, ela foi utilizada como modelo por Paul Landowski, o escultor que concebeu a estátua.

Outras atrações

Largo do Boticário★
Rua Cosme Velho. Aberto diariamente 24 horas. Entrada franca.
O Largo do Boticário fica ao fundo de um pequeno beco no fim da Rua Cosme Velho. Seu nome é em homenagem a Joaquim José da Silva Souto, que arrendou essas terras em 1831 e que tinha o título de Boticário da Família Real. Formado por casas de estilo Neocolonial *(atualmente em fase de restauração)*, rodeado por uma bela vegetação, com um chafariz e calçada de pedras antigas, este conjunto arquitetônico parece parado no tempo. Olhando para a pitoresca casa cor-de-rosa *(ver foto acima)*, você provavelmente se surprenderia de saber que ela, na realidade, foi construída em 1937 e reformada nove anos depois por Lucio Costa, com materiais salvos da demolição de edifícios antigos, quando da abertura da Avenida Presidente Vargas.

Museu Internacional de Arte Naïf
Rua Cosme Velho 562. 21 2205 8612. www.museunaif.com.br. Desconto mediante a apresentação do bilhete do trenzinho do Corcovado. Se quiser visitá-lo confirme se está aberto.
Situado em uma mansão do séc. XIX, proximo à Estação do trenzinho do Corcovado, este museu possui uma das maiores coleções de Arte Naïf do mundo. Caracterizada por cores vibrantes e perspectivas simples, muitas destas obras encantadoras representam cenas do Rio e do Brasil. Estão expostas mais de 6.000 obras criadas por artistas de todos os estados do Brasil e de mais de 130 países.

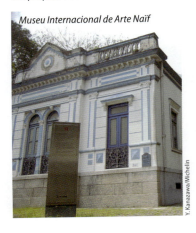
Museu Internacional de Arte Naïf

PARQUE NACIONAL DA TIJUCA ★★★

O Parque Nacional da Tijuca está localizado em plena área urbana da cidade do Rio de Janeiro e possui a maior floresta urbana do mundo (3.300 ha).
O parque tem altitudes que variam dos 80 metros, ao fundo do Jardim Botânico, aos 1.021 metros, no Pico da Tijuca, seu ponto mais alto. O Parque Nacional da Tijuca oferece passeios, caminhadas mais forçadas, escaladas ou até mesmo a prática da asa delta em meio à natureza, tudo isso a pouca distância da grande metrópole.

- **Oriente-se:** A massa florestal estende-se desde a Barra da Tijuca (ver p.178), na Zona Oeste, até as montanhas mais próximas da Baía de Guanabara, como o Morro do Corcovado (ver p.134). A melhor maneira de desfrutar o máximo da visita é combinar um passeio de carro com uma caminhada a pé.
- **Não perca:** A vista deslumbrante a partir dos principais mirantes do Rio, como o da Vista Chinesa. A fantástica coleção de azulejos no Museu do Açude. Um piquenique no aprazível Bom Retiro.
- **Organize seu tempo:** Evite fazer sua visita num dia chuvoso, porque o tempo nublado e os caminhos encharcados podem estragar o passeio.
- **Para crianças:** Observe os macacos atrevidos, os ágeis esquilos, as suaves borboletas, as preguiças indolentes e os lindos pássaros que vivem na floresta.

Um pouco de história

O Parque Nacional da Tijuca — *tijuca* significa pântano na língua nativa Tupi-Guarani, referindo-se à área pantanosa que existe na base dos morros — inclui as encostas e picos dos morros, uma área que já esteve totalmente coberta por uma densa floresta. No séc. XVI, esta vegetação foi quase totalmente destruída quando foram cortadas muitas árvores para produzir lenha e carvão.

A partir do séc. XVII e até o fim do séc. XIX, as plantações de café acarretaram mais desmatamento, resultando em um êxodo dos agricultores da região para áreas planas mais férteis. A monocultura do café e o desgaste do solo, colocando em risco os mananciais que abasteciam a cidade, levou as autoridades a pensar na reconstituição da área.

Trabalho pioneiro

A cidade crescia a uma velocidade vertiginosa, o que fez com que as autoridades adotassem medidas urgentes para garantir o vital abastecimento de água da cidade.
Nessa época o Parque Nacional da Tijuca tinha 150 nascentes de água e o governo decidiu restaurar a vegetação para proteger estas nascentes de água pura. O Major Manuel Gomes Archer, com um grupo de seis escravos, iniciou a tarefa gigantesca de **reflorestamento** — um trabalho que durou 13 anos. Este pequeno grupo plantou mais de 60.000 árvores numa área de 1.600 ha, acrescentando espécies exóticas às variedades nativas, que ainda podem ser vistas hoje.

Parque Nacional da Tijuca

DESCUBRA O RIO DE JANEIRO

História de sucesso

Em 1874, sob as ordens de **Dom Pedro II,** esta área ficou sob os cuidados do Barão d'Escragnolle que, com a ajuda do paisagista francês Auguste François Glaziou, embelezou a floresta com pontes, mirantes e lagos. Por volta de 1887, a região tinha mais de 100.000 árvores. Este programa intensivo de recuperação e reflorestamento em larga escala levou à criação de um dos maiores parques urbanos do mundo.

Um pouco de geografia

Alma selvagem

O Parque Nacional da Tijuca foi criado em 1961 e apenas 30 anos mais tarde sua categoria foi elevada a **Reserva Biosférica**. O parque é habitat de centenas de espécies de plantas, animais e pássaros — sendo muitas delas espécies ameaçadas de extinção, pois só sobrevivem na antiga e rara *Mata Atlântica*.

Muitos animais são naturalmente tímidos, mas os visitantes podem ter sorte de ver tatus, tamanduás e macacos. É fácil ver borboletas e pássaros multicoloridos, enquanto as aranhas e cobras não são tão bem-vindas. A Floresta da Tijuca tem mais espécies de bromélias

---

😊 Dica 😊

Se desejar fazer longas caminhadas, contrate um guia ou junte-se a uma excursão. Embora exista uma rede completa de trilhas, é fácil se perder e nunca se deve visitar o parque sozinho. É melhor visitar os mirantes nos fins de semana durante o dia, porque há bastante gente por perto e policiamento. Leve consigo repelente de insetos, protetor solar e agasalho para vestir se a temperatura baixar (aqui é sempre bem mais fresco do que nas praias). A Floresta da Tijuca é um local especial e merece ser protegida. Caçar, dar comida aos animais selvagens, afastar-se das trilhas, pegar flores ou quaisquer plantas, jogar lixo fora e acender fogueiras são estritamente proibidos.

---

do que a Floresta Amazônica.

Da mesma forma, a Floresta da Tijuca tem uma grande variedade de orquídeas que crescem em meio à vegetação luxuriante, composta de várias espécies, como eucaliptos e jacarandás.

Mirantes

Mirante Dona Marta★★★

Estrada do Mirante Dona Marta.
Subindo pelo bairro do Cosme Velho, em direção ao Corcovado, esse mirante que se encontra a 364m de altura, oferece uma visão mais próxima da cidade do Rio de Janeiro. À esquerda, no norte da cidade, fica o estádio do Maracanã (👁 *ver p.274*) e as águas da Baía de Guanabara atravessadas pela ponte Rio–Niterói. Em frente, a cidade de Niterói, tendo ao fundo o horizonte e o mar; em primeiro plano está o centro histórico de Santa Teresa e à direita o Pão de Açúcar e Copacabana.

Vista Chinesa★★

Estrada Dona Castorina, Serra Carioca.
Situada a uma altitude de 413 m, este mirante está na estrada de acesso ao parque que vem do Jardim Botânico. O nome "Vista Chinesa" é derivado do pagode encimado por uma cabeça de dragão e que foi construído pelos chineses que trabalharam incansavelmente nas estradas da floresta. Do mirante pode-se ver a estátua do Cristo Redentor, parte de Botafogo, o Pão de Açúcar e a Baía de Guanabara e as praias da Zona Sul.

Mesa do Imperador

Estrada Dona Castorina, Serra Carioca.
Situada a uma altitude de 483 m, na mesma estrada e um pouco acima da Vista Chinesa, encontra-se a Mesa do Imperador. É formada por um recuo natural na rocha com dois pontos de observação em dois níveis diferentes. No nível mais baixo existe um largo, com uma mesa de pedra, de onde saem as escadas que levam ao nível superior. A vista é magnífica — através da densa floresta é possível ver a Lagoa Rodrigo de Freitas, as Praias de Ipanema e Leblon e o mar.

PARQUE NACIONAL DA TIJUCA

Floresta da Tijuca Kids

*Estrada da Cascatinha 850,
Floresta da Tijuca, Alto da Boa Vista.*
Aberta diariamente 08h00–18h00.
21 2492 2252.

A entrada da Floresta da Tijuca, que é apenas uma parte do Parque Nacional da Tijuca, muito maior, está marcada por um portão ao fundo da Praça Afonso Vizeu (chamada de Praça do Alto) no bairro do Alto da Boa Vista. Nas estradas principais que atravessam a floresta há muitos pontos de visita. Existem também muitas trilhas — desde as que são propícias a caminhadas leves até aquelas mais difíceis e que exigem guias.

Cascatinha do Taunay

Cascatinha do Taunay

Junto da Estrada da Cascatinha está situada uma queda d'água com 30 m de altura, formada pelos rios Tijuca, Caveira e Cascatinha. Seu nome foi dado em homenagem a **Nicolas Antoine Taunay**, pintor francês, membro da Missão Artística Francesa de 1816, que ali se estabeleceu com sua família, encantado com a beleza do local.

Capela Mayrink

A pequenina Capela Mayrink, pintada de cor-de-rosa, à beira da estrada, parece sair de um conto de fadas. Anteriormente fazia parte da fazenda da Boa Vista, onde prosperavam as culturas de café, açúcar e frutas. A fazenda era frequentemente visitada pela **Imperatriz Leopoldina**, esposa de D. Pedro I. Construída em 1863, a capela foi vendida, em 1888, ao Conselheiro Mayrink, herdando daí seu nome.

Centro de Visitantes

Praça Afonso Viseu. Aberto diariamente 08h00–19h00. 21 2492 2253.
Vá ao Centro de Visitantes para se informar sobre o parque e suas trilhas, incluindo mapas e conselhos de segurança atualizados.

Bom Retiro

Situado a uma altitude de 658 m, na Estrada dos Picos, este é o ponto mais alto das estradas da Floresta e é também um atraente **local para piqueniques**.

ECOTURISMO

Terra Brasil
Rua da Passagem 83, Sala 314, Botafogo. 21 2543 3185.
www.terra-brazil.com.
Muitas agências de viagens e excursões brasileiras dizem que oferecem "ecoturismo". A Terra Brasil, criada em 1990, é uma instituição sem fins lucrativos altamente recomendada, cujas atividades se dedicam à conservação, educação ambiental e ecoturismo. Ela oferece excursões genuinamente ecológicas na Floresta da Tijuca, assim como no resto do Rio.

A partir daqui, uma trilha bem marcada, que pode ser percorrida a pé em uma hora, leva ao **Pico da Tijuca**★.

Pico da Tijuca★

Esta caminhada moderadamente leve segue uma trilha bem marcada através da floresta, passando por pequenos riachos até o ponto mais alto do parque, a 1.021 metros de altitude. Sua última parte tem cerca de 100 degraus e um corrimão que ladeia uma escarpa vertiginosa. Do cume desfruta-se uma vista deslumbrante de toda a cidade. Inicie sua caminhada de manhã cedo para evitar o sol escaldante do meio-dia. Recomenda-se caminhar em grupos ou com um guia.

DESCUBRA O RIO DE JANEIRO

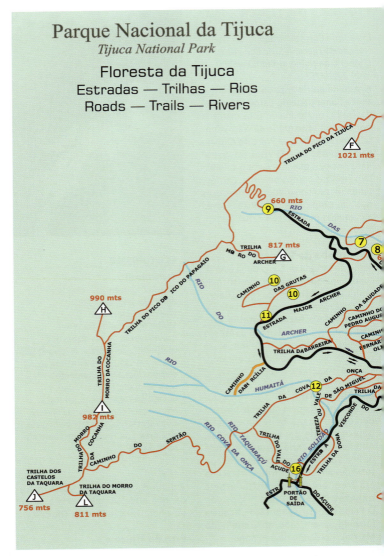

Ruínas do Archer
Somente restaram algumas paredes da casa do **Major Archer** (ver p.139) Contudo, é um marco importante junto à Estrada dos Picos. A antiga senzala foi transformada num restaurante.

Os Esquilos
Estrada Barão d'Escragnolle s/n.
Aberto Ter–Dom 10h00–18h00.
21 2492 2197.
www.osesquilos.com.br.

É neste local que se encontrava a residência do **Barão d'Escragnolle,** aristocrata francês que chegou ao Rio em 1808 e que, a partir de 1874, assumiu o reflorestamento da área. O Barão, amante da natureza, deu tratamento paisagístico à floresta assim como nomes aos seus locais. Em 1945, sua antiga casa estava em ruínas e foi construída uma nova casa, usando material de demolição, e que hoje abriga um restaurante (ver p.237) que está em reforma.

PARQUE NACIONAL DA TIJUCA

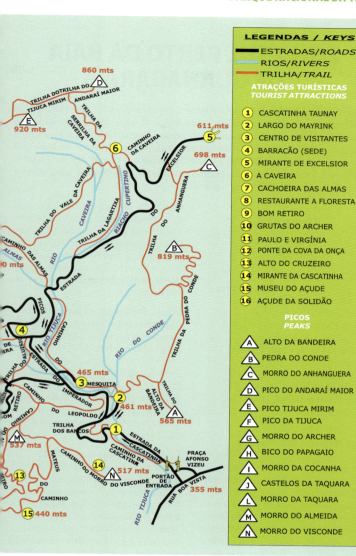

Museu do Açude★

Estrada do Açude 764, Alto da Boa Vista.
Aberto Qua–Seg 11h00–17h00.
R$ 6. Grátis Qui. 21 2492 5443.
www.museuscastromaya.com.br.

A casa, em estilo Neocolonial, foi a residência de verão de Raymundo Ottoni de Castro Maya (1894–1968), empresário, benfeitor e colecionador de arte — que também morou no atual Museu da Chácara do Céu (ver p.130), em Santa Teresa.

No interior, há uma bela coleção de azulejos (de Portugal, França, Espanha e Holanda), que datam do séc. XVII ao XIX. As salas são decoradas com obras de arte portuguesas e brasileiras, em prata e cristal, e uma coleção de arte oriental (sobretudo de porcelana da Companhia das Índias Ocidentais).

A casa está rodeada de belos jardins onde estão instaladas obras de arte de artistas contemporâneos como Iole de Freitas, Ana Maria Maiolino, Helio Oiticica, Lygia Pape, entre outros.

ZONA SUL PERTO DA BAÍA DE GUANABARA

Existem bairros junto à Baía de Guanabara, alguns separados dela pelo Parque do Flamengo, que abrange quase todo o litoral, oferecendo uma grande área verde. Estes bairros não só apresentam grande interesse histórico, mas também possuem uma das características naturais mais impressionantes do Rio e que nem sempre é notada: a bonita Baía de Guanabara. O Pão de Açúcar é o principal marco visual da região, localizado em uma estreita faixa de terra, entre a tranquila Enseada de Botafogo e o mar.

Destaques

1. O deslumbrante interior do **Museu da República** (ver p.148).
2. As exposições de nível internacional no **Museu de Arte Moderna** (ver p.146).
3. A vista panorâmica do pôr do sol do **Pão de Açúcar** (ver p.152).
4. Sentar-se na amurada junto ao mar, em frente ao **Bar Urca** (ver p.250).
5. Passear pela **Pista Cláudio Coutinho** que contorna o Morro da Urca (ver p.153), junto ao mar.

Uma região a ser visitada
Até o final do séc. XVIII, esta área era somente uma passagem para os fortes do litoral sul e para a região da Lagoa Rodrigo de Freitas (ver p.170).
A ocupação posterior de toda a área da baía ocorreu devido à sua localização privilegiada: a Baía de Guanabara (ver p.195), de um lado, a Lagoa Rodrigo de Freitas, do outro, e as montanhas, como o Morro do Corcovado (ver p.134). Localizada entre o Centro histórico (ver p.94) e as praias da Zona Sul (ver p.154), esta região deve ser visitada pelos seus monumentos históricos e pela sua beleza, com o inesquecível espetáculo do Pão de Açúcar (ver p.152).

Origens do nome
Supõe-se que o nome Pão de Açúcar seja derivado de sua semelhança com as formas cônicas de "pão de açúcar" usadas nos engenhos, nos séc. XVI e XVII, moldando o açúcar refinado, para seu transporte. Outra teoria sobre a origem do nome desse marco da cidade seria o nome que os índios Tamoios usavam para o monólito de granito, *Pau-nh-açu-quã*, que significava morro alto, isolado; para os colonizadores portugueses, este nome devia soar muito parecido com Pão de Açúcar.

Praias feitas para caminhar
Há diversas praias nesta parte da cidade. Suas areias e a vista da baía são ideais para passeios. Nos dias ensolarados, você verá muitos barcos a vela e iates nas águas tranquilas da Baía de Guanabara. Poucas pessoas usam essas praias para tomar banho de mar porque as águas são muito poluídas. Estão sendo feitas algumas tentativas de despoluir a Baía de Guanabara.

Local onde nasceu a cidade
Esta área do Rio de Janeiro foi a primeira a ser ocupada pelos europeus. Quando os portugueses chegaram aqui, no dia 1º de janeiro de 1502, eles acharam que a Baía de Guanabara era a foz de um grande rio e então lhe deram o nome de "Rio de Janeiro", mas referindo-se a este suposto rio e não à Baía de Guanabara. Antes disso, esta área já era ocupada por nativos do grupo linguístico Tupi. Os índios foram catequizados pelos jesuítas, alguns se aliaram aos portugueses

Dica

A área é coberta por cinco estações de Metrô consecutivas, da mesma linha, do Catete até Botafogo. O Metrô é limpo, eficiente, seguro (ver p.20) e é recomendável utilizá-lo para se deslocar mais rapidamente.

e outros aos franceses. Em 1565, a área, dominada pelos franceses, foi reconquistada pelos portugueses.

Influência europeia

A influência europeia se manifestou primeiramente no Centro histórico, com o aparecimento de um estilo português de arquitetura, adaptado às condições locais.

No séc. XIX, com a vinda da família real, o Centro presenciou a chegada do estilo Neoclássico francês (Casa França-Brasil), uma tendência que se espalhou rapidamente para São Cristóvão (Solar da Marquesa de Santos) e para Botafogo (Casa de Rui Barbosa).

No fim do séc. XIX e começo do séc. XX, surgiu o estilo Eclético, que literalmente invadiu a cidade inteira, junto com os estilos Art Nouveau e Art Déco, ainda visíveis na arquitetura atual dos bairros do Flamengo e da Urca.

DESCUBRA O RIO DE JANEIRO

PARQUE DO FLAMENGO★

Aberto ao público em outubro de 1965, este parque oferece uma vista espetacular do Pão de Açúcar e do Cristo Redentor. Este enorme espaço público acompanha a orla da Baía de Guanabara desde o Centro histórico, passando pela Glória, Catete e Flamengo, até terminar nas areias da Praia de Botafogo.

- **Oriente-se:** A principal avenida que atravessa o parque, Avenida Infante Dom Henrique, corre paralela ao mar. O Museu de Arte Moderna fica na extremidade norte, junto ao Centro histórico.
- **Não perca:** O Museu de Arte Moderna (MAM) e seus jardins projetados por Burle Marx.
- **Organize seu tempo:** Uma visita ao parque pode ser facilmente combinada com uma outra aos bairros próximos do Flamengo e Catete (ver p.148), Botafogo (ver p.150) ou ao Centro histórico (ver p.94). Nos domingos e feriados, entre as 07h00 e as 18h00, as avenidas que cruzam o parque são fechadas ao tráfego. Evite fazer visitas ao MAM às segundas-feiras, porque o museu está fechado.
- **Para crianças:** Os parquinhos e espaços abertos do parque.

Visita

O Parque do Flamengo, também conhecido como **Aterro do Flamengo**, foi criado com o material retirado do desmonte de parte do enorme morro de Santo Antônio, que teve suas terras e pedras despejadas na orla da Baía de Guanabara. Finalizado durante o governo de **Carlos Lacerda** (1961–1965), o projeto incluía no seu grupo de trabalho arquitetos, engenheiros, um planejador urbano, um botânico e um artista gráfico.
Affonso Eduardo Reidy foi o responsável pelos projetos civis e de construção e **Burle Marx** pelos enormes jardins que se estendem por todo o parque, com centenas de espécies de plantas e árvores.

O belo Parque do Flamengo é um lugar muito agradável para um passeio (*somente durante o dia*). Nele existem também pistas de cooper e de ciclismo, rampas de esqueite, campos de futebol e quadras de vôlei.

Atrações

Museu de Arte Moderna★★★
Av. Infante Dom Henrique 85, Parque do Flamengo. Aberto Ter–Sex 12h00–18h00; Sáb, Dom e feriados 12h00–19h00. A bilheteria fecha meia hora antes da hora de encerramento. R$ 8. 21 2240 4944/21 2240 4899. www.mamrio.com.br.
O Museu de Arte Moderna (MAM) foi fundado no Palácio Capanema, hoje

Museu de Arte Moderna

PARQUE DO FLAMENGO

Palácio da Cultura *(ver p.73)*, em 1948, por um grupo de entusiastas da arte moderna. Em 1952, o museu começou a ser transferido para o Aterro do Flamengo, sendo inaugurado em 1958 em um prédio assinado pelo arquiteto Affonso Eduardo Reidy (1909–1964).

O museu é notável pela sua grande fachada envidraçada, suas monumentais colunas que sustentam as placas curvas de concreto que oferecem sombra ao exterior, em linha com o mar. Seu impressionante projeto contemporâneo cria elegantes espaços interiores banhados de luz. Nos jardins, projetados por **Burle Marx** *(ver p.74)*, a vegetação está integrada ao espaço arquitetônico, com lagos, canteiros e pedras.

Parque do Flamengo — Y. Kanazawa/Michelin

Em 1978, um incêndio destruiu quase todo o acervo do MAM, incluindo obras de Picasso, Miró, Dalí e Magritte. Passados 11 anos desta terrível tragédia, o museu recebeu um grande incentivo: a doação da coleção completa de **Gilberto Chateaubriand**, composta por 4.000 obras. Atualmente o museu está novamente na vanguarda do cenário da arte, exibindo trabalhos de grandes artistas brasileiros.

O seu acervo conta com mais de 11.000 peças, incluindo as magistrais esculturas de Henry Moore e Alberto Giacometti. Lá está também a Coleção Joaquim Paiva, com obras de Pierre Verger e mais 1.000 outras fotos de diversos artistas. O MAM também abriga um importante arquivo do cinema brasileiro e mundial, promovendo mostras regulares e cursos de curtas-metragens.

Monumento aos Mortos da Segunda Guerra Mundial

Av. Infante Dom Henrique 85, Parque do Flamengo. Aberto Ter–Dom, 09h00–17h00.

Este monumento foi construído entre 1957 e 1960 e é obra dos arquitetos Hélio Ribas Marinho e Marcos Konder Netto. Seu traço marcante é a grande plataforma de concreto, de 30 metros de altura, como mãos abertas para o céu. Completando o conjunto, existe uma escultura em metal, em homenagem à Força Aérea, e uma escultura em granito, representando as três armas. No mausoléu subterrâneo estão os túmulos dos brasileiros que lutaram na Itália e que foram enterrados no cemitério de Pistoia e, posteriormente, transferidos para este local. Os membros da Força Expedicionária Brasileira (FEB) combateram ao lado dos Aliados e foram as únicas tropas sul-americanas a lutar na Europa durante a Segunda Guerra Mundial.

No mausoléu há 468 túmulos com lápides de mármore onde consta, em cada um, o nome do combatente; existem dois túmulos vazios e 13 outros não possuem identificação com a seguinte inscrição: "Aqui jaz um herói da FEB – Deus sabe seu nome". Em cada lado da entrada do mausoléu, há dois painéis de cerâmica de autoria do pintor **Anísio Araújo de Medeiros**, em homenagem à Marinha (que participou de patrulhas aliadas em busca de submarinos alemães no Atlântico). Pouco ficou sobre esses heróis fora do Brasil, conhecido como "O Aliado Esquecido" entre os historiadores.

Museu Carmem Miranda

Av. Rui Barbosa, Parque do Flamengo. Aberto Ter–Sex 10h00–17h00, Sáb–Dom 13h00–17h00. Entrada franca. 21 2299 5586.

Nascida em Portugal e criada no Brasil, o nome Carmem Miranda (1909–1955) é sinônimo da exuberância e do estilo brasileiro. Este pequeno museu fica em um prédio desenhado pelo arquiteto Affonso Eduardo Reidy. Dedicado à famosa estrela, o museu tem um acervo de mais de 3.000 peças *(somente algumas em exibição de cada vez)*, que inclui seus famosos sapatos de plataforma, turbantes, fantasias e bijuterias.

DESCUBRA O RIO DE JANEIRO

FLAMENGO E CATETE★

Estes bairros possuem vários monumentos históricos, incluindo palácios e museus — o destaque é sem dúvida o Museu da República, no deslumbrante Palácio do Catete. A área também se orgulha de interessantes casas e edifícios de apartamentos dos séc. XIX e XX, que revelam a grandeza do passado. Infelizmente, a má conservação de alguns edifícios comerciais descaracterizam o bairro.

▶ **Oriente-se:** Os bairros do Catete e Flamengo ficam localizados entre os bairros da Glória (●ver p.125) e Botafogo (●ver p.150) e cada um deles tem uma estação de Metrô com seu nome.

⊛ **Não perca:** A suntuosa decoração interior do Palácio do Catete, antiga residência dos presidentes do Brasil. E não deixe de parar na loja do Centro Nacional do Folclore e Cultura Popular, que se encontra no térreo do Museu da República.

◔ **Organize seu tempo:** O Museu da República não abre às segundas-feiras. Evite passear pelo bairro à noite, quando as ruas estão desertas e pouco seguras.

🄺 **Para crianças:** O jardim do Museu da República tem muito espaço para brincar e um parquinho para crianças menores de 10 anos. Se você tiver filhos adolescentes, leve-os ao Oi Futuro para verem as inovadoras exposições de arte digital ou mídia interativa.

Um pouco de história

Ligação natural

Os bairros da Glória e Catete se desenvolveram no séc. XVI como uma ligação entre o Centro histórico (●ver p.94) e as praias da Zona Sul (●ver p.154).

Naquela época, a Rua do Catete se chamava Caminho do Boqueirão da Glória. Ela fazia limite com um pântano alimentado por um braço do Rio Carioca que descia do Corcovado pelo vale das Laranjeiras, desaguando no mar na Praia do Flamengo. Alguns afirmam que o nome Flamengo se originou dos belos flamingos vermelhos que antigamente frequentavam a praia, outros insistem que tem origem na presença de prisioneiros de guerra flamengos que viveram no local no séc. XVII.

Ricos moradores

No séc. XVIII, o Catete e o Flamengo possuíam chácaras e olarias, que se beneficiavam da abundância de água da região. Seu perfil começou a mudar no séc. XIX, atraindo moradores ricos, tendo em vista sua proximidade com o Centro. O Flamengo e o Catete tornaram-se bairros aristocráticos, como pode testemunhar o Palácio do Catete (●ver Museu da República, ao lado), construído por um rico barão do café.

A Rua do Catete mantém alguns traços de seu grandioso passado, com fachadas e casas inteiras — principalmente entre os números 126 e 196 — que datam do final do séc. XIX.

Sucesso comercial

No séc. XX, devido à proximidade com o Centro e à crescente valorização dos bairros da Zona Sul, o Catete se transformou em área comercial. Um dramático crescimento urbano tornou impossível preservar o charme do bairro.

Atrações

Museu da República★★

✕Rua do Catete 153. ◔Ter–Sex 10h00–18h00; Sáb, Dom e feriados 13h00–18h00. ◉R$ 6,00. Entrada franca Qua e Dom. ✆21 3235 2650. www.museudarepublica.org.br.

Em 1897, pouco depois da proclamação da República, o **Palácio do Catete** se tornou a residência do presidente — papel que desempenhou até abril de 1960, quando foi inaugurada a nova capital, Brasília.

O Palácio do Catete então passou a ser o Museu da República. O prédio é um lindo exemplo de arquitetura urbana de meados do séc. XIX e a sua visita é uma

FLAMENGO E CATETE

CNFCP

O Centro Nacional de Folclore e Cultura Popular ou CNFCP *(Rua do Catete 181; aberto Ter–Sex 11h00–18h00; Sáb, Dom e feriados 15h00–18h00; ✆21 2285 0441; www.cnfcp.gov.br)* tem uma lojinha que vende arte e artesanato brasileiros, além de uma variada seleção de livros, CDs e cartões postais relacionados com a arte folclórica e a cultura brasileiras.

aula de História do Brasil, do Império (1840–1889) à República (1899–1930). Um dos palácios mais luxuosos do país, o Catete tem uma decoração interior deslumbrante, com mobília e objetos de arte de grande beleza e qualidade. Acréscimos posteriores incluíram a energia elétrica — um dos primeiros lugares do Brasil a recebê-la — e as águias de bronze, no alto da fachada, criadas pelo escultor **Rodolfo Bernadelli**, o que originou o apelido dado ao prédio de "Palácio das Águias".

Uma sequência de salões luxuosos era usada para receber convidados, autoridades, diplomatas. Estes se reuniam no **Salão Veneziano**, iluminado por um enorme lustre de cristal, enquanto que o **Salão Mourisco**, com decoração islâmica, era reservado aos homens, como sala de fumar e de jogos. As refeições do presidente eram feitas no **Salão de Banquetes**, onde uma cópia da famosa obra *Diana*, de Domenichino, decora o teto.

No último andar, ficavam os aposentos particulares do Presidente da República onde, em 1954, **Getúlio Vargas** se suicidou com um tiro no coração. O **quarto**, incrivelmente austero, foi preservado, junto com o bilhete suicida, o Colt calibre 32 que Getúlio usou e o pijama listrado, onde se vê o local onde a bala penetrou.

Oi Futuro

Rua Dois de Dezembro 63.
Aberto Ter–Dom 11h00–20h00.
Entrada franca. ✆21 3131 3060.
www.oifuturo.org.br.
Propriedade da empresa de telecomunicações Oi, este centro cultural ocupa oito níveis. Excluindo uma pequena

Escada luxuosamente decorada do Palácio do Catete

exibição permanente sobre a história do telefone, este é um espaço dotado da mais alta tecnologia.
As exibições temporárias de arte contemporânea, as apresentações e os eventos culturais são variados, mas privilegiam a vanguarda. Um cybercafé, localizado no último andar, serve almoços e lanches.

CASA DE ARTE E CULTURA JULIETA DE SERPA

Praia do Flamengo. ✆21 2551 1278.
www.casajulietadeserpa.com.br.
A instituição está instalada em um requintado edifício do início do séc. XX, em estilo Eclético, e organiza exposições temporárias, eventos e cursos. A casa de chá **Salão D'Or** (Salão de Ouro) oferece salgadinhos, delicados mini doces e croissants, todos apresentados em porcelanas finas *(aberta Ter–Sáb 16h00–19h00)*.
No **Piano Bar J. Club**, você pode apreciar coquetéis acompanhados por música ao vivo, desde MPB até Jazz *(aberto Sex–Sáb a partir das 21h00)*. Também há um **restaurante francês** (Restaurante Blason) e um **bistrô** (Bistrô BS) *(ambos abertos Seg–Sex 12h00–16h00, Ter–Sáb 19h00–23h00)*. Entre em contato previamente para se informar sobre as exposições temporárias e fique atento aos eventos culturais regulares.

DESCUBRA O RIO DE JANEIRO

BOTAFOGO

Durante o período colonial, o português José Pereira de Souza Botafogo foi um dos primeiros habitantes da região, dando seu nome ao bairro e à praia. Botafogo é um bairro de passagem, de perfil residencial e comercial, abrigando a sede de diversas empresas importantes. Inegavelmente mais calmo do que os bairros litorâneos próximos, recentemente a área ficou mais movimentada com vários bares e restaurantes, shopping centers e alguns museus interessantes.

- **Oriente-se:** Indo em direção à Zona Sul, Botafogo fica antes de Copacabana e da Urca e depois do Flamengo. As três principais ruas de Botafogo são: Rua São Clemente (que vai em direção aos bairros da Lagoa e Jardim Botânico), Rua Voluntários da Pátria (que vai em direção aos bairros de Laranjeiras e Catete) e Avenida Praia de Botafogo (junto aos prédios e paralela à pista junto ao mar da Avenida Infante Dom Henrique).
- **Não perca:** Para os estudiosos, o esplêndido museu instalado na casa do lendário político brasileiro Rui Barbosa. Os viciados em compras adorarão o enorme shopping center Rio Sul (*ver Compras, p.262*), junto ao túnel que liga Botafogo a Copacabana, e seu irmão menor, o Botafogo Praia Shopping.
- **Organize seu tempo:** Não planeje passar seu tempo na Praia de Botafogo, cujas águas não são apropriadas para o banho de mar. Note que somente o Museu Villa-Lobos está aberto às segundas-feiras.
- **Para crianças:** O Museu Casa de Rui Barbosa contém uma biblioteca para crianças, informações sobre o museu em forma de jogos infantis e um espaçoso jardim. O Museu do Índio é outro local muito interessante.

Atrações

Museu Casa de Rui Barbosa★★ *Kids*
Rua São Clemente 134. Aberto Ter–Sex 09h00–17h30; Sáb, Dom e feriados 14h00–18h00. R$ 2. 21 3289 4600. www.casaruibarbosa.gov.br.
Rui Barbosa de Oliveira (1849–1923) foi um político liberal, jornalista e, mais tarde, juiz no Tribunal Internacional de Justiça, em Haia. Ele teve um papel fundamental no movimento abolicionista brasileiro.
Em 1895, Rui Barbosa comprou esta residência Neoclássica, que tinha sido construída em 1859 por Bernardo Casimiro de Freitas, Barão da Lagoa. Quando Rui Barbosa morreu, o governo federal a adquiriu, inaugurando o museu em 1930. Hoje, a Fundação Casa de Rui Barbosa é um centro de pesquisas.

Museu Casa de Rui Barbosa

BOTAFOGO

A casa e os jardins são um fascinante retrato do ambiente doméstico das classes médias brasileiras no final do séc. XIX. Acabamento em granito e detalhes em estuque enfeitam as janelas e portas, e as estátuas, no telhado, representam os quatro continentes. Na frente da casa, os cômodos principais dão para uma varanda com grade de ferro forjado (típica do período), mas esta entrada era usada somente para recepções e eventos sociais. A entrada do museu, a mesma que antigamente era utilizada diariamente por seus moradores, está localizada do lado direito da casa.
Cerca de 1.500 objetos pertencentes a Rui Barbosa e à sua família podem ser encontrados no interior lindamente conservado, incluindo porcelana japonesa e finos móveis europeus; na garagem, está o seu automóvel Benz de 1913.
A biblioteca pessoal do estadista, que conta com 37.000 volumes, e as salas de jantar, de música e de visitas representam uma página na história social do Rio de Janeiro. Os concertos, cursos e espetáculos teatrais que ali ocorrem fazem deste museu uma casa viva.
Os belos jardins são um oásis de tranquilidade para mães e crianças, em meio ao bairro movimentado.

Museu do Índio★ Kids
Rua das Palmeiras 55.
Aberto Ter–Sex 09h00–17h30; Sáb, Dom e feriados 13h00–17h00. R$ 3. Grátis Dom. 21 3214 8702. www.museudoindio.org.br.
Inaugurado em 1953 com o objetivo de conservar e mostrar o patrimônio cultural dos povos indígenas do Brasil, o Museu do Índio está instalado em Botafogo desde 1979. O museu é dirigido pela Fundação Nacional do Índio (FUNAI), a única instituição governamental que representa os mais de 220 grupos étnicos dos índios brasileiros.
O prédio principal, de 1880, possui no seu interior e à sua volta um circuito de exposições informativas, divididas em vários aspectos da vida indígena.
A exposição exibe adornos, armas de caça e de guerra, peças da arte em cerâmica e em palha e uma canoa feita de um tronco de árvore. Fotografias e vídeos permitem que os visitantes

Museu do Índio

observem alguns dos rituais tradicionais dos grupos indígenas, como as corridas dos índios Timbira, usando grandes troncos como bastões de revezamento. A exposição mostra também detalhes dos complexos rituais funerários do *Kwarup* das tribos do Alto Xingu, assim como máscaras rituais, pertencentes a diversos grupos étnicos. Há também um pequeno exemplo do interior de uma casa Xingu. O Museu possui uma loja que vende objetos artesanais feitos pelos índios brasileiros.

Museu Villa-Lobos
Rua Sorocaba 200.
Aberto Seg–Sex 10h00–17h00. R$ 2. Tours disponíveis com reserva. 21 2266 1024/2266 3894. www.museuvillalobos.org.br.
O famoso compositor brasileiro Heitor Villa-Lobos (1887–1959) foi um mestre na integração dos mais diversos estilos musicais. Muitos consideram as *Bachianas Brasileiras* como a sua maior obra, que mistura modulações e contramelodias de músicas folclóricas brasileiras com a música de Bach. Nesta charmosa mansão do séc. XIX, há uma pequena coleção de objetos pessoais da diversificada e interessante vida de Villa-Lobos, incluindo uma ampla biblioteca e arquivos sonoros. Também estão no acervo algumas cartas pessoais, fotografias, partituras e um curta-metragem sobre a vida e o trabalho do compositor. Alguns concertos são realizados na concha acústica que se encontra no agradável jardim.

151

DESCUBRA O RIO DE JANEIRO

URCA ★

Notável por sua beleza natural, história e patrimônio arquitetônico, a Urca é um oásis de paz no meio da vibrante e efervescente cidade. É muito agradável passear pelas suas ruas, pela pequena Praia da Urca e junto à amurada, até o Bar Urca, próximo à Fortaleza de São João, onde as pessoas se sentam para beber e comer, olhando o vai e vem dos barcos na Baía de Guanabara. O Pão de Açúcar, com seu bondinho, é a principal atração da área e uma parada obrigatória para qualquer visitante do Rio.

▶ **Oriente-se:** A Urca é um bairro compacto de menos de 2,5 km^2, que ocupa uma península montanhosa na ponta sul da Baía de Guanabara.

◉ **Não perca:** Subir o Morro do Pão de Açúcar de bondinho; caminhar entre a mata e o oceano na Pista Cláudio Coutinho.

◷ **Organize seu tempo:** Para evitar as horas mais cheias, visite o Pão de Açúcar cedo ou ao pôr do sol, que é de uma beleza espetacular.

Kids **Para crianças:** Borboletas e pássaros coloridos e até macaquinhos podem ser vistos numa caminhada leve e fácil pela Pista Cláudio Coutinho.

Um pouco de história

No início...
Existem algumas histórias sobre a origem do nome do bairro. Uma das mais criativas se refere à semelhança da forma do Morro da Urca com a dos barcos flamengos, chamados urcas, que frequentavam a Baía de Guanabara.
A construção do bairro data dos anos 1920 e, por isso, existem exemplares de diversos estilos, sobretudo Art Déco e Eclético de tendência Neocolonial.
A área se destaca no Rio como uma pérola arquitetônica.

Pão de Açúcar ★★★ Kids

Av Pasteur 520. ◷*Aberto diariamente 08h00–19h50.* ◉*R$ 44.* ✕ ♿ ℘*21 2461 2700. www.bondinho.com.br. Escolha um dia sem nuvens para sua visita.*
Erguendo-se entre o Morro da Urca e o Morro Cara de Cão, o Pão de Açúcar (◉*ver também p.144*) está no coração da história do Rio de Janeiro. Foi aqui que Estácio de Sá desembarcou em 1º de março de 1565 e onde construiu o núcleo original da cidade. Situado na entrada da Baía de Guanabara (◉*ver p.195*), este enorme bloco de pedra, de 395 m de altura, é um símbolo do Rio, reconhecido mundialmente.

Em 1908, o engenheiro brasileiro Augusto Ferreira Ramos teve a ideia visionária de um percurso aéreo até o topo do Pão de Açúcar. O audacioso projeto, usando equipamento alemão e mão-de-obra brasileira e portuguesa era, quando foi inaugurado em 1912, o primeiro teleférico do Brasil, e apenas o terceiro do mundo. Os passageiros subiam em bondes de madeira com janelas com cortinas, como se pode ver numa exposição na estação do teleférico. Renovado em 1972, o bondinho participou do filme *007 Contra o Foguete da Morte* (1979), em que James Bond luta, desafiando a morte, no teto do bondinho.
O trajeto até o topo do Pão de Açúcar é feito em dois estágios e é muito bonito e rápido — cada estágio dura apenas três minutos. Do bondinho, à direita, você verá a Praça General Tibúrcio e a Praia Vermelha, onde um busto de Chopin contempla o oceano.
No primeiro trecho, até o Morro da Urca, que está a 224 metros de altura, são percorridos 575 metros. Do alto do morro se tem uma linda vista panorâmica, uma amostra do espetáculo a ser desfrutado no topo do Morro do Pão de Açúcar.
O segundo trecho leva ao topo do Morro do Pão de Açúcar. Este ponto proporciona uma **vista** ★★★ sensacional que abrange o Corcovado, com a estátua do Cristo Redentor (◉*ver p.134*), o

URCA

Bondinho do Pão de Açúcar

emaranhado de edifícios de Botafogo e do Flamengo e a orla de suas praias, pontilhada de barquinhos. Para leste, você pode ver as praias de Copacabana e Ipanema e o oceano. Para o outro lado, o Centro da cidade e, ainda mais adiante, a Ponte Rio-Niterói, cortando a Baía de Guanabara, a cidade de Niterói e as suas praias oceânicas. Lindo é apreciar esta vista ao entardecer.

Outra atração

Pista Cláudio Coutinho★ Kids
Praia Vermelha. ◉*Aberta diariamente 06h00–18h00. Devido à sua localização, dentro de uma área militar, esta caminhada é muito segura.*
Em um canto da Praia Vermelha, aos pés do Morro da Urca, encontra-se uma das mais agradáveis caminhadas do Rio. A pista homenageia Cláudio Coutinho, ex-treinador da seleção brasileira de futebol, mas também é conhecida como Estrada do Costão ou "Caminho do Bem-Te-Vi". A trilha contorna a base dos Morros da Urca e do Pão de Açúcar e tem 2.500 m, ida e volta. Passando muito perto do mar, esta área verde é habitada por atrevidos macacos-pregos (capuchinhos).

Monumento aos Heróis de Laguna e Dourados
Praça General Tibúrcio, ♿.
Este monumento Art Déco em granito e bronze é um tributo aos soldados e a todos os que morreram na guerra do Brasil com o Paraguai, em 1864.

Praia Vermelha
A pequena e abrigada Praia Vermelha, aos pés do Morro da Urca, recebeu este nome pela cor de suas areias. Infelizmente, suas águas ainda são poluídas, mas a praia oferece uma vista espetacular do Pão de Açúcar. A Ilha Contunduba, que fica perto do litoral rochoso, está na entrada da Baía de Guanabara.

Vitrine Arquitetônica

O bairro da Urca é uma vitrine de estilos arquitetônicos. Na Rua Urbano Santos, número 26, temos um belo exemplar de residência Art Déco, assim como, na Praia da Urca, o antigo Cassino da Urca segue o mesmo estilo. Na Rua Otávio Correia, números 75 e 85, e na Rua Urbano Santos, número 17, existem modelos de Chalés. A área também possui casas modernistas, prédios de três e quatro andares dos anos 60 e 70, além de prédios residenciais mais recentes. No bairro, ainda existem grandes prédios do início do séc. XX em estilo Eclético, como os que abrigam o Instituto Benjamin Constant e a Companhia de Recursos Minerais, ambos na Avenida Pasteur 350 e 404, respectivamente. O prédio mais notável é o da Reitoria da Universidade Federal do Rio de Janeiro (UFRJ), na Avenida Pasteur 250, em estilo Neoclássico, que foi um dos primeiros da região e que, originariamente, abrigou o Hospício D. Pedro II (1852).

PRAIAS DA ZONA SUL

O litoral em curvas da Zona Sul, começa no Leme, continua em Copacabana, passa pelo Arpoador e por Ipanema e chega ao Leblon. Cada um destes bairros possui uma personalidade própria mas, juntos, eles contribuem para o indiscutível fascínio do Rio de Janeiro. Da manhã até a noite, as calçadas e areias estão sempre cheias de turistas e de moradores da cidade, todos desfrutando de um dos trechos de praias mais belos do mundo. Na orla da Zona Sul se vende quase tudo, desde protetor solar até caipirinhas e batidas feitas com frutas frescas e que dão o toque especial a este espaço da cidade.

Destaques

1. Se o mar não estiver forte, passeie no agradável **Caminho dos Pescadores,** ao redor do Morro do Leme (ver p.158).
2. Tome um café da manhã ou um brunch no lendário Hotel **Copacabana Palace** (ver p.161).
3. Aprecie a vista do charmoso terraço externo do **Café do Forte** (ver p.240).
4. Passeie pelas ruas e confira as butiques chiques de **Ipanema** (ver p.162).
5. Vá ao **Arpoador** (ver p.164) assistir ao pôr-do-sol mais lindo do Rio.

História na areia

Leme, Copacabana, Ipanema, Leblon e a Lagoa já foram uma só área chamada pelos Tupis de Sacopenapã, referência à Lagoa de Sacopenapã, atual Lagoa Rodrigo de Freitas. Até meados do séc. XVIII, as praias da Zona Sul formavam uma área, de terreno arenoso e pantanoso, isolada do resto da cidade, frequentada por pescadores, aves e baleias.
A longa extensão de praias é pontuada pelo Morro do Leme, pela Pedra do Arpoador e pelo Morro Dois Irmãos. Atualmente as praias estão divididas por postos salva-vidas, pontos de orientação e de referência. Por trás dos prédios, estão os morros que brotavam deste imenso areal e que agora só podem ser vistos através das ruas transversais.

Pôr do sol na Praia de Ipanema, Morro Dois Irmãos ao fundo

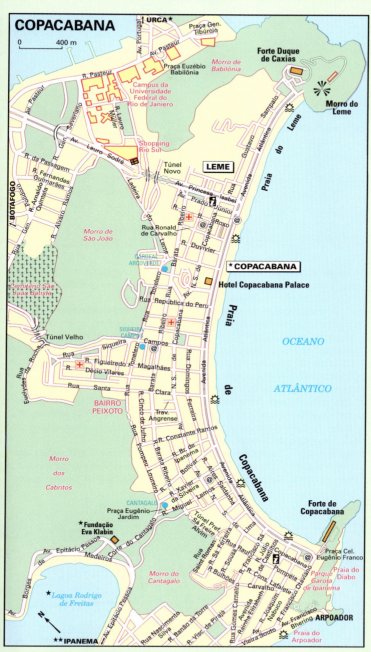

Segurança em primeiro lugar
As correntezas e a maré alta podem significar perigo nas praias do Rio. Até os nadadores mais experientes estão cientes disso e do risco de afogamento. Tome cuidado e observe as bandeiras e avisos que indicam o perigo das correntezas ou do mar forte.

Jogando futebol na Praia do Leblon

Os postos salva-vidas, localizados nas areias, junto à calçada, funcionam das 08h00 às 20h00, durante o verão, e, por menos horas, durante o inverno. No inverno, as ondas podem chegar a 3 m de altura, o que é ótimo para os surfistas, mas um perigo para os banhistas.

A qualidade das águas destas praias é boa, sobretudo porque a maioria delas está em mar aberto. Porém, a qualidade da água pode ficar ruim dependendo da correnteza e do tempo. Um bom sinal é se elas apresentarem um tom azul claro. Apesar das praias serem feericamente iluminadas durante a noite, para a prática de esportes, como o futebol e o vôlei, prefira passear pelo calçadão, onde estão instalados os quiosques que servem bebidas e comidinhas.

Parada para descansar

Os quiosques estão em intervalos regulares ao longo das praias. Alguns deles, em Copacabana passaram por uma renovação e agora contam com banheiros subterrâneos, chuveiros e até fraldários.

Os postos salva-vidas também possuem banheiros e chuveiros internos, que podem ser utilizados pagando-se uma pequena taxa.

Nas areias das praias, as barracas alugam cadeiras de praia e guarda-sóis e, por um preço razoável, as pessoas que nela

trabalham levam bebidas até você.
O serviço é sempre amigável e confiável e os proprietários dessas barracas, com frequência, estão por perto, olhando por você. Muitos dos cariocas já têm praias, pontos e quiosques favoritos.
Nos quiosques do calçadão, tome uma caipirinha ou uma refrescante cerveja no final da tarde, quando o clima está mais fresco, ou prefira uma água de coco para se manter hidratado nos horários mais quentes do dia. Depois que já tiver bebido toda a água do seu coco, usando o canudinho, leve-o de volta para ser cortado ao meio e experimente a sua macia e nutritiva polpa.

Quando em Roma...
Nem precisa dizer que as praias são um espaço de descontração dos cariocas e dos visitantes da cidade. A maneira de se vestir para ir à praia, para um turista, é muito importante.
As mulheres usam maiôs e biquínis, alguns bem pequenos, porém nunca devem fazer topless. Compre um par de sandálias Havaianas, praticamente obrigatórias nas praias do Rio, tanto para os homens quanto para as mulheres (existem também modelos infantis muito simpáticos e coloridos).
As toalhas e os trajes de praia europeus revelam o turista. O melhor é fazer como os cariocas fazem: não ir muito vestido para a praia, levar uma canga para se deitar na areia ou alugar uma cadeira e um guarda-sol ali na praia mesmo. Não

Esporte e Lazer
As praias do Rio de Janeiro oferecem muito mais do que somente sol: você pode tomar um drinque, fazer uma refeição, trabalhar e, em especial, se exercitar. Durante o dia inteiro veem-se pessoas caminhando, jogando vôlei, surfando, praticando jogging e improvisando sessões de aeróbica no calçadão e na areia. **O futebol de praia** é bem popular, como comprovam as redes espalhadas pela praia. Copacabana com frequência recebe campeonatos mundiais de futebol de praia. A variação brasileira do vôlei é o **futevôlei**, que é jogado com uma rede como um jogo normal, mas o contato com a bola é limitado apenas à cabeça, ombros e pés: um espetáculo acrobático e cativante que só de ver já cansa. Aos domingos e feriados, como a pista da Avenida Atlântica mais próxima da areia é fechada ao tráfego de veículos, os ciclistas, joggers, patinadores, capoeiristas e músicos invadem o espaço com força total.

se deve ir à praia com objetos de valor, somente o dinheiro necessário para as pequenas despesas. Não se esqueça do filtro solar e de um chapéu ou boné.

IPANEMA E LEBLON

😊 Dica 😊
Nos quiosques de Copacabana, os vendedores ambulantes, que circulam no calçadão, vão tentar vender de tudo a você. Ao visitar qualquer uma das praias do Rio, use roupas casuais e leve pouco dinheiro. Se quiser tirar fotos, use sua câmera por pouco tempo e leve-a de volta para o hotel. Evite pegar táxis na frente de hotéis de luxo; ande um pouco e acene para um táxi na rua. Assim, você evitará preços mais altos.

157

DESCUBRA O RIO DE JANEIRO

LEME

Plantada de coqueiros, junto à calçada, esta pequena praia se estende por quase um quilômetro, em uma das extremidades de Copacabana. Com poucos restaurantes e hotéis, este bairro oferece uma experiência muito mais tranquila do que a sua vizinha mais turística e famosa. Em área pertencente ao Exército, as encostas do Morro do Leme são cobertas de vegetação nativa.

- **Oriente-se:** O Leme tem uma rua principal e pequenas transversais. A Avenida Princesa Isabel separa o Leme de Copacabana. Uma rua na parte interna do bairro dá acesso ao Morro Chapéu Mangueira, uma das mais antigas favelas do Rio. Se você quiser usar o Metrô, a estação mais próxima é Cardeal Arcoverde.
- **Não perca:** O encantador passeio pelo Caminho dos Pescadores junto ao Morro do Leme (somente com o mar calmo) e uma visita ao Forte do Leme, com sua espetacular vista de Copacabana, do Morro da Urca e do Pão de Açúcar, assim como do oceano, em frente à entrada da Baía de Guanabara.
- **Organize seu tempo:** A melhor hora para visitar é durante o nascer e o pôr do sol, quando o clima está mais fresco, há menos pessoas e ótimas oportunidades para fotos.
- **Para crianças:** As famílias apreciam esta praia de mar calmo.

Atrações

Forte Duque de Caxias
Praça Almirante Júlio de Noronha s/n. Aberto Sáb, Dom e feriados 09h00–17h00. R$ 3. 21 2275 7696.
Apesar de fazer parte de um complexo militar, nos fins de semana e feriados é possível fazer a caminhada de 210 m até o forte, onde há uma **vista** de toda a Praia de Copacabana e, do outro lado, das praias de Niterói. Uma bandeira do Brasil marca o antigo Forte da Vigia, ali construído em 1779. Os visitantes do atual Forte Duque de Caxias (construído em 1913) podem andar pelas ameias e observar os obuseiros de 280 mm, montados em poços escavados na rocha e protegidos por casamatas. Estes canhões com trajetória curva, feitos pela empresa alemã Krupp, foram instalados em 1919 para serem usados contra navios que tentavam se esconder atrás das ilhas.

Morro do Leme
O mar agitado pode tornar a trilha perigosa para caminhar.
Ao redor da base do morro, está localizada uma charmosa trilha conhecida como **Caminho dos Pescadores**, construída em 1985. Enquanto caminha por esta área próxima ao mar, você poderá encontrar pássaros, borboletas e até micos, assim como pescadores.

Praia do Leme
Esta praia de quase um quilômetro de extensão, é muito popular entre as famílias pelas suas águas calmas e ambiente tranquilo. Com frequência, é possível ver os surfistas tentando pegar uma onda perto do Morro do Leme e os jogadores se reunindo na quadra de vôlei da praia. Em direção a Copacabana, encontra-se o Posto 1, o primeiro dos 12 que se estendem pela orla de Copacabana, Ipanema e Leblon.

Praia do Leme e Morro do Leme

COPACABANA ★

A Praia de Copacabana, localizada entre os morros e o oceano, possui fama mundial e de longa data. O antigo glamour não é mais o mesmo e Copacabana divide as atenções com sua irmã mais nova: Ipanema. No entanto, a praia ainda consegue manter a fama conquistada em décadas passadas, por ser uma área de lazer das mais animadas e cosmopolitas da cidade do Rio de Janeiro.

- **Oriente-se:** A Avenida Nossa Senhora de Copacabana, localizada a uma quadra da praia, é toda de lojas. A praia se estende para o sul, a partir do Leme e até a Ponta do Arpoador, que a separa de Ipanema. As estações de Metrô do bairro são: Cardeal Arcoverde, Siqueira Campos e Cantagalo.
- **Não perca:** Tome um café da manhã ou faça um brunch no restaurante da piscina do Hotel Copacabana Palace. Depois dê um passeio pelo calçadão preto e branco de Copacabana, desenhado por Burle Marx; relaxe e curta a atmosfera local.
- **Organize seu tempo:** Após as 19h00, começa uma feira noturna de arte e artesanato (ver p.263).
- **Para crianças:** Aos domingos, alugue uma bicicleta e passeie pela ciclovia.

Um pouco de história

De onde veio o nome?

A praia recebeu este nome por causa da igreja de Nossa Senhora de Copacabana que estava localizada onde hoje está o Forte de Copacabana (ver p.161). Acredita-se que ela tenha sido construída no séc. XVII, porém foi destruída no séc. XX. A imagem da Virgem miraculosa, cultuada no povoado de Copacabana, às margens do Lago Titicaca, na Bolívia, foi trazida por comerciantes das colônias espanholas e ainda pode ser vista na paróquia da Ressurreição, no Posto 6.

Uma praia isolada

Até o séc. XIX, Copacabana tinha apenas uma igreja, algumas casas, cajueiros e velhos barcos pesqueiros. Devido aos morros que circundavam sua imaculada praia, o acesso por terra era muito difícil. Em 1892, foi aberto um túnel, o Túnel Velho, ligando Botafogo a Copacabana. Entre 1902 e 1906, o Prefeito Pereira Passos abriu um outro túnel, o atual Túnel Novo, com duas seções, mais próximo ao Leme, que é hoje o principal acesso ao bairro. No início do séc. XX, com a chegada do bonde elétrico e a construção da Avenida Atlântica, o bairro cresceu.

Praia de Copacabana

DESCUBRA O RIO DE JANEIRO

Forte de Copacabana

Elegância e estilo

Algumas fotografias antigas, do início da década de 1920, mostram o Hotel Copacabana Palace sozinho no meio do areal. Quando este hotel foi inaugurado em 1923, causou um grande impacto por suas características inovadoras e, literalmente, criou uma nova tendência: de repente ficou na moda viver uma vida saudável à beira-mar. As pequenas casas de pescadores foram gradualmente substituídas por outras maiores, para veraneio. Estas construções, algumas palacianas, acompanhavam o estilo Eclético. Mais tarde, começaram a surgir edifícios com mais de quatro andares, estes em estilo Art Déco, sendo que alguns deles ainda podem ser encontrados em algumas ruas transversais.

Crescimento urbano

Desde então, Copacabana tem crescido verticalmente, mas, infelizmente, a importância dada à beleza arquitetônica deu lugar a construções práticas e enormes. Aos grandes blocos de apartamentos se juntaram barracos nas encostas dos morros próximos, formando hoje uma das maiores densidades urbanas do mundo. A Avenida Atlântica, na orla, tem uma mistura variada de hotéis e restaurantes. A Avenida Nossa Senhora de Copacabana é dedicada ao comércio e serviços. Um local tranquilo é o pequeno **Bairro Peixoto**, na parte interna de Copacabana, próximo ao Túnel Velho, que possui prédios menores e mais baixos, fazendo imaginar como seria a Copacabana de algumas décadas atrás.

Atrações

Praia de Copacabana★★★

A larga e movimentada Avenida Atlântica, pontilhada de coqueiros e amendoeiras, acompanha os 4 km da praia. O calçadão de **mosaicos ondulados** em preto e branco (mosaico em basalto e calcário), desenhado pelo grande **Burle Marx**, interpreta de forma altamente moderna e abstrata o tradicional modelo português.
A praia é marcada por postos salva-vidas desde o número 2, no Leme, até o 6, próximo ao **Forte de Copacabana** (ver p. abaixo). A praia é um espaço onde é possível encontrar todos os tipos de pessoas: aposentados tomando sol, casais de namorados, turistas recém-chegados, adolescentes e crianças. O Posto 3, em frente ao Hotel Copacabana Palace, atrai bastante os turistas e, por

---

 Dica

Muitos visitantes se surpreendem ao notar que Copacabana é bem mais barata que Ipanema. Os hotéis, restaurantes, supermercados e lojas são mais baratos por serem destinados ao público local e não aos turistas.

COPACABANA

isso, deve-se ter mais atenção. Há uma escola de futebol no Posto 4, destinada às crianças e adolescentes locais. Ao longo do Posto 5, a praia é geralmente calma e, no Posto 6, a estátua de bronze do poeta Carlos Drummond de Andrade está em um banco na calçada. Próximo a esta área, encontra-se uma colônia de pescadores com suas redes e barcos, que vende peixes de manhã cedo, quase todos os dias.

Copacabana Palace★★
Av. Atlântica 1702. ◷*Aberto 24 horas (bar da piscina aberto diariamente até a meia noite).* ✖ ☏*21 2545 8790. www.copacabanapalace.com.br.*
Projetado para o industrial Octavio Guinle pelo arquiteto francês **Joseph Gire** (1872-1933), inspirado em dois hotéis da Riviera Francesa (o Negresco, em Nice, e o Carlton, em Cannes), o Copacabana Palace é conhecido como o hotel preferido de chefes de Estado, artistas e celebridades. O hotel foi construído em 1923 e sua deslumbrante fachada branca é uma imagem imponente para os visitantes. No interior, o glamour da década de 1920 volta à vida, com mármores, candelabros e um grande salão de dança.
Fred Astaire e Ginger Rogers dançaram juntos pela primeira vez no Copacabana Palace em um clássico do cinema, *Voando para o Rio* (*Flying Down to Rio*, 1933). Na verdade, a cena de Fred e Ginger foi filmada num estúdio de Hollywood que reproduzia o hotel... No entanto, quando o filme foi lançado, confirmou a reputação do Rio de Janeiro como um destino glamoroso, com o Copacabana Palace em destaque. Ao longo dos anos, uma

UM DIA ESPECIAL
Marriott
Avenida Atlântica 2600, Copacabana. Aberto diariamente 09h00–21h00 (a academia fecha às 23h00). ✺*R$ 60.* ☏*21 2545 6500. www.marriott.com.*
Se você desejar tirar proveito das instalações deste hotel sem ter que gastar muito, existe a ótima opção de **uso por um dia**. Por um valor determinado, você pode usar a piscina no terraço, chuveiros, sauna, academia de ginástica e spa.

lista impressionante de hóspedes famosos ficaram no "Copa" e continuam a se hospedar lá, como demonstram as fotos que cobrem as paredes dos corredores do primeiro andar.

Forte de Copacabana★
Av. Atlântica, Posto 6.
◷*Aberto Ter–Dom e feriados 10h00– 17h00 (exposição), 10h00–20h00 (área externa).* ✺*R$ 4.* ✖ ☏*21 2521 1032. www.fortedecopacabana.com.*
O forte está localizado no fim da Praia de Copacabana. Construído entre 1908 e 1914, ele agora abriga o **Museu Histórico do Exército**. Os visitantes são recebidos pela entrada principal *(trajes de praia não são permitidos)*, passam pelo Café do Forte (◷*ver p.240*) e por uma pequena loja de souvenires. Observe os canhões expostos nas ameias. A principal atração do forte é a **vista** espetacular de Copacabana e do Pão de Açúcar. Exposições temporárias também são realizadas no forte, assim como grandes espetáculos e shows.

A Rainha do Mar
Em termos de popularidade, as festividades do **Réveillon** só perdem para o Carnaval e concentram-se principalmente em Copacabana (◷*ver p.37*). Na Praia de Copacabana, **Iemanjá**, a rainha do mar, é honrada em um ritual espiritual e tocante. Muitas pessoas fazem oferendas de flores (em especial, rosas brancas), velas, joias de prata, doces e champanhe em pequenos barcos lançados no mar. **Iemanjá** é uma divindade das religiões afro-brasileiras, representada como uma união da Virgem Maria com uma sereia. Um grande número de cariocas, quase todos vestidos de branco, conforme a tradição, reúnem-se na praia para saudar o Ano Novo — o espetáculo religioso acrescenta mais um elemento aos brindes tradicionais.

DESCUBRA O RIO DE JANEIRO

IPANEMA ★★

Tanto os cariocas como os visitantes da cidade gostam de vir a esta elegante e descontraída área da orla carioca. Mas há muito mais neste bairro inovador do que a famosa praia. Com suas ruas e praças arborizadas, butiques e galerias de arte interessantes, cafés e bares agradáveis e diversificados, tudo a curtas distâncias que podem ser percorridas a pé, o bairro de Ipanema tem uma atmosfera única.

- **Oriente-se:** Ipanema é uma restinga, uma estreita faixa de terra que separa o mar e a Lagoa Rodrigo de Freitas. A Avenida Vieira Souto é a rua da praia, porém a principal rua comercial é a Visconde de Pirajá, duas quadras para dentro. Ainda não há uma estação de Metrô no bairro.
- **Não perca:** A Praia de Ipanema dá uma ideia do estilo de vida dos cariocas. Passeie no calçadão, aproveite o sol, curta este local espetacular.
- **Organize seu tempo:** Ipanema pode ficar bem movimentada nos fins de semana e feriados. Domingo é um dia bom, pois a rua da praia é parcialmente fechada ao tráfego de veículos, mas muitas lojas estarão fechadas e a praia fica cheia.
- **Para crianças:** Leve as crianças para comprar um bonito par de Havaianas.

Um pouco de história

O nome foi dado à área pelos indígenas do grupo Tupi-Guarani e significa "águas ruins", uma provável referência à perigosa correnteza do mar que deve ser respeitada. Por muitos anos, Ipanema esteve discretamente próxima da famosa Copacabana, mas, na década de 1960, artistas e intelectuais começaram a se reunir aqui, em casas, restaurantes, bares e até na praia. Desde então, Ipanema continuou a crescer em fama, assim como local de moradia, com a multiplicação dos prédios. A elegante calçada é semelhante à de Copacabana, ainda criada por Burle Marx, mas em uma versão mais geométrica.

Um dos personagens mais famosos de Ipanema, o poeta **Vinicius de Moraes** (1913–1980), que compôs *Garota de Ipanema*, um ícone da Bossa Nova, deu seu nome a uma das ruas do bairro.

Passeio a pé

O bairro de Ipanema é famoso por suas butiques e bares e um passeio a pé na área não estaria completo sem parar para uma caipirinha ou para dar uma olhada em CDs ou moda praia.

As famílias se reúnem no Posto 7 nos fins de semana

IPANEMA

Os endereços comerciais citados abaixo são apenas alguns destaques (ver Sua estada na cidade).

▶ *Comece no Posto 9 na praia.*

Praia de Ipanema★★★
A Praia de Ipanema tem um encanto quase mítico no mundo e não faltam motivos para isto. Em um dia ensolarado, os dois altos picos do Morro Dois Irmãos, no extremo oeste, a Pedra do Arpoador, a leste, e suas três ilhas no mar aberto formam um dos cenários mais lindos do mundo. Assim como em Copacabana, a praia é dividida em postos salva-vidas. A praia mais próxima à Pedra do Arpoador atrai mais famílias e crianças; o ponto de encontro gay é o Posto 8, marcado por uma bandeira gigante com um arco-íris, em frente à Rua Farme de Amoedo; o lendário Posto 9 (famoso por causa da música *Garota de Ipanema*) e o Posto 10 são muito frequentados, sobretudo pelos jovens.

▶ *Suba a Rua Vinicius de Moraes até a esquina da Rua Prudente de Moraes.*

Garota de Ipanema
*Rua Vinicius de Moraes 49 A.
Aberto diariamente das 12h00 até o último cliente.* ✕ ✆ *21 2523 3787. www.garotaipanema.com.br.*
Este bar de esquina, aberto para a rua, foi o local onde Vinicius e Tom Jobim compuseram a famosa música da Bossa Nova, após verem uma bonita "garota" passar em direção à praia — "Olha que coisa mais linda, mais cheia de graça, é essa menina que vem e que passa, no doce balanço, a caminho do mar". Há pôsteres nas paredes com a letra da música que teria sido escrita em um guardanapo. O serviço e a comida são bons. Não espere encontrar muitos cariocas neste bar turístico, que mudou seu antigo nome, Veloso, para homenagear a famosa canção. Opte por um drinque e uma comidinha leve, em vez de um jantar: experimente a *picanha na chapa* e a caipirinha.

▶ *Continue pela Rua Vinicius de Moraes até o número 129, à esquerda.*

Calçadão na Praia de Ipanema

Toca do Vinicius
*Rua Vinicius de Moraes 129.
Aberta Abril–Nov diariamente 10h00–20h00, Dom 10h00–17h00, Dez–Mar 09h00–22h00.* ✆ *21 2247 5227. www.tocadovinicius.com.br.*
Vinicius de Moraes (ver p.162) foi a inspiração para o nome desta loja de CDs, livros e souvenirs. Espere receber um serviço amigável e prestativo dos entusiastas da música. Em alguns domingos, é possível assistir a shows gratuitos na calçada (*19h30 no verão, 20h00 no inverno).*

▶ *Volte para a Rua Visconde de Pirajá, vire à direita e continue até a praça à sua direita.*

Praça Nossa Senhora da Paz
Esta praça tem o mesmo nome da **igreja** próxima, decorada com vitrais alemães e um altar de mármore italiano *(Rua Visconde de Pirajá 339; aberta Seg–Sáb 06h00–20h00, Dom 06h00–22h00;* ✆ *21 2241 0003)*. Um popular presépio é sempre montado na parte externa da igreja, na época do Natal.
A praça em si é um local agradável e arborizado, onde as babás levam as crianças para brincar no Kids **parquinho** e as pessoas descansam em seus bancos à sombra das árvores. Todas as sextas-feiras (*06h00–13h00*) há uma feira livre onde são vendidos legumes, frutas, flores e peixe fresco.

163

DESCUBRA O RIO DE JANEIRO

▶ *Continue pela Rua Visconde de Pirajá até o número 462B.*

Gilson Martins
Rua Visconde de Pirajá 462.
🕐*Aberta Seg–Sáb 10h00–20h00.* ✆*21 2227 6178. www.gilsonmartins.com.br.*
Este apreciado designer brasileiro se inspira nos ícones do Rio, como o Corcovado, os Arcos da Lapa e o Pão de Açúcar, para desenhar suas malas de viagem, maletas, bolsas de maquiagem e estojos. Ele consegue transformar praticamente qualquer coisa utilizando sua exclusiva palheta de cores. Nenhum dos produtos é feito de couro, mas de vinil. Há uma outra loja do designer em Copacabana.

▶ *Continue pela Rua Visconde de Pirajá até a esquina com a Rua Garcia D'Ávila.*

Museu H. Stern
Rua Garcia D'Ávila 113. 🕐*Aberto Seg– Sex 09h00–18h00, Sáb 09h00–12h00.* 🚌*Entrada franca e transporte gratuito de ida e volta de qualquer hotel na Zona Sul.* ✆*21 2106 0000. www.hstern.net/ hsterninrio.*
Os vales e montanhas brasileiros ricos em minerais são responsáveis por aproximadamente 65% da produção mundial de pedras preciosas. Levando isso em consideração, os turistas podem ter interesse em ver as belas coleções deste museu, expostas na sede da famosa joalheria. O museu possui uma exposição permanente de pedras preciosas brutas e a maior coleção de turmalinas lapidadas do mundo, em tons de rosa, vermelho, fúcsia, verde e um azul raro. A **visita guiada às oficinas** *(12 minutos; disponível em 18 idiomas)* mostra as diferentes etapas do processo de fabricação de joias, desde a mineração até o produto final. A joalheria possui também uma ótima loja de souvenirs, não há qualquer pressão para você comprar e o atendimento é muito gentil**.**

▶ *Atravesse a Rua Visconde de Pirajá até o número 449.*

AmazonLife
Rua Visconde de Pirajá 449, segundo andar. 🕐*Aberta Seg–Sex 10h00– 20h00, Sáb 10h00–18h00.* ✆*21 2511 7686. www.amazonlife.com.br.*
Faça compras aqui sem ficar com a consciência pesada. A loja possui uma diversificada gama de produtos, incluindo bolsas e roupas feitas de látex extraído da floresta amazônica. A empresa opera dentro de princípios ecológicos e sociais, com o objetivo de ajudar os produtores locais e de promover a sustentabilidade.

▶ *Continue pela Rua Visconde de Pirajá até o número 27.*

Galeria de Arte Ipanema
Rua Aníbal de Mendonça 27. 🕐*Aberta Seg–Sex 10h00–19h00, Sáb 10h00–14h00.* ✆*21 2512 8832. www.galeria-ipanema.com.*
Criada em 1965, esta galeria de arte expõe trabalhos de importantes artistas brasileiros, como Hélio Oiticica e Cândido Portinari.

▶ *Faça uma curta caminhada até a praia e tome uma água de coco em um dos quiosques do Posto 10.*

Pedra do Arpoador

Y. Kanazawa/Michelin

Outras atrações

Arpoador
O pequeno promontório que separa Ipanema de Copacabana é um local lindo e pitoresco. No fim da tarde, as pessoas

IPANEMA

A Banda de Ipanema

Famosa principalmente por seu modo irreverente de festejar, este bloco de carnaval de rua foi criado na década de 1960 e desempenhou um papel significativo na política da cidade. Em 1965, o Brasil vivia uma ditadura militar e quase todas as formas de expressão, excluindo o futebol e o carnaval, eram controladas ou censuradas pelo poder. Muitos artistas e intelectuais foram presos ou deixaram o país. A Banda ironizava a ditadura adotando o lema "Yolhesman Crisbeles!", que não tinha significado nenhum, mas o governo estava convencido de que era um brado de convocação para um golpe de estado. Diz-se até que a Banda, irreverente e bem humorada, conseguiu reviver o carnaval de rua. Hoje em dia, este bloco totalmente democrático atrai todas as idades, sexos e cores, mas ainda é o favorito das drag queens.

se reúnem na Pedra do Arpoador para assistir ao **pôr do sol**, tendo ao fundo o Morro Dois Irmãos. No séc. XIX, baleias passavam próximo à costa e acredita-se que o nome Arpoador tenha surgido dos caçadores que se reuniam naquela ponta de pedra para arpoar as baleias. Do lado leste do promontório, a **Praia do Diabo** é frequentada por surfistas, pois as ondas são mais fortes. Atrás fica o Kids **Parque Garota de Ipanema**, que possui um parquinho e uma pista de esqueite. A **Praia do Arpoador**, de 500 m de comprimento, tem pouca areia e mar calmo. Neste ponto há uma grande quantidade de surfistas pois as ondas têm uma boa formação para a prática desse esporte.

Praça General Osório

Na parte central da praça encontra-se o **Chafariz das Saracuras** (1795), criado pelo Mestre Valentim, e que permaneceu, até 1911, no Convento da Ajuda, na atual Cinelândia. Quando o convento foi demolido, a fonte foi transferida para esta praça. Todos os domingos é montada na praça a **Feira de Artesanato de Ipanema** (ver p.262), conhecida como **Feira Hippie**, ela acontece desde a década de 1960. É possível encontrar todos os tipos de souvenirs, desde produtos em couro até instrumentos musicais. É uma das feiras mais frequentadas por estrangeiros e brasileiros.

OPÇÃO REFRESCANTE

Sorvete Itália
Av. Visconde de Pirajá 187 (também no número 395 e na Av. Henrique Dumont 71). Aberta diariamente 09h00–22h00. 21 2247 2842. www.sorveteitalia.com.
Esta sorveteria serve uma grande variedade de sorvetes de frutas, incluindo de açaí e maracujá, e também diversas variações de sorvetes de chocolate. Há também versões diet e de iogurte.

Banda de Ipanema

DESCUBRA O RIO DE JANEIRO

LEBLON

A praia do Leblon, de quase 2 km, está situada na ponta oeste da Praia de Ipanema, separada desta pelo canal do Jardim de Alah, entre os Postos 10 e 11. Discretamente elegante e mais calmo do que seu vizinho vanguardista, o Leblon possui bons restaurantes e cafés sofisticados, sobretudo na região da Rua Dias Ferreira, além de butiques requintadas.

- **Oriente-se:** A maior parte do comércio da região encontra-se na Avenida Ataulfo de Paiva, paralela à praia.
- **Não perca:** A espetacular praia e a vista do Morro Dois Irmãos durante o pôr do sol, acompanhada por uma caipirinha.
- **Organize seu tempo:** Passe uma tarde na praia e, à noite, visite um dos requintados restaurantes, teatros ou boates do bairro.
- **Para crianças:** O Leblon tem uma das melhores praias para crianças do Rio. O Baixo Bebê tem brinquedos e área reservada para brincadeiras.

Um pouco de história

Santuário dos escravos

O nome Leblon, de origem recente, veio de um morador da região, Charles Leblon, que possuía uma chácara.

Em 1857, ele vendeu uma grande parte de sua propriedade a um tabelião que a revendeu, em 1878, para o negociante português **José de Seixas Magalhães**, que era muito progressista. Devido à sua simpatia com a causa abolicionista, José Magalhães permitia que suas terras abrigassem escravos fugidos, configurando-se como quilombos. Apesar de o tráfico de escravos ter sido abolido em 1830, a escravidão continuou a ser legal no Brasil até 1888.

No início do séc. XX, o Leblon era uma área que tinha apenas chácaras pequenas. Devido à sua localização no final da linha do bonde, que o ligava a Ipanema, o desenvolvimento aqui foi mais lento em comparação com o bairro vizinho. Por este motivo, o local possui até hoje um ambiente aconchegante e residencial, sobretudo nas ruas transversais. O Leblon é uma das áreas residenciais mais cobiçadas, onde ainda existem muitas casas, prédios pequenos, de três a quatro andares, e outros de muitos andares e de grande sofisticação.

Uma das mais lindas avenidas do Rio

A espetacular **Avenida Niemeyer** começa no final da Praia do Leblon. Originalmente construída para uma estrada de ferro, ela liga o Leblon a São Conrado (ver p.181). Foram 30 anos para completar este projeto monumental, escavando a encosta do penhasco, até terminá-lo em 1916. Entre 1933 e 1954, a avenida foi palco de corridas de automóveis nos seus 11 km de extensão. Hoje é um dos acessos à Zona Oeste. Muito movimentada, essa espetacular avenida está sobre o mar aberto e oferece lindas vistas; porém evite parar o carro para tirar fotos, pois esta estrada é de mão dupla e super movimentada.

Dica

É recomendável visitar o **mirante** do Leblon no início da manhã ou antes do pôr do sol para evitar o calor do dia e também para apreciar melhor as vistas. Apesar de ser um local popular para os namorados ao entardecer e de ser geralmente bem policiado, evite a área após escurecer.

Atrações

Praia do Leblon★★

Sempre verifique as condições do mar e o nível da poluição antes de entrar na água.

A praia do Leblon é bem mais discreta e calma do que a sofisticada praia de Ipanema, talvez devido à densidade popu-

LEBLON

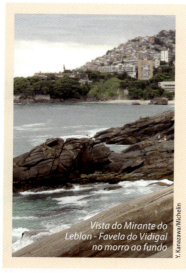

Vista do Mirante do Leblon - Favela do Vidigal no morro ao fundo
Y. Kanazawa/Michelin

Vidigal

Este é o nome de uma favela que se encontra nas encostas do Morro Dois Irmãos, perto do Leblon. Nos últimos anos, a comunidade do Vidigal tem se beneficiado com o Programa Favela Bairro, uma iniciativa lançada na década de 1990, que tem como objetivo transformar as favelas em bairros seguros e estáveis, através da reestruturação urbana, social e econômica das mesmas.

A infraestrutura da área ainda é pobre, mas a comunidade tem melhorado seu padrão de vida, com creches comunitárias, serviços de saúde, um complexo esportivo e até mesmo uma companhia de teatro, **Nós do Morro**, que participou de projetos com a Royal Shakespeare Company.

lacional mais baixa. Durante as manhãs é possível ver as babás se acomodarem na areia no Kids **Baixo Bebê**, uma área definida especificamente para crianças. Localizado entre o Posto 11 e 12, em frente à Rua General Venâncio Flores *(mais próximo do Posto 11)*, as areias aqui são mantidas limpas durante todo o dia e há serviços dedicados aos bebês.

Há um fraldário e brinquedos como escorregadores e castelos infláveis para as crianças menores. Se estiver viajando com filhos pequenos, este é um ótimo espaço para passar algumas horas debaixo de um guarda-sol, que pode ser alugado no local. Assim como nas outras praias, você pode comprar bebidas geladas e lanches.

Morro Dois Irmãos

Este enorme morro deve seu nome a seu característico pico duplo. Um dos cartões postais do Rio de Janeiro é a imagem do Morro Dois Irmãos tendo o pôr do sol ao fundo, com as praias do Leblon e de Ipanema em primeiro plano. Na subida da Avenida Niemeyer encontra-se o **Mirante do Leblon**, que oferece uma maravilhosa **vista**★★ das formações rochosas junto ao mirante, tendo ao fundo as praias do Leblon e Ipanema, e na extremidade oposta a Pedra do Arpoador. A vista daqui é ainda mais espetacular quando as águas estão agitadas. Reserve um tempo para curtir o cenário, acompanhado de uma água de coco.

O **Parque do Penhasco Dois Irmãos** *(rua de acesso íngreme, pavimentada)* faz parte do Morro Dois Irmãos e é um ótimo local para relaxar: é uma extensa área com vegetação natural que possui playground, campo de futebol e mais quatro mirantes, de onde se tem uma espetacular **vista** das praias do Leblon e de Ipanema, assim como da Lagoa Rodrigo de Freitas, com as montanhas ao fundo.

CASAS DE SUCOS

No Rio, você nunca está longe de uma casa de sucos... A mais famosa do Rio é a **Bibi Sucos** *(Av. Ataulfo de Paiva 591; ℘21 2259 4298)*, que tem filiais em Copacabana, Barra, e Jardim Botânico.

Você pode experimentar também a **Hortifruti** *(Rua Dias Ferreira 57. ℘21 2586 7000. www.hortifruti.com.br.)*, que tem filiais espalhadas por toda a cidade. Ambas têm saladas e sanduíches no menu, mas não saia sem provar a água de coco ou um suco delicioso e refrescante, como os de manga, melão, caju ou até de abacaxi com hortelã.

LAGOA E ARREDORES

À magnífica orla da praia e às verdes montanhas do Rio de Janeiro, junta-se a linda Lagoa Rodrigo de Freitas, bem no centro da Cidade Maravilhosa. A Lagoa e seus arredores oferecem diversas atrações, desde o bairro da Lagoa, com a sua movimentada orla, aos bairros da Gávea, com centros culturais e parques, e do Jardim Botânico, um oásis verde na cidade.

Destaques

1. Caminhe pelos exuberantes jardins do **Jardim Botânico** (ver p.175).
2. Admire a arte e a atmosfera no **Instituto Moreira Salles** (ver p.172).
3. Uma tarde de cultura na **Fundação Eva Klabin** (ver p.171).
4. Fique apaixonado pelas estrelas no **Planetário** (ver p.172).
5. Relaxe com uma bebida em um dos quiosques à beira da **Lagoa** (ver p.170).

Localização

Três bairros vizinhos: a **Lagoa**, a **Gávea** e o **Jardim Botânico** estão no centro desta área, limitada ao norte pelo morro do Corcovado (ver p.134) e a noroeste pelas encostas da Serra da Carioca. O bairro do Jardim Botânico fica na extremidade oeste da Lagoa Rodrigo de Freitas. Ipanema e Leblon (ver p.166) ocupam a faixa de terra entre a lagoa e o mar, enquanto dois imensos morros separam o bairro da Lagoa do bairro de Copacabana (ver p.159) a leste.

O início

O desenvolvimento da área começou no séc. XVI com uma plantação de cana-de-açúcar que mudou de proprietário várias vezes, até 1660, quando o terreno foi adquirido por Rodrigo de Freitas Mello e Castro, que deu nome a toda a região. Em 1808, a área foi desapropriada por ordem de Dom João VI, para instalar o Jardim Botânico e uma fábrica de pólvora, aproveitando-se da distância da cidade e dos mananciais da região.

Depois de 1831, quando a fábrica de pólvora foi transferida para a Raiz da Serra de Petrópolis (ver p.208), a propriedade real foi gradualmente dividida e vendida como pequenas chácaras, sendo que a área do Jardim Botânico foi preservada e ampliada.

Lagoa Rodrigo de Freitas vista do Corcovado

Uma história ilustre

Além de D. João VI, a quem o Rio deve seu excepcional Jardim Botânico, que ajudou a preservar espécies de plantas raras do mundo inteiro, dois residentes ilustres da área deixaram um grande legado para os moradores e visitantes da cidade. Um deles era o banqueiro Walther Moreira Salles (1912-2001) e a outra, a colecionadora Eva Klabin Rapaport (1903-1991). Suas residências foram abertas ao público como centros culturais: o Instituto Moreira Salles e a Fundação Eva Klabin, que organizam eventos como exposições e concertos, com programação variada.

😊 Dica 😊

Há muitas maneiras de chegar a esta parte da cidade, mas se você vier da Zona Norte ou da região das Laranjeiras ou Cosme Velho, uma das melhores é pelo **Túnel André Rebouças**. Atravessando o enorme Morro do Corcovado, o túnel liga a Zona Sul à Zona Norte. Com 2.800 m de comprimento, é um dos maiores túneis urbanos do mundo. Quando você sai da escuridão do túnel, a magnífica imagem da Lagoa aparece diante de seus olhos.

Árvore de Natal...

Desde 1996, uma enorme Árvore de Natal flutuante é instalada na lagoa. Com a altura de um prédio de 27 andares, ela precisa de mais de mil trabalhadores e custa mais de 1 milhão de dólares.

A árvore é iluminada todas as noites, do fim de novembro até o início de janeiro. Milhares de pessoas se reúnem à beira da lagoa para assistir o espetáculo que, nos últimos anos, conta também com efeitos de água, que se somam aos efeitos de luz, de mais de três milhões de lâmpadas.

Café du Lage no Parque Lage

DESCUBRA O RIO DE JANEIRO

LAGOA ★

Contornada por um calçadão de 7,8 km, a Lagoa Rodrigo de Freitas é um lugar agradável para a prática de esportes como corridas, caminhadas, circuitos ciclísticos e todos os tipos de atividades de lazer. Os moradores adoram a sua lagoa e os apartamentos ao seu redor são extremamente valorizados. A rua que circunda a Lagoa Rodrigo de Freitas liga os bairros da Lagoa, Ipanema, Leblon, Jardim Botânico e Gávea. A lagoa é o centro das atenções desta área, mas há também pontos ou locais de interesse artístico ou histórico nos parques e monumentos próximos.

- **Oriente-se:** Lagoa Rodrigo de Freitas é o nome da lagoa em si e Lagoa é o nome do bairro à sua volta. A estação de metrô mais próxima é Cantagalo (em Copacabana).
- **Não perca:** Reviva os refinados saraus de Eva Klabin indo a um dos eventos Quintas com Música da Fundação Eva Klabin.
- **Organize seu tempo:** Visite à tardinha, para caminhar em volta da lagoa e beber um suco ou uma água de coco em um dos quiosques. A orla da lagoa fica muito movimentada nos fins de semana e feriados.
- **Para crianças:** Leve-as para um passeio na água em um divertido pedalinho em forma de cisne *(alugados no Parque do Cantagalo; ver abaixo)*.

Atrações

Lagoa Rodrigo de Freitas ★ Kids

A lagoa tem até 430 m de profundidade, 3 km de largura em seu ponto mais largo e um perímetro de 7,8 km. Na verdade, trata-se de uma lagoa de água salgada, perto da orla, separada do mar por uma restinga e ligada a ele pelo canal do Jardim de Alah. Ao longo do tempo, muitos milhares de metros quadrados, equivalentes a um terço do espelho d'água, foram absorvidos por aterros sucessivos.

A lagoa é cercada por um parque. Do lado do bairro do Jardim Botânico, o **Parque dos Patins** *(Avenida Borges de Medeiros)*, possui uma pista de skate, um campo de futebol, um parquinho para as crianças e um anfiteatro. Do outro lado, mais próximo a Copacabana, está o **Parque do Cantagalo** *(Avenida Epitácio Pessoa)*, onde podem ser alugados pedalinhos em um pequeno píer. Os dois parques possuem áreas de recreação e aluguel de bicicletas, assim como quiosques muito frequentados, principalmente nos fins de semana, alguns

Andando de bicicleta de quatro rodas em volta da lagoa

LAGOA

com música ao vivo. Duas pequenas ilhas perto da margem são clubes. Um heliporto no Parque dos Patins é usado para voos panorâmicos (ver p.29).

Fundação Eva Klabin★
Av. Epitácio Pessoa 2480.
Aberta Ter–Dom 14h00–18h00.
R$ 10. Visitas disponíveis mediante pedido. 21 3202 8554.
www.evaklabin.org.br.

Em 1952, a colecionadora de arte **Eva Klabin** (1903-1991) adquiriu uma das primeiras residências na Lagoa. Perto do Corte do Cantagalo, a mansão (1931) foi totalmente modernizada nos anos 60. As dez salas possuem uma das mais importantes coleções de arte do país, com mais de 1000 obras, incluindo quadros, esculturas, mobiliário e objetos em prata, da antiguidade até os dias atuais.

Eva Klabin era amiga de personalidades como David Rockefeller e Henry Kissinger, assim como do grande paisagista Burle Marx. Os saraus realizados por Eva Klabin são recriados nas **Quintas com Música**, realizadas entre março e dezembro, em sua casa-museu *(consulte a página da web para maiores detalhes).* Os convidados são guiados pela casa e podem apreciar concertos no auditório, seguidos de um coquetel no pequeno mas aconchegante jardim.

Parque da Catacumba
Av. Epitácio Pessoa 3000. Aberto Ter–Dom 08h00–17h00 21 2521 5540.

O Parque da Catacumba deve seu nome à antiga Favela da Catacumba, que ocupava esta área até ser removida dali, nos anos 60, pelo governador Carlos Lacerda. Para preservar o espaço, a metade superior foi reflorestada e a parte inferior foi aberta como um parque de esculturas,

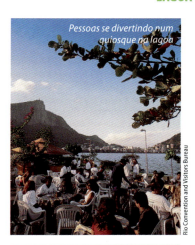

Pessoas se divertindo num quiosque na lagoa

AO AR LIVRE À BEIRA DA LAGOA
Quiosque Árabe
Parque dos Patins, Quiosques 7 e 9. Aberto diariamente 09h00–último cliente. 21 2540 0747.
O quiosque predileto de muita gente na Lagoa, oferece culinária síria e libanesa e também música ao vivo. É um ótimo lugar para relaxar, beber e comer sob as estrelas. Se este quiosque estiver lotado, existem muitos outros por perto de onde você ainda pode curtir a música.

em 1979. Há uma extraordinária coleção de 32 esculturas de artistas conhecidos internacionalmente, como Norberto Moriconi, Franz Weissmann, Antonio Manuel, Caribé, Bruno Giorgio, Mário Cravo e Sérgio Camargo. Uma trilha agradável leva ao topo do Morro dos Cabritos. Há placas com informações e a caminhada curta, mas íngreme, é recompensada com uma **vista★★** maravilhosa da lagoa.

Uma lagoa viva

Camarões, caranguejos e mais de 30 espécies de peixes vivem nas águas da Lagoa Rodrigo de Freitas. A pesca é controlada, apesar de haver atividades em pequena escala, com licenças especiais. A conexão com o oceano pelo canal do **Jardim de Alah**, um canal artificial de 835 m, é controlado por comportas. E isto é essencial para manter o equilíbrio frágil do ecossistema; apesar das algas fornecerem alimento para os peixes, seu crescimento deve ser mantido em constante observação para evitar a destruição da fauna e da flora locais.

DESCUBRA O RIO DE JANEIRO

GÁVEA

Esta área é predominantemente residencial, entre a Floresta da Tijuca e o Le-blon, e recebeu este nome pela sua proximidade com a Pedra da Gávea, que é semelhante à gávea de um navio. Como o Leblon, existe uma parte alta do bairro com lindas mansões; mais acima há os espaços verdes do Parque da Cidade e do Instituto Moreira Salles. Mais acima ainda está o acesso à Favela da Rocinha, área que só deve ser visitada com a ajuda de agências especializadas. O baixo Gávea tem uma grande concentração de bares e restaurantes. A Rua Marquês de São Vicente é a artéria principal onde o Shopping da Gávea está localizado.

▶ **Oriente-se:** A oeste da Lagoa Rodrigo de Freitas, este bairro é marcado, em sua parte baixa, pelo Jockey Club.

Não perca: Exposições de arte contemporânea brasileira no Instituto Moreira Salles e talvez uma reciclagem rápida sobre a história do Rio no Museu Histórico da Cidade.

Organize seu tempo: Visite a região no fim de semana, quando a área é mais movimentada e há corridas no Jockey Club.

Kids Para crianças: Sinta-se um astrônomo no magnífico Planetário da Gávea.

Atrações

Instituto Moreira Salles★

Rua Marquês de São Vicente 476. Aberto Ter–Dom 13h00–20h00. Entrada franca. Visitas guiadas disponíveis Ter–Sáb 17h00. 21 3284 7400. http://ims.uol.com.br/ims.
Projetada por Olavo Redig de Campos, esta construção elegante e moderna (1951), cercada pela beleza dos **jardins de Burle Marx**, foi a residência da família Moreira Salles, proprietária de um dos maiores bancos do Brasil.
A instituição se opõe às ideias tradicionais de observação passiva: aqui o indivíduo tem a possibilidade de interagir com a arte. Nela são realizadas exposições magníficas, focalizadas na arte contemporânea brasileira. Além de escultura, desenho e pintura, o Instituto Moreira Salles também possui um enorme **arquivo fotográfico** que inclui registros históricos das transformações urbanas do Rio e uma vasta coleção de mais de 100 mil **gravações musicais** (*a visita a essas reservas musical e fotográfica deve ser agendada com antecedência*).

Planetário★ Kids

Rua Vice-Governador Rubens Berardo 100. 21 2274 0046. www.rio.rj.gov.br/planetario.
A Fundação Planetário do Rio de Janeiro possui duas magníficas cúpulas, assim como o **Museu do Universo** (*Ter–Sex 09h00–18h00; Sáb, Dom, feriados 15h00–19h00; R$ 6*), com telas interativas, apresentando as fases da lua e marés e fotos do cosmos feitas pela NASA.
Na **Praça dos Telescópios** há quatro telescópios modernos onde se pode observar o céu, guiado por uma equipe de astrônomos disponíveis para responder perguntas (*fechada durante dias nublados e chuvosos; aberta Ter–Qui 18h30–19h30, verão 19h30–20h30; Entrada franca*).
Existe material educacional com personagens de desenhos e eventos e programas para crianças. Um mapa interativo da Via Láctea e um programa

Dicas

Pegue uma cópia grátis da planta do Instituto Moreira Salles na entrada. Reserve um tempo para tomar um chá ou fazer uma refeição leve no café ao ar livre, relaxe em uma das mesas próximas ao laguinho cheio de peixes. Passe pela piscina para ver o riacho que corre no jardim ao fundo. Não perca a excelente loja, que vende livros de fotografias e arte e cartões-postais, incluindo os do Rio antigo.

GÁVEA

para descobrir quanto você pesaria em outro planeta são opções divertidas. Pense em voltar à noite para conhecer a boate 00 (ver p.253), que fica no mesmo espaço.

Jockey Club Brasileiro
Praça Santos Dumont 31.
Entrada franca. 21 3534 9000.
www.jcb.com.br.
O Jockey Club ocupa um enorme espaço entre a Lagoa Rodrigo de Freitas e o Jardim Botânico, com as vertentes verdes do Parque Nacional da Tijuca ao fundo. Também conhecido como o **Hipódromo da Gávea**, foi projetado no estilo Luís XV pelo arquiteto Francisco Couchet e inaugurado em 1926. Existem áreas reservadas para os membros do clube e seus convidados, mas é permitida a entrada do público para as corridas de cavalos (*Sex 17h00, Sáb–Dom 14h45, Seg 18h15; sujeito a alterações*).
O primeiro Grande Prêmio de corridas de cavalo aconteceu aqui em 1933 e ainda é uma tradição no mês de agosto.
Outros eventos, concertos e recepções são distribuídos no calendário social, entre estes, a **Babilônia Feira Hype** *(www.baboniahype.com.br)* que é mensal e vende roupas, comida e artesanato.

Parque e Museu Histórico da Cidade
Estrada Santa Marinha s/n.
Aberto Ter–Sex 10h00–16h00; Dom, feriados 10h00–15h00. R$ 2.
21 2512 2353/2294 5990.
www.rio.rj.gov.br/culturas.
Esta mansão do séc. XIX no alto do Parque da Cidade é um museu que conta a história do Rio de Janeiro. Arte, mobília, moedas e armaduras fazem parte da exposição permanente, mas o museu oferece também exposições temporárias.
A antiga **Capela de São João Batista**, construída em 1920, contém uma pintura de um artista baiano chamado Carlos Bastos, representando artistas e personagens brasileiros. Saguis, bichos-preguiça e outros animais da mata atlântica podem ser vistos no agradável parque.

Jardim do Instituto Moreira Salles

Solar Grandjean de Montigny
Rua Marquês de São Vicente 225.
Aberto Seg–Sex 08h30–17h00.
Entrada franca. 21 3527 1435.
www.puc-rio.br/sobrepuc/depto/solar.
Auguste Henri Victor Grandjean de Montigny (1776–1850) chegou ao Rio em 1816, como membro da Missão Artística Francesa. Ele foi responsável pelo projeto da Casa França-Brasil (ver p.103) e teve uma influência significativa no desenvolvimento da arquitetura no Brasil.
Localizada na entrada do campus da PUC (Pontifícia Universidade Católica), sua antiga residência foi transformada em um centro cultural e forma um elo cultural e social entre o público e a instituição acadêmica. O prédio recebe exposições de arte temporárias e possui uma grande biblioteca de arte e arquitetura. O **solar** é um excelente exemplo da adaptação da arquitetura Neoclássica à vida nos trópicos.

Praça do Jóquei
No centro da Gávea, a **Praça Santos Dumont**, também chamada Praça do Jóquei, é um pequeno parque urbano com árvores, parquinho e chafariz. A praça é cercada por restaurantes e bares que ficam muito movimentados à noite. Nos fins de semana a região é ainda mais frequentada e aos domingos há uma **feira de antiguidades e artesanato tradicional** *(09h00–17h00)* próximo à Rua Marquês de São Vicente.

DESCUBRA O RIO DE JANEIRO

JARDIM BOTÂNICO ★

Este bairro eminentemente residencial conta também com lojas e muitos restaurantes e ocupa um local privilegiado. O nome do bairro se refere ao próprio Jardim Botânico do Rio de Janeiro, a sua principal atração, em torno da qual ele cresceu. Em seu magnífico parque, criado em 1808 por Dom João VI, sob o olhar atento do Cristo Redentor, está uma das coleções botânicas mais impressionantes do mundo, um tesouro de tal importância ecológica que foi declarado Reserva da Biosfera pela UNESCO em 1992.

- **Oriente-se:** O bairro é atravessado por uma rua principal, a Rua Jardim Botânico, paralela à orla da Lagoa. Mais para dentro, existem muitas pequenas ruas, subindo pelas encostas.
- **Não perca:** No Jardim Botânico, veja o raro pau-brasil, a árvore nacional que deu o nome ao país. Devido à redução da Mata Atlântica e à ampla exportação de sua madeira com propriedades corantes, esta árvore de madeira extremamente densa foi classificada como uma espécie em perigo de extinção.
- **Organize seu tempo:** O Jardim Botânico é uma boa opção mesmo para um dia nublado e em qualquer estação! Reserve algumas horas para uma visita guiada ou para percorrer o trajeto sugerido abaixo.
- **Kids Para crianças:** Observar os esquilos velozes, macacos e periquitos de cores vivas nas árvores, assim como as curiosas plantas insetívoras.

Um pouco de história

Preocupação crescente
Quando o Príncipe Dom João chegou ao Brasil em 1808, ele criou um jardim para o cultivo de especiarias, para que não tivessem de ser trazidas da Índia e da Ásia. Algumas das primeiras plantas introduzidas foram a noz-moscada e o abacate, trazidos das Ilhas Maurício. Em 1810 vieram espécies exóticas da Guiana Francesa e as sementes da árvore do chá. O príncipe ficou seduzido pela exuberância da vegetação e o jardim cresceu

rapidamente. Quando seu filho, Dom Pedro I, se tornou Regente em 1821, o Horto Real, até então privado, foi aberto ao público. Foram construídos lagos e quedas d'água, aumentada extraordinariamente a coleção de plantas e também foi criada uma grande biblioteca.
Hoje, os visitantes podem reviver e caminhar pelas mesmas aleias por onde passeavam homens de cartola e senhoras de longos vestidos, protegendo-se do sol com sombrinhas.

Os pássaros e as árvores
O Jardim Botânico é uma mistura de floresta tropical e áreas cuidadosamente cultivadas, criando um extraordinário equilíbrio. O ar tem o cheiro doce das flores e das árvores de frutas exóticas e o visitante pode ouvir o canto dos pássaros e ver saguis, esquilos e outros pequenos animais saltando de árvore em árvore.
Os periquitos e tucanos de cores variadas exibem sua bela plumagem, as corujas e andorinhas constroem seus ninhos, enquanto os urubus pousam nos ramos mais altos das árvores. Lá também podem ser vistos os pequeníssimos beija-flores e borboletas de cores vivas.

Lago Frei Leandro com vitória-régia, Jardim Botânico

Y. Kanazawa/Michelin

JARDIM BOTÂNICO

Jardim Botânico ★★★

O Jardim Botânico do Rio de Janeiro é um extraordinário oásis de plantas tropicais. Faça este passeio a pé para ter certeza de visitar todos os pontos de destaque. Depois passe mais tempo descobrindo seus próprios locais favoritos.
Rua Jardim Botânico 1008. Aberto diariamente 08h00–17h00. Fechado 25 Dez, 1º Jan. R$ 5. Visitas guiadas disponíveis (de preferência agendadas com antecedência) 09h00–15h30. 90 min. 21 3874 1808/3874 1214. www.jbrj.gov.br.

Passeio a pé

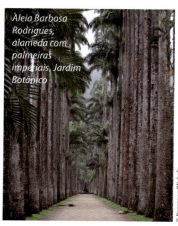

Aleia Barbosa Rodrigues, alameda com palmeiras imperiais, Jardim Botânico

▸ *Comece na entrada da Rua Jardim Botânico 920. Vire à direita ao longo da Aleia Karl Glasl.*

Olhando para a direita, observe o **Jardim Japonês**. Concebido para ser um local de descanso, a área possui um lago cheio de carpas, rodeado por impressionantes bambus, bonsais e cerejeiras.

▸ *Continue ao longo da Aleia Karl Glasl, passando pelo **Roseiral** à esquerda, até chegar à Região Amazônica.*

Uma cabana típica da Amazônia e uma estátua de um caboclo pescando recriam a **Região Amazônica**, adornada com densa vegetação, como as árvores de noz-moscada e as bananeiras. Aqui há também uma magnífica árvore, a *bombax Munguba*, plantada em 1899, cujo tronco tem quase 20 m de diâmetro!

▸ *Vire à esquerda na Aleia Frei Leandro.*

À direita está o **Memorial Mestre Valentim**, instalado no interior de um antigo violetário (1942). No memorial se encontram duas esculturas de sua autoria, em liga de estanho e chumbo: a Ninfa Eco e o Caçador Narciso.

▸ *Continue até o Chafariz das Musas, com o monumento ao compositor Antonio Carlos Jobim à sua direita, e vire à direita na Aleia Barbosa Rodrigues.*

Agora você está olhando para um dos mais famosos símbolos do Jardim Botânico, criado em 1842: a **Aleia das Palmeiras** de 740 m de comprimento. Esta bela alameda começa no portão de entrada e tem 142 palmeiras imperiais com uma altura média de 25 m e 1 m de diâmetro, descendentes de um único espécime conhecido como Palma Mater (*ver p.177*).

▸ *Para um pequeno desvio, continue até o fim da Aleia das Palmeiras para ver o Portal da Real Academia de Belas Artes (1921).*

Projetada pelo arquiteto francês Grandjean de Montigny, a **Real Academia de Belas Artes** ficava perto da Praça Tiradentes. Demolida em 1908,

Dicas

Pegue um folheto com o mapa em uma das duas entradas do Jardim Botânico: na Rua Jardim Botânico 920 ou 1008, onde há um centro de acolhimento a visitantes. Para os que têm mais de 60 anos de idade, mulheres grávidas ou visitantes com necessidades especiais *(mais um acompanhante)*, há passeios com um carro elétrico. *(Seg–Dom 09h00, 10h00 e 11h00, 13h00, 14h00, 15h00 e 16h00; 40 min; grátis; deve ser agendado com antecedência; 21 3874 1808; cancelado em caso de mau tempo).*

175

DESCUBRA O RIO DE JANEIRO

DESCANSE NO JARDIM

Café Botânica
Rua Jardim Botânico 1008.
🕐 *Aberto diariamente 08h30–17h00.*
📞 21 2512 1848
Este é um encantador café ao ar livre. Sente-se sob as árvores do Jardim Botânico para saborear uma refeição leve como quiche com salada ou um café com uma fatia de bolo.

CAFÉ E ARTE

Café du Lage
Rua Jardim Botânico 414.
🕐 *Aberto Seg–Qui 09h00–22h30, Sex–Dom 09h00–17h30 (sujeito a alteração conforme o calendário de eventos da escola).* 📞 21 9639 9650.
Venha a este café para tomar um brunch, um almoço leve ou apenas um café durante a manhã, servido no pátio interno. O cardápio inclui pão e bolos, assim como sanduíches e sopas caseiras.

seu portal foi transferido para o Jardim Botânico.

▶ *Volte atrás e vire à esquerda na Aleia Bento Pickel, seguindo o Rio dos Macacos (a principal fonte de irrigação do jardim, já que atravessa a maior parte de seu terreno). Passe pelas ruínas da fábrica de pólvora à direita (1808) e por um café. Vire à direita na Aleia John Wills.*

Aqui se encontra a **Coleção de Plantas Medicinais**, de mais de 150 espécies, que fazem parte da tradição medicinal brasileira, como a hortelã, o alecrim e a alfazema.

▶ *Volte à Aleia Bento Pickel, vire à direita e siga até o cruzamento com a Aleia Frei Velloso.*

O **Bromeliário** contém 1.700 espécies destas impressionantes plantas ornamentais que são de suma importância para o equilíbrio ecológico das florestas. Durante os períodos de seca, elas podem armazenar água para animais e insetos.

▶ *Percorra a Aleia Frei Velloso até o Orquidário.*

O magnífico **Orquidário**, octogonal e construído em ferro e vidro, foi inspirado nas estufas inglesas. No seu interior existem mais de 3.000 exemplares de 600 espécies de orquídeas e flores exóticas, com seus perfumes e formas delicadas. A maioria são espécies brasileiras, mas há algumas não nativas, assim como espécies híbridas. Procure a *Laelia pumila de cor lilás viva*, nativa de Minas Gerais e do Rio de Janeiro. Não perca a *Oncidium papilio*, nativa da América Central e do Sul, com flores imponentes de listras amarelas e laranja, que podem atingir 15 cm, e a *Colombian miltoniopsis*, com flores vermelho-sangue.

▶ *Caminhe uma curta distância pela Aleia Guilherme Guinle.*

À direita você passa pela Estátua de Xochipilli (príncipe das flores), o deus asteca do amor.

▶ *Vire à direita na Aleia John Wills até a Casa dos Pilões.*

Parte da Fábrica de Pólvora, perto da Lagoa Rodrigo de Freitas, a **Oficina do Moinho dos Pilões** é onde a pólvora era compactada. Como reminiscência desta atividade, você pode ver vários moinhos usados para moer o carvão utilizado na fabricação da pólvora.

▶ *Volte pela Aleia John Wills, vire à direita quase imediatamente na Aleia Alberto Löefgren, que serpenteia para a esquerda à volta de um lago, o **Lago Frei Leandro**.*

A principal atração do lago (1884) são as ninféaceas, de 2 m de diâmetro, como a **Victoria Regia** do Amazonas.

Ainda nesta área, procure o **Cômoro Frei Leandro**, que oferece uma vista privilegiada do Jardim Botânico. Sobre ele há um pequeno pavilhão quadrado, a Casa dos Cedros, em frente ao qual há uma mesa que foi usada por Dom Pedro I e Dom Pedro II para refeições durante

JARDIM BOTÂNICO

suas visitas ao Jardim. Um pouco mais à frente observe um relógio de sol, entalhado em pedra, e uma bela jaqueira de 150 anos de idade que ainda dá frutos.

▸ *Vire à esquerda e desça a Aleia J.J. Pizzaro, fazendo um curto desvio para a Estufa de Plantas Insetívoras.*

As primeiras plantas insetívoras — que atraem suas presas com um cheiro doce — foram instaladas na **Estufa de Plantas Insetívoras** em 1936. Uma das plantas mais facilmente identificáveis é o papa-moscas comum. Originário de Madagáscar, Índia, Austrália e Sudeste da Ásia, suas folhas tubulares formam um pescoço longo, de até 50 cm de comprimento.

▸ *Volte pela Aleia J.J. Pizzaro, virando à direita para seguir o caminho em volta do Lago Frei Leandro e desça a Aleia Pedro Gordilho, onde em breve verá uma pequena queda d'água à sua direita. Logo a seguir há uma pracinha com o busto de Dom João VI, uma rara árvore de pau-brasil (⊙ver p.174) e uma palmeira imperial.*

Em 1809 Dom João VI plantou, com suas próprias mãos, a semente de uma palmeira trazida das Ilhas Maurício. Como foi a origem de todas as palmeiras existentes atualmente no Brasil, passou a ser conhecida como *Palma Mater,* ou **Palmeira Mãe**. Infelizmente, ela foi atingida por um raio em 1972 neste local, mas foi simbolicamente substituída por outra que foi cultivada a partir de sua semente.

▸ *Continue o curto percurso até o fim da Aleia Peter Gordilho.*

À direita fica o **Jardim Sensorial**, patrocinado pela Michelin, criado especialmente para os deficientes visuais, como um espaço simultaneamente terapêutico e social. O jardim tem plantas medicinais, comestíveis e aromáticas, tais como perfumados jasmins, gengibres e oréganos, todos com etiquetas em braille.

Jardim Sensorial, no Jardim Botânico

▸ *Percorra a Aleia João Gomes, vire à esquerda na Aleia Warming e à direita na Aleia Custódio Serrão. Mais ou menos a meio caminho, observe um dos tesouros do Jardim: um abricó de macaco. Esta árvore amazônica dá flores grandes e frutos enormes e redondos, que dão origem a seu apelido "árvore canhão". No fim da Aleia Custódio Serrão fica a entrada por onde entrou no Jardim Botânico.*

Outra atração

Parque Lage
Rua Jardim Botânico 414.✕
Este parque encantador, na base do Morro do Corcovado (⊙ver p.134), deve seu nome ao Comendador Antonio Martins Lage, que adquiriu a propriedade em 1859. O ponto central do Parque Lage é a mansão em estilo Eclético, da década de 20, onde está instalada a Escola de Artes Visuais (⊙*Seg–Qui 09h00–20h00, Sex 09h00–17h00, Sáb 10h00–13h00; ✆21 3257 1800; www.eavparquelage.org.br).*
A mansão foi construída pelo industrial Henrique Lage, cuja esposa, a cantora lírica Gabriela Bezanzoni Lage, fundou a Sociedade do Teatro Lírico. Vale a pena conhecer a extraordinária sala-teatro à esquerda da entrada e a piscina, cercada por uma colunata, que figurou numa das obras primas do cinema brasileiro, Terra em Transe (1967).
Os jardins foram projetados no estilo Romântico pelo pintor paisagista inglês **John Tyndale,** em 1840.

PRAIAS DA ZONA OESTE

Depois de São Conrado, a próxima parada no litoral é a Barra da Tijuca, com mega centros comerciais e uma praia que parece não ter fim. Seguindo o litoral, os visitantes serão recompensados com deliciosos restaurantes de frutos do mar, praias calmas e duas atrações culturais fantásticas. As praias da Zona Oeste são das mais bonitas da cidade, uma amostra do que você poderá encontrar na Costa Verde.

Destaques

1. Voe como um pássaro numa asa delta sobre **São Conrado** (ver p.181).
2. Pedale ao longo da Praia da **Barra da Tijuca** (ver p.185).
3. Conheça a arte popular brasileira no **Museu Casa do Pontal** (ver p.186).
4. Maravilhe-se nos jardins do **Sítio Burle Marx** (ver p.187).
5. Visite a beleza selvagem da Praia de **Grumari** (ver p.189).

Estado de preservação

Tijuca significa, literalmente, "água podre, pântano", que descrevia, com exatidão, a área de lagoas e alagados existentes na planície, entre a montanha e o mar.

A região também apresentava grandes áreas de dunas cobertas de vegetação rasteira, que hoje é cortada pela via expressa da Avenida das Américas (parte da BR-101) e ocupada por grandes condomínios e centros comerciais. A Barra é uma minicidade moderna, que avança cada vez mais para oeste.

Novos condomínios estão sendo construídos rapidamente no **Recreio dos Bandeirantes**, o bairro vizinho mais próximo da Barra.

Mais além, as praias de **Guaratiba** e de **Grumari** permanecem bastante selvagens. Servindo de fundo à maior parte do litoral, há um largo cinturão de **floresta tropical**, agora preservada permanentemente.

Cidade do surfe

As praias de Ipanema e Arpoador, por serem muito concorridas e frequentadas por banhistas, não oferecem condições perfeitas para a prática do surfe. Os surfistas mais radicais buscam as praias da Zona Oeste, atrás das melhores ondas do Rio.

A praia da **Barra** costuma ter ventos fortes, atraindo os praticantes de outras

Praia de Guaratiba

modalidades, como windsurfe e kitesurfe, e tem muitas facilidades, como escolas de surfe e pranchas de surfe e de *body-board* para alugar. As praias mais afastadas do **Recreio**, **Macumba** e **Prainha** apresentam bons *breaks*, atraindo até um grande número de surfistas profissionais.

COMO CHEGAR LÁ

Os ônibus locais (ver p.20) para a Barra têm uma frequência maior do que os que vão para as outras praias mais distantes. Se seu desejo é explorar, visitar as atrações mais afastadas da região ou fazer o nosso **passeio de carro** (ver p.180), é essencial ter seu próprio transporte. Em vez de alugar um carro, **pense em contratar um táxi** por várias horas ou um dia. Para evitar preços exorbitantes, defina claramente um preço fixo antes de ir — como orientação, R$ 300,00 por um dia não seria um mau negócio.

PRAIAS DA ZONA OESTE

Passeio de carro
Pelas Praias da Zona Oeste

120 km — duas horas de viagem, ida e volta, mas reserve um dia inteiro para o passeio, com almoço e visita ao Sítio Burle Marx e ao Museu Casa do Pontal.

Comece na Avenida Prefeito Mendes de Morais, em São Conrado, assista — e até pratique (ver p.31) — o espetáculo das asas-deltas pousando na **Praia do Pepino** (se as condições meteorológicas permitirem).

▶ *Faça um pequeno desvio, entre na Estrada das Canoas, para chegar à casa do mesmo nome.*

Casa das Canoas
(ver p.183)
Um prazer raro é andar pela residência que foi do mundialmente famoso arquiteto Oscar Niemeyer.

▶ *Volte para a estrada litorânea e atravesse o Elevado do Joá, com uma arrebatadora vista do mar, e atravesse o Túnel do Joá, para chegar à Barra da Tijuca. Continue pelo litoral até a Avenida Lúcio Costa (antes chamada de Sernambetiba, um nome ainda muito usado).*

Praia da Barra da Tijuca★★
(ver p.185)
Encontre uma vaga para estacionar do lado direito da via e atravesse para a praia, tomando bastante cuidado. Há quiosques vendendo água de coco e refrigerantes por toda a Praia da Barra: basta escolher. Na extremidade oeste da Barra da Tijuca, começa a **Praia do Recreio** (ver p.186), de 1,5 km de extensão.

▶ *Continue além da Praia do Pontal e da Macumba, seguindo a via litorânea, que passa a se chamar Avenida do Estado da Guanabara.*

Prainha★★ e Grumari★
(ver p.189)
Faça uma parada numa destas adoráveis praias, dependendo da disponibilidade de estacionamento.

A Prainha é um ponto popular para o surfe e vive cheia de carros, enquanto, em Grumari, o acesso é limitado aos carros e proibido aos ônibus.

▶ *Partindo de Grumari, suba pela estrada que começa no final da praia e que oferece vistas espetaculares da planície de Sepetiba e da Restinga da Marambaia.*

Restaurante Point de Grumari
(ver p.244)
O terraço deste restaurante é um local excelente para um almoço de frutos do mar.

▶ *Siga a Estrada de Guaratiba até a praia do mesmo nome.*

Barra de Guaratiba★
(ver p.189)
Esta praia é o início da magnífica Restinga da Marambaia. Infelizmente, a Restinga é parte de uma guarnição militar e o acesso é proibido.

▶ *Pegue a Estrada Roberto Burle Marx em Guaratiba até o número 2019.*

Sítio Roberto Burle Marx★★★
(ver p.187)
O espetacular jardim projetado pelo famoso paisagista e o museu só podem ser visitados como parte de um passeio guiado e marcado com antecedência. Há estacionamento no local.

▶ *Volte por onde você veio, pela Estrada Roberto Burle Marx, e siga a tortuosa Estrada do Grumari. Vire à direita na Estrada do Pontal e continue até o número 3295.*

Museu Casa do Pontal★★
(ver p.186)
A entrada deste maravilhoso museu de arte popular pode ser difícil de achar — a numeração ao longo da estrada não é seguida e a entrada da casa é recuada.

▶ *Continue pela Estrada do Pontal, que leva à Avenida Lúcio Costa, para voltar à Barra da Tijuca e às praias da Zona Sul.*

SÃO CONRADO

Dominado por um enorme rochedo de granito esculpido pelo vento, geograficamente, este bairro pertence à Zona Sul, mas é a primeira das muitas praias que se estendem a oeste da cidade do Rio de Janeiro. Por ser uma praia de ondas fortes, certamente não é o melhor lugar para nadar, mas a área tem muito mais a oferecer em termos de turismo. Você pode escolher entre a arquitetura moderna da Casa das Canoas, um passeio guiado pela favela da Rocinha, um voo de asa-delta cheio de adrenalina, para os mais ousados, simplesmente relaxar na longa faixa de areia da Praia de São Conrado, onde também se pode praticar surfe, ou fazer compras no imenso São Conrado Fashion Mall...

- **Oriente-se:** São Conrado fica entre dois grandes rochedos: a leste, o Morro Dois Irmãos, que o separa dos bairros do Leblon e da Gávea; e a oeste, a Pedra da Gávea, que serve de limite entre São Conrado e a Zona Oeste, principalmente o bairro da Barra da Tijuca.
- **Não perca:** Sobrevoar a Floresta da Tijuca de asa-delta. Um almoço de domingo na Villa Riso. Visitar a antiga residência de Oscar Niemeyer, a Casa das Canoas.
- **Organize seu tempo:** Geralmente, os voos de asa-delta decolam pela manhã *(somente nos dias claros)*, então chegue cedo para assistir — ou juntar-se a eles — aterrizando na Praia do Pepino.
- **Para crianças:** Mais de 30 tipos de tortas na Torta & Cia.

Um pouco de história

Região agrícola

Até o séc. XIX, muitas terras desta parte da cidade eram ocupadas por enormes fazendas de café e açúcar. No início do séc. XX, a área ainda mantinha a sua tradição agrícola, época em que foi construída a pequena **Igreja de São Conrado** (1903), da qual o bairro tira seu nome, *(à direita na avenida principal em direção à Barra)*. Um dos proprietários daquelas terras, **Conrado Jacob Niemeyer** mandou construir essa igreja e a Avenida Niemeyer lhe presta homenagem. Até a abertura desta avenida, em 1916, São Conrado era isolado do resto da cidade.

Geografia

As areias em São Conrado são oficialmente chamadas de **Praia da Gávea,** pois estão à sombra da imensa **Pedra da Gávea.** Esta montanha, cuja cami-

Asa delta descendo na Praia do Pepino

DESCUBRA O RIO DE JANEIRO

Endereços

DICA
Empresas de voo livre bem conceituadas estão indicadas na seção Planeje sua Viagem (ver p.31). Qualquer que seja a empresa que você escolha, recomenda-se que seja credenciada pela **Associação de Voo Livre do Rio de Janeiro** (www.abvl.com.br). O vôo livre de instrução é feito com hora marcada e é uma aula básica sobre o equipamento, como usá-lo, sobre meteorologia, segurança, pouso e decolagem. Se você se animar e quiser virar um piloto, basta se inscrever no curso regular.

COMO CHEGAR LÁ
De ônibus
Vários ônibus fazem o percurso litorâneo, vindo da Zona Sul, passando por São Conrado e indo até Barra de Guaratiba. Estes ônibus não obedecem a um horário, mas são frequentes durante o dia. Uma viagem para qualquer uma das praias custa somente R$ 2,20.

COMPRAS COM CONSCIÊNCIA
Arte e Sociedade
Muitos dos passeios organizados à Rocinha levam o visitante a uma das lojas de artesanato da comunidade, organizadas e dirigidas por mulheres em cooperativas (por exemplo, a Cooparoca — Cooperativa de Mulheres Artesãs e Costureiras da Rocinha — vende produtos de alta qualidade para o mundo inteiro). Como forma de apoiar diretamente a comunidade, você pode comprar uma peça de roupa, uma bolsa ou uma bijuteria.

HORA DA TORTA
Torta & Cia Kids
Estrada da Gávea 820 (Posto Shell). Aberta diariamente 09h00–22h00. 21 3322 5933. www.tortaecia.com.br. A "Torta & Cia" é assim chamada porque oferece mais de 30 tipos de tortas e bolos — os de chocolate, de coco e de limão são particularmente recomendados, da mesma forma que os quiches, as tortas salgadas e os petiscos. Eles também têm várias qualidades de café, quer você goste dele gelado, moca ou no estilo vienense. Você pode comer na agradável loja ou pedir para viagem.

nhada ao seu topo pode ser feita com a ajuda de guias experientes, oferece um espetacular **panorama** do Rio e até a cidade vizinha de Niterói (ver p.192), do outro lado da Baía de Guanabara. A vegetação do **Parque Nacional da Tijuca** (ver p.139), que cobre as montanhas ao fundo, é acompanhada pelas áreas verdes do **Gávea Golf and Country Club**, que fica no centro do bairro. A **Avenida Niemeyer**, que liga São Conrado ao Leblon, é o caminho mais pitoresco para o bairro. Para ir de São Conrado à Barra da Tijuca, existem dois acessos: um pelo **Elevado e Túnel do Joá**, à beira mar, outro pela **Estrada do Joá**, um antigo acesso, com muitas curvas. Ambas oferecem belas vistas, como a da **Ilha Redonda**, isolada, em mar aberto.

Atrações

Villa Riso
Estrada da Gávea 728. Galeria de Arte: Aberta Seg–Sex 11h00–19h00, Sáb–Dom 13h00–17h00. Entrada franca.

Vista aérea do Gávea Golf Club e da Praia de São Conrado

SÃO CONRADO

Rocinha

Os barracos e casas espalhados pelas encostas do Morro Dois Irmãos, em São Conrado, têm a mesma vista que os condomínios que existem na parte plana do bairro. Uma população estimada em 250.000 pessoas vive no emaranhado caótico da favela da Rocinha, onde estão sendo implantados serviços básicos como rede de esgotos, apoio médico e policiamento comunitário.

Mais de quatro milhões de pessoas — em torno de um terço da população do Rio de Janeiro —moram em comunidades como esta, sendo que a Rocinha é a maior da América Latina.

A maioria dos habitantes são originários do nordeste brasileiro, eles vêm em busca de trabalho, trazendo a família, e formam comunidades. As favelas abrigam grande parte da mão de obra da cidade: provavelmente, a camareira no seu hotel, o garçom que lhe serve o café, a caixa do supermercado ou a balconista da loja podem morar nessas comunidades. O governo se esforça para libertar essas comunidades do controle das gangues ligadas ao narcotráfico ou das milícias.

A Favela Dona Marta foi beneficiada por essa iniciativa do governo e está vivendo uma paz relativa. Mesmo assim, não se deve visitar nenhuma das favelas desacompanhado — vá a convite de um residente ou em uma visita organizada (*ver p.30*).

Aos domingos almoço servido a partir das 13h00. 21 3322 1444. www.villariso.com.br.
Construída em 1770, esta mansão em estilo Colonial fazia parte de uma enorme propriedade, a Fazenda São José da Lagoinha da Gávea, que ia da Gávea até Jacarepaguá e Tijuca. No séc. XIX, a propriedade, já desmembrada, foi adquirida por Ferreira Viana, Conselheiro de D. Pedro II. Em 1932, a casa foi vendida ao banqueiro italiano Comendador Osvaldo Riso, grande incentivador da arte brasileira e propulsor do movimento pela criação da Orquestra Sinfônica Brasileira.

É interessante visitar a Villa Riso pela alta qualidade do acervo da sua **galeria de arte**, com obras de artistas locais e estrangeiros, ou apenas para degustar um excelente **almoço de domingo**, com pratos brasileiros autênticos, em um local muito refinado.

Casa das Canoas

Estrada das Canoas 2310. Aberta Ter–Sex 13h00–17h00. R$ 10,00. 21 3322 3581. www.niemeyer.org.br.
Oscar Niemeyer, arquiteto de fama mundial, construiu a "Casa das Canoas" em 1951 para ser a residência de sua família. Niemeyer criou o prédio com linhas suaves e curvas, para integrá-lo ao ambiente. Enormes blocos de pedra e densa vegetação invadem a casa, de cômodos amplos à volta da piscina. Árvores e áreas sombreadas eliminam a necessidade de cortinas, criando um espaço que integra o interior e o exterior. Os visitantes podem examinar a mobília original e as maquetes e desenhos de Niemeyer, alguns dos quais são apresentados num interessante programa multimídia.

Praia de São Conrado

(Por causa das ondas enormes, esta praia não é a mais segura para um mergulho)
No final da Avenida Niemeyer, para quem vem do Leblon, vê-se a praia de São Conrado, com 3,2 km. As areias são frequentadas tanto pelas crianças da favela da Rocinha (*ver acima*), que fica perto, quanto por surfistas e moradores dos grandes condomínios próximos. Passando a praia, chega-se ao Gávea Golf and Country Club (*ver p.33*) e ao **São Conrado Fashion Mall** (*Estrada da Gávea 899; Seg–Sáb 10h00–22h00, Dom 15h00–21h00; 21 2111 4444; www.scfashionmall.com.br*), com mais de 150 lojas e uma praça de alimentação, assim como vários cinemas.

As asas-deltas, que decolam da Pedra Bonita (*ver p.31*), no Parque Nacional da Tijuca, vêm planando no céu até a **Praia do Pepino**, na ponta oeste de São Conrado. As areias terminam no **Túnel São Conrado**.

DESCUBRA O RIO DE JANEIRO

BARRA DA TIJUCA

Depois de São Conrado, o próximo bairro é a Barra da Tijuca, o mais novo da cidade, uma área de crescimento explosivo e grande modernização. Certamente há algo de americano na Barra, com seus enormes shopping centers, condomínios arrojados e o trânsito intenso. Convivendo com o grande número de construções, a praia é a mais extensa e uma das melhores da cidade. Ela atrai uma mistura de banhistas, surfistas, windsurfistas e mergulhadores, o que torna a Barra um local muito movimentado, principalmente nos fins de semana.

- ▶ **Oriente-se:** Com quatro pistas, a Avenida das Américas é a principal via do bairro. A Avenida Lucio Costa/Sernambetiba corre paralela, ao longo da orla.
- **Não perca:** Procure uma escolinha de surfe e tente pegar uma onda na Praia da Barra (ver p.185).
- **Organize seu tempo:** Evite a hora do rush e os finais de semana, devido ao trânsito intenso.
- **Kids Para crianças:** O mar é forte, mas há muito o que fazer na areia! Você também pode optar por um passeio a pé ou de bicicleta no Bosque da Barra, no cruzamento da Av. Ayrton Senna com a Av. das Américas. Se estiver chovendo, os shoppings têm áreas dedicadas às crianças.

Um pouco de história

Modelo americano

Até o final da década de 60, a Barra era uma ampla região costeira com lagoas, pântanos e dunas. Em 1969, o arquiteto **Lúcio Costa** (responsável pela criação de Brasília) propôs um novo plano de urbanização para uma área onde a cidade pudesse crescer. O projeto seguiu os princípios de planejamento urbano racionalista. Totalmente orientado para o traçado rodoviário e muito modernista — exatamente como o projeto da nova capital — foi uma ruptura deliberada com o passado urbano do Rio de Janeiro e uma afirmação consciente de um novo estilo de vida. Lúcio Costa queria criar um espaço urbano socialmente integrado, mas o resultado foi a criação de condomínios fechados em si mesmos, vias expressas, espaços para áreas verdes públicas que foram murados ou ocupados por centros comerciais.

O que se vê hoje é um bairro moderno de grandes proporções, parte residencial, com grandes condomínios, parte comercial, com grandes shoppings centers.

Centro de entretenimento

Para muitos, a Barra da Tijuca representa um lugar seguro no caos urbano e é um núcleo de entretenimento. O **Barra Shopping** (ver p.262) é um dos maiores centros comerciais da América Latina

A extensa Praia da Barra da Tijuca

BARRA DA TIJUCA

Praia do Pepê

— tem seu próprio monotrilho; outros "shoppings" surgem o tempo todo. Aqui se encontram alguns dos melhores cinemas, teatros, restaurantes e boates *(ver p.248)* do Rio. A **Cidade da Música** *(ver p.73)* é a mais recente construção, imensa, ambiciosa, desenhada pelo arquiteto de fama mundial Christian de Portzamparc. Depois de vários adiamentos, quando ficar pronta, terá salas de concertos, espaços para ensaios, lojas e restaurantes, e será a sede da Orquestra Sinfônica Brasileira.

Atração

Praia da Barra da Tijuca★★ Kids

A maior praia do Rio de Janeiro tem mais de 14 km de extensão. Na sua orla existem quiosques de bebidas e comida e postos salva-vidas equipados com chuveiros e banheiros, embora estas facilidades diminuam à medida que se vai em direção à região do Recreio dos Bandeirantes *(ver p.186)*. Os primeiros quilômetros têm muitos bares e restaurantes, especializados em peixe.

A **Praia do Pepê** é uma faixa de areia de 275 m, entre os Postos 1 e 2, que atrai uma multidão jovem. Tanto a praia quanto a barraca receberam esse nome em homenagem ao praticante de asa-delta e surfista profissional Pepê, que morreu numa competição no Japão em 1991.

A ciclovia que acompanha a praia é bem conservada e é muito usada tanto pelos ciclistas como pelos praticantes de jogging. Como em qualquer lugar do Rio, o vôlei de praia é muito popular e há redes a intervalos regulares, embora o posto 3 seja considerado o ponto oficial. Na praia toda também se pratica o futevôlei. Escolas de surfe podem ser encontradas por toda a extensão da praia, com a mais antiga ainda funcionando em frente ao Hotel Sheraton Barra.

Endereços

COMO CHEGAR LÁ

Táxi!
www.radio-taxi.com.br. 24 horas. 21 2209 9292. Tomar um táxi do Rio para a Barra é bem fácil; basta chamar um na rua. Lembre-se que eles cobram uma taxa de taxímetro mais cara (mais ou menos o dobro) para qualquer destino além de São Conrado. Achar um táxi para a viagem de volta pode não ser tão fácil, dependendo da hora *(na hora do rush é difícil)*. Se estiver disposto a pagar um pouco mais, chame um táxi de empresa. Para ir à Barra existem ônibus com ar condicionado e alguns até são especiais para surfistas *(ver p.188)*.

LANCHES NA PRAIA

Barraca do Pepê, quiosque 11
Av. do Pepê. Aberta diariamente, 08h00–20h00. 21 2433 1400. www.pepe.com.br. Nesta famosa *barraca* podem-se comer petiscos deliciosos, sanduíches e bebidas, que atraem os surfistas e todos os que buscam uma vida saudável.

DESCUBRA O RIO DE JANEIRO

RECREIO DOS BANDEIRANTES

O Recreio dos Bandeirantes, também chamado simplesmente de Recreio, é frequentado por famílias e por quem prefere sua atmosfera mais calma do que a da sua vizinha Barra da Tijuca. A praia, com 1,5 km de comprimento, costuma ter águas calmas devido à proteção da grande massa rochosa do Pontal. Embora até agora esteja bem menos desenvolvido, a urbanização é crescente, sobretudo na orla.

▶ **Oriente-se:** A praia do Recreio fica na extremidade oeste da Barra e, na verdade, é uma extensão desta praia.

Não perca: A maquete de um **Desfile de Carnaval**★★, com uma escola de samba e plateia, no Museu Casa do Pontal. Uma caminhada pela floresta nativa do Parque Ecológico Chico Mendes.

Organize seu tempo: O Museu Casa do Pontal não abre às segundas-feiras.

Kids **Para crianças:** O jacarezinhos no Parque Ecológico Chico Mendes.

Atrações

Museu Casa do Pontal★★ Kids
Estrada do Pontal 3295. ⏱*Aberto Ter–Dom, 09h30–17h00.* 💲*R$ 10,00.* ☏*21 2490 3278. www.museucasado pontal.com.br.*
Localizada entre a Pedra Branca e a Prainha, esta casa-museu, cercada de jardins, abriga uma espetacular coleção de arte popular brasileira. O variado acervo consiste em mais de 5.000 obras (e mais 3.000 na reserva) criadas por mais de 200 artistas, desde 1950 até os dias de hoje.
Tamanha é a abrangência e a profundidade das informações sobre a cultura brasileira, que este pequeno tesouro foi, merecidamente, descrito pela UNESCO

como um verdadeiro museu antropológico. Madeira entalhada, argila, tecido, palha e até figuras de massa, bem como formas mecânicas, com movimento, são expostos de forma imaginativa. As peças são organizadas por assunto; o erotismo *(somente adultos podem ter acesso a esta sala)*, as festividades e a religião são explorados e atingem o âmago do cotidiano brasileiro.
A enorme coleção é um trabalho do francês **Jacques Van de Beuque**, que morou no Brasil a partir de 1944; desde sua morte, em 2000, o museu é dirigido pela viúva e pelo filho. Há textos explicativos que acompanham as exposições também em francês e inglês.

Parque Ecológico Chico Mendes Kids
Avenida Jarbas de Carvalho 679. ⏱*Aberto 08h00–17h00.* 💲*Entrada franca.* ☏*21 2437 6400*
Este parque ecológico homenageia Chico Mendes, o ambientalista brasileiro que defendeu a Amazônia e os seringueiros e que foi assassinado em 1988. Criado para preservar a flora e a fauna ameaçadas da Lagoinha das Tachas, como as bromélias, os ingás, a preguiça de três dedos e o jacaré de papo amarelo, o parque é a única área no Rio onde ainda se encontra a vegetação de restinga nativa. Os visitantes podem seguir trilhas por uma floresta natural, fazer piqueniques em áreas apropriadas e visitar o viveiro de jacarés.

Museu Casa do Pontal

Museu Casa do Pontal

GUARATIBA E ARREDORES

GUARATIBA E ARREDORES

Depois da Barra da Tijuca, continuando pela orla, passando pelo Recreio dos Bandeirantes, o litoral fica menos ocupado e é possível encontrar comunidades de pescadores, reservas naturais e praias vazias, quase selvagens, que por sua vez tornam-se extensões de areia praticamente desertas, à medida que você vai mais para oeste. Na estrada de acesso a Guaratiba, encontra-se o impressionante Sítio Burle Marx, um dos mais lindos jardins tropicais do Brasil, projetado pelo pai do paisagismo moderno.

- **Oriente-se:** Após Grumari, a estrada no final da praia atravessa densa mata para desvendar, no alto, Guaratiba e a Baía de Sepetiba, protegida pela Restinga da Marambaia.
- **Não perca:** Um delicioso almoço de frutos do mar ao ar livre e de frente para o mar num dos charmosos restaurantes locais *(ver p.244)*. Depois visite uma das mais importantes coleções de plantas tropicais do mundo no Sítio Burle Marx.
- **Organize seu tempo:** Uma visita ao Sítio Burle Marx — altamente recomendada — só é possível num passeio guiado, reservado com antecedência: telefone antes de ir e planeje passar algumas horas neste lugar especial.

Geografia

Na linguagem indígena, Guaratiba significa "local de reunião de garças", aves que ainda frequentam esta área.
As praias daqui são especiais, pois conservam a vegetação de restinga — habitat de caranguejos e aves. Quase todo o litoral do Rio de Janeiro já foi coberto de vegetação de restinga, hoje quase totalmente desaparecida devido à presença humana. Grumari tornou-se uma Área de Proteção Ambiental, para impedir que este habitat tenha o mesmo destino de outras praias urbanizadas.

Sítio Burle Marx★★★

Estrada Roberto Burle Marx 2019. Aberto a visitas guiadas reservadas com antecedência Ter–Sáb, 09h30 e 13h30. Telefone para reservas 08h00–16h00. R$ 5,00. 21 2410 1412.
O famoso paisagista **Roberto Burle Marx** *(ver p.74)* comprou esta ampla propriedade — uma antiga plantação de banana — em 1949 e aqui viveu de 1973 até sua morte, em 1994. Ele doou a chácara de 40 ha ao governo em 1985 e hoje ela pertence ao Instituto do Patrimônio Histórico e Artístico Nacional (IPHAN).

Sítio Burle Marx

187

DESCUBRA O RIO DE JANEIRO

😊 Dica 😊

Não há restaurante nem bar no **Sítio Burle Marx**, embora vendam-se bebidas; então é melhor você trazer seu lanche. Como se caminha muito, com algumas subidas, é bom usar **sapatos confortáveis**, **protetor solar** e trazer **repelente de insetos**.

Homem moderno

Em 1965, o *American Institute of Architects* (Instituto Americano de Arquitetos) declarou oficialmente que Roberto Burle Marx era o "verdadeiro criador do jardim moderno" e, já nessa época, o consideraram um homem à frente de seu tempo. Burle Marx acreditava firmemente que o homem deve trabalhar em harmonia com a natureza e alertou a todos sobre a destruição da floresta tropical, muito antes deste assunto ser popular.

O impulso criador sempre definiu seu trabalho e o desenho paisagístico nunca foi um simples pano de fundo para as formas arquitetônicas. Acima de tudo, ele, sozinho, libertou o desenho paisagístico brasileiro da influência europeia.

COMO CHEGAR LÁ

Surf Bus (Ônibus do Surfe) *Largo do Machado, Botafogo até a Prainha.* 📞 *21 8702 2837. www.surfbus.com.br.*
Para quem não tem transporte próprio, o ônibus laranja Surf Bus faz o circuito das melhores praias do Rio de Janeiro para o surfe, diariamente das 07h00 às 19h00. Saindo do Largo do Machado às 07h00, 10h00, 13h00 e 16h00, ele para nas praias de São Conrado, Barra da Tijuca, Recreio, Macumba e Prainha, com cada circuito levando uma hora e meia *(para mais detalhes, consulte o website)*.
Você pode subir e descer em qualquer ponto. Este ônibus é uma boa forma de explorar algumas das praias mais remotas. Nele há espaço para as pranchas e outros equipamentos e os não surfistas também são bem-vindos.

Obra de arte

Burle Marx era acima de tudo um artista com sólida formação na Europa e apurado senso estético. Para ele, a natureza brasileira era a matéria-prima para as obras que criava. Não apenas apresentou a paisagem tropical aos brasileiros, como também a combinou com a arte moderna para criar um novo discurso estético, totalmente internacional. Assim, toda a sua sensibilidade se concentrou nos seus jardins para criar verdadeiras obras de arte.

O mundo do jardineiro

Os espetaculares jardins contêm mais de 3.500 espécies de plantas, trazidas por Burle Marx do mundo todo, desde que ele tinha seis anos. Juntas, elas formam uma das mais importantes coleções de plantas tropicais do mundo.

As plantas são apresentadas como obras de arte, frequentemente agrupadas por espécie ou cor, ou junto à água, para aumentar o efeito estético. São numerosas as delicadas **orquídeas**, pontudas **bromélias** e imponentes **palmeiras**. Há dúzias de plantas nativas batizadas em sua homenagem, comprovando sua competência de botânico, como a *Heliconia burle-marxii* — que é usada na abertura do site da instituição.

Museu vivo

Burle Marx restaurou com carinho tanto a casa de campo quanto a **capela** construída no séc. XVII.

Ele próprio construiu o ateliê — com material de demolição encontrado na cidade — e usou este espaço como escritório e oficina até sua morte. Burle Marx gostava de citar repetidamente a frase: "Precisamos nos cercar de objetos carregados de emoção poética".

Era uma citação que ele tomou emprestada do arquiteto francês Le Corbusier, mas era exatamente assim que conduzia sua vida. Os cômodos da casa estão cheios de suas amadas coleções, vindas dos quatro cantos do mundo, de jarras e vasos decorativos a ícones religiosos. Burle Marx era tipicamente brasileiro, no sentido de que adorava socializar e criou um pavilhão ao lado da casa com o único objetivo de receber visitantes. Regularmente, ele recebia para grandes

GUARATIBA E ARREDORES

Surfe na Prainha

almoços dominicais e festas animadas e seu aniversário ainda é comemorado com música ao vivo no dia 4 de agosto. Para desfrutar a **vista** do vale, os visitantes sobem até a capela, onde os moradores locais ainda assistem à missa todos os domingos.

Outras atrações

Prainha★★

Como diz o nome, a Prainha é bem pequena, porém tem lindas formações rochosas. Aninhada entre a montanha e o mar, suas águas claras e a atmosfera rural são a atração principal.
As ondas estão entre as melhores para o **surfe** e a praia com seus quiosques está sempre cheia de surfistas, amadores e profissionais. Outra atração da Prainha é um grupo de enormes pedras arredondadas de vários tamanhos, que parece terem acabado de rolar da montanha até a praia.

Praia de Grumari★

Grumari é uma das poucas praias que mantêm o aspecto verdadeiramente selvagem. Tendo ao fundo morros densamente cobertos de Mata Atlântica, ela forma uma zona de proteção ambiental onde os ônibus são proibidos e o acesso de carro é limitado. Há alguns quiosques e um restaurante simples. A **Praia do Abricó**, atrás de enormes rochas, no final da Prainha, é a única praia de nudismo da cidade do Rio.

Barra de Guaratiba★ Kids

Há muito, Guaratiba é uma colônia de pescadores e ainda conserva sua atmosfera tradicional, com barcos de pesca, bandos de gaivotas e vários restaurantes rústicos de peixes e frutos do mar.
Popular entre o pessoal local, esta pequena praia familiar é a última no litoral sul do Rio. Com árvores como amendoeiras e abricoteiros ao fundo e casas ladeira acima, esta praia é bem protegida pela Restinga da Marambaia e pela ponta do Picão, de forma que, geralmente, as águas são calmas.
Na Restinga da Marambaia existem praias desertas, intocadas, acessíveis somente por trilhas *(é necessária autorização do Exército)*.

Praia de Grumari

189

EXCURSÕES

A poucas horas de viagem do Rio de Janeiro, encontram-se locais fantásticos que merecem ser explorados. Comece com a cidade de Niterói, do outro lado da Baía de Guanabara, com seu impressionante Museu de Arte Contemporânea. Para leste, você encontrará a Costa do Sol, com suas maravilhosas praias e enseadas, cujo ponto alto é a cidade de Búzios. Para oeste, você descobrirá a beleza de outro litoral, a Costa Verde, com destaque para Angra dos Reis e Ilha Grande, de praias desertas e águas límpidas, assim como a cidade colonial de Paraty. Para uma mudança total de paisagem, vá para o interior, para o Vale do Paraíba, o "Vale do Café", ou para Petrópolis, a antiga cidade imperial, na Serra do Mar, e desfrute de um clima mais fresco e de um ambiente cheio de história.

Uma viagem no tempo

Uma viagem de barco na **Baía de Guanabara** revela a Ilha Fiscal, em estilo Neogótico; do outro lado da baía, está **Niterói** e suas imponentes fortalezas; e, ainda na baía, a atemporal **Ilha de Paquetá**. Mais para o interior, o **Vale do Café** oferece aos visitantes reminiscências da cultura do café, tão importante para a economia brasileira do século XIX. **Petrópolis**, fundada por D. Pedro II como um retiro de verão, mantém um ar grandioso, com imponentes prédios históricos e charretes percorrendo suas amplas avenidas. No litoral sul, **Paraty** possui um passado colonial bem preservado nas ruas de pedra do seu centro histórico. Na região também se destacam a beleza de **Angra dos Reis** e o paraíso da **Ilha Grande** que mantém sua beleza natural por ser uma reserva ambiental.

Destaques

1 Admire a Baía de Guanabara a partir do Museu de Arte Contemporânea, em **Niterói** (ver p.192).
2 Relaxe nas praias maravilhosas do charmoso balneário de **Búzios** (ver p.196).
3 Caminhe pela floresta virgem na **Ilha Grande** (ver p.200).
4 Passeie de barco pelo marazul-turquesa na Baía de **Paraty** (ver p.204).
5 Faça um passeio pela história e pela arquitetura em **Petrópolis** (ver p.208).

Aproveite o seu tempo

Explore a beleza fora da cidade do Rio. Tome a barca para Niterói e atravesse a Baía de Guanabara; suba pela sinuosa estrada para Petrópolis; passe uma noite em uma fazenda no Vale do Café.
A viagem para Angra, Ilha Grande e Paraty faz parte da aventura. Entre o verde-esmeralda da mata atlântica e o azul esverdeado do mar da **Costa Verde**, a BR-101 segue um percurso sinuoso na direção sul, revelando as escarpas da Serra do Mar, cobertas de mata atlântica, que descem até lindas praias, em pequenas enseadas. Pernoite em um dos resorts requintados que existem na região de Mangaratiba e Angra.
Fiel a seu nome, a **Costa do Sol** atrai os que adoram sol e calor, nos seus 100 km de extensão, de Niterói à famosa Búzios, passando por cidades como Saquarema, Arraial do Cabo e Cabo Frio. O litoral possui praias maravilhosas e lagoas lindas, como a Lagoa de Araruama. A cidade de Búzios oferece uma excelente infraestrutura hoteleira e gastronômica.

Dica

Além da Baía de Guanabara e de Niterói, os locais descritos nesta seção são muito frequentados nos fins de semana (e de férias, sobretudo de dezembro a fevereiro). Se você quiser mais tranquilidade, prefira os dias de semana e outras épocas do ano.

EXCURSÕES A PARTIR DA CIDADE DO RIO DE JANEIRO

EXCURSÕES A PARTIR DO RIO DE JANEIRO

BAÍA DE GUANABARA E NITERÓI★★

A cidade de Niterói fica do outro lado da Baía de Guanabara. Pode-se atravessar a baía de barca, a partir do Centro do Rio, ou pela Ponte Rio–Niterói (13 km). Esta cidade, onde vive meio milhão de pessoas, possui fortalezas antigas, que protegiam a baía contra os invasores, o Museu de Arte Contemporânea, praias agradáveis, algumas na Baía de Guanabara e outras oceânicas, pontos que oferecem vistas lindas e ainda a impressionante coleção de projetos do arquiteto Oscar Niemeyer.

- **Oriente-se:** Niterói tem uma área próxima à Baía de Guanabara, onde se encontra a maioria de seus monumentos e uma outra área, mais distante, onde estão as praias oceânicas.
- **Não perca:** O Museu de Arte Contemporânea, de Oscar Niemeyer, por sua arquitetura incrivelmente ousada e a maravilhosa vista do Rio e da Baía de Guanabara a partir do seu mirante circular.
- **Organize seu tempo:** Prefira visitar a Fortaleza de Santa Cruz da Barra pela manhã ou mais para o fim da tarde, para evitar o sol mais forte.
- **Para crianças:** Faça um passeio de charrete na pitoresca Ilha de Paquetá. O castelo na Ilha Fiscal, que parece ter saído de um conto de fadas, certamente será um sucesso.

Niterói

Museu de Arte Contemporânea (MAC)★★
Mirante da Boa Viagem. Aberto *Ter–Dom 10h00–18h00 (19h00 fins-de-semana de verão), a bilheteria fecha 15 min antes de fechar o espaço do museu. Pátio exterior 09h00–19h00, Sáb–Dom 09h00–20h00.* R$ 4. 21 2620 2400. www.macniteroi.com.br. *Para chegar ao MAC, vire à direita saindo da estação das barcas e tome o ônibus número 47B até o museu.*

Situado num alto promontório que se projeta sobre a Baía de Guanabara, esta construção excepcional parece flutuar acima da água. O seu arquiteto, **Oscar Niemeyer** (n. 1907), o descreve como uma gigantesca flor branca. O Museu de Arte Contemporânea é um espetáculo extraordinário e é com razão uma das atrações mais visitadas de Niterói. Um espelho d'água, no qual se ergue a base cilíndrica do museu, a enorme **cúpula** (16 metros de altura e 50 metros de diâmetro), reflete a estrutura do edifício. Esse prédio faz parte do **Caminho Nie-**

Museu de Arte Contemporanea

BAIA DE GUANABARA E NITERÓI

🙂 Dica 🙂

A Fortaleza de Santa Cruz da Barra fica a 15 minutos de carro do MAC e, como ainda há um batalhão do exército ali destacado, os visitantes devem passar por um posto de controle de segurança antes de entrar na fortaleza. A área de visitação é completamente aberta, exposta às itempéries, por isso é aconselhável usar chapéu e protetor solar e levar consigo uma garrafa de água. Só é possível visitar o interior da fortaleza em visita guiada.

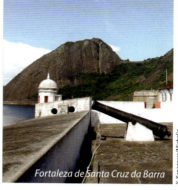
Fortaleza de Santa Cruz da Barra

meyer, que começa na região central de Niterói e chega até este ponto.

O MAC foi construído originalmente para receber a grande coleção de arte brasileira contemporânea de João Leão Sattamini Neto, que estava espalhada por vários locais da cidade. Hoje possui mais de 12.000 peças da segunda metade do séc. XX, realizando exposições temporárias, de grupos de peças dessa coleção, tendo em vista o espaço limitado para o grande número de obras do seu acervo.

O acesso a este edifício é feito por uma larga rampa em espiral que leva os visitantes a um esplêndido **mirante**, do qual é possível contemplar a Baía de Guanabara, o Rio de Janeiro e o Pão de Açúcar. Dali também é possível apreciar, em Niterói, a Praia das Flechas e a Praia de Icaraí, assim como a Ilha da Boa Viagem.

O museu possui um restaurante com vista panorâmica.

Fortaleza de Santa Cruz da Barra★★

Rua General Eurico Gaspar Dutra, Jurujuba. 🕐*Aberta Ter–Dom 10h00–17h00.* 💰*R$ 4. Entrada somente com visita guiada.* ✆*21 2710 2354.*

Em 1555 o francês **Nicolau Durand de Villegaignon** construiu uma fortificação neste local, para a defesa da colônia França Antártica, criada por ele no Rio de Janeiro.

Com a expulsão dos franceses, em 1567, a fortaleza foi ampliada pelos portugueses para ser o ponto chave da defesa da Baía de Guanabara.

A viagem de carro, a partir de Niterói, sobe por uma colina e passa por outras fortificações costeiras *(ver quadro abaixo)* e pequenas enseadas cheias de barcos de pesca. Chega-se, então, à Fortaleza de Santa Cruz da Barra, um local muito bonito, cujas paredes brancas seguem as linhas dos rochedos sobre os quais está construída.

Fortes e Fortalezas de Niterói

Algumas pessoas dizem que a cidade de Niterói possui o maior número de fortes e fortalezas da América Latina. De fato, a lista é bastante impressionante.
Ao lado da Fortaleza de Santa Cruz da Barra, que desempenhou um papel muito importante na defesa da Baía de Guanabara, está, entre outros, um trio muito interessante: o **Forte do Imbuí**, o **Forte Barão do Rio Branco** e as ruínas do **Forte de São Luiz**. Localizado no cume do Morro do Pico (230 m), o ponto mais alto da área, esse último oferece uma vista espetacular da Fortaleza de Santa Cruz da Barra, dos morros da Urca e do Pão de Açúcar, de um lado; e do Forte do Imbuí e do oceano, do outro. *O acesso aos três fortes é pelo portão de entrada do Forte Barão do Rio Branco, na Alameda Marechal Pessoa Leal 265, Jurujuba;* 🕐*Visita guiada Sáb–Dom e feriados nacionais 09h30–16h00;* 💰*R$ 10;* ✆*21 2711 0566/2711 0462.*

EXCURSÕES A PARTIR DO RIO DE JANEIRO

COMO CHEGAR LÁ E PASSEAR

As barcas para Niterói saem da Praça XV, situada no Centro histórico do Rio (🕐 ver p.98), de 15 em 15 minutos, e a travessia demora 20 minutos. Os aerobarcos e catamarãs demoram entre 5 e 8 minutos e são um meio de transporte mais rápido. Volte ao entardecer, para ver a cidade do Rio de Janeiro banhada em uma linda luz dourada.
Junto da estação das barcas, em Niterói, existe um centro de informações turísticas (aberto diariamente 09h00–18h00) que fornece informações atualizadas sobre transportes na cidade, mapas e indicações do caminho a seguir.
Da Praça XV, saem ônibus com frequência para Niterói atravessando a Ponte Rio–Niterói (13 km). Caso contrário, alugue um carro ou tome um táxi.

A fortaleza é um complexo enorme com 20 casamatas no primeiro andar e 21 no segundo, com filas impressionantes de canhões de grande calibre. Existem também celas, tendo em vista a utilização da fortaleza, no passado, como prisão. Algumas partes da construção datam de meados do séc. XVI. Existe uma encantadora capela em estilo colonial, a **Capela de Santa Bárbara** ★, construída em 1612. O farol atualmente funciona como um pequeno espaço cultural. Não perca **a vista** que se tem da fortaleza sobre a Baía de Guanabara, Niterói e o Rio de Janeiro, com o Pão de Açúcar e o Cristo Redentor, ao fundo, especialmente espetacular ao entardecer.

Parque da Cidade

Estrada da Viração. 🕐 Aberto Seg–Sex, 09h00–18h00 (19h00 durante o horário de verão). Café Seg–Sex 09h00–17h00. ✕ ☎ 21 2610 3157
Situado no Morro da Viração, 270 m acima do nível do mar, chega-se ao parque de táxi ou a pé, a partir da Praia de São Francisco (talvez você tenha de pedir instruções para chegar lá). A principal razão para se visitar o Parque da Cidade é a fantástica **vista** ★★★ panorâmica da Baía de Guanabara, a partir da rampa de asa delta, especialmente ao entardecer. Uma segunda rampa tem vista sobre o mar. O parque é um local agradável para se passear e relaxar.

Praias de Niterói

Para conhecer as **praias** de Niterói, próximas à **Baía de Guanabara**, comece pela **Praia de Icaraí**, a principal praia da cidade. No fim da praia, a estrada Leopoldo Fróes margeia o litoral, levando até a **Praia de São Francisco**, no bairro do mesmo nome, famosa por sua vida noturna e pela linda igrejinha de São Francisco Xavier, fundada no séc. XVI por José de Anchieta. Continuando ao longo do litoral, está a **Praia de Charitas** e, depois, a **Praia de Jurujuba**, um pequeno trecho de areia com barcos de pescadores. A seguir, estão a **Praia de Adão** e a **Praia de Eva**, próximas uma da outra, mas separadas por uma grande pedra.

As **praias oceânicas** da região de Niterói ficam mais afastadas. (Partindo de Icaraí, siga a estrada Leopoldo Fróes, mas em vez de virar à direita, em direção à Praia de São Francisco, continue reto e

Caminho Niemeyer

O Corredor ou Caminho Niemeyer é um conjunto arquitetônico de edifícios culturais e religiosos, situados junto à baía, que foram desenhados pelo grande arquiteto Oscar Niemeyer. Entre eles estão o MAC (Museu de Arte Contemporânea) e a Praça Juscelino Kubitschek. O mais recente edifício do conjunto é o Teatro Popular, situado à esquerda de quem sai da estação das barcas, em Niterói. Ele foi inaugurado no 100º aniversário de Niemeyer em 2007. No futuro, haverá também uma nova estação das barcas, um museu do cinema brasileiro, um memorial a Roberto Silveira, uma catedral católica, uma igreja batista e um edifício para a Fundação Oscar Niemeyer, todos juntos representarão a maior coleção de projetos desenhados por Niemeyer fora da capital federal, Brasília.

BAIA DE GUANABARA E NITERÓI

pegue a Avenida Presidente Roosevelt e siga as indicações). A primeira praia oceânica é a **Praia de Piratininga**. Aqui, pode-se nadar ao largo da praia de 2,5 km, embora às vezes o mar seja muito forte. Uma trilha curta leva à pequena **Praia do Sossego**, de águas límpidas e relativamente calmas. Mais adiante está a **Praia de Camboinhas**, onde se praticam esportes náuticos. A **Praia de Itaipu** tem lindas dunas e uma colônia de pescadores. Os surfistas preferem a **Praia de Itacoatiara**, com bares e trilhas para caminhadas.

Ilha Fiscal

Baía de Guanabara

Ilha Fiscal★ `Kids`
Av. Alfredo Agache. Visitas de barco Qui–Dom, 13h00, 14h30 e 16h00. Bilhetes à venda no Espaço Cultural da Marinha (ver p.105) a partir das 11h00 em dias de visita. Ilha Fiscal fechada 1º Jan, Carnaval, Sexta-feira Santa, Dia de Todos os Santos, 24, 25 e 31 Dez. 21 2104 6721.

O extraordinário edifício verde Neogótico parece um castelo de contos de fadas, mas foi construído para ser um posto de alfândega. O projeto é do arquiteto **Adolpho Del Vecchio**, de 1881, aprovado pessoalmente por D. Pedro II e premiado pela Academia Imperial de Belas Artes. Em abril de 1889, o castelo foi inaugurado na presença do imperador e, sete meses depois, abrigou uma festa em homenagem à Marinha chilena, conhecida como "O Último Baile do Império", pois, pouco tempo depois, seria proclamada a república no Brasil. Desde 1998 funciona como um espaço cultural. Muito interessante neste edifício — que D. Pedro II chamava de "uma delicada caixa de joias, merecedora de uma joia deslumbrante" — é a luxuosa decoração interior.

Ilha de Paquetá `Kids`
Esta é a segunda maior ilha da Baía de Guanabara, sendo a primeira a Ilha do Governador, onde está o Aeroporto Internacional do Rio de Janeiro. A ilha possui um relevo com colinas baixas e, junto da costa, existem muitos rochedos arredondados.

O nome "Paquetá", em Tupi, significa "muitas conchas", encontradas em várias partes da ilha. Paquetá é agradavelmente diferente do Rio, pois tem um ritmo de vida mais calmo. Os aerobarcos e catamarãs *(trajeto de 20 min)* e as barcas *(trajeto de 1 hora)* saem da Praça XV, de duas em duas horas, o dia todo. O site *www.ilhadepaqueta.com.br* fornece mais informações. Na estação das barcas há um centro de informações turísticas (*aberto diariamente 11h00–17h00*). Veículos motorizados são proibidos na ilha e os visitantes passeiam a pé ou de bicicleta, alugadas logo que se chega na ilha. Existem charretes e um trenzinho que faz passeios (*R$ 4, 50 min*). As praias são poluídas, mas o espaço ao ar livre é excelente para as crianças brincarem. O **Parque Darke de Mattos** é uma área arborizada muito bonita. O principal prédio histórico é o **Solar d'El Rei**, que pertenceu ao comerciante de escravos Francisco Gonçalves da Fonseca e que hospedava D. João VI em suas visitas a Paquetá. Hoje, o prédio abriga uma biblioteca (*Rua Príncipe Regente 55; aberta Ter–Sáb 08h30–16h30*).

BARCOS NA BAÍA

Saveiros Tour
Av. Infante Dom Henrique s/n, Lojas 13/14, Marina da Glória. 21 2225 6064. www.saveiros.com.br
Os passeios culturais pela baía efetuados em escunas visitam Niterói, a Fortaleza de Santa Cruz da Barra e a Ilha Fiscal. Saem diariamente de manhã e à tarde.

EXCURSÕES A PARTIR DO RIO DE JANEIRO

BÚZIOS★★

A "Saint-Tropez" do Brasil conseguiu manter um encanto rústico e ao mesmo tempo ser altamente sofisticada. Com pequenas praias, de mar azul cristalino, de enseadas calmas e ilhas, esta recortada península atrai visitantes do mundo inteiro que adoram a sua natureza exuberante. Mas eles vêm também para curtir suas ruas estreitas, calçadas de pedra, com inúmeras butiques e restaurantes, suas adoráveis pousadas e sua atmosfera descontraída e simpática, o que contribuiu para torná-la um dos balneários favoritos do Brasil.

▶ **Oriente-se:** Situada a 169 km a leste do Rio de Janeiro, na Costa do Sol, a península tem cerca de 8 km de comprimento. O principal local de entretenimento de Búzios é a Orla Bardot, um prolongamento da Rua das Pedras, na praia da Armação, a praia central de Búzios.

Não perca: Curta dois mirantes espetaculares na Península de Búzios: o Mirante do Forno e o Mirante de João Fernandes. Descubra as pitorescas ilhas em torno da península em um passeio de barco: Ilha Feia, Ilha dos Gravatás, Ilha do Caboclo, Ilha da Âncora e Ilha Branca. Vá até a Ponta da Lagoinha, uma lagoa de águas límpidas, perto da Praia da Ferradura, criada por uma impressionante formação rochosa conhecida como o "Himalaia brasileiro".

Organize seu tempo: Se você estiver em Búzios no dia 29 de junho, verá os pescadores comemorarem o dia de São Pedro, o seu santo padroeiro, com barcos decorados e uma procissão que começa na Igreja de Santana (1740), localizada entre as praias da Armação e dos Ossos.

Kids Para crianças: É muito divertido praticar snorkeling nas águas límpidas e rasas e uma ótima maneira de conhecer a vida subaquática local.

Um pouco de história

Atraente desde as origens

Mil anos antes da chegada dos portugueses no Brasil, a região em torno de Búzios já era habitada por Tamoios e Goitacás. No séc. XVI, o colonizador começou a exploração de suas matas até o esgotamento, levando os residentes a adotar a **pesca da baleia** para sobreviver. Esta atividade foi responsável pelo nome de vários locais, como as praias da Armação e dos Ossos, lembrando os ossos das baleias espalhados na areia depois da retirada do óleo. O antigo nome completo do balneário, Armação dos Búzios, é raramente usado.

Quando a maioria das pessoas fala sobre Búzios, menciona **Brigitte Bardot** passeando nas suas ruas de areia com seu namorado brasileiro, em 1964, acontecimento que marcou o desper-

Praia da Ferradurinha

BÚZIOS

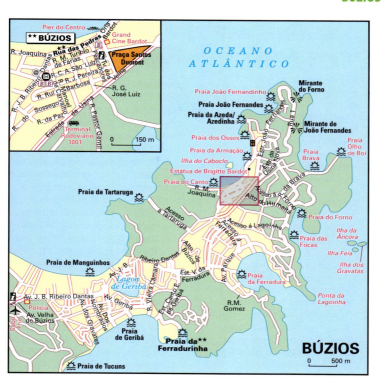

tar da cidade para o mundo. Até aquele momento Búzios era uma comunidade de pescadores; mas quando as fotos da jovem estrela de cinema, de férias neste local, apareceram na imprensa, esse balneário passou a ser um dos destinos mais procurados do mundo.

A cidade

Rua das Pedras★★

Com galerias de arte, bares, restaurantes e butiques, que vendem desde roupa e óculos de sol até souvenirs, a rua mais famosa de Búzios, a Rua das Pedras, com pouco mais de 500 metros, fica no coração do centro histórico.

As pessoas adoram passear nesta rua de pedestres, cujo nome é uma referência ao seu calçamento. Mas é a partir do pôr do sol que ela se anima, sobretudo à noite, quando se torna uma festa. Pessoas bronzeadas e bonitas, vindas de todo o mundo, entre as quais celebridades nacionais e internacionais, enchem a pequena rua, criando uma atmosfera animada e um local ideal para viver o ambiente da cidade.

Muitas das butiques desta ruazinha só abrem após as 17h00 e fecham depois das 23h00. Os restaurantes (ver p.245) são de nível internacional, incluindo cozinha francesa, italiana, argentina, tailandesa e de deliciosos frutos do mar brasileiros.

No fim da Rua das Pedras, encontra-se o **Píer do Centro**, na Praia da Armação, onde há aqua-táxis e escunas para os deslocamentos e passeios marítimos locais.

Seguindo adiante pela Praia da Armação, está a **Orla Bardot**, onde existe uma estátua em bronze da modelo e atriz francesa criada pela artista Christina Motta.

As praias

Com mais de vinte e cinco praias, Búzios é ótima para praticar surfe, kitesurfe,

EXCURSÕES A PARTIR DO RIO DE JANEIRO

Caminhadas Ecológicas

Existe muito mais em Búzios do que águas cristalinas e pequenas vilas de pescadores. As maravilhosas atrações naturais estão aqui para serem exploradas e apreciadas pelo visitante. Você pode:

Fazer uma caminhada guiada pela **Reserva das Emerências** para sentir o ecossistema única da floresta atlântica, em companhia dos micos dourados e das bromélias. *Ligue para o Instituto Ecológico Búzios Mata Atlântica (IEBMA)* 📞*22 2623 2200 ou 22 2623 2446 para maiores detalhes*

Visite a **Reserva Tauá** onde, graças a recursos privados, está sendo gradualmente restaurado o ecossistema da restinga de Cabo Frio. 🕐*Aberta 8am–6:30pm.* 🎫*Entrada Grátis. Consulte www.reservataua. com para maiores detalhes.*

A maior reserva de **Pau-Brasil**, uma espécie em risco de extinção, está próxima à Praia de Tucuns, no caminho para Cabo Frio.

---

submarina é ideal para snorkeling. A Ferradurinha fica somente a 10 minutos a pé da Praia de Geribá, onde se pode chegar de carro.

Praia de Geribá

Esta é a praia mais popular da península. Nela existem inúmeros restaurantes e pousadas, assim como casas de veraneio. A larga faixa de areia é um espaço perfeito para esportes como o vôlei e o futebol de praia. Geribá, uma das praias mais longas, com mais ondas e com ventos constantes, é onde se pratica um dos melhores surfes de Búzios. A ponta mais distante e menos urbanizada pode ser perigosa por causa das ondas e correntezas. A outra extremidade é um local mais sossegado, conhecido como **Canto de Geribá**, com ondas menores e muitos bares.

Praia de Tucuns

Depois de Geribá, esta praia está fora de Búzios, a 15 minutos de carro do Centro. Com dunas e beleza selvagem, Tucuns é uma continuação das praias do litoral que começam em Cabo Frio. A praia é frequentada por surfistas e praticantes de kitesurfe.

Praia de Manguinhos

Com 3,2 km de comprimento, esta praia está situada do outro lado de Geribá, no colo da península. Frequentada pelos praticantes de windsurfe e de kitesurfe, nela fica a sede do clube de windsurfe Búzios Vela Clube. A praia tem boas condições para a pesca e de manhã bem cedo há um pequeno mercado de peixes. No séc. XIX, depois da abolição da escravatura, as enseadas isoladas de Búzios eram esconderijos perfeitos para o desembarque ilegal de escravos.

Praia da Tartaruga

A praia possui vários recifes próximos, propícios ao snorkeling. Na realidade são duas praias, sendo a menor frequentada por pescadores e a maior por banhistas. Quiosques vendem peixe grelhado na brasa e ostras frescas, assim como bebidas.

---

mergulho, snorkeling, natação ou somente relaxar à beira mar. As praias mais perto da cidade são mais calmas, com água mais quente, enquanto as de acesso mais difícil, são um pouco mais frias, mas com muitas ondas. As praias abaixo dão uma boa ideia do que Búzios oferece.

Praia da Ferradurinha★★

Localizada em uma linda enseada de águas azul-turquesa, é uma das praias mais bonitas (e mais seguras) de Búzios. Muito frequentada pelas famílias, esta piscina natural é formada por rochas que protegem as águas mornas e rasas. Essas formações rochosas, que descem até o mar, ficam cheias de pessoas tomando sol, enquanto os praticantes de caiaque remam serenamente na pequena enseada.

Há um quiosque que vende bebidas e petiscos e que aluga guarda-sóis grandes — o que é muito bem-vindo nesta praia ensolarada sem árvores. Próximo às rochas, geralmente a visibilidade

BÚZIOS

Praia Azeda/Azedinha

Frequentadas pelas famílias, por suas águas rasas, estas praias são duas das mais bonitas e ficam somente a quinze minutos a pé da Praia dos Ossos. Subindo uma pequena ladeira, ao final desta, e descendo umas escadas de pedra na encosta, chega-se à Azeda, uma pequena praia em semicírculo com boas condições para snorkeling. A Azedinha é uma continuação da primeira, menor ainda. Não existe infraestrutura e ambulantes vendem salgados e bebidas. Pela manhã a praia fica muito sombreada.

Praia de João Fernandes

Esta é a praia com a maior concentração de restaurantes e pousadas e boas condições de acesso. Por isso, é muito concorrida nos fins de semana e feriados. As águas calmas, como as de uma piscina, tornam esta praia uma das melhores para o snorkeling, podendo-se alugar, lá mesmo, o equipamento.

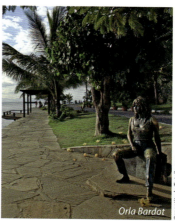
Orla Bardot
©snaptitude/Fotolia.com

Com um pouco de sorte, você até poderá ver pescadores de anchovas. Mais adiante, depois de um rochedo, fica a praia **João Fernandinho**, pequena e bastante arborizada.

Endereços

COMO CHEGAR LÁ E PASSEAR

Búzios fica a cerca de três horas e meia do Rio de Janeiro — seja de carro, ônibus ou táxi. A Auto Viação 1001 *(www.autoviacao1001.com.br;* ✆ *21 4004 5001)* opera um serviço de ônibus, de duas em duas horas, durante o dia. Consulte o site para obter os horários. A maior parte das pousadas da cidade pode organizar transporte desde o Rio. Há muitas opções para passear na península; a maioria das praias têm acesso de táxi, carro, bicicleta (mais difícil, pois nem todas as ruas são calçadas e muitas são de paralelepípedos) e até mesmo de bugre. Se preferir viajar pelo mar, escolha entre traineiras de pescadores, catamarãs com fundo de vidro, escunas (passe de um dia) ou aqua-táxis.

MERGULHO PROFUNDO

Búzios foi descrito como um aquário vivo graças a suas águas límpidas e mornas, cheias de peixes, desde pequeníssimas anchovas e enguias até peixes grandes, como barracudas, arraias gigantescas e tartarugas marinhas. Os mergulhadores podem visitar os principais pontos de mergulho perto das praias ou ir para a ilha da Âncora, a 10 km e 30 minutos de barco da costa, que goza de uma visibilidade média de 12 m. Os "batismos" para os iniciantes oferecem teoria básica e um instrutor para acompanhá-los e os não mergulhadores geralmente podem juntar-se aos grupos e praticar snorkeling. Você pode escolher as aulas pela manhã ou à tarde; existem também mergulhos noturnos. Búzios geralmente oferece boas condições para a prática de mergulho durante o ano todo. *(Casamar Dive Resort); Rua das Pedras 242;* ✆ *22 2623 2441; www.casamar.com.br.)*

COQUETÉIS COM VISTA

Deck - *Alto do Humaitá 10, Pousada Casas Brancas. Aberto diariamente 18h00–01h00.* ✆ *22 2623 1458. www.casasbrancas.com.br.*

Faça uma caminhada curta ao longo da Orla Bardot e chegará a este local sofisticado, um bar com vista panorâmica da Praia da Armação, a praia central de Búzios. Saboreie uma batida com a fruta da época e contemple a paisagem mágica do mar ao sabor da brisa tropical.

199

EXCURSÕES A PARTIR DO RIO DE JANEIRO

ILHA GRANDE★★★

A região de Angra dos Reis e, especialmente, a Ilha Grande é um dos pontos altos da espetacular Costa Verde do Rio de Janeiro. Mais da metade da ilha está coberta pela rara Mata Atlântica, cortada por trilhas. Rodeada por 100 praias de areias brancas e águas verdes transparentes, a ilha, em sua parte central, tem rios de águas cristalinas, cachoeiras e lagoas. A "capital" da ilha, a Vila do Abraão, é um povoado de ruas de areia e de calçamento "pé-de-moleque", onde os barcos de pesca balançam nas águas calmas da baía. Não há estradas e não são permitidos carros. A Ilha Grande é um verdadeiro refúgio.

- ▶ **Oriente-se:** A Ilha Grande está 161 km ao sul do Rio. O trajeto de lancha, vindo de Paraty (*ver p.204*), leva cerca 1 hora e 30 minutos , assim como o trajeto de ferry, vindo de Angra dos Reis. A Vila do Abraão está a 20 km do continente.
- **Não perca:** A Praia Lopes Mendes, considerada uma das praias mais lindas do mundo. A excelente vista do topo do Pico do Papagaio, de onde se pode ver até a Pedra da Gávea, a 161 km de distância da ilha.
- **Organize seu tempo:** Para poder apreciar a tranquilidade da ilha, passe pelo menos três noites aqui. As barcas para a ilha geralmente partem uma vez por dia (*ver Livro de endereços*) e a ilha é mais calma durante a semana.
- **Para crianças:** As histórias de piratas evocadas em um passeio de barco em torno da ilha.

Um pouco de história

Pirataria e prisão

Cerca de 100 índios que se dedicavam à caça e à pesca viviam nesta ilha quando os portugueses ali chegaram, no séc. XVI. A eles seguiram-se piratas franceses, holandeses e ingleses, que se escondiam nas inúmeras enseadas para emboscar os navios espanhóis carregados de ouro, oriundos das colônias espanholas.

No séc. XIX, e mesmo após a abolição da escravatura no Brasil, em 1888, os traficantes de escravos continuaram se escondendo na região e vendendo mão de obra escrava para as plantações de açúcar e de café. Pelo seu isolamento, a ilha foi usada como colônia de leprosos e, depois, foi transformada em prisão. Criminosos e intelectuais estiveram presos nesta ilha na época do regime militar. A prisão só foi fechada em 1994, quando a ilha foi aberta ao público.

Angra dos Reis★★

Em 1502 os portugueses chegaram a esta região que, hoje, é um dos mais importantes destinos turísticos do Brasil, onde se destacam 365 ilhas paradisíacas, como a Ilha Grande e a Ilha da Gipóia. No seu Centro Histórico estão a Igreja e Convento de Nossa Senhora do Carmo e as ruínas do Convento de São Bernardino de Sena, assim como sobrados antigos. A região, de Mangaratiba a Angra dos Reis, possui os melhores resorts e hotéis da Costa Verde, que organizam passeios de barco na região.

Porto Bello Resort Safari: Rodovia Rio Santos, BR 101, km 438, Mangaratiba, 0800 282 0868, www.hotelportobelloI.com.br, 152 quartos, $$$$. Club Med Rio das Pedras: Rodovia Rio Santos, BR 101, km 441,5, Mangaratiba, 0800 707 3782, www.club-med. com.br, 324 quartos, $$$$. EcoResort Angra dos Reis: Estrada do Contorno 8413, Praia de Tanguá, 0800 703 7272, www.ecoresortangra.com.br, 319 quartos, $$$$$. Pestana Angra Beach Bungalows: Estrada do Contorno 3700, Retiro, 0800 26 6332, www. pestana.com.br, 27 bangalôs, $$$$. Melia Angra: Accesso pela Rodovia Rio Santos, BR 101, km 488, 0800 703 3399, www.solmelia.com.br, 200 quartos, $$$$.

ILHA GRANDE

Praia Lopes Mendes

Geografia

Uma ilha idílica
A Ilha Grande mantém a sua beleza imaculada até hoje. Não existem grandes hotéis e, além de haver rigorosas restrições às construções, todo o frágil ecossistema da ilha, assim como a água que a rodeia, está protegido pela legislação. Na densa mata de bananeiras, amendoeiras e coqueiros vivem diferentes espécies de macacos e pássaros tropicais, incluindo papagaios de cores vivas. O Pico da Pedra d'Água (1.031 m) e o Pico do Papagaio (959 m) são os principais marcos visuais da ilha.

Atrações

Praia Lopes Mendes★★★
Lopes Mendes é uma das mais belas praias do mundo e, frequentemente, recebe esta classificação. Uma das razões é que não existe nenhuma intervenção humana e a natureza está preservada. Cercada por colinas, a densa Mata Atlântica desce até as praias de areias branquíssimas, que se estendem por 3,2 km diante das águas cristalinas do Oceano Atlântico. Existem boas condições para o surfe — o melhor da ilha — o que atrai os seus praticantes (as praias de Santo Antônio e do Aventureiro também são boas para o surfe).

Não há bares na praia, nem mesmo ambulantes, portanto traga água para beber, embora a sombra seja proporcionada pelas inúmeras amendoeiras.

No mar, a cerca de 800 metros de distância da praia, está situada a pequena ilha de Jorge Greco, com praia e condições ótimas para mergulho e snorkeling. Segundo a lenda, esta minúscula ilha tem o nome de um pirata grego que fez desta ilha a sua casa.

Pico do Papagaio★★
Após um percurso íngreme de três horas chega-se ao topo do Pico do Papagaio, cujo nome se deve a seu formato. Os que conseguem chegar lá são recompensados pela extraordinária **vista** ★★★ como se você estivesse no topo do mundo. Num dia claro, pode-se ver toda a ilha e, além desta, até a Pedra da

---

😊 Dicas 😊

Quando explorar a ilha, tome cuidado para não interferir na natureza a seu redor, prestando atenção às seguintes regras:

- Não se deve pescar num raio de até 1 km da costa.
- Não se deve dar comida aos animais.
- Não se deve colher ou danificar plantas ou flores.
- Não se deve destruir ou danificar a vegetação.
- Não se deve tomar banho em reservatórios de água potável.
- Não se deve usar sabão ou xampu quando se banhar em rios, lagos e cachoeiras.
- Não se deve acender fogo.
- Não se deve acampar nas praias.

201

EXCURSÕES A PARTIR DO RIO DE JANEIRO

A vida na ilha

Naturalmente, se tudo o que deseja é relaxar, nada o impede de ficar balançando numa rede ou deitado na areia da praia o tempo todo, mas se quer realmente desfrutar a ilha, o melhor é estar sempre ativo. Snorkeling, nas águas límpidas ao redor dos recifes, e mergulhos, nos inúmeros navios naufragados no fundo do mar, são experiências inesquecíveis, ambas facilmente realizáveis.

A caminhada é especialmente agradável entre maio e julho, quando a temperatura é mais amena e a quantidade de chuvas é mínima. Há muitas trilhas curtas, claramente sinalizadas, assim como outros trechos na montanha, que necessitam de guia. Os mais ousados (e que estão em boa forma física) podem até fazer a caminhada em volta de toda a ilha — a trilha do circuito demora cerca de uma semana para ser completada. Os passeios em caiaque nas águas normalmente calmas das enseadas são uma maneira maravilhosa de admirar a paisagem e de chegar a algumas praias desertas. Você pode fazer aulas de surfe e alugar pranchas na Praia Lopes Mendes, mas isto tem de ser organizado na Vila do Abraão.

Gávea (*ver p.172*), no Rio, a 161 km de distância. Não tente fazer esta caminhada sem um guia, para não se perder; além disso ele a tornará mais agradável indicando as plantas e a fauna local: pássaros, borboletas, macacos, esquilos e até iguanas.

Vila do Abraão

A "capital" da ilha é um punhado de ruas com casas simples e pintadas de cores variadas. É aqui que vem a grande maioria dos visitantes e onde vive a maior parte da população de cerca de 3.000 pessoas. Esta antiga comunidade de pescadores está quase totalmente voltada para o turismo, embora ainda existam alguns núcleos pesqueiros. A Vila do Abraão é o principal local de hospedagem e comércio: lojas, restaurantes e pequenas pousadas. A rua principal chama-se **Rua da Praia**.

Lazareto

Da Vila do Abraão até as ruínas desta antiga construção é uma caminhada agradável de 20 minutos, em terra batida. Construído entre 1884 e 1886, funcionou como hospital de doenças infecciosas, como o cólera e a lepra. O hospital foi fechado e, em 1940, o prédio passou a ser utilizado como prisão. Atrás das ruínas, está o antigo e bem conservado aqueduto, construído em 1893, para o abastecimento de água à ilha.

Freguesia de Santana

Esta praia, que já foi o centro da atividade econômica da ilha, é hoje um ponto de parada dos barcos, situada entre a Vila do Abraão e a Lagoa Azul. Os turistas mergulham nas suas águas límpidas e podem fazer uma caminhada curta até a simples igreja de Santana, construída em 1796.

Vila do Abraão

ILHA GRANDE

Endereços

DICA

A hospedagem na ilha é geralmente simples (📖 ver p.228); não espere luxo e ar condicionado, nem mesmo fornecimento ininterrupto de eletricidade. O charme da Ilha Grande é a experiência de viver de forma simples. Na Vila do Abraão, a "capital" da ilha, encontram-se *pousadas* rústicas. Os "hotéis e resorts", com um pouco mais de recursos, estão situados nas praias mais afastadas ou em Angra dos Reis, mas ficará dependendo deles para o transporte, pois o acesso é feito apenas por barco. A ilha também possui vários campings, mas não é permitido acampar nas praias. Não existem bancos ou caixas eletrônicos e somente poucas lojas aceitam cartões de crédito; portanto traga dinheiro vivo suficiente para toda a sua estada.

COMO CHEGAR LÁ E PASSEAR

Viagens e passeios de barco

A ilha fica a uma distância de 1 hora e 30 minutos de travessia de barco de Angra dos Reis ou 1 hora e 45 minutos de Mangaratiba.

Barcas S/A — Barca de Angra dos Reis e Mangaratiba para a Ilha Grande *(R$ 6,50 de Angra, R$ 6,35 de Mangaratiba, R$ 14 Sáb, Dom e feriados; ☎0800 70 44 113; www.barcas-sa.com. br)*. **Angra dos Reis:** Seg–Sex 15h30, regresso 10h00. Sáb, Dom e feriados 13h30, regresso 17h30. **Mangaratiba:** diariamente 08h00 (também Sex 22h00), regresso 17h30.

Também é possível alugar uma lancha particular de **Paraty** para a Ilha Grande — o preço depende do número de pessoas na lancha, da época do ano, do dia da semana... (📖 contate as operadoras de turismo ao lado para obter mais informações).

Quando chegar lá escolha um dos passeios de barco disponíveis ou organize sua viagem individual. Do cais do Abraão saem vários tipos de barco *(peça informações detalhadas na vila)* desde traineiras de pesca a escunas elegantes *(compre seus bilhetes em agências ou pontos de venda autorizados e não de indivíduos)*. Um passeio altamente recomendado é o percurso de ida e volta de barco *(50 min cada)* até a linda praia de **Lopes Mendes.** O barco deixa os passageiros no cais do Pouso e daí você faz uma caminhada de uma hora até a praia passando por locais de extraordinária beleza. A alternativa é uma bela caminhada de três horas da Vila do Abraão. Na vila também é possível alugar bicicletas.

Phoenix Turismo – *Rua da Praia 703, Vila do Abraão.* 🕐*Aberto diariamente 10h00–18h00.* 📧*R$ 44.* ☎*24 3361 5822. www.phoenixturismo.com.br.*

Paraty Tours – *Av. Roberto Silveira 11.* ☎*24 3371 1327. www.paratytours.com.br.* Estas operadoras organizam viagens de barco em volta da ilha e até as ilhas da baía, em lanchas rápidas ou escunas. Também oferecem mergulho para pessoas com experiência ou para principiantes e até mergulhos noturnos. Há caminhadas guiadas até pontos turísticos próximos ou percursos mais longos até as praias e os picos principais, assim como atividades em caiaque, bicicleta e até montanhismo. Certifique-se de que existem coletes salva-vidas nos barcos, qualquer que seja a operadora que utilizar.

Dois Rios

De cada lado do trecho de areia deste local corre um rio e daí vem o nome desta localidades: Dois Rios. A praia aqui é tão bonita, deserta e selvagem quanto a indescritível Praia Lopes Mendes, mas como ela é protegida ambientalmente, é proibido permanecer nela sem licença especial depois das 17 horas. Uma loja pequena vende artigos aos visitantes.

Aventureiro

Como o acesso à remota Praia do Aventureiro é feito de barco, ela está sempre deserta, exceto pelos pescadores locais. A praia, de 800 metros, possui grandes rochedos e, apesar de suas águas rasas, as ondas são fortes. Há um cais para barcos pequenos, uma igreja e uma escola para a comunidade que, às vezes, serve refeições aos visitantes em suas casas.

EXCURSÕES A PARTIR DO RIO DE JANEIRO

PARATY ★★★

Emoldurada pelo verde-esmeralda da Serra da Bocaina ao fundo, Paraty é uma linda cidadezinha colonial, perfeitamente preservada, com ruas calçadas de pedras, ladeadas por casas do séc. XIX, que são, atualmente, pequenas butiques, pousadas e restaurantes. A poucos quilômetros do Centro, a cidade dá lugar à vegetação exuberante da Costa Verde, onde o Caminho do Ouro segue um percurso sinuoso através da montanha, passando por cachoeiras de água cristalina. Como se isso não bastasse, as límpidas águas azul-turquesa da enorme Baía de Paraty banham praias espetaculares e dezenas de ilhas desertas, criando um verdadeiro paraíso tropical.

- **Oriente-se:** Paraty é a cidade mais ao sul e a oeste do Estado do Rio de Janeiro. Situada a 241 km do Rio, no corredor chamado Costa Verde, que acompanha o litoral do estado. Seu Centro Histórico é uma área de ruas de pedestres, entre o Rio Perequê Açu e o mar.
- **Não perca:** Um passeio a pé pelo Centro histórico de Paraty, que foi tombado como Patrimônio Histórico Nacional. A cidade também é o ponto de partida para se visitar lindas ilhas e praias tranquilas que podem ser descobertas de barco. Se tiver tempo, percorra parte do famoso Caminho do Ouro ou curta o charme de Trindade, uma pequena vila de pescadores ao sul de Paraty.
- **Organize seu tempo:** Paraty é muito concorrida nos feriados e durante os festivais, como a FLIP — Festa Literária Internacional de Paraty, em julho, assim como no Carnaval.
- **Para crianças:** As praias tranquilas são um espaço perfeito para as crianças. Percorrendo o Caminho do Ouro a pé, as crianças podem aprender sobre a história de Paraty e sua importância como porto de exportação do ouro de Minas Gerais para Lisboa.

Um pouco de história

Destinos contraditórios

Os índios foram os primeiros habitantes desta região a que deram o nome de "Parati" (que às vezes ainda é escrito desta forma), que significa "peixe branco". Foram estes primeiros moradores que fizeram o trabalho difícil de abertura de trilhas nas montanhas cobertas de densas florestas. Os portugueses fizeram bom uso destas trilhas a partir do fim do séc. XVII. Ouro, diamantes e esmeraldas eram transportados de

Paraty - carros são proibidos no centro da cidade

PARATY

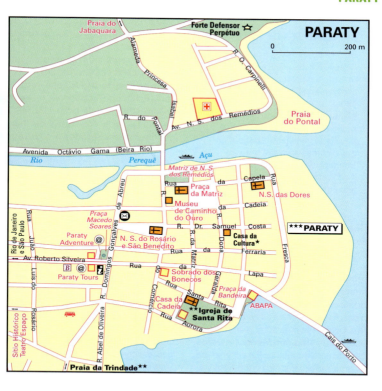

Minas Gerais, no interior do Brasil, para Paraty, em mulas e por escravos, sendo enviados daqui para o Rio de Janeiro de barco. Paraty rapidamente se tornou uma das cidades mais ricas do Brasil, até que no séc. XVIII foi criada uma trilha alternativa até o Rio, que não passava pelo porto. Sua sorte mudou de novo em meados do séc. XIX, quando o café das plantações próximas era exportado para a Europa e artigos de luxo como pianos e porcelana eram enviados para cá de navio, para os ricos barões do café. Mas a população foi drasticamente reduzida de 16.000 pessoas, em 1851, para apenas 600 velhos, mulheres e crianças no fim do séc. XIX — uma indicação de quanto a cidade dependia do trabalho escravo (proibido em 1888). Em 1966 a cidade foi declarada parte do Patrimônio Histórico Brasileiro, mas até a construção da estrada Rio–Santos, na década de 1970, a cidade permaneceu praticamente esquecida — uma das razões pelas quais continua tão bem preservada.

Descubra as ilhas de barco

Todos os dias, a partir do meio dia e até o começo da tarde, os barcos saem para passeios do pequeno cais de Paraty, perto da igreja de Santa Rita (ver p.206), na ponta do Centro Histórico. Escolha entre veleiros, velhas traineiras de pesca, escunas bem equipadas e elegantes lanchas. Para a maior parte dos visitantes, é melhor comprar seus bilhetes para passeio de escuna com antecedência *(em agências e pousadas)*. O preço médio de um passeio é R$ 40 por pessoa por hora e até R$ 50, ou mesmo R$ 80 na estação alta.

Os passeios com grupos pequenos são geralmente muito mais aprazíveis — embora também muito mais caros. Vale a pena pagar mais por um barco mais rápido, porque é a única maneira de conseguir chegar às ilhas mais afastadas e regressar no mesmo dia. Preste sempre atenção a todas as regras de segurança a bordo.

EXCURSÕES A PARTIR DO RIO DE JANEIRO

A cachaça de Paraty

No final do séc. XVIII, a produção de açúcar e de cachaça tinha se tornado uma parte importante da economia de Paraty. Houve uma época em que havia centenas de plantações de açúcar e destilarias na área e a cidade produzia uma bebida de qualidade tão superior, que o nome Paraty passou a ser sinônimo de cachaça. A cidade ainda exporta sua famosa aguardente para o resto do país.

Ilhas da baía e outros

Seu capitão ou guia turístico, geralmente sugere onde parar, dependendo de seu conhecimento do local, do estado do tempo e até mesmo da hora do dia. Infelizmente, muitas das ilhas são particulares e por isso não é possível atracar nelas. A maior parte dos barcos para na **Ilha Comprida** para praticar snorkeling, enquanto a **Ilha dos Meros** é o ponto favorito para mergulhar. Para chegar até as praias mais afastadas, é necessária uma lancha. A **Praia Grande de Cajaíba** é uma praia paradisíaca com cachoeiras próximas.
Mamanguá (50 min de barco saindo de Paraty) é o único fiorde do Brasil, com uma entrada espetacular de 8 km de comprimento, rodeado de mangues e da Mata Atlântica, formando a Reserva Ecológica de Mamanguá.
A **Praia de Paraty-Mirim**, situada 18 km a leste de Paraty por estrada de terra batida, é uma praia tranquila com algumas barracas, as ruínas de algumas casas e a simples e encantadora Capela de Nossa Senhora da Conceição, construída em 1720, parcialmente restaurada.
Programe-se para um almoço em um dos restaurantes de uma das ilhas. Localizado na **Ilha do Algodão**, o Restaurante do Hiltinho (aberto Sex–Dom e feriados 11h00–17h00; 24 3371 1488) é especializado em frutos do mar. Igualmente encantador é o restaurante Eh Lahô (aberto 12h00–18h00; 24 3371 2253) na minúscula **ilha de Catimbau** — pouco mais que um grupo de rochas que afloram do mar.

Atrações

Igreja de Santa Rita★★
Largo Rosário, esquina da Rua Samuel Costa e da Rua do Comércio. Aberta Qua–Dom 10h00–12h00, 14h00–17h00.
A igreja em frente ao cais, com as águas da Baía de Paraty em primeiro plano, é o cartão postal de Paraty. Construída em 1722, Santa Rita era uma das igrejas para "pardos libertos". Apesar de sua simplicidade, esta é uma igreja barroca, com lindas talhas de madeira nas portas e nos altares. Na parte de trás da igreja existe um pequeno **Museu de Arte Sacra**.

Casa da Cultura★
Rua Dona Geralda 177.
Aberta Qua–Seg 10h00–18h30.
R$ 5. 24 3371 2325.
www.casadaculturaparaty.org.br.
A "Casa da Cultura" está em um imóvel de 1754 no Centro histórico. Uma sala dedicada aos povos indígenas mostra várias obras de arte e artesanato.
É possível caminhar sobre um piso de vidro tendo embaixo "tapetes" de serragem colorida e flores, usados em cerimônias religiosas.
No andar de cima, existe uma exposição interativa sobre a história de Paraty. Como um tributo ao patrimônio cultural da cidade, uma parede inteira foi coberta de telas de vídeo com entrevistas com residentes de todas as idades e origens. Objetos do dia a dia ilustram suas histórias. A Casa da Cultura apresenta exposições temporárias e tem um agradável café e uma loja que vende souvenirs locais.

Cais e Igreja de Santa Rita ao fundo

PARATY

Endereços

COMO CHEGAR LÁ E PASSEAR

Costa Verde
Rua 24 Fevereiro 39 e 59. ☎*21 2573 1484.*
www.costaverdetransportes.com.br.
A empresa de ônibus Costa Verde faz o percurso até Paraty de duas em duas horas durante o dia, partindo da *rodoviária* Novo Rio, no Rio de Janeiro. Conte com quatro horas para chegar a Paraty, quer viaje de ônibus ou de carro (alugue seu carro, negocie um preço fixo com o táxi ou organize o seu transporte através de sua pousada na cidade). Os carros não são permitidos no Centro de Paraty, portanto você tem de passear na região a pé ou de barco.

FESTIVAL

Festa Literária FLIP
Liz Calder, cofundadora do grupo Bloomsbury Publishing Group, criou este festival literário anual, a Festa Literária Internacional de Paraty *(www.flip.org.br)* em 2003. Desde então o festival tem atraído alguns dos maiores escritores do mundo, tanto brasileiros como internacionais.

PRESENTES

Empório da Cachaça
Rua Dr. Samuel Costa 22. ◷*Aberto diariamente 11h00–23h00.* ☎*24 3371 6329.*
O Empório da Cachaça é um verdadeiro tesouro, vendendo mais de 300 variedades da famosa bebida do Brasil. Esta também se chama *pinga* e algumas garrafas custam centenas de dólares e são saboreadas como um uísque fino. Abasteça-se de souvenires, bem como de charutos e balas.

TEATRO LOCAL

Teatro de Marionetes
Rua Dona Geralda 327.
◷*Aberto Qua e Sáb 21h00.* ✆*R$ 40.*
☎*24 3371 1575. www.ecparaty.org.br.*
Compre seus bilhetes com antecedência na bilheteria.
Os shows de marionetes não são para crianças. Eles abordam temas da vida real, amor e morte com muita intensidade e poesia. É necessário um pouco de imaginação por parte do público, porque é possível ver os atores vestidos de preto atrás de seus marionetes.

Forte Defensor Perpétuo

O único forte que resta em Paraty fica a cerca de 15 minutos do Centro. Construído em 1703, foi renovado e ampliado em 1793. Seu nome também foi alterado em 1822 para Forte Defensor Perpétuo, em honra de Dom Pedro, que foi proclamado imperador no mesmo ano. O forte, com oito canhões e vista para a Baía de Paraty, possui um **Museu de Artes e Tradições Populares** *(◷aberto Qua–Dom 09h00–12h00 e 14h00–17h00)*, que expõe obras de arte e de artesanato.

Excursões

Caminho do Ouro★★

O ponto de partida é o Centro de Informações Turísticas Caminho do Ouro na Estrada Paraty–Cunha (9 km do Centro de Paraty). ✆*R$ 20. As agências de turismo podem organizar um passeio guiado, incluindo almoço e transporte para e do ponto de partida.*

O Caminho do Ouro, pavimentado rudimentarmente no séc. XVIII, fazia parte da rota de exportação de ouro e diamantes de Minas Gerais até Paraty. Nos 1.200 km de caminhos de pedras, foi aberto e desbravado um trecho de quase 2 km para os visitantes seguirem a trilha a pé *(cerca de 1 hora)*. Localizada no pitoresco **Parque Nacional da Serra da Bocaina**, a trilha é uma excelente oportunidade para descobrir a flora e a fauna da Mata Atlântica. No caminho você passa por cachoeiras e piscinas naturais. As trilhas levam a uma fazenda, a pouco mais de 1,5 km, onde há um restaurante com uma linda vista.

Trindade★★

Vale a pena ir até Trindade *(26 km ao sul de Paraty)*, o local predileto dos hippies nas décadas de 60 e 70. Devido a sua popularidade crescente, os pescadores locais transformaram suas modestas casas em lojas, bares e restaurantes. A estrada de terra batida foi pavimentada, mas Trindade mantém seu charme.

EXCURSÕES A PARTIR DO RIO DE JANEIRO

PETRÓPOLIS★★

Tendo a Serra do Mar como pano de fundo, a "cidade de Pedro" era a residência de verão da família imperial, para escapar do calor escaldante do Rio. A antiga Cidade Imperial mantém até hoje um ar de elegância aristocrática. O palácio de verão, atual Museu Imperial, e as esplêndidas casas e mansões históricas, em algumas das agradáveis ruas arborizadas de Petrópolis, atraem muitos visitantes, que também apreciam o sabor europeu de alguns restaurantes desta região e seu clima fresco.

- **Informações:** www.petropolis.rj.gov.br.
- **Oriente-se:** Petrópolis fica 71 km ao norte do Rio e 800 m acima do nível do mar. A cidade está situada na Serra do Mar que faz parte da Reserva da Biosfera da Mata Atlântica.
- **Organize seu tempo:** Apesar de ser possível visitar a cidade em um dia, a visita será um pouco corrida. Opte por uma estadia relaxante de um dia para o outro numa das encantadoras pousadas da cidade (ver p.230).
- **Para crianças:** Calçar pantufas divertidas para visitar o Palácio Imperial. (embora seja tentador, lembre as crianças de que não devem deslizar com as pantufas no lindo assoalho de madeira de lei).

Um pouco de história

Doces colinas

A caminho de sua inspeção às minas de Minas Gerais, em 1830, D. Pedro I parou neste local maravilhoso e, mais tarde, ali comprou um terreno. Seu filho, D. Pedro II, fundou Petrópolis em 1843, assim como Teresópolis, a 48 km de distância, cujo nome é uma homenagem à sua esposa, a Imperatriz Teresa Cristina. Como alternativa ao trabalho escravo, D. Pedro II incentivou a imigração e a população aumentou rapidamente com alemães, suíços e austríacos atraídos pelo clima mais frio.

Por ser a residência de verão da família imperial, a cidade atraiu também nobres, ricos e intelectuais. Mesmo depois de proclamada a República e do exílio da família real, em 1889, Petrópolis não ficou esquecida. Funcionou como capital do estado, de 1894 a 1903 e, em 1928, foi a primeira cidade do país a ter uma estrada asfaltada, ligando-a à capital do Brasil, naquela época, o Rio de Janeiro.

Hoje, cerca de 300.000 pessoas moram na cidade de Petrópolis, um pólo industrial e comercial mas onde ainda são produzidos deliciosos queijos, mel e outros produtos alimentícios, vendidos nas delicatessens e confeitarias da cidade. Nos seus arredores, em **Itaipava**, existe um pólo gastronômico com ótimos restaurantes de cozinha francesa, italiana e internacional que, nos meses de inverno, acendem acolhedoras lareiras, dando um clima todo especial às frias noites.

Palácio Quitandinha

Este imenso prédio, situado nos arredores da cidade, foi construído em 1944 para ser o maior cassino-hotel da América do Sul, com capacidade para 10.000 hóspedes. Seu exterior é em estilo Normando, o interior é genuinamente hollywoodiano, com centenas de banheiros em mármore, candelabros e lustres monumentais, uma piscina coberta profundíssima para saltos de trampolim, quadras de tênis e futebol também cobertas e um teatro com três palcos rotativos. A cúpula do grande salão redondo é uma das maiores do mundo e é comparável em diâmetro à da basílica de S. Pedro em Roma. O jogo foi proibido em 1946, o cassino foi fechado e parte foi vendida para apartamentos.

PETRÓPOLIS

COMO CHEGAR LÁ E PASSEAR

Petrópolis fica a cerca de duas horas do Rio de ônibus, carro ou táxi *(sente-se do lado esquerdo para apreciar melhor a vista durante o percurso)*. Apesar de o Centro Histórico possuir avenidas arborizadas, canais com lindas pontes, postes vitorianos e praças com árvores frondosas, a cidade fica frequentemente congestionada, sobretudo para entrar no Centro Histórico, a ponto de não ser agradável passear por ela durante muito tempo. Em vez disso, opte por um passeio de charrete, que fica na rua em frente ao Museu Imperial *(selecione entre 3 passeios de 20 min–1 hora; Preços fixos de R$ 20–R$ 50; diariamente 08h00–17h00; consulte o website de Petrópolis para informações mais detalhadas)*.

Casas históricas

A cidade tem belas e imponentes residências de verão, onde, antigamente, residiam nobres, industriais e políticos da corte. A maioria destas casas, que adotaram as tradições da arquitetura europeia — primeiro do Neoclássico e, depois, do Ecléctico — ainda são propriedades particulares e só podem ser vistas por fora.

A **Avenida Koeller**, uma linda avenida arborizada, à qual deram o nome do arquiteto que idealizou o plano da cidade e o projeto do Palácio Imperial, orgulha-se de ter a maior concentração de casas históricas. A mais impressionante, no número 255, é o **Palácio Rio Negro**, construído por um barão do café e que foi, na República, a residência oficial de verão dos presidentes brasileiros, incluindo Getúlio Vargas. Nesta mesma rua merecem destaque o **Palácio da Princesa Isabel**, residência desta Princesa e do Conde d'Eu, no número 42 *(em frente à Catedral)*; o número 260, o **Palácio Sérgio Fadel**, atual Sede da Prefeitura; o número 376, chamado **Solar D. Afonso**, que abriga o Hotel Solar do Império e, do outro lado do rio, a misteriosa **Vila Itararé.**

Outros prédios notáveis da cidade de Petrópolis são a **Casa de Stefan Zweig** *(Rua Gonçalves Dias 34)*, onde o famoso escritor austríaco e sua esposa se refugiaram durante a Segunda Guerra Mundial e se suicidaram em 1942; a **Casa de Rui Barbosa** *(Av. Ipiranga 405)* que foi a residência deste ilustre brasileiro (*ver p.150*); a **Casa do Barão de Mauá** *(Praça da Confluencia 3)*, Irineu Evangelista de Sousa, responsável pela primeira ferrovia do Brasil, entre Petrópolis e o Rio de Janeiro, em 1854.

Museu Imperial★★★

Rua da Imperatriz 220.
Aberto Ter–Dom 11h00–18h00.
R$ 8. 24 2237 8000.
www.museuimperial.gov.br.

O **Palácio Imperial de Petrópolis**, de cor rosa e em estilo Neoclássico, abriga o Museu Imperial, o mais visitado do Brasil. O museu foi inaugurado em 1943, no primeiro centenário da fundação da cidade de Petrópolis. Elegante, mas simples, o prédio parece ter sido concebido mais como uma imponente casa de campo do que para ser um palácio de verão e deixa o visitante com uma forte impressão de uma afetuosa vida familiar.

Kids Ao passar pela entrada, os visitantes são obrigados a usar, nos seus sapatos, pantufas de feltro para proteger o assoalho. Em todo o palácio o piso é em madeira de lei brasileira e a mobília em mogno, pau-rosa e jacarandá, embora seja bom lembrar que nem toda a mobília e obras de arte tenham pertencido originalmente ao palácio.

Museu Imperial

EXCURSÕES A PARTIR DO RIO DE JANEIRO

Coroa de Dom Pedro II, Museu Imperial

Joias da Coroa

A maravilhosa coroa de ouro de Dom Pedro II é incrustada com 639 diamantes e 77 pérolas. O imperador usou a coroa em sua coroação em 1841, quando tinha apenas 15 anos de idade.

Sala de Música

Ali eram realizados os recitais e saraus. A sala apresenta uma **harpa dourada** de Pleyel Wolff, um **piano**, construído na Inglaterra por Broadwood, e uma **espineta** feita por um mestre artesão em Lisboa. O teto é decorado com instrumentos musicais e dragões heráldicos.

Sala de Visitas da Imperatriz

A Imperatriz Teresa Cristina sentava-se bordando em sua Sala de Visitas, enquanto recebia suas convidadas. Os sofás e cadeiras muito pequenos, de madeira de pau-rosa e estofadas com uma coroa e o "T" de Teresa, revelam a pequena estatura da imperatriz.

Gabinete de Dom Pedro II

O gabinete de Dom Pedro II é uma das salas mais interessantes do palácio e era a favorita do imperador, onde ele passava grande parte de seu tempo. Aqui, sobre sua mesa, ainda se encontra um dos primeiros telefones do mundo, trazido para cá depois de uma reunião, na Filadélfia, com seu inventor, Alexander Graham Bell, em 1876.

Sala Dourada

Além da mobília fina, existem duas pinturas a óleo representando momentos políticos importantes da vida de D. Pedro II. Uma, do pintor **René François Moreaux**, mostra a coroação de D. Pedro II, em 1841; a outra, de **Pedro Américo**, em 1872, ilustra a abertura da Assembleia Geral, com D. Pedro II em trajes reais, coroa e cetro. O traje usado na coroação está exposto em uma outra sala, em frente ao quadro de D. Pedro II, ostentando essa mesma vestimenta.

Sala de Estado

A antiga sala de estado é atualmente uma reconstrução da sala do trono no Palácio de São Cristóvão (ver p.120). Observe as urnas de porcelana de Sèvres dos dois lados do trono, presentes do presidente francês ao imperador. Por se tratar de uma residência de verão, o palácio não possui uma sala do trono.

Os jardins do palácio

O palácio não tinha uma cozinha e a comida era preparada fora do prédio e trazida para a sala de jantar em caixas revestidas de metal, aquecidas com carvão.

Não perca a pequena exposição de carruagens no anexo, atrás do palácio. Nela se destaca uma carruagem dourada, construída em Londres, em 1837, decorada com o brasão imperial, estofamento bordado a ouro e painéis finamente pintados. Esta carruagem era puxada por oito cavalos e só era usada por D. Pedro II em ocasiões especiais. Os jardins do palácio, desenhados pelo famoso botânico Jean Baptiste Binot, teve a supervisão do próprio imperador.

Outras atrações

Catedral de São Pedro de Alcântara★★

Rua São Pedro de Alcântara 60.
Aberta Seg–Sáb 08h00–12h00; Ter–Sáb 14h00–18h00; Dom 08h00–13h00, 15h00–18h00. 24 2242 4300.

A torre de 70 m de altura da catedral Neogótica, dedicada a São Pedro de Alcântara, é um marco visual da cidade. Sua construção foi iniciada em 1884, mas a torre só foi construída recentemente. Em pedra e granito, o edifício é dividido em três naves com duas capelas laterais. O impressionante órgão foi desenhado e construído, em 1937, por **Guilherme**

PETRÓPOLIS

Berner, pioneiro da indústria de órgãos do Brasil.

À direita da entrada, há uma pequena **Capela** onde se encontram os túmulos de D. Pedro II, de Dona Teresa Cristina, da Princesa Isabel e do Conde d'Eu.

Casa de Santos Dumont★
Rua do Encanto 22.
Aberta Ter–Dom 09h30–17h00.
R$ 5 somente visita guiada.
24 2247 5222.

O inventor brasileiro **Santos Dumont** (1873–1932) chamava esta pequena casa de verão de "A Encantada". Construída como um chalé alpino, a casa possui a personalidade excêntrica de seu criador e tem um ar de conto de fadas.

Solteiro, Dumont criou uma casa compacta, sem cozinha, um chuveiro de água quente a álcool e uma escrivaninha que se transformava em cama. O observatório, no telhado da casa, é outro ponto de destaque, além das estranhas escadas para chegar à casa, concebidas de forma que os visitantes comecem a subir sempre com o pé direito. Conhecido como o Pai da Aviação, Santos Dumont criou o primeiro avião que levantou voo sem um sistema de impulso externo, assim como o primeiro relógio de pulso (até hoje fabricado pela Cartier). Deprimido pelo crescente uso de aviões na guerra, suicidou-se em 1932.

Palácio de Cristal★
Rua Alfredo Pachá s/n. Aberto Qua–Dom 09h00–18h30. Entrada franca. 24 2247 3721.

Inspirado no Palácio de Cristal de Londres, este belo edifício de ferro e vidro foi construído na França e inaugurado em 1884 para ser usado em ocasiões especiais. Em uma delas, durante a Páscoa de 1888, a Princesa Isabel, acompanhada por seus filhos, presidiu aqui uma cerimônia de libertação de escravos. O elegante edifício é usado para eventos culturais.

Casa da Avenida Ipiranga
Rua Ipiranga 716. Aberta Qui–Ter 12h00–18h00. R$ 6, inclui visita guiada. 24 2231 5711.

Esta casa em estilo Vitoriano (1884) hoje é um centro cultural. Seu interior, origi-

Catedral de São Pedro de Alcântara

nal, com candelabros franceses, lareiras de mármore de Carrara, espelhos de cristal belgas e 300 quadros, foi admiravelmente conservado. A casa oferece um programa de eventos interessante, com concertos de música clássica, peças e exposições.

Auguste Glaziou, o botânico e paisagista responsável pela Quinta da Boa Vista (*ver p.120*) e tantos outros parques, desenhou os jardins e o celeiro adjacente que, hoje, abriga o Restaurante Bordeaux (*ver p.247*).

ENTRETENIMENTO

Armazém 646
Rua Visconde de Itaboraí 646. Aberto diariamente 08h00–02h00. 24 2243 1001. www.armazem646.com.br. Este bar tradicional é um local simpático, que serve petiscos e refeições. Às sextas-feiras e aos sábados à noite, tem música ao vivo a partir das 21h00.

RUA COMERCIAL

Rua Teresa
Rua Teresa. Abertas Seg 14h00–18h00, Ter–Sáb 09h00–18h00, Dom 10h00–17h00. Algumas pessoas viajam até Petrópolis para visitar esta rua cheia de lojas, que vendem roupa e acessórios. Estes artigos, produzidos nas fábricas da região, são vendidos a preços muito acessíveis.

EXCURSÕES A PARTIR DO RIO DE JANEIRO

VALE DO CAFÉ★

O "boom" do café do Brasil, no séc. XIX, fez com que este vale muito fértil tivesse uma importância econômica fundamental para o Estado do Rio de Janeiro. Atualmente, muitas das magníficas fazendas foram restauradas ao seu estado original; algumas ainda produzem, outras oferecem atividades de lazer, como passeios a cavalo ou caminhadas e outras são hotéis tranquilos em pleno campo.

▸ **Oriente-se:** O vale do Rio Paraíba do Sul (Conhecido como "Vale do Café") fica a algumas horas de carro para o interior, através da Via Dutra, que liga Rio a São Paulo.

🕐 **Organize seu tempo:** Recomendamos um pernoite em uma fazenda de café.

Um pouco de história

O café foi a base da economia imperial e da República Velha (1889–1930).
O número de cafezais e de escravos passou a medir a riqueza de uma pessoa. As famílias poderosas possuíam inúmeras fazendas. Estas ficavam junto a um curso d'água e eram construídas em volta do terreiro de secagem do café. Havia o casarão (o local de negócios), as tulhas (depósitos), o engenho (onde o café e outros produtos eram beneficiados), as oficinas e a senzala. Açudes, capela e palmeiras imperiais eram sinais de prestígio do proprietário.

Atrações

Barra do Piraí, Valença, Rio das Flores e Vassouras são as cidades que servem de ponto de partida para visitar as fazendas. Algumas oferecem hospedagem e outras podem ser visitadas com autorização do proprietário.

Barra do Piraí
A cidade era um entroncamento da ferrovia para Minas Gerais, São Paulo e Rio de Janeiro e se tornou um importante centro de embarque de café. Hoje é um centro comercial e industrial.

Fazenda Ponte Alta
Av. Silas Pereira da Mota 880, Parque Santana. 🚌*Visita guiada R$ 59 (um dia com almoço). Diária R$ 297.* 📞*24 2443 5159/2443 5005. www.pontealta.com.br* Grande parte da arquitetura original e dos móveis do séc. XIX está intacta. Há também um pequeno museu da escravatura.

Valença
No séc. XIX, a cidade reunia grandes riquezas e chegou a ter o maior número de escravos do Rio de Janeiro. Possuía teatro, escola, hospital e vários sobrados. Dos áureos tempos do café, Valença preserva a Igreja Matriz de Nossa Senhora da Glória e alguns sobrados.

O dia-a-dia de uma fazenda de café

As atividades na fazenda de café envolviam, num ciclo anual, a derrubada da mata, a plantação, a colheita, a secagem, entulhagem e o beneficiamento dos grãos. O dia dos escravos começava com a "reza" no terreiro de café e trabalhavam de antes do amanhecer até depois do anoitecer. O trabalho não acabava depois disso, pois eles ainda ensacavam os grãos para o embarque.

As noites de sábado e as tardes de domingo eram os únicos momentos livres.

A família do proprietário da plantação ficava no casarão. As mulheres cuidando dos serviços domésticos e os homens as atividades da fazenda. A vida social (casamentos, batizados e saraus) era esporádica, interrompendo o cotidiano do café.

VALE DO CAFÉ

Fazenda Veneza
Estrada Veneza, Valença.
📞 24 2452 2235. Visitas externas.
De grandes dimensões, o casarão apresenta traços Neoclássicos na fachada principal. O terreiro e o engenho, com a roda d'água, estão bem preservados.

Fazenda Florença★
Estrada da Cachoeira 1560.
Hospedagem R$ 870 (fim de semana); R$ 1600 (cinco noites Seg–Sex).
📞 24 2438 01 24.
De arquitetura simples, o casarão possui detalhes Neoclássicos, como um original alpendre com colunas de madeira trabalhada e encimado por um frontão. A casa tem mobiliário antigo e uma singela capela. Na área externa existem acomodações para hóspedes em um edifício em estilo Colonial.

Fazenda Santa Rosa
Rod. Valença, Rio das Flores (RJ-145), km 82. 📞 24 2453 0144. Visitas externas.
O casarão apresenta um discreto alpendre com escadas na porta de entrada. O terreiro e as instalações de beneficiamento estão bem preservados. O engenho de açúcar, com roda d'água, e um alambique ainda funcionam e produz a famosa Aguardente Santa Rosa.

Fazenda Paraíso★
Estrada Rio das Flores, Três Ilhas, km 9, Paraibuna. R$ 30 (lanche incluído).
📞 24 2458 0093. Visitas marcadas.
O palacete foi um dos mais sofisticados do séc. XIX, com sua fachada Neoclássica. Na fazenda foi utilizada, pela primeira vez, a iluminação a gás no Brasil (1854). Na sala principal, um painel, de 10 m, do pintor José Maria Villaronga, mostra a Baía do Rio de Janeiro em 1860. Bem próximo, conservam-se as tulhas, o engenho e o antigo terreiro de café.

Fazenda Santa Mônica
Embrapa – Rua Barão de Santa Mônica. Barão de Juparanã. 📞 24 2453 1888. Visita marcada.
Com palmeiras imperiais e às margens do Rio Paraíba, o casarão é uma imponente edificação de influência urbana, com paredes de um metro de espessura. Esta fazenda hospedou D. Pedro II.

COMO CHEGAR LÁ E PASSEAR
Para obter informações sobre visitas ao Vale do Rio Paraíba do Sul e suas fazendas de café, contate a **Preservale**, uma organização estabelecida em 1994, com o objetivo de promover e preservar o patrimônio cultural desta área (📞 24 2453 5116/21 8118 0007; www.preservale.com.br; soniamlucas@preservale.com.br).

Vassouras
A cidade era pouso dos tropeiros que viajavam entre as cidades do ouro de Minas e o Rio de Janeiro. Vassouras conservou alguns monumentos arquitetônicos como os seus sobrados, o traçado das ruas, a Igreja Matriz, o chafariz, o cemitério e a estação de trem.

Museu da Hera★
Rua Dr. Fernandes Júnior 160, Vassouras (a 300 metros da Praça Barão de Campo Belo, Centro). ⏰ Aberto Qua–Seg, 11h00–17h00. 📞 02 4471 2144.
Este museu, cercado por palmeiras imperiais, tem uma fachada simples mas possui uma enorme riqueza decorativa nos salões sociais, como o seu mobiliário e objetos importados da Europa.

Fazenda Santa Eufrásia
Estrada BR-393 km 42, Vassouras. 📞 24 2471 1065/24 9994 9494. fazstaeufrasia @hotmail.com. Visita marcada.
O casarão é um dos mais antigos da região. A fazenda conserva parte do seu mobiliário e objetos além dos tradicionais meios de transporte da época.

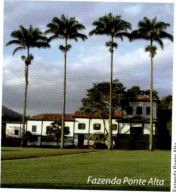

Fazenda Ponte Alta

213

Estádio do Maracanã
TurisRio

SUA ESTADA NO RIO DE JANEIRO

SUA ESTADA NO RIO DE JANEIRO

ONDE SE HOSPEDAR

Mais de um milhão e meio de visitantes estrangeiros chegam por ano ao Rio a passeio, a negócios ou ambos — e isso não inclui os visitantes internos. Embora haja 20.000 quartos de hotel disponíveis na cidade, se você vier no Carnaval, na véspera do Ano Novo ou durante alguma importante convenção, precisará reservar com bastante antecedência para encontrar o melhor quarto no bairro desejado.

Os estabelecimentos descritos nesta seção foram escolhidos por seu ambiente, localização e aspecto geral em relação ao seu preço. Eles estão organizados de acordo com sete áreas geográficas e cada uma destas foi dividida em bairros ou regiões. Quando os bairros não foram incluídos, é porque não há hotéis ou há hotéis melhores em regiões vizinhas. Os preços são de apartamento duplo, na alta temporada, fora do Carnaval e do Ano Novo.

$	Até R$ 100
$$	R$ 100 – R$ 200
$$$	R$ 200 – R$ 300
$$$$	R$ 300 – R$ 400
$$$$$	Acima de R$ 400

Escolha um bairro

O custo de se hospedar no Rio de Janeiro reflete o seu status de cidade internacional. Considerada pelos brasileiros como um dos melhores destinos turísticos do país, a cidade é frequentemente escolhida para sediar convenções, para que os participantes possam aproveitar a cidade depois do trabalho. Na alta temporada, os hotéis lotam rapidamente e o valor das diárias sobe. Se você souber negociar, certamente encontrará algo dentro das suas possibilidades e na área que deseja. Como em qualquer cidade grande, é preciso escolher o bairro mais adequado ao objetivo da sua viagem. As **Praias da Zona Sul** (*ver p.154*) são consideradas seguras e são as mais procuradas pelos turistas. A movimentada **Copacabana** tem o maior número de hotéis, onde se encontram todos os preços e níveis. Fica perto do mar, próxima de Ipanema, que é mais cara, e é servida pelo Metrô, meio de transporte ideal para se visitar os pontos históricos do Centro da cidade. Com menos hotéis mas com mais bares e restaurantes, **Ipanema** e **Leblon** são bairros sofisticados e animados — o que se reflete nos preços.
O **Centro Histórico** (*ver p.94*) é acessível, tanto para as atrações turísticas quanto para as casas de samba da Lapa; porém é longe das praias e não é seguro andar sozinho à noite. O Centro fica deserto nos finais de semana. O bairro do **Flamengo** (*ver p.219*) é uma boa solução, perto do Metrô que vai tanto a Copacabana quanto às atrações no Centro. Há várias opções de hotéis a preços bem razoáveis.
Na parte alta do Rio, o bairro de **Santa Teresa** (*ver p.218*) oferece uma alternativa longe do grande fluxo de turistas e do movimentado Centro.
Os bairros da **Gávea** e do **Jardim Botânico** (*ver p.225*), perto da Lagoa, são áreas principalmente residenciais, mas existem algumas pousadas na Gávea, cercadas de verde, com vista para a Zona Sul da cidade, e a pouca distância de ônibus ou de táxi das praias.
Fora da cidade, existem pousadas, hotéis e resorts nas montanhas, tanto na **Serra do Mar**, sobretudo em Petrópolis, Itaipava e Teresópolis, assim como no **Parque Nacional de Itatiaia**, sobretudo na região de Penedo e Mauá. À beira mar, há várias opções como na **Costa do Sol**, especialmente em Búzios, e na **Costa Verde**, em Angra dos Reis, Ilha Grande e Paraty (*ver p.226*).

216

ONDE SE HOSPEDAR

Piscina à noite, Copacabana Palace

Preços de temporada

A temporada mais movimentada do Rio começa uma semana antes do Natal e vai até o fim de março, depois do Carnaval. No período do Ano Novo e na semana do Carnaval, os preços aumentam e os hotéis exigem uma estada mínima de hospedagem, cobrindo o período completo de um dos feriados, os chamados "pacotes". Nessa época do ano os preços ficam mais altos. O resto do ano é considerado a baixa temporada, mas lembre-se dos feriados e das férias dos brasileiros: a Páscoa, o mês de julho e os finais de semana prolongados (ver p.40), quando pode ser mais difícil encontrar um quarto. Em maio, junho e de agosto a novembro, os preços caem e é fácil encontrar melhores preços.

Descontos

A diária dos quartos é sujeita a um sem-número de variáveis. Grandes hotéis costumam oferecer melhores tarifas dependendo da ocupação. Alguns oferecem 10% para reservas feitas por e-mail; outros dão desconto para quartos sem vista. Quartos com vista para o mar, ou para o Pão de Açúcar ou o Cristo Redentor são mais caros. Alguns hotéis mais baratos podem oferecer um desconto se você pagar em dinheiro. Muitos hotéis cobram diárias menores, dependendo do número de pessoas no quarto, do tempo de permanência ou podem cobrar mais por quartos com ar condicionado. Esclareça as condições no ato da reserva. Hotéis de negócios, como no Flamengo, Centro e Botafogo, têm diárias mais baratas nos finais de semana.

Apart-hotéis

Os apartamentos com serviços (apart-hotéis) existem no mundo todo, mas, no Rio, eles são numerosos, graças ao turismo de negócios, que exige estadas mais longas. Os apartamentos também são ideais para quem está de férias e quer experimentar o estilo carioca de viver. Muitos *apart-hotéis* exigem uma permanência mínima de três meses, mas as redes **Mercure** (www.mercure.com.br) e **Promenade** (www.promenade.com.br) aceitam estadas curtas. O **Rio Bay Housing** (www.riobayhousing.com) é muito recomendado e tem várias opções com decoração de bom gosto, localizadas a poucos minutos a pé das praias da Zona Sul. Geralmente, a diária dos apart-hotéis é igual à de um hotel de 3 a 4 estrelas, mas em compensação você tem uma suíte com sala de estar, cozinha e um ou dois quartos.

Endereços

CENTRO HISTÓRICO E ARREDORES

CENTRO

$$$

Windsor Guanabara Palace Hotel – *Av. Presidente Vargas 392, Centro. ☏21 2195 6000. www.windsorhoteis.com. 531 quartos.* O maior hotel no Centro do Rio, em uma das mais movimentadas avenidas da cidade, o Guanabara Palace atende ao mercado empresarial, com 36 salas de reuniões. Das quatro categorias de apartamentos, as mais exclusivas são as suítes, com 47 m^2. Da piscina no terraço, veem-se, de um lado, as torres da Igreja da Candelária e a Baía de Guanabara e, do outro, o Morro do Corcovado com o Cristo Redentor.

$$

Windsor Astúrias Hotel – *Rua Senador Dantas 14, Centro. ☏21 2195 1500. www.windsorhoteis.com. 166 quartos.* Considerado a opção "econômica" da marca Windsor Hotéis, está localizado em uma rua secundária na região da Cinelândia. Do terraço, na altura do vigésimo segundo andar, tem-se a vista da cidade, da Baía de Guanabara e dos Arcos da Lapa, esteja você na piscina, na sala de ginástica ou no bar.

$$

Hotel OK – *Rua Senador Dantas 24, Centro. ☏21 3479 4500. www.hotelok.com.br. 156 quartos.* Construído em 1949 para impressionar os visitantes na Copa do Mundo de 1950, o saguão do hotel lembra um cenário de filme dos anos 40. Os 18 andares cercam uma galeria aberta de varandas em estuque que desafiam quem tem vertigem.

LAPA

$$

Arcos Rio Palace Hotel – *Av. Mem de Sá, Lapa. ☏21 2242 8116. www.arcosriopalacehotel.com.br. 130 quartos.* Situado em um local perfeito para se frequentar os bares e clubes de samba da Lapa, o Arcos Rio Palace oferece quartos modernos com ar condicionado, TV a cabo e cofre. Sua pequena piscina é um bom refúgio do calor da cidade.

AS PARTES ALTAS DO RIO

SANTA TERESA

$$$$$

Hotel Santa Teresa – *Rua Almirante Alexandrino 66, Santa Teresa. ☏21 2222 2755. www.santateresahotel.com. 44 quartos.* Construído em 1855, o Hotel Santa Teresa reabriu recentemente, após uma reforma de três anos. Os quartos e áreas comuns são decorados com trabalhos de artistas contemporâneos brasileiros e da arte popular. O efeito é de uma elegância simples, com um toque étnico. O Hotel possui um centro de estética, **Le Spa**, um bar chamado **Bar dos Descasados** *(referência ao apelido que os cariocas deram ao hotel que ali existia)* e um dos melhores restaurantes de cozinha francesa da cidade, o **Térèze.**

Mama Ruisa – *Rua Santa Cristina 132, Santa Teresa. ☏21 2242 1281. www.mamaruisa.com. 7 quartos.* Volte no tempo até 1871 nesta casa única, onde o piso de madeira é reluzente, refletindo uma mistura elegante e eclética de arte e mobília cuidadosamente escolhidas. A poucos minutos do centro de Santa Teresa, o hotel possui um jardim e uma piscina agradáveis. O café da manhã é servido num terraço de frente para a Baía de Guanabara.

Casa Amarelo – *Rua Joaquim Murtinho 569, Santa Teresa. ☏21 2242 9840. www.casa-amarelo.com. 5 quartos. Recomenda-se um táxi para ir e voltar.* O Casa Amarelo fica discretamente escondido numa ladeira tranquila. Entre na adorável casa de 1904 pelo

Piscina, Windsor Asturias

ONDE SE HOSPEDAR

túnel original e use o elevador da época. A diária inclui bebidas não-alcoólicas no bar da piscina. Faça uma aula de samba.

Rio 180 – *Rua Dr. Júlio Otoni 254, Santa Teresa. ☎21 2205 1247. www.rio180hotel.com. 8 suítes*. Um pouco afastado do centro de Santa Teresa, esse novo hotel tem como ponto forte a espetacular vista sobre o Rio que você pode apreciar saboreando um café da manhã tropical ou tomando uma caipirinha no final da tarde. O inacreditável panorama que se estende por 180 graus, passa por morros e florestas, pelos arranha-céus do centro da cidade, pelo Pão de Açúcar e a Baía de Guanabara, até Niterói e as montanhas além.

$$$$

Solar de Santa – *Ladeira do Meireles 32, Santa Teresa. ☎21 2221 2117. www.solardesanta.com. 5 quartos*. Cercada de jardins tropicais, esta propriedade é um oásis a poucos minutos do coração de Santa Teresa. Sente-se na espaçosa varanda e contemple os jardins, tendo ao fundo o cantar de pássaros e grilos. Ou descanse na piscina, tendo o Pão de Açúcar como pano de fundo. A casa também pode ser alugada completa, com serviço de mordomo opcional e aulas de ioga.

$$

Villa Laurinda – *Rua Laurinda Santos Lobo 98, Santa Teresa. ☎21 2507 2216. www.villalaurinda.com. 6 quartos*. Instalada numa rua tranquila, esta casa de 1888 leva o nome da mecenas e colecionadora de arte do início do séc. XX. Os quartos são pequenos, mas os tetos altos, o jardim e a vista da piscina compensam o tamanho. No subsolo fica o ateliê dos proprietários que são artistas plásticos.

Villa Laurinda

Pousada Pitanga – *Rua Laurinda Santos Lobo 136, Santa Teresa. ☎21 2224 0044. www.pousadapitanga.com.br. 5 quartos*. Esta pequena e elegante pousada oferece apenas o pernoite com café da manhã, mas é um lugar calmo, mesmo sendo vizinho de bares e restaurantes. A decoração dos quartos é inspirada em frutas brasileiras.

ZONA SUL PERTO DA BAÍA DE GUANABARA

FLAMENGO

$$$

Hotel Novo Mundo – *Praia do Flamengo 20, Flamengo. ☎21 2105 7000. www.hotelnovomundo-rio.com.br. 231 quartos*. Situado na Praia do Flamengo, este grande hotel foi construído para a Copa do Mundo de 1950 e está de frente para o Parque do Flamengo e o Pão de Açúcar, assim como para os jardins do Palácio do Catete. A complexa estrutura das diárias depende de qual dos doze andares você escolher, assim como da vista que preferir.

$$$

Hotel Florida – *Rua Ferreira Viana 69, Flamengo. ☎21 2195 6800. www.windsorhoteis.com.br. 312 quartos*. O Hotel está próximo do Parque do Flamengo e a

---

Pousada ou Hotel?

O Brasil oferece acomodação tanto em pousadas quanto em hotéis.
A diferença entre os dois é muito mais no estilo da acomodação e do serviço do que no tamanho, apesar de, normalmente, as pousadas terem um menor número de quartos e estarem localizadas em cidades de veraneio, fora do Rio.
Nas pousadas existe um ambiente mais acolhedor e menos padronizado. Algumas pousadas oferecem um altíssimo nível de serviços e decoração, algumas se configurando como hotéis-butique.

SUA ESTADA NO RIO DE JANEIRO

Cama e Café

Experimente o grande barato de ficar na casa de um carioca usando a rede de B&B (do inglês bed and breakfast). O **Cama e Café** encontrará para você um quarto na casa de um morador local que vive, por exemplo, na parte antiga do Rio, como o charmoso bairro de Santa Teresa. Recomendamos checar com a TURISRIO se a residência é registrada para este tipo de hospedagem e se tem alvará de funcionamento. Viva uma aventura no castelo gótico do bairro de Santa Teresa, que parece ter saído de um de conto de fadas, o **Castelinho**, onde o dono, um consultor de informática, aluga a torre superior. (*Rua Laurinda Santos Lobo 124, Santa Teresa. 21 2225 4366. www.camaecafe.com.br.*)

cinco minutos do centro da cidade. Por ser usado como um hotel para viagens a negócios, as diárias de fim de semana são mais baratas.

$$

Hotel Paysandu – *Rua Paissandu 23, Flamengo. 21 2558 7270. www.paysanduhotel.com.br. 75 quartos.* Situado na elegante rua com palmeiras imperiais este hotel é uma joia. Criado para a Copa do Mundo de 1950, hospedou a seleção do Uruguai e mais tarde a Seleção Brasileira para o desfile dos campeões em 1958. Tomar o café da manhã no delicioso restaurante é como dançar com Fred Astaire e Ginger Rogers no filme Voando para o Rio, de 1933.

Hotel Paysandú

BOTAFOGO

$$$$

Caesar Business Botafogo – *Rua da Passagem 39, Botafogo. 21 2131 1212. www.caesarbusiness.com.br. 110 quartos.* Perto do Botafogo Praia Shopping, onde há cinemas, lojas e restaurantes, este lugar oferece quartos amplos e claros, cada um com sua varanda. O hotel atrai muitos hóspedes em viagem de negócios.

$$$

Mercure Apartments Rio de Janeiro Botafogo – *Rua Sorocaba 305, Botafogo. 21 2266 9200. www.mercure.com. 64 quartos. Café da manhã não incluído.* Escondido no meio de Botafogo, este apart-hotel tem apartamentos com varanda e vista para o Cristo Redentor. O hotel possui sala de ginástica, piscina e sauna.

PRAIAS DA ZONA SUL

COPACABANA

$$$$$

Copacabana Palace – *Av. Atlântica 1702, Copacabana. 21 2548 7070. www.copacabanapalace.com.br. 242 quartos.* Um ícone do Rio (ver p.161), este grandioso hotel foi construído em 1923. Desenhado para lembrar os grandes hotéis do sul da França, o Copa, como é conhecido, é o favorito dos artistas, estadistas e personalidades famosas como a Princesa Diana, Ava Gardner e Ginger Rogers. Com uma equipe de 500 pessoas, o serviço é impecável. O **Cipriani**, considerado um dos melhores restaurantes da cidade, tem vista para a piscina. O restaurante **Pérgula**, do outro lado da piscina, serve um ótimo café da manhã, *feijoada* aos sábados e *brunch* aos domingos.

Sofitel – *Av. Atlântica 4240, Copacabana. 21 2525 1232. www.sofitel.com.br. 388 quartos. Café da manhã não incluído.* Este hotel está localizado em uma das extremidades da Praia de Copacabana. Todos os quartos têm varandas, mas alguns dão para a rua de trás e não têm vista para o mar e, consequentemente, são mais baratos. Duas piscinas, uma na frente e outra na parte de trás do hotel, permitem tomar sol durante o

ONDE SE HOSPEDAR

Piscina do Sofitel

dia inteiro. O restaurante do hotel, o **Atlantis,** perto da piscina da frente, oferece uma espetacular vista da praia de Copacabana e do Pão de Açúcar. As janelas dos quartos têm vidros duplos para diminuir o ruído dos carros na Av. Atlântica. Experimente o cardápio excepcional e sofisticado do chefe Roland Villar no restaurante **Le Pré Catelan**, que conjuga, com perfeição, a cozinha francesa com os toques regionais brasileiros.

JW Marriott Hotel – *Av. Atlântica 2600, Copacabana. 21 2545 6500. www.marriott.com.br. 245 quartos. Café da manhã não incluído em algumas categorias de preços.* Este novo hotel, no centro da praia de Copacabana, possui quartos pequenos, alguns de frente para o mar, mas as janelas não são grandes. A melhor vista é da área da piscina, no topo do hotel, onde também existe uma sala de ginástica completa.

$$$$

Pestana Rio Atlantica – *Av. Atlântica 2964, Copacabana. 21 3816 8530. www.pestana.com. 216 quartos.*
No coração de Copacabana, na Av. Atlântica, os melhores quartos deste hotel têm varandas e uma vista para a praia de Copacabana. Durante o *réveillon* no Rio, estes quartos de frente são muito procurados para se ver o espetáculo da queima de fogos. Reserve os quartos acima do oitavo andar para ter uma vista mais ampla da praia e do nascer do sol. Os quartos estão sendo reformados gradualmente. Há duas suítes para deficientes físicos. A piscina do terraço, que só fecha às 22h00, é particularmente agradável.

Windsor Excelsior – *Av. Atlântica 1800, Copacabana. 2195 5800. www.windsorhoteis.com.br. 233 quartos.* Este hotel faz parte da cadeia Windsor e foi recentemente reformado. Os funcionários são prestativos e os quartos têm a decoração padrão da rede Windsor. Os quartos que dão para o mar têm janelas pequenas e alguns não têm vista nenhuma mas, em compensação, têm diárias menores.

$$$

Rio Othon Palace – *Av. Atlântica 3264, Copacabana. 21 2525 1500. www.othon.com.br. 586 quartos.* Este hotel de 30 andares é um dos maiores da Praia de Copacabana e o segundo maior da cidade. A vista da piscina no terraço é espetacular. Alguns andares foram reformados recentemente.

Ouro Verde – *Av. Atlântica 1456, Copacabana. 21 2543 4123. www.dayrell.com.br. 64 quartos.*
Um dos poucos com preços moderados na Av. Atlântica, este hotel parece congelado no tempo. O Ouro Verde foi inaugurado em 1950, para a Copa do Mundo, e parece que a decoração dos quartos permanece intocada desde então — dê uma olhada nos armários dos anos 50 e nos azulejos rosa dos banheiros. Entretanto, eles são bem conservados e a ausência de reformas significa que os cômodos são amplos e os tetos altos.

Mar Palace Copacabana Hotel – *Av. Nossa Senhora de Copacabana 552. 21 2132 1500. www.hotelmarpalace.com.br. 103 quartos.* Um hotel agradável, localizado na principal rua comercial de Copacabana, no centro do bairro. Reformado há cinco anos, os quartos são agradáveis e bem grandes, com 30 m². O terraço conta com uma pequena piscina e uma sauna a vapor com vista para o Cristo Redentor.

$$

Premier Copacabana – *Rua Tonelero 205, Copacabana. 21 3816 9090. www.premier.com.br. 110 quartos.*
A três quadras da praia, este hotel tem localização perfeita para os passeios na cidade, uma vez que fica bem ao lado da estação Siqueira Campos do metrô. Reformado recentemente, os

SUA ESTADA NO RIO DE JANEIRO

quartos estão impecáveis e elegantes. Há a piscina com bar no terraço, sala de ginástica e sauna a vapor, além de um panorama de 360° dos morros da cidade, do Cristo Redentor e do oceano ao longe.

Residencial Apart – *Rua Francisco Otaviano 42, Copacabana. ☎21 2522 1722. www.apartt.com.br. 24 quartos.* Este pequeno hotel está localizado a uma quadra do Posto 6 e perto do Arpoador. O acesso à internet sem fio tem custo baixo por dia e o café da manhã — incluído na diária — é servido no quarto.

Hotel Santa Clara – *Rua Décio Vilares, 316, Copacabana. ☎21 2256 2650. www.hotelsantaclara.com.br. 25 quartos.* Pequeno e atraente e com funcionários simpáticos, o Santa Clara fica protegido do barulho de Copacabana, a sete quadras da praia, num pequeno bairro residencial chamado Bairro Peixoto. Quatro quartos da frente têm varandas. Não há sala de café da manhã, mas serviço de quarto matinal.

Stone of a Beach Backpackers – *Rua Barata Ribeiro 111, Copacabana. ☎21 3209 0348. www.stoneofabeach.com.br. 10 dormitórios, 6 quartos.* Este albergue está localizado em uma movimentada rua de Copacabana, a três quadras da praia. Os funcionários são prestativos e o terraço conta com Jacuzzi e bar.

LEME

$$$

Golden Tulip Continental – *Rua Gustavo Sampaio 320, Leme. ☎21 3545 5300. www.goldentulipcontinental.com. 280 quartos.* Escondido no Leme, no final da praia de Copacabana, o Golden Tulip fica num bairro mais calmo. A praia é calma e bastante familiar. Os quartos são confortáveis e bem decorados, sendo que os dos fundos dão para a favela do Morro Chapéu Mangueira. A piscina do terraço tem vista para a Pedra do Leme, o Pão de Açúcar e a ampla praia de Copacabana.

ARPOADOR

$$$

Hotel Arpoador Inn – *Rua Francisco Otaviano 177, Arpoador. ☎21 2523 0060. 50 quartos. www.arpoadorinn.com.br.* Bem junto ao mar, este pequeno hotel tem uma excelente localização, bem próximo de Ipanema. Os quartos da frente têm uma espetacular vista para o mar e, como não há nenhuma rua entre o hotel e a praia, são muito silenciosos. Todos os quartos e áreas comuns foram reformados recentemente. Dê um mergulho nas águas calmas da Praia do Arpoador antes de saborear o café da manhã no terraço voltado para o mar. No final do dia, dê um passeio até a Praia do Arpoador, ali ao lado, ou fique em uma das mesinhas na calçada, para assistir o pôr do sol em Ipanema. Jante no restaurante **Azul Marinho** (no andar térreo do hotel), um dos melhores restaurantes do Rio especializados em frutos do mar.

$$

Hotel Cristal Palace – *Rua Francisco Otaviano 56, Arpoador. ☎21 2548 7070. www.hotelcristalpalace.com.br. 24 quartos.* Localizado entre Copacabana e Ipanema, o hotel tem fachada de vidro, decoração clássica e confortável. As diárias são razoáveis e os quartos sem varanda são mais baratos.

IPANEMA

$$$$$

Fasano – *Av. Vieira Souto 80, Ipanema. ☎21 3202 4000. www.fasano.com.br. 91 quartos. Café da manhã não incluído.* Viva um mundo de fantasias ao estilo Philippe Starck, onde o luxo, o bom gosto e o estilo contemporâneo se combinam. Celebridades como Madonna, Naomi Campbell, Lenny Kravitz e Diana Krall já estiveram neste exclusivo e recém inaugurado hotel. A mobília de Starck, os corredores quase triangulares, a perspectiva e o jogo de luzes, criam uma ilusão digna de Alice no País das Maravilhas. Depois de encontrar o seu quarto, o que não é muito fácil, descanse nas camas king size com lençóis de algodão egípcio, TV LCD 32" com 59 canais e um dock para iPod. Fantástica é a vista da piscina para as praias de Ipanema e do Leblon, com o Morro Dois Irmãos ao fundo. Para sentir o gostinho da melhor noite do Rio, vá ao térreo, no moderno bar **Londra**.

ONDE SE HOSPEDAR

Neste hotel está o restaurante **Al Mare,** um dos mais sofisticados da cidade.

Caesar Park – *Av. Vieira Souto 80, Ipanema. ✆21 2525 2525. www. caesarpark-rio.com. 222 quartos.* Confortável e tradicional, tem quartos espaçosos, sendo que os da frente com vista para a praia de Ipanema. O restaurante e a piscina no topo do hotel oferecem uma vista espetacular do entorno.

Ipanema Plaza – *Rua Farme de Amoedo 34, Ipanema. ✆3687 2000. www.goldentulipipanemaplaza.com. 140 quartos.* Este hotel é discreto e muito bem localizado, na quadra da praia, em uma rua com muitas opções de restaurantes. Alguns quartos são pequenos e têm vista lateral para a praia, enquanto a piscina tem vista para a Lagoa. Encontra-se próximo ao point gay da Praia de Ipanema.

$$$$

Best Western Sol Ipanema – *Av. Vieira Souto 320, Ipanema. ✆21 2525 2020. www.solipanema.com.br. 90 quartos.* O hotel está em um prédio alto e estreito à beira mar e possui decoração discreta. Com apenas seis quartos por andar, também é bem calmo. Os quartos são elegantemente decorados com piso branco, fazendo contraste com o mobiliário de madeira escura. Há duas categorias de quartos, com vista e sem vista, sendo estes mais baratos.

Promenade Visconti – *Rua Prudente de Morais 1050, Ipanema. ✆21 2111 8600. www.promenade.com.br/visconti. 48 apartamentos/quartos.* Localizado no centro de Ipanema, em uma rua interna, este apart-hotel oferece quartos e apartamentos. A maioria dos quartos tem vista para a rua ou para o jardim. Apesar de não ter piscina, há uma Jacuzzi e a praia fica apenas a uma quadra de distância.

$$$

Hotel Ipanema Inn – *Rua Maria Quitéria 27, Ipanema. ✆21 2523 6092. www.ipanemainn.com.br. 56 quartos.* Um hotel agradável, o Ipanema ocupa um lugar fantástico, no quarteirão da praia, na sua parte mais badalada, o Posto 9. Os quartos foram redecorados recentemente. Para estadas de mais de uma semana é oferecido um desconto. Os quartos de fundos são mais escuros e não têm vista.

Hotel Vermont – *Rua Visconde de Pirajá 254, Ipanema. ✆21 3202 5500. www.hotelvermont.com.br. 86 quartos.* Este hotel básico fica a duas quadras da praia, na rua mais movimentada de Ipanema — perto dos bares, restaurantes e lojas. Todos os quartos possuem piso frio e os do 9º e 10º andares, que ficam nos fundos, têm uma bela vista para o Cristo Redentor.

$$

Hotel San Marco – *Rua Visconde de Pirajá 524, Ipanema. ✆21 2540 5032. www.sanmarcohotel.net. 56 quartos.* Um hotel modesto em uma ótima localização, na rua mais movimentada, perto das lojas, bares e restaurantes, o San Marco fica a apenas duas quadras da praia de Ipanema e a três quadras do Leblon. Os quartos estão precisando de reforma, mas são bem cuidados e o preço é muito bom para a localização.

Ipanema Beach House – *Rua Barão da Torre 485, Ipanema. ✆21 3202 2693. www.ipanemahouse.com. 7 dormitórios, 4 quartos.* Este popular albergue fica numa rua calma perto da famosa Rua Garcia D'Ávila. Há uma pequena piscina com um bar e mesas de sinuca. Todos os quartos possuem vista para a rua ou para a piscina.

LEBLON

$$$$$

Mercure Apartamentos Leblon – *Rua João Lira 95, Leblon. ✆21 2113 2400. www.mercure.com. 38 apartamentos. Café da manhã não incluído.* Você vai se sentir em casa neste mini apartamento no centro do bairro do Leblon. Cada um possui uma sala de estar, uma pequena cozinha, quarto e banheiro. Há alguns supermercados perto que fazem entregas se você não quiser ir fazer compras. Também possui uma piscina, mas você está apenas a uma quadra da fantástica praia do Leblon.

Marina All Suites – *Av. Delfim Moreira 696, Leblon. ✆21 2172 1100. www.marinaallsuites.com.br. 39 quartos. Café da manhã não incluído.* Este é um hotel boutique, com uma pequena recepção que esconde o conforto e o

SUA ESTADA NO RIO DE JANEIRO

Bar da piscina do Marina Palace

Marina Palace – *Av. Delfim Moreira 630, Leblon. 21 2172 1000. www.marinapalacehotel.com. 150 quartos. Café da manhã não incluído.* Este hotel fica bem em frente à praia do Leblon e por ser um dos edifícios mais altos da orla oferece uma das melhores vistas da região. Os quartos são de tamanho razoável, com janelas grandes. Há uma piscina e um bar do terraço.

$$$$

charme dos seus 18 andares. Com apenas três suítes por andar, todo o conceito deste estabelecimento é fazer os hóspedes "se sentirem em casa". Nas nove suítes especiais, você vai ficar hospedado no melhor estilo. Cada uma tem um tema diferente e nomes de pedras preciosas brasileiras. Gisele Bündchen ficou na suíte "Diamante", o ator Gael García e o músico Lenny Kravitz também já estiveram lá. Há uma piscina pequena, mas elegante, no terraço, uma sala de cinema com oito confortáveis cadeiras reclináveis e uma agradável sala no 16º andar onde você pode assistir TV ou jogar cartas enquanto aprecia a vista para o mar. No hotel está o famoso **Bar d'Hotel**, com drinks especiais e um cardápio sofisticado, em um ambiente contemporâneo e vista para o mar.

Sheraton – *Av. Niemeyer 121, Leblon. 21 2274 1122. www.sheraton-rio.com. 559 quartos. Café da manhã não incluído.* Este grande hotel está localizado na Avenida Niemeyer, que liga o Leblon a São Conrado. Bem na beira do mar, o hotel tem sua praia particular com uma vista espetacular do Leblon e Ipanema até o Arpoador. Todos os quartos possuem vista, alguns para a favela do Vidigal. A excelente área de lazer inclui piscinas para adultos e crianças, quadras de tênis, restaurantes, além de muito espaço debaixo das imensas árvores da piscina para desfrutar o mar logo em frente. No *Health Club* você encontrará um spa, uma sala de ginástica com estúdio de dança, sauna a vapor e seca. Os hóspedes têm 30 minutos de internet gratuita por dia e há também um serviço de *shuttle* que passa pela orla até Botafogo.

Leblon Flat – *Rua Antônio Maria Teixeira 33. 21 2125 4000/3722 5054. Central de reservas. www.redeprotel.com.br. 16 apartamentos.* Ao lado do Shopping Leblon e apenas a três quadras da praia, este apart-hotel é muito confortável. Todas as suítes possuem varanda e salas de estar com uma pequena cozinha. Apartamentos com um ou dois quartos estão disponíveis, tanto para estadias longas quanto para as de alguns dias. Reservando com antecedência pelo telefone é possível negociar um preço melhor.

Ritz Plaza Hotel – *Rua Ataulfo de Paiva 1280, Leblon. 21 2540 4940. www.ritzhotel.com.br. 56 quartos.* A alguns passos da rua Dias Ferreira, onde os bares e restaurantes da moda estão lado a lado, este hotel é um dos maiores segredos do Rio. Você pode se bronzear e aproveitar o aconchegante deck e a piscina, com seu enorme e curioso mosaico colorido. A uma quadra da praia, este hotel é constantemente reformado e tem uma apresentação impecável.

$$

Lemon Spirit Hostel – *Rua Cupertino Durão 56, Leblon. 21 2294 1853. www.lemonspirit.com. 4 quartos, 5 dormitórios.* Os simpáticos funcionários recepcionam os hóspedes neste albergue descontraído, a uma quadra da praia do Leblon e perto de cafés, bares, lojas e cinemas. Todos os quartos possuem ar condicionado e quase todos, exceto um, têm vista para a rua. A maioria dos dormitórios possuem triliches, mas o albergue também oferece quartos particulares. Há uma área de TV e uma cozinha bem equipada.

ONDE SE HOSPEDAR

LAGOA E ARREDORES

$$$$$

La Maison – *Rua Sérgio Porto 58, Gávea. ☎21 3205 3585. www.lamaisonario.com. 5 quartos. Por estar em uma rua secundária e próxima ao acesso à favela da Rocinha, aconselhamos usar carro ou táxi nos deslocamentos.* Trata-se de uma fusão de hotel boutique e casa de hóspedes. Em cada quarto há uma elegante mistura de design contemporâneo com o clássico. Quatro quartos possuem vistas para a Lagoa, com a floresta ao fundo. Um dos quartos compensa não ter vista por seu terraço particular.

$$$$

Gávea Tropical – *Rua Sérgio Porto, Gávea. ☎21 2274 6015. www.gaveatropical.com. 6 quartos. Por estar próxima ao acesso à favela da Rocinha, aconselhamos usar carro ou táxi nos deslocamentos.* Bem no final de uma rua residencial arborizada, por trás de um grande muro, esta charmosa casa de hóspedes é uma joia bem escondida. Próxima à maior favela da América do Sul, a Rocinha, o gerente garante que os hóspedes estão mais seguros ali do que em Copacabana. Dispostos em terraços pela encosta, todos os quartos possuem varandas debruçadas sobre o morro de densa floresta, com o Cristo Redentor ao fundo. A decoração tem toques asiáticos. Existem muitas escadas que ligam as diversas áreas do hotel e os banheiros nos quartos não têm portas.

PRAIAS DA ZONA OESTE

SÃO CONRADO

$$$$$

Intercontinental – *Av. Prefeito Mendes de Moraes 222, São Conrado. ☎21 3323 2236. www.intercontinental.com. 418 quartos.* Em funcionamento desde 1974, este é um dos mais antigos grandes hotéis de luxo do Rio. A piscina acabou de ser reformada e agora tem vista para o mar. Todos os quartos possuem varanda e, independentemente da categoria, todos são do mesmo tamanho, a não ser os da categoria superior. Prefira os que dão frente para o Gávea Golf Club. Por haver um

Gávea Tropical

centro de convenções de vinte salas, os preços sobem na alta temporada de eventos. O bonito São Conrado Fashion Mall, onde há uma boa seleção de restaurantes e lojas, fica a alguns passos do hotel.

$$$$

La Suite – *Rua Jackson de Figueiredo 501, Joatinga. ☎21 2484 1962. 7 quartos.* A 5 minutos de carro de São Conrado e a 20 minutos do Leblon, este hotel boutique oferece uma linda vista sobre o mar, o elevado do Joá e a Praia de São Conrado, sendo que da sala de estar você pode ver uma parte da orla que a maioria das pessoas nunca verá. A vista da piscina é sensacional. Os quartos são pintados com cores vibrantes e tiram partido do panorama com enormes janelas ou varandas. Frequentemente reservado para filmagens, este hotel é perfeito para uma lua-de-mel ou um fim de semana romântico. Por estar fora do trajeto principal dos meios de transporte e em uma área residencial privada, o acesso só é possível de carro ou táxi.

Quarto verde, do La Suite

225

SUA ESTADA NO RIO DE JANEIRO

BARRA DA TIJUCA

$$$$$

Sheraton Barra – *Av. Lúcio Costa 3150, Barra da Tijuca. 21 3139 8000. www.sheraton.com/barra. 292 quartos.* A enorme praia de areias brancas em frente ao hotel, combinada com a luxuosa área da piscina e um centro de negócios de seis salas, fazem deste hotel uma referência na região. Com dois restaurantes, um bar no saguão e outro na piscina, um cabeleireiro, uma loja de conveniência, uma área para crianças e duas quadras de squash, o Sheraton Barra é em parte um condomínio e também um hotel. Completando as atrações, a sala de ginástica se orgulha de ser a melhor dos hotéis da cidade, e o **Vila Spa L'Occitane** oferece cinco chalés de massagem, em um pátio sereno, cercado de vegetação.

Windsor Barra – *Av. Sernambetiba 2630, Barra da Tijuca. 21 2195 5000. www.windsorhoteis.com.br. 340 quartos.* Em frente à praia da Barra, o hotel possui vista para o mar, lateral ou frontal, de todos os quartos, sendo os mais altos os melhores. Todos os quartos são confortáveis e possuem banheiro de mármore. As comodidades modernas incluem TV a cabo com 48 canais, enquanto a piscina no terraço tem uma vista fenomenal da região e das montanhas do Maciço da Tijuca.

$$$

Royalty Barra – *Av. do Pepê 690, Barra da Tijuca. 21 2483 5373. www.royaltyhotel.com.br. 249 quartos.* Por estar em uma extremidade da Praia da Barra, a vista do Royalty Barra cobre toda a extensão da praia. Os quartos dos fundos têm vista para as montanhas, os laterais têm vista para as montanhas e para a praia e os da frente têm uma vista magnífica da praia. Acomodação espaçosa decorada em tons neutros, com piso frio e banheiros brancos.

RECREIO

$$$

Atlântico Sul Hotel – *Av. Professor Armando Ribeiro 25, Recreio. 21 3418 9100. www.atlanticosulhotel.com.br. 100 quartos.* Este hotel está localizado no fim do Recreio dos Bandeirantes, em frente a uma praia de areias e águas muito limpas, mas com muito movimento nos finais de semana. Ótima vista das praias da Barra e Recreio nos quartos da frente e das montanhas nos fundos. O Hotel fica bem longe das principais atrações turísticas da cidade (cerca de 1h30 de Copacabana).

BARRA DE GUARATIBA

$$$

Le Relais de Marambaia – *Estrada Roberto Burle Marx 9346, Barra de Guaratiba. 21 2394 2544. www.lerelaisdemarambaia.com. 5 quartos.* Esta pousada é a mais nova em Guaratiba, oferecendo estilo casa de praia e conforto. Cada quarto tem decoração contemporânea exclusiva, com varanda e vista para o mar, além de Jacuzzi ou banheira de ofurô. Debruçado sobre o mar, o deck da piscina está apenas a alguns passos da praia privativa que é perfeita para se praticar snorkeling. Relaxe na varanda e saboreie a vista ampla e intocada da região.

$$

Pousada Refúgio das Bananeiras – *Estrada da Vendinha 81, Barra de Guaratiba. 21 2410 8166. www.refugiodasbananeiras.com. 7 quartos.* Saia do seu chalé diretamente num jardim tropical. A vista do rio e da Restinga da Marambaia vai até onde os olhos alcançam. Ouça os sons da natureza 24 horas por dia. Para chegar à praia são 10 minutos de caminhada.

EXCURSÕES

NITERÓI

$$$

Mercure Apartments Niterói Orizzonte – *Rua Cel. Tamarindo 321,*

Royalty Barra

ONDE SE HOSPEDAR

Gragoatá, Niterói. ☎21 2707 5700. www.mercure.com. 139 quartos. Trata-se de uma construção moderna, onde os quartos têm varandas debruçadas sobre a Baía de Guanabara e uma espetacular vista do Rio.

Tower Hotel – *Av. Alm. Ary Parreiras 12, Icaraí, Niterói. ☎21 2612 2121. www.towerhotel.com.br. 110 quartos.* São 10 minutos de carro do hotel até o centro de Niterói e 20 minutos a pé até o Museu de Arte Contemporânea (MAC). É também próximo da praia de Icaraí, de onde há uma magnífica vista panorâmica do Rio. Os quartos são bem cuidados; os da frente têm vista para a praia e os dos fundos têm vista para as montanhas.

$$

Hotel Icaraí Praia – *Rua Belizário Augusto 21, Icaraí, Niterói. ☎21 2710 2323. www.icaraipraiahotel.com.br. 63 quartos.* A uma quadra da praia de Icaraí, este hotel simples é perfeito para uma noite ou duas. Pisos de madeira e paredes de cor creme decoram os quartos. Uma caminhada de 10 minutos o levará ao Museu de Arte Contemporânea; 10 minutos de carro até Niterói.

PAQUETÁ

$$

Hotel Farol de Paquetá – *Praia das Gaivotas 796/816, Ilha de Paquetá. ☎21 3397 0402. www.hotelfaroldepaqueta.com.br. 23 quartos.* Este hotel modesto fica bem na praia, a 10 minutos a pé da estação das barcas. Concebido para o lazer, o hotel tem campo de futebol e quadra de vôlei, uma sala de jogos e duas piscinas. O restaurante fica na beira da praia e há também uma lanchonete. Se ficar mais de três noites na baixa estação (março a junho), você poderá negociar um bom desconto.

BÚZIOS

$$$$$

Casas Brancas Boutique Hotel & Spa – *Alto do Humaitá 10, Centro, Búzios. ☎22 2623 1458. www.casasbrancas.com.br. 32 quartos.* Você ficará deslumbrado quando chegar ao terraço. Com vista para a praia da Armação de Búzios, com sua baía azul turquesa rodeada de *flamboyants*, os decks e a elegante piscina de pedra do Casas Brancas oferecem a última palavra em tranquilidade e conforto. A pousada possui o mais renomado e luxuoso refúgio e spa de Búzios. Inspirado na arquitetura mediterrânea, a simplicidade do exterior e do interior é que dá charme ao hotel. Ao entardecer, desça os degraus para um drink no bar **Deck**, depois volte para se deliciar com a perfeita combinação entre a culinária brasileira e a mediterrânea no **Café Atlântico** — o restaurante com a melhor vista da cidade.

Insólito Boutique Hotel

Insólito Boutique Hotel – *Praia da Ferradura, Rua E1, Condomínio Atlântico, Búzios. ☎22 2623 2172. www.insolitos.com.br. 12 apartamentos.* Localizado na Praia da Ferradura, este hotel exclusivo é um oásis para os sentidos. Com vista para o mar azul e integrado com a vegetação exuberante que o rodeia, este é realmente um lugar para fugir de tudo. Cada apartamento, elegante e individual, contém obras de arte e livros de arte e cultura, cada um com uma decoração especial e temática. Móveis de madeira reciclada e objetos feitos por comunidades brasileiras de baixa renda dividem o espaço com TVs LCD, leitores de DVD, internet sem fio e dock para iPods. As facilidades para os hóspedes incluem o uso de dois barcos, bicicletas, piscina de água fresca e salgada, sauna, Jacuzzi e um spa.

$$$$

Chez Pitu Praia Hotel – *Av. Geribá 10, Aldeia de Geribá, Búzios. ☎22 2623 6460. www.chezpitu.com.br. 27 quartos.* A pousada está localizada na Praia de Geribá, conhecida pelo surf e muito

SUA ESTADA NO RIO DE JANEIRO

Chez Pitu Praia Hotel

frequentada nos fins de semana. É exatamente aqui que se encontra este adorável hotel, com seu terraço, bar e piscina. Os quartos térreos dão para a área da piscina. Depois de ver o sol se pôr sobre o mar do seu quarto, você adormecerá ao som das ondas (não há rua entre o hotel e a praia). Os quartos são aconchegantes e bem cuidados. Um chá leve (incluído no serviço de quarto) é servido entre as 18h00 e 19h00.

$$$
Pérola Búzios Design Hotel – *Av. José Bento Ribeiro Dantas 222, Centro, Búzios. 22 2620 8507. www.atlanticahotels.com.br. 49 quartos e 11 suítes.* Apesar de não se encontrar à beira-mar, oferece ótima piscina e traslado para a praia. O hotel está bem próximo da Rua das Pedras. Possui academia de ginástica com instrutor e uma sala de massagem. Quartos muito confortáveis. Camas suspensas à beira da piscina, prontas para relaxar.

Pousada Corsário – *Rua Agripino de Souza 50, Praia dos Ossos, Búzios. 22 2623 6403. www.pousadadocorsario.com.br. 32 quartos.* Localizada em uma área exclusiva para pedestres, o acesso à Praia dos Ossos, o hotel está muito bem localizado e próximo a diversas praias da região como Azeda e Azedinha (10 minutos a pé) e João Fernandes (20 minutos a pé). Os quartos são confortáveis, sendo que alguns dão para o jardim interno. O serviço é impecável.

Pousada Vila do Mar – *Travessa dos Pescadores 88, Centro, Búzios. 22 2623 1466. www.viladomar.com. 18 quartos e 7 suítes.* Muito bem localizada, junto à Rua das Pedras, a pousada é uma das primeiras pousadas de Búzios e preserva até hoje o estilo dos pescadores. Alguns quartos têm sala separada e uma excepcional vista da Praia da Armação e da Ilha do Caboclo. Nela se encontra o Gran Cine Bardot.
A piscina é pequena e cercada de árvores. Ambiente acolhedor.

$$
Alegravila – *Av. José Bento Ribeiro Dantas 1475, Centro, Búzios. 22 2623 2329. www.alegravila.com.br. 12 quartos.* Localizada na avenida principal de acesso a Búzios, a pousada tem quartos simples e tranquilos com vista para os jardins tropicais e uma pequena piscina. A vida noturna da Rua das Pedras no centro de Búzios está a 15 minutos a pé. Uma caminhada de 20 minutos leva até a tranquila Praia da Tartaruga ou até a Praia da Ferradura.

ILHA GRANDE
Ver também as opções de resorts em Angra dos Reis na p.200

$$$$
Pousada Sítio do Lobo – *Enseada das Estrelas, Ilha Grande. 24 3361 4438. Reservas: 21 2227 4138. www.sitiodolobo.com.br. 6 suítes.* Localizada na Enseada das Estrelas, esta pousada possui praia totalmente exclusiva com vista espetacular. Próximo fica a famosa Praia da Feiticeira. São 6 suítes confortáveis com decoração rústica e sofisticada ao mesmo tempo. Acesso apenas por barco (10 minutos a partir da Praia do Abraão).

$$$
Sagu Mini Resort – *Praia Brava, Vila do Abraão, Ilha Grande. 24 3361 5660. www.saguresort.com. 9 quartos.* Uma aconchegante pousada na orla cheia de palmeiras do principal povoado da Ilha Grande, o resort fica entre o mar e a floresta. Todos os quartos possuem vista para o mar e uma varanda ou terraço. Apesar de não ter piscina, você pode mergulhar do cais no mar ou relaxar na banheira quente do deck. Experimente a "nouvelle" cozinha brasileira no jantar, no restaurante **Toscanelli**. O preço inclui a passagem de barco de ida e volta até a Vila do Abraão.

ONDE SE HOSPEDAR

$$

Pousada Casablanca – *Rua da Praia 34, Jardim Buganville, Vila do Abraão. ☎24 3361 5040. www.casablanca pousada.com.br. 9 quartos*. Esta pousada "bed and breakfast" é simples, mas atraente, localizada numa parte tranquila da Vila do Abraão, apenas a 3 minutos da praia principal e a 5 minutos do pequeno porto. Os quartos têm frigobar, ar condicionado e TV. Seis quartos possuem vista para o jardim e as montanhas e os outros dão vista para a varanda no térreo.

PARATY

$$$$

Pousada Casa Turquesa – *Rua Doutor Pereira 50, Centro Histórico. ☎24 3371 1037. casaturquesa.com.br. 9 suítes*. Localizada em frente ao cais e próxima à Igreja de Santa Rita, a Casa Turquesa combina charme, aconchego e modernidade. As suítes são confortáveis. Um pátio interno com piscina é o local ideal para o repouso após um dia de passeios. O projeto recriou a fachada do sobrado do séc. XVIII, destruído pelo fogo há trinta anos, conservando a arquitetura colonial, mas o interior é moderno e tem todo o conforto dos mais modernos hotéis.

$$$

Pousada Literária – *Rua do Comércio, 362, Centro Histórico, Paraty. ☎24 3371 8325. www.pousadaliteraria.com.br. 30 apartamentos*. O hotel que, durante muitos anos, foi de propriedade da grande atriz Maria Della Costa, passou por uma série de reformas, para oferecer mais conforto e requinte, mantendo o charme de sempre. Muito bem localizado, o nome do hotel é uma alusão a Feira Literária de Paraty (Veja pág.207, Endereços). Localizado no Centro Histórico, é um dos poucos que possui estacionamento próprio, dentro do próprio hotel.

$$$$

Pousada Porto Imperial – *Rua do Comércio, Centro Histórico, Paraty. ☎24 3371 2323. www.portotel.com.br. 50 quartos*. Esta charmosa casa colonial do séc. XIX fica atrás da Igreja Matriz, no coração do Centro Histórico. Cada quarto tem o nome de uma famosa mulher brasileira como Elis Regina, Tarsila do Amaral, Chiquinha Gonzaga e Rachel de Queiroz e um quadro com informações sobre cada uma dessas personalidades.

Pousada da Marquesa – *Rua Dona Geralda 99, Paraty. ☎24 3371 1263. www.pousadamarquesa.com.br. 21 quartos*. A pousada é cheia de charme e de objetos antigos. Leia um livro na agradável varanda ou aproveite a tranquila piscina, em meio aos jardins tropicais que, à noite, é iluminada com velas. Os quartos do andar de cima ficam sob os beirais inclinados, todos são graciosos, com decoração simples mas de bom gosto, a madeira escura original do piso e as venezianas coloniais. Estacionamento gratuito.

Pousada do Ouro – *Rua Dr. Pereira 145 (Antiga Rua da Praia), Paraty. ☎24 3371 4300/3371 2033. www.pousadaouro.com.br. 18 quartos e 8 suítes*. Uma das mais tradicionais de Paraty, a pousada fica próximo ao cais. Existem diversos tipos de quartos com dois níveis, para casais com filhos. No anexo, do outro lado da rua, está uma passagem, ladeada de quartos simpáticos e pequenos, que levam a uma outra área da pousada, onde se toma o café da manhã. No quarto mais alto desta área ficou hospedado o cantor Mick Jagger. Esta é uma das poucas pousadas de Paraty com estacionamento interno. A pousada conta com um spa e um restaurante.

Pousada do Sandi – *Rua Largo do Rosário 1, Paraty. ☎24 3371 2100. www.pousadadosandi.com.br. 26 quartos*. Esta elegante construção

Sagu Mini Resort

SUA ESTADA NO RIO DE JANEIRO

Pousada do Sandi

do séc. XVIII fica no centro histórico. Os quartos grandes e confortáveis possuem teto alto e são decorados com cores vibrantes. Os tetos de madeira são pintados de amarelo e as molduras das portas e janelas de azul colonial português. No pátio calçado de pedra há uma piscina onde você pode descansar

Santa Clara Hotel – *Rodovia Rio–Santos km 563, Paraty. 24 3371 8900. www.santaclarahotel.com.br. 34 quartos.* Localizado a 10 km de Paraty, este hotel Mercure fica em uma área de 500.000 m², sendo parte Mata Atlântica e parte uma ponta que avança para o mar. A piscina e alguns quartos têm vista para o mar.

$$

Pousada Santa Rita – *Rua Santa Rita 335, Centro Histórico, Paraty. 24 3371 1206. www.paraty.com.br/santarita. 6 quartos.* Uma cativante casa colonial, a Pousada Santa Rita brilha como uma pequena joia de Paraty. Todos os quartos têm preço acessível e são limpos e confortáveis; cinco deles oferecem vista para o mar. Bem ao lado da Igreja de Santa Rita, você estará pertinho de muitas atrações, cafés e restaurantes ao longo das ruas de Paraty.

PETRÓPOLIS

$$$$$

Solar do Império – *Av. Koeller 376, Petrópolis. 24 2103 3000. www.solardoimperio.com.br. 24 quartos.* A combinação perfeita de um ótimo hotel em uma boa localização, a poucos minutos a pé das principais atrações. A casa de 1875 tem portões de ferro decorados com sementes de café. As colunas da entrada, imponentes, têm, à sua frente, um lago com carpas e um lindo jardim. Os quartos são confortáveis e os hóspedes se sentem em casa, graças a um serviço de alta qualidade. O hotel conta com salas de reunião, spa e piscina aquecida, com sauna. Existe um anexo com quartos amplos. No hotel está o elegante restaurante Leopoldina, sob o comando da chef Claudia Mascarenhas, com pratos especiais, alguns de caráter histórico.

$$$$

Pousada da Alcobaça – *Rua Agostinho Goulão 298, Corrêas. 24 2221 1240. www.pousadadaalcobaca.com.br. 11 quartos.* Esta tradicional pousada fica a 15 minutos de carro de Petrópolis. A bonita mansão de 1914 é rodeada por um lindo jardim. A mobília antiga e o serviço atencioso contribuem para o ambiente aconchegante. O excelente restaurante está aberto ao público.

$$$

Pousada Monte Imperial Koeller – *Av. Koeller 99, Petrópolis. 24 2237 16 64. www.pousadamonteimperial.com.br.* Quase de frente para a Catedral, esta antiga residência alta e excêntrica, de 1875, foi restaurada para abrigar o hotel.

PRÓXIMO DE PETRÓPOLIS

VALE DO CUIABÁ

$$$$

Pousada Tankamana – *Estrada Júlio Cápua, Vale do Cuiabá, Petrópolis. 24 2222 9181. www.pousadatankamana.com.br. 15 chalés.* A uma hora de Petrópolis, este refúgio de tranquilidade fica em plena Mata Atlântica. Os chalés são feitos de pedra e de madeira integrados ao ambiente. Alguns deles possuem hidromassagem privativa, com vista para a parte externa.

Pousada da Alcobaça

ONDE SE HOSPEDAR

Motéis

Os motéis podem ser encontrados em todo o Rio, mas saiba que eles não são iguais aos motéis de beira de estrada americanos. Os motéis no Brasil são usados por casais e jovens que não têm privacidade em casa. Alguns são simples e mal cuidados e têm preços muito acessíveis. Outros estabelecimentos são sofisticados e cheios de estilo: jacuzzis, saunas secas e a vapor, piscinas — algumas com cascata. Muitos motéis têm sistema de som e pista de dança, completa com iluminação estilo discoteca. Alguns têm espelho no teto e cama giratória. Esses hotéis são rotativos e alugam quartos por hora ou por noite. Alguns têm um sistema que garante total privacidade, como garagens privativas. Embora não exista uma recepção, os quartos em si parecem quartos de hotel. O mais famoso do Rio é o **Vips Motel**, na Avenida Niemeyer, que tem varandas com deslumbrante vista para o mar. Frequentemente, esses motéis são utilizados como hotéis, quando a cidade sedia algum tipo de grande evento. *(Vips, Av. Niemeyer 418, Leblon, 21 3322 1662. www.vipsmotel.com.br.)*

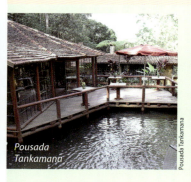
Pousada Tankamana

A Pousada também oferece hidrospa e sauna com piscina de água natural e cachoeira. No hotel há o fantástico Restaurante Tankamana, especializado em trutas.

TERESÓPOLIS

$$$

Pousada Urikana – *Estrada Ibiporanga 2151, Parque do Imbuí, Teresópolis. 21 2641 8991. www.pousadaurikana.com.br. 20 chalés/3 suítes.* Em Teresópolis, a 50 km de Petrópolis, a pousada tem confortáveis chalés e apartamentos. No verão o clima é muito agradável e no inverno pode-se desfrutar do calor das lareiras. Existe uma área especial para fondue. A pousada possui mini-golfe para as crianças.

$$$

Pousada Toca-Terê – *Rua Reinaldo Viana 257, Ingá, Teresópolis. 21 2642 1100. www.tocatere.com.br. 9 chalés.* Rodeada de floresta, esta pousada é um refúgio nas montanhas. Os chalés ficam na encosta da montanha com vista para o jardim e um rio. Todos têm varanda, lareira e hidromassagem.

REGIÃO DE ITATIAIA

$$$

Pousada Serra da Índia – *Estrada Vale do Ermitão s/n, Penedo, Itatiaia. 24 3351 1185. www.serradaindia.com.br. 14 chalés.* Em uma colina, em meio à natureza, esta pousada é típica da região, possuindo charmosos chalés rodeados de jardins. A pousada oferece hidromassagem, piscina e sauna finlandesa com a opção de uma ducha direta da nascente da serra.

Pousada Terraço – *Estrada do Ermitão 520, Penedo, Itatiaia. Reservas 24 3351 2525/3351 2500. www.terracopenedo.com.br.* Este hotel boutique possui uma linda vista da Serra da Índia. Da piscina e do elegante deck, você pode respirar o ar puro da montanha e ouvir o canto dos pássaros. Os quartos do segundo andar possuem uma vista fantástica da floresta e todos os quatos têm varanda.

Pousada Urikana

SUA ESTADA NO RIO DE JANEIRO

ONDE COMER

O clima agradável faz com que um jantar ao ar livre seja uma boa opção: seja em terraços, nas partes mais altas da cidade ou de frente para o mar. O almoço é uma refeição importante para os brasileiros, principalmente nos fins de semana. Uma opção mais barata são os bares, onde também se pode beber e comer. A rede de supermercados "Zona Sul" oferece pães frescos, saladas e sanduíches.

Os estabelecimentos foram selecionados pelo padrão da comida, ambiente, localidade e/ou pela relação qualidade/custo. Os preços indicam o custo médio de entrada, prato principal e sobremesa para uma pessoa (sem taxas, gorjeta, couvert ou bebidas). Eles estão organizados de acordo com as áreas da cidade e por bairros.

$	Até R$50	$$$	R$100–R$200
$$	R$50–R$100	$$$$	Acima de R$200

Escolha uma área

A Lapa é o melhor lugar para petiscos à noite. Em **Santa Teresa**, na *Rua Almirante Alexandrino* existem diversos restaurantes, incluindo japoneses, italianos e brasileiros. A maioria dos restaurantes de **Botafogo** estão na *Rua Visconde de Caravelas*. Na orla de **Copacabana**, a *Avenida Atlântica* está cheia de estabelecimentos que oferecem cozinha internacional, mas se você andar pelas ruas laterais poderá encontrar também boas opções. **Ipanema** oferece uma ampla seleção de restaurantes, localizados principalmente nas imediações das ruas *Barão da Torre, Garcia D'Ávila e Aníbal de Mendonça*. O **Leblon** também possui ótimos restaurantes, sobretudo na *Rua Dias Ferreira*.

A RioTur publica um guia gratuito a cada dois meses, o *Guia do Rio*, que inclui uma lista de restaurantes de acordo com o tipo de cozinha. A revista é distribuída pelos hotéis do Rio ou pode ser encontrada nos escritórios da RioTur (ver p.16). Como alternativa, vale a pena investir em um guia de restaurantes do Rio de Janeiro, como o *Guia Danusia Barbara*, disponível na maioria das livrarias do Rio.

Casas de Sucos

As alegres casas de suco espalhadas pela cidade são muito apreciadas por seus sucos frescos e baratos. Elas foram abertas pela primeira vez no Rio de Janeiro na década de 1980, quando a preocupação com a vida saudável entrou em voga. "Pepê", um praticante de voo livre encorajou ainda mais esta atitude servindo sanduíches saudáveis e sucos na praia na Barra da Tijuca. Hoje em dia, a moda pegou e é possível encontrar redes como "Bibi" e "Beach Sucos", que possuem casas por toda a cidade, onde são vendidos diversos sucos de frutas ou misturas inesperadas e saborosas de sucos.

ONDE COMER

Cafés e padarias

Tradicionalmente, o Rio sempre teve padarias no estilo das padarias portuguesas. Elas oferecem pães, pãezinhos, bolos e uma vasta seleção de doces; elas podem ser encontradas por toda a cidade. Os cafés, no modelo mais europeu, são relativamente recentes no cenário carioca (com exceção da famosa Confeiteira Colombo *ver p.112*), mas são muito disputados nas manhãs de domingo, principalmente em Ipanema.

Restaurantes internacionais

Como resultado da miscigenação que ocorreu no Brasil ao longo dos séculos, a culinária nacional tem várias influências, sendo a portuguesa a mais forte, seguida da negra africana. Cozinha alemã, japonesa, italiana, francesa e libanesa podem ser encontradas em toda a cidade, assim como os sabores regionais de outras partes do Brasil. Na orla das Praias do Flamengo, Copacabana, Ipanema e Leblon encontra-se a maioria dos grandes hotéis, que possuem restaurantes internacionais.

Especialidades
Ver também Comida e Bebida p.51

Churrascarias
O churrasco tem origem na região sul do Brasil. Mesmo assim, o Rio o adotou como seu e foi aqui que a rede nacional Porcão (*ver p.246*) teve início. Todos os bairros têm uma churrascaria. Nos rodízios, a carne é sempre a estrela, incluindo a carne suína, de cordeiro, de frango e a bovina. Quase todas as churrascarias seguem o mesmo conceito de preço fixo e comida à vontade.
Os magníficos bufês incluem diversas opções de acompanhamentos e os garçons giram entre as mesas com espetos com diferentes cortes de carne grelhada.

Aperitivos
A **Lapa** é um dos melhores bairros para apreciar petiscos, na região próxima às casas de samba.
Nos bairros mais movimentados, principalmente Leblon e Ipanema, os botequins e outros bares que servem aperitivos dominam a área, ao lado das saudáveis casas de sucos.

Restaurantes a quilo
Apesar de existirem em todo o país, este esquema de pagar pelo peso do prato é particularmente popular no Rio. Uma opção barata, rápida, nutritiva, que também pode ser encomendada "para levar". Há vários destes restaurantes em toda a cidade, alguns deles foram modernizados e sofisticados, oferecendo sushi e iguarias como pato ou rã no bufê.

Bufê da Churrascaria Porcão

Endereços

CENTRO HISTÓRICO E ARREDORES

CENTRO

$$$

Cais do Oriente – *Rua Visconde de Itaboraí. 📞21 2203 0178. www.caisdo oriente.com.br. Aberto diariamente.* **Cozinha Mediterrânea Contemporânea**. Localizado em um prédio de 1878, o Cais do Oriente possui um ambiente espaçoso com um terraço externo decorado por plantas tropicais. A sua gastronomia é uma mistura de influências da Tailândia, Malásia e até do Marrocos, como pode ser visto no atum grelhado no gergelim e molho de uva.

Eça – *Av. Rio Branco 128, na loja H.Stern. 📞21 2524 2401. www.hstern.com.br/eca. Aberto Seg–Sex somente almoço.* **Cozinha Francesa**. Para um intervalo na compra de joias, vá ao Eça para descansar com sofisticação e aproveite este ambiente sublime. Saboreie o foie gras quente, o risoto vegetariano com legumes *al dente* e as deliciosas sobremesas de chocolate.

$$

Aspargus – *Rua Senador Dantas 74, 17º andar. 📞21 2533 1098. Aberto Seg–Sex somente almoço.* **Cozinha Internacional**. Longe do barulho da cidade, a 17 andares de altura, de onde há uma magnífica vista dos Arcos da Lapa. Opções como salada com molho de gorgonzola e medalhões de filé ao brie e batatas assadas.

Brasserie Rosário – *Rua do Rosário 34. 📞21 2518 3033. www.brasserierosario.com.br. Aberta Seg–Sáb.* **Cozinha Brasileira**. Localizada na parte antiga do Centro histórico, esta *brasserie* fica num prédio de 1800 cuja frente é decorada com azulejos e que foi o primeiro depósito de ouro do Brasil. A **Brasserie Rosário** é famosa por sua padaria e confeitaria, que assa pães e bolos frescos e o chef Frédéric Monnier recomenda o cherne grelhado, considerado o melhor peixe do país.

Confeitaria Colombo – *Rua Gonçalves Dias 32. 📞21 2232 2300. www.confeitariacolombo.com.br. Aberta Seg–Sex 09h00–20h00; Sáb e feriados 09h30–17h00.* **Cozinha Brasileira**. *Para saber mais sobre a história do sobrado, ver p.112.* A melhor seleção de biscoitos, doces artesanais, pastéis, folheados e bolos, apresentados de forma convidativa em balcões de vidro. Entre outros, os petit fours, as tartelettes de limão, os mini cheese cakes e os brigadeiros são de dar água na boca. Como um lanche, experimente empadas (de palmito, queijo, camarão etc.), quiches e pastéis (de carne, queijo, camarão etc.). O restaurante oferece um ótimo bufê no almoço.

O Navegador – *Av. Rio Branco 180, Edifício Clube Naval, 6º andar. 📞21 2262 6037. www.onavegador.com.br. Aberto Seg–Sex.* **Cozinha Brasileira**. Localizado no centro da cidade, este restaurante serve pratos tradicionais que vão desde carne de cordeiro grelhada com molho de menta e risoto de limão/parmesão até peixe grelhado da Amazônia com crosta de tomilho e alho, servido sobre ratatouille provençal. Visite o chá-bar nos fundos, o único do Rio. O carrinho de sobremesas é lotado de delícias como torta de nozes pecan e goiabada com queijo fresco.

Rio Minho – *Rua do Ouvidor 10. 📞21 2509 2338. Aberto Seg–Sex 11h00–16h00.* **Frutos do Mar**. A famosa sopa Leão Veloso é adorada pelos cariocas e visitantes, um consomê feito com frutos do mar inventado no restaurante no séc. XIX. O misto de frutos do mar grelhados também é uma boa pedida, incluindo peixe, lula, camarão, lagosta e mexilhões.

Confeitaria Colombo

ONDE COMER

$

Brasserie Brasil – *Rua Primeiro de Março 66, Centro Cultural do Banco do Brasil.* ☎ *21 2299 2874. Aberta Ter–Dom.* **Cozinha Internacional**. No primeiro andar do centro cultural, é um local perfeito para um almoço ou um jantar no final da tarde depois de visitar uma exposição. O seu menu inclui saladas, sanduíches, massas, filé, sopas e omeletes.

LAPA

$$

Adega Flor de Coimbra – *Rua Teotônio Regadas 34, Loja A.* ☎ *21 2224 4582. www.adegaflordecoimbra.com.br. Aberta diariamente.* **Cozinha Portuguesa**. Experimente a fina e autêntica feijoada portuguesa, feita com feijão manteiga e carnes nobres. O cabrito assado temperado no vinho tinto é de dar água na boca e é servido com brócolis, arroz e batatas coradas. Os seus clientes são muito leais, alguns que a frequentavam no passado quando eram estudantes, agora trazem seus netos aos domingos.

Cosmopolitan – *Rua da Assembleia, 13.* ☎ *21 2220 9008. www.cosmopolitanrio.com.br. Aberto Seg–Sáb.* **Cozinha Internacional**. O Cosmopolitan fica mais animado com o público jovem que o frequenta no *happy hour* (Ter–Sex). O coquetel X14, feito com tequila, cointreau e blue curaçao é um dos preferidos. No menu, filé mignon com mostarda dijon e nhoque feito com batata-doce, inglesa e baroa.

Mangue Seco – *Rua do Lavradio 23.* ☎ *21 3852 1947. www.manguesecocachacaria.com.br. Aberto Seg–Sáb.* **Cozinha Brasileira**. Mangue Seco, no estado do Sergipe, é uma área de proteção ambiental com rios, dunas e praias. O menu se inspira neste cenário, contando com caranguejos e moquecas, as atrações principais. Após jantar, vá queimar as calorias na pista de dança das gafieiras próximas. A vasta seleção de cachaças é de alegrar o espírito.

Santo Scenarium – *Rua do Lavradio 36.* ☎ *21 3147 9007. www.rioscenarium.com.br. Aberto Seg–Ter 10h00–17h00, Qua–Sáb 10h00–24h00.* **Cozinha Brasileira**.

Bobó de camarão, Mangue Seco

Esta casa de dois andares, é um dos principais destaques da vida noturna da Lapa. Os visitantes são recebidos por um anjo suspenso gigantesco e oratórios e imagens que decoram o lugar. As opções do menu incluem salmão grelhado com molho de mostarda ou tournedor de filé mignon servido ao molho madeira, purê de batata com gorgonzola e arroz de amendoim. Depois do jantar, vá direto para os clubes de samba.

Nova Capela – *Av. Mem de Sá.* ☎ *21 2252 6228. Aberto diariamente 11h00–05h00.* **Cozinha Portuguesa**. Estabelecido em 1903, este restaurante serve pratos durante a noite toda. O proprietário, Sr. Aires, que comparece todos os dias para manter tudo sobre controle, faz questão de confirmar que os pratos principais são suficientemente fartos para serem divididos. Experimente o javali ou o cabrito, especialidades da casa, acompanhado por uma garrafa da lista de vinhos tintos portugueses.

Pizzaria Carioca da Gema – *Av. Mem de Sá 77.* ☎ *21 3970 1281. Aberta Ter–Sáb 18h00. www.barcariocadagema.com.br/pizzaria.htm.* **Pizza**. A pizza é a estrela da casa e é apresentada de todas as formas imagináveis, incluindo recheios doces com banana, açúcar e canela. Um público jovem se reúne aqui para repor as energias, antes e depois do circuito do samba da Lapa.

GLÓRIA

$$

Casa da Suíça – *Rua Cândido Mendes 157.* ☎ *21 2252 5182. www.casadasuica.com.br. Aberta somente Sáb à noite.* **Cozinha Internacional**. Este encantador restaurante foi aberto em 1956 e agora é praticamente parte do patrimônio do Rio. O chef e proprietário Volkmar Wendlinger trabalha na cozinha com sua filha, Cláudia e os dois compartilham a mesma paixão. Em um ambiente que lembra um hotel nos Alpes, a sala de jantar é enfeitada com obras pintadas pelo próprio chef. Originário da Áustria, Volkmar prepara fondues, cozidos e steaks tartare. O Menu Degustação oferece vários tipos de pratos por um ótimo preço. Não deixe de experimentar os chocolates suíços no final.

AS PARTES ALTAS DO RIO

SANTA TERESA

$$$

Térèze – *Rua Almirante Alexandrino 660, Hotel Santa Teresa. 21 2221 1406. www.santateresahotel.com.br. Aberto diariamente.* **Cozinha Internacional**. Este moderno restaurante oferece um menu diversificado, que varia de ravióli de mozarela até o risoto de camarões Magnífica (camarões grelhados com a cachaça Magnifica, servido com *chutney* de manga). Há opções requintadas para todos os paladares.

$$

Aprazível – *Rua Aprazível 62. 21 2507 7334. www.aprazivel.com.br. Aberto Ter–Dom.* **Cozinha Brasileira**. O Aprazível está em um espaço charmoso e com excelente comida brasileira. Sente-se embaixo das árvores nas largas mesas de madeira e prove o peixe tropical do litoral maranhense, grelhado ao molho de laranja, com arroz de coco e banana da terra assada.
E, para acompanhar, experimente uma das cachaças artesanais na vasta seleção do bar **Cachaçaria.**

Asia – *Rua Almirante Alexandrino 256. 21 2224 2014. www.asia-rio.com. Aberto diariamente.* **Cozinha Asiática**. Aqui você encontrará uma versão da gastronomia asiática, passando pela China, Malásia e Tailândia. Nove tipos de chá são servidos com a refeição e o Dim Sum é excelente. Os proprietários são o irlandês Gordon Lewis e o malaio Yewweng Ho. O último andar oferece uma bonita vista do bairro e da região e você pode até ver alguns micos.

Espírito Santa – *Rua Almirante Alexandrino 264. 21 2508 7095. www.espiritosanta.com.br. Aberto Qua–Seg.* **Cozinha Brasileira**. Esta pequena joia culinária tem uma decoração no estilo butique. Logo após ao bar está a sala de jantar, sobre a qual há um mezanino, e um pequeno terraço com uma vista dos casarões de Santa Teresa. Claro que há um motivo para a chef Natasha Fink ter recebido tantos prêmios. Tome um refrescante suco de frutas acompanhado por medalhões de banana da terra recheados com siri catado e, em seguida, uma deliciosa sobremesa.

Sobrenatural – *Rua Almirante Alexandrino 432. 21 2224 1003. www.restaurantesobrenatural.com. Aberto diariamente.* **Cozinha Brasileira – Frutos do Mar**. Há muitos anos este restaurante é um dos preferidos dos cariocas. A sua decoração é simples e tem um ar caseiro, com um serviço amigável e atencioso. O peixe do Pará é macio, muito saboroso e um ótimo motivo para se ir até Santa Tereza.

Mike's Haus – *Rua Almirante Alexandrino 1458 Loja A. 21 2509 5248. www.mikeshaus.com.br. Aberto diariamente.* **Cozinha Alemã**. É a união da cozinha alemã e brasileira que se iniciou em Paraty. Michael comanda a cozinha com sua esposa e a sua família está frequentemente no estabelecimento. O restaurante oferece também diversos tipos de salsichas e carne de porco defumada.

Adega do Pimenta – *Rua Almirante Alexandrino 296. 21 2224 7554. www.adegadopimenta.com.br. Aberta diariamente, fechada 2 Nov.* **Cozinha Alemã**. Passe a tarde observando o movimento dos bondes enquanto aprecia uma refeição farta. O proprietário William Guedes oferece em seu cardápio 21

Espírito Santa

ONDE COMER

tipos de salsichas alemãs. O Eisbein (joelho de porco) é a especialidade da casa e leva 15 horas para ficar pronto (você precisará ser organizado o suficiente para fazer a reserva com 24 horas de antecedência). Além disto, leve um grupo de amigos, pois este prato serve oito pessoas.

$

Ora Pro Nobis – *Rua Almirante Alexandrino 1458 Loja D. ✆21 2508 6188. Aberto Seg–Sáb 08h00–20h00, fechado nos feriados nacionais.* **Cozinha Brasileira Contemporânea**. Edson Meirelles é o proprietário, gerente, chef e *sommelier* neste restaurante estilo bistrô. Escolha o bobó de legumes servido com arroz e farofa de dendê. O frango frito na granola sem açúcar, servido com arroz e salada é outra de suas receitas principais.

PARQUE NACIONAL DA TIJUCA
$$

Os Esquilos – *Estrada Barão D'Escragnolle (sem número). ✆21 2492 2197. www.osesquilos.com.br. Aberto Ter–Dom 12h00–18h00. Somente dinheiro vivo.* **Cozinha Brasileira**. O restaurante, em plena Floresta da Tijuca, tem dois salões, com teto e chão de madeira escura, além de belas cadeiras de madeira antigas e até uma grande lareira. Há *feijoada* nos fins de semana. Também muito popular é o filé servido com molho madeira e batatas coradas.

LARANJEIRAS
$$

Sushimar – *Rua São Salvador 72. ✆21 2285 7246. www.sushimar.com.br. Aberto diariamente.* **Cozinha Japonesa**. A cozinha japonesa em uma casa de 1909, com claraboia e escadaria originais. Personagens das revistas em quadrinhos japonesas emprestam seus nomes aos itens do menu, como "National Kid", "Speed Racer" e "Ultra Seven". Aprecie a combinação de 36 peças Akira.

Luigi's – *Rua Senador Correa 10. ✆21 2205 7343. Aberto Ter–Dom.* **Cozinha Italiana**. O Luigi's tornou-se um restaurante tradicional e oferece uma seleção de dar água na boca de massas caseiras como fettuccine de beterraba com pesto de rúcula. Também são servidos risotos e pratos de peixe e carne; pizzas somente à noite.

$

Severyna – *Rua Ipiranga 54. ✆21 2556 9398. www.severyna.com.br. Aberto diariamente.* **Cozinha Brasileira Nordestina**. Apesar de a casa servir comida nordestina, o chef/proprietário é na verdade descendente de portugueses. Uma de suas assinaturas é o Fandango, carne seca refogada coberta com purê de jerimum, gratinado com mozarela. No almoço, experimente o Baião de Dois, um prato de arroz e feijão de corda com queijo coalho e carne seca picados. Há também um bar onde você pode provar uma cachaça da região e desfrutar a música ao vivo

Espaço Rio Carioca – *Rua das Laranjeiras 307. ✆21 2225 7332. www.espacoriocarioca.com.br. Aberto diariamente.* **Cozinha Contemporânea**. Localizado em casas históricas de 1883, este espaço realiza shows, tem uma loja de CDs, uma livraria e um café. O menu não é muito extenso, mas as opções são deliciosas e o ambiente é agradável. A sopa de abóbora com brie e o ratatouille com musse de queijo de cabra temperado com ervas mostra o talento da cozinha.

ZONA SUL PERTO DA BAÍA DE GUANABARA

FLAMENGO
$$$

Blason – *Praia do Flamengo 340. ✆21 2551 1278. www.casajulietadeserpa. com.br. Aberto diariamente.* **Cozinha Francesa**. A magnífica mansão foi construída em 1918 e tem decoração luxuosa. Hoje, o local é o preferido para recepções e casamentos. A casa foi adquirida em 2003 e completamente reformada, mantendo a sua beleza original. Passe pelo belo Salon D'Or (onde encontrará o delicioso bufê de chá) e, ao fundo, está o restaurante. Os clientes apreciam a lagosta grelhada ao molho ferrugem e coração de alcachofra e o filé de avestruz ao molho de estragão e ravióli de batata.

Alcaparra – *Praia do Flamengo 150. ✆21 2558 3937. www.alcaparra.com.br. Aberto diariamente.* **Cozinha Interna-**

SUA ESTADA NO RIO DE JANEIRO

Alcaparra

cional. Formal e clássico, o Alcaparra possui um ambiente alegre e iluminado. Na entrada, o bar lembra um clube de senhores, com madeiras escuras e cadeiras de couro verde. O extenso menu inclui massas, frango, carne, peixe e frutos do mar. É altamente recomendável experimentar os mignonnettes à Alcaparra, filé mignon grelhado ao molho de limão com salsinha.

Empório Santa Fé – *Praia do Flamengo 2. 21 2245 6274. www.emporiosantafe.com. Aberto diariamente.* **Cozinha Internacional**. Este restaurante localizado no segundo andar de uma casa, tem um estilo tradicional, com mesas de toalhas brancas engomadas e refinada culinária. O maître recomenda a costeleta de cordeiro, uma das opções favoritas dos que frequentam o Santa Fé. Se desejar somente um drinque, o agradável bar no térreo possui mais de 500 tipos de vinho.

CATETE

$

Rotisseria Sírio Libanesa – *Largo do Machado 29, Loja 19. 21 2557 2377 Aberta Seg–Sáb.* **Cozinha Libanesa**. Escondido dentro de um shopping center, este modesto restaurante tem estilo de café. Escolha qualquer meia refeição

Cozido do Bar Urca

e receberá dois kaftas incluídos no preço. Os salgadinhos árabes praticamente derretem na boca.

BOTAFOGO

$$

Yorubá – *Rua Arnaldo Quintela 94. 21 2541 9387. Aberto diariamente.* **Cozinha Brasileira.** Um pouco distante das áreas turísticas, vale a pena pegar um táxi para chegar ao Yorubá. A chef Neide Santos é uma baiana autêntica e sua culinária reflete isso: versões magníficas de *moqueca*, *vatapá* e *caruru* estão no menu. Todos os pratos são preparados no local e servidos em folhas de bananeira.

Miam Miam – *Rua Gal Góes Monteiro 34. 21 2244 0125. www.miammiam.com.br. Aberto Ter–Sáb 19h30.* **Cozinha Contemporânea**. A proprietária e chef Roberta Ciasca descreve sua comida como "Comfort Food", já que é preparada com amor. Localizado em um discreto prédio antigo, o ambiente contrasta com os móveis e lâmpadas retrô, das décadas de 1950, 60 e 70. A popular moqueca de peixe e camarão ao molho picante de curry com arroz de coco, o filé mignon servido com nhoque de batata, rúcula e farofa crocante e o risoto de grãos com cogumelos frescos são os pratos favoritos.

URCA

$$$

Zozô – *Av. Pasteur 520, Urca. 21 2542 9665. www.zozorio.com.br. Aberto Ter–Qui 12h00–24h00, Sex–Sáb 12h00–01h00, Dom 12h00–22h00.* **Churrasco**. Aos pés do Pão de Açúcar, é possível ver o movimento do bondinho através do teto de vidro. Um painel apresenta símbolos do sincretismo religioso do Brasil. Uma enorme árvore domina todo o restaurante. Entre as opções de carne se sobressaem o Chorizo Argentino, o Prime Rib Red Angus, o T-Bone Steak Red Angus e o Carré de Cordeiro Uruguaio. O menu também inclui sushi, sanduíches, saladas e frutos do mar.

$$

Bar Urca – *Rua Cândido Gaffrée 205. 21 2295 8744. www.barurca.com.br. Aberto diariamente.* **Cozinha Brasileira**. Bem no final da Urca, perto da

ONDE COMER

entrada do Forte São João, o Bar Urca é um restaurante tradicional, situado no andar superior de um bar.
As melhores mesas estão no final da sala, onde o prédio faz a curva, e é possível apreciar a Baía de Guanabara. O camarão na moranga — camarões ao molho cremoso com queijo servido em uma moranga e acompanhado por arroz — é uma opção ideal.

Garota da Urca Restaurante e Bar – *Av. João Luiz Alves 56. 21 2541 5040. www.garotaipanema.com.br. Aberto diariamente.* **Cozinha Brasileira.** A localização do Garota da Urca, bem ao lado do antigo cassino da Urca, é a principal atração do restaurante. Sente-se na varanda da frente e aprecie a vista da Praia da Urca e da Baía de Guanabara. Não há como errar com a picanha, arroz e batatas fritas.

Praia Vermelha Restaurante e Bar – *Praça General Tibúrcio s/n, Praia Vermelha. 21 2543 7284. Aberto diariamente.* **Cozinha Brasileira.** Entre no prédio central do clube militar e passe pela cantina para encontrar um dos segredos mais bem escondidos do Rio. O restaurante se encontra em um terraço que tem uma extraordinária vista da Praia Vermelha e do Pão de Açúcar. O menu oferece diversas opções e os pratos possuem padrões diferentes.

PRAIAS DA ZONA SUL

COPACABANA

$$$$

Cipriani – *Av. Atlântica 1702. 21 2545 8747. www.copacabanapalace.com.br. Aberto diariamente.* **Cozinha Italiana.** Localizado junto à glamorosa piscina do Copacabana Palace, este é um dos melhores restaurantes do Rio. Elegante por natureza, ele exibe quadros relembrando o Rio Antigo, candelabros de cristal e garçons vestidos impecavelmente de branco. Viva a Itália, experimentando pratos como perdiz com figos secos, pera recheada e molho com vinho Chianti e vitela com foie gras e trufas, batata rosti e torta de tomate.

$$$$

Le Pré Catelan – *Av. Atlântica 4240. 21 2525 1160. www.sofitel.com.br. Aberto diariamente.* **Cozinha Franco-Brasileira.** Este belo espaço no nível E do Hotel Sofitel, possui, em seu ambiente, cortinas de cetim brancas que dividem o salão em pequenos espaços. O Le Pré Catelan é, sem dúvida, um dos restaurantes mais sofisticados do Rio. A sala é curva e ao longo das janelas pode-se apreciar a vista da Praia de Copacabana e do Pão de Açúcar. Os pratos são extraordinários e refinados, concebidos pelo grande chef Roland Villard, famoso por adicionar ingredientes brasileiros às suas receitas francesas. O menu "Viagem Gastronômica à Amazônia" é fenomenal e há até um folheto com explicações sobre os ingredientes exóticos.

$$

Copa Café – *Av. Atlântica 3056. 21 2235 2947. Aberto Seg–Sáb 19h00.* **Cozinha Internacional.** Trata-se de um local especial, com um ambiente acolhedor, elegante e romântico, que chega a ter um "ar" de Nova Iorque, Munique ou Paris, em contraste com outros restaurantes de Copacabana. Há uma vasta seleção de pratos internacionais, incluindo hambúrgueres sofisticados, frutos do mar, massas, saladas e o serviço é prestativo e discreto. Relaxe no confortável bar tomando um delicioso coquetel antes do jantar e esconda-se no elegante mezanino para um momento de privacidade.

Atlântico – *Av. Atlântica 3880. 21 2513 2485. Aberto Seg–Sáb.* **Cozinha Internacional.** O menu é pequeno e os frutos do mar são seu destaque. Uma das opções são os camarões VG, grelhados com tomates frescos, óleo de trufa, salsinha e guarnecidos por arroz preto. O DJ chega mais tarde, aumentando o volume enquanto o bar começa a servir coquetéis pela noite.

Copa Café

SUA ESTADA NO RIO DE JANEIRO

Às segundas-feiras o restaurante é exclusivamente gay.

$

Café do Forte – *Praça Coronel Eugênio Franco 1, Forte de Copacabana.* ☎*21 3201 4049. www.confeitariacolombo. com.br. Aberto diariamente.* **Cozinha Internacional**. Dentro do Forte de Copacabana, filial da famosa Confeitaria Colombo. Desfrute a vista da praia de Copacabana, Leme e Pão de Açúcar e ao mesmo tempo se delicie com os folheados salgados e doces, bolos e um bom cafezinho para fechar. Também são servidas refeições leves, como saladas, quiches, omeletes e crepes. As melhores mesas têm vista para a praia, embaixo das amendoeiras, debruçadas sobre o mar. Nos fins de semana, o local é muito concorrido. O café da manhã começa a partir das 10h00 e é muito agradável. É cobrada uma taxa de R$ 4 para entrar na área do forte.

IPANEMA

$$$

Gero – *Rua Aníbal de Mendonça 157.* ☎*21 2239 8158. www.fasano.com.br. Aberto diariamente.* **Cozinha Italiana**. Um dos melhores restaurantes italianos da cidade, o Gero atrai celebridades como Gisele Bundchen, Caetano Veloso, Gilberto Gil e Chico Buarque. O restaurante faz parte da rede Fasano de São Paulo e não tem como ser mais elegante. O medalhão de atum com limão e batatas douradas seduz as celebridades em qualquer ocasião.

Esplanada Grill – *Rua Barão da Torre.* ☎*21 2239 6028. www.esplanadagrill. com.br. Aberto diariamente.* **Grelhados**. Este tradicional restaurante de grelhados de Ipanema só vem ganhando força em seus 20 anos de existência. A sala pode ser pequena, mas as porções de picanha, T-bone ou miolo de alcatra (Red Angus) são fartas. Para quem não aprecia carne bovina, há opções como o atum crocante com endívia e shitake.

Satyricon – *Rua Barão da Torre, 192* ☎*21 2521 0627. www.satyricon.com.br. Aberto diariamente.* **Cozinha Mediterrânea**. No caso do Satyricon, o seu vasto menu se concentra em peixes e frutos do mar frescos, como o peixe assado no sal grosso com batatas douradas e espaguete com molho de mariscos. Está disponível uma generosa lista de vinhos.

Ten Kai – *Rua Prudente de Moraes 1810.* ☎*21 2540 5100. www.tenkai.com.br. Aberto diariamente.* **Cozinha Japonesa**. Localizado na esquina com a Rua Paul Redfern, onde estão outros restaurantes e bares, no final de Ipanema, este é um dos melhores restaurantes japoneses do Rio. O ambiente elegante e discreto deixa espaço para as deliciosas entradas e grelhados. No segundo andar, duas mesas rebaixadas e uma sala especial fechada dão um toque mais oriental ao ambiente. Todos os pratos são criativos graças aos experientes sushimen.

$$

Forneria – *Rua Aníbal de Mendonça 112.* ☎*21 2540 8045. Aberto diariamente.* **Cozinha Italiana**. Em ambiente contemporâneo, um menu simples estará esperando por você: saladas, pizzas, carpaccio e massas que dão conta do recado. Para aqueles que estão voltando de um jogo de vôlei na praia e estão com mais apetite, o filé à milanesa é uma boa opção. Para sobremesa, escolha o tiramisu na seção de doces do menu.

Gula Gula – *Rua Henrique Dumont 57.* ☎*21 2259 3084. www.gulagula.com.br. Aberto diariamente.* **Cozinha Brasileira**. Aberto em 1984 por Fernando de Lamare, o Gula Gula possui uma clientela fiel que nunca se cansa dos seus deliciosos pratos. Hoje em dia, é a neta de Fernando que toma conta do famoso e saudável menu de saladas, quiches e pratos como a salada de batata com frango, ervilhas e molho *rosé*, uma das receitas originais de Fernando de 1984. Este restaurante ocupa dois andares e possui espaço no terraço reservado para fumantes.

Bazzar – *Rua Barão da Torre 538.* ☎*21 3202 2884. www.bazzar.com.br. Aberto diariamente.* **Cozinha Contemporânea**. Em ambiente moderno, o restaurante tem pontos fortes como a sopa cremosa de milho com queijo de cabra e cogumelos servida com pão italiano e azeite de oliva é uma deliciosa opção para entrada. Uma das opções

ONDE COMER

Bazzar

preferidas dos frequentadores é o filé mignon grelhado acompanhado por arroz cremoso com queijo brie e molho agridoce de damasco.

Da Silva – *Rua Barão da Torre 340, Lojas A e B. ☎21 2521 1289. Aberto diariamente.* **Cozinha Portuguesa**. Este restaurante possui o melhor bufê a quilo e um menu *à la carte*, o que o mantém como um dos preferidos há muitos anos. O Bacalhau Espiritual (suflê de bacalhau com queijo e creme de leite) é um dos clássicos da casa, assim como o Bacalhau da Silva (bacalhau desfiado com cebola, presunto cozido fatiado, batatas fritas, ovos e salsa). Termine sua refeição em estilo português com a siricaia, uma deliciosa sobremesa feita com ovos, leite condensado e canela.

$

Pizzaria Stravaganze – *Rua Maria Quitéria 132. ☎21 2523 2391. www.stravaganze.com.br. Aberta diariamente.* **Pizza**. O proprietário e chef Dudu Camargo já escreveu vários livros de receitas. A pizza Dudu Camargo é feita com uma longa lista de ingredientes: figos frescos grelhados ao vinho do Porto, queijo de cabra, vinagre balsâmico e mel e presunto de Parma fatiado.

Frontera – *Rua Visconde de Pirajá 128. ☎21 3289 2350. www.frontera.com.br. Aberto diariamente.* **Restaurante a quilo**. Se você acha que este é um restaurante a quilo comum, está enganado: no Frontera o quilo se tornou uma coisa sofisticada. O conceito tradicional de encher os pratos foi alterado aqui graças ao chef holandês Mark Kwaks, que oferece opções maravilhosas como o pato açucarado com cana-de-açúcar e molho de soja. O restaurante possui um estilo rústico moderno e está sempre lotado.

LEBLON

$$$

Antiquarius – *Rua Aristides Espínola 19. ☎21 2294 1049. www.antiquarius.com.br. Aberto diariamente.* **Cozinha Portuguesa**. O bar do Antiquarius às vezes lembra um restaurante à beira-mar, com toques de um *pub* inglês. O lugar é elegantemente decorado com antiguidades e obras de arte que estão à venda. O menu com mais de 100 opções mantém os frequentadores como Pelé, Diana Ross, Prince, Roger Moore e Mick Jagger satisfeitos e fiéis. As celebridades escapam aqui dos paparazzi para devorar seus pratos favoritos, sendo o do proprietário, Carlos Perico, o arroz de pato. Destaque são as diversas formas de preparar o bacalhau.

$$

Aquim – *Av. Ataulfo de Paiva 1240, loja B, Leblon. ☎21 3235 9750. www.aquimgastronomia.com.br. Aberto Ter–Dom.* **Cozinha Francesa Contemporânea**. Em um ambiente pequeno mas elegante, o Aquim oferece, no mesmo espaço, um café e uma área elegante para almoço e jantar. Este restaurante começou em uma casa de família próxima ao Corcovado e depois foi transferido para o local atual. Um típico bistrô, o Aquim serve refeições a qualquer hora do dia. Os assentos roxos e os espelhos fazem parte da decoração sofisticada. Uma cristaleira exibe as porcelanas da família, uma elegante referência ao chá da tarde que é servido aqui. A proprietária e chef Samantha Aquim recomenda o arroz preto com carne de cordeiro, assim como o filé de garoupa assado em folhas de uva e servido com farofa e purê de castanha-do-pará.

Carlota – *Rua Dias Ferreira 64, Lojas B e C. ☎21 2540 6821. www.carlota.com.br. Aberto diariamente.* **Cozinha Contemporânea**. Neste sobradinho do Leblon, Carla Pernambuco e seu esposo Fernando se orgulham de ter um dos melhores restaurantes do Rio. Carla já foi atriz e escreveu cinco livros sobre gastronomia. A sua criatividade pode

241

SUA ESTADA NO RIO DE JANEIRO

Nam Thai

ser vista nos experimentos nas receitas do Carlota, como o salmão grelhado no molho de laranja peruano e cuscuz marroquino ou risoto de presunto de Parma com camarões crocantes.

Nam Thai – *Rua Rainha Guilhermina 95. 21 2259 2962. www.namthai.com.br. Aberto diariamente.* **Cozinha Tailandesa**. O Gaen Kiew Wan Gai (filé de frango fatiado com curry verde tailandês, manjericão e pimentão) é suave e muito saboroso. Encerre com o coquetel White Orchid Coconut, feito com gin, cointreau, leite de coco e abacaxi para completar esta experiência paradísica.

Zuka – *Rua Dias Ferreira 233B. 21 3205 7154. www.zuka.com.br. Aberto diariamente.* **Cozinha Contemporânea**. O Zuka se diferencia pelo fato de a cozinha estar localizada no meio do restaurante e cercada por vidros. Do balcão, os fiéis frequentadores podem observar o chef preparar os pratos. O menu classifica a sua cozinha como vinda "do mar", "do ar" ou "da terra", de onde saem iguarias como camarões em crosta de pão de alho com risoto de limão siciliano.

LAGOA E ARREDORES

GÁVEA

$$

Photochart – *Praça Santos Dumont 21, Jockey Club. 21 2512 2247. www.photochart.com.br. Aberto diariamente.* **Cozinha Internacional**. Se está à procura de um ambiente diferente, o Photochart tem uma decoração temática, adequada ao espaço em que se encontra: O Hipódromo da Gávea (ver p.173). O salão tem vista interessante para as pistas de corrida. Os pratos variam de *escargots* e espetos de lulas ao pato com molho e as panquecas de banana.

Victoria – *Rua Mário Ribeiro 410. 21 2540 9017. www.complexovictoria.com.br. Aberto diariamente.* **Cozinha Contemporânea**. Apesar de estar dentro do Jockey Club, o restaurante Victoria é aberto ao público. Você pode sentar-se na sala ou nos terraços, com a vista espetacular da pista de corridas e do Cristo Redentor. A culinária do Victoria é eclética, variando desde massas e pizzas que saem do forno a lenha até pratos mais modernos como pato com jabuticaba e purê de batata baroa.

Guimas – *Rua José Roberto Macedo Soares. 21 2529 8300. Aberto diariamente.* **Cozinha Francesa**. Escondido atrás da Praça do Jockey, em uma ruazinha tranquila, está esse tradicional restaurante da cidade. Um piano tocando suavemente ao fundo, você pode fechar os olhos e imaginar o que lhe está reservado neste bistrô. Experimente o Filé Boursin, uma das especialidades da casa.

Bacalhau do Rei – *Rua Marquês de São Vicente 11. 21 2239 8945. Aberto diariamente.* **Cozinha Portuguesa**. Se você gosta de bacalhau, este é o lugar. Em um ambiente informal, o clássico prato português está disponível aqui em todas as formas imagináveis; o bacalhau grelhado é muito popular como um prato leve. Comece por uma porção de bolinhos de bacalhau e traga seus amigos, pois os pratos são bem servidos, feitos para dividir.

JARDIM BOTÂNICO

$$$$

Olympe – *Rua Custódio Serrão 62. 21 2539 4542. www.olympe.com.br. Aberto Seg–Sáb.* **Cozinha Francesa**. Claude Troisgros é a terceira geração de chefs da família. Seu pai e seu tio foram os fundadores da Nouvelle Cuisine Française. Claude agora apresenta um programa de TV onde explica receitas francesas com toques e sabores brasileiros, uma tradição que você encontra no Olympe. O filé de cherne com molho de banana d'água caramelada e molho de passas, uma receita da década de 1930 que foi passada pela avó do chef, é infalível.

ONDE COMER

$$

Bar e Restaurante da Graça – *Rua Pacheco Leão 780. ☎21 2249 5484. www.dagraca.com.br. Aberto Ter–Dom.* **Cozinha Internacional**. Em uma esquina no topo de uma tranquila rua, bem ao lado do Jardim Botânico, está localizado este pequeno restaurante. O restaurante tem uma decoração criativa que usa papel de presente para forrar as paredes. Há mesas do lado de fora onde você pode escapar do calor do lado de dentro. As opções do menu vão desde pizza de tapioca com três queijos e carne seca até bolinhas de aipim e caviar de salmão.

Pizzaria Capricciosa – *Rua Maria Angélica 37. ☎21 2527 2656. www. capricciosa.com.br. Aberta diariamente.* **Cozinha Italiana**. Com vários recheios populares, esta pizzaria se tornou um dos lugares prediletos de atores e diretores televisivos, já que os estúdios da TV Globo estão localizados aqui perto. Até o Will Smith parou por ali para um pedaço de pizza. As celebridades adoram a Margherita Gourmet, que é recheada com mozarela de búfala, tomatinho italiano, queijo parmesão e manjericão. Ou tente uma pizza mais requintada como a Tartufata, recheada com mozarela e fatias de trufa preta.

LAGOA

$$$$

Mr Lam – *Rua Maria Angélica 21. ☎21 2286 6661. www.mrlam.com.br. Aberto diariamente.* **Cozinha Chinesa**. Apesar de o verdadeiro Mr Lam agora viver em Nova Iorque, este lindo restaurante possui três andares dedicados à cozinha chinesa altamente sofisticada. O terceiro andar é um terraço, onde você pode comer e apreciar a magnífica vista da lagoa. Escolha um dos populares menus fixos ou o famoso Pato de Pequim, um pato inteiro laqueado em um forno especial e servido com molho, panquecas, pepinos e cebolinhas verdes.

$$

Pomodorino – *Av. Epitácio Pessoa 1104. ☎21 3813 2622. www.pomodorino.com.br. Aberto diariamente.* **Cozinha Contemporânea Italiana**. Um restaurante em dois andares, o Pomodorino ostenta a sua classe de longa data com seus candelabros e toalhas brancas. O destaque do menu igualmente clássico é a massa caseira, embora o filé de cherne com molho de camarão, vinho Proseco e abobrinha seja tão bom que o deixará com vontade de repetir.

Bar Lagoa – *Av. Epitácio Pessoa 1674, Ipanema. ☎21 2523 1135. www.barlagoa. com.br. Aberto diariamente.* **Cozinha Alemã**. Aberto em 1934, quando um grande número de pescadores ainda habitava esta área e Ipanema e Leblon, o Bar Lagoa foi primeiro conhecido como Bar Berlim. Sua tradição e sua incomparável decoração em estilo Art Déco fizeram com que este restaurante fosse tombado. O Kassler, carré defumado com salada de batata, é um clássico.

PRAIAS DA ZONA OESTE

SÃO CONRADO

$$

Nao Hara – *São Conrado Fashion Mall, Estrada da Gávea 899, Loja 304. ☎21 3322 2005. Aberto diariamente.* **Cozinha Japonesa Contemporânea**. Localizado no último andar do Fashion Mall, o restaurante é discreto, todo em branco. Aprecie um saquê em um dos bancos do bar enquanto observa os chefes preparando as deliciosas iguarias japonesas atrás do vidro. Tudo é fresco e preparado no local e o popular teriyaki de bacalhau ao vapor (tradicionalmente português mas adotado pelo Brasil) é uma das típicas criações deliciosas do proprietário/chef Hara.

BARRA DA TIJUCA

$$$

Azzurra – *Rio Design Barra, Av. das Américas 7777, Loja 304. ☎21 3325 0403. www.azzurraristorante.com.br. Aberto diariamente.* **Cozinha Italiana**. No shopping center Rio Design, este restaurante conquistou a sua fiel clientela durante os seus 19 anos de existência. De acordo com o proprietário Sérgio Silva, o prato que representa a casa é o original capellini King Jorge, servido ao molho de quatro queijos, creme de leite fresco com lascas de camarão e parmesão ralado. Zico, Pelé e outras personalidades frequentam este lugar.

SUA ESTADA NO RIO DE JANEIRO

Antiquarius Grill – *BarraShopping, Av. das Américas 4666, Loja 160. 21 2294 1049. www.antiquarius.com.br. Aberto diariamente.* **Cozinha Portuguesa**. Nesse amplo e moderno espaço são servidos pratos típicos portugueses de qualidade. Peça Bacalhau Nunca Chega ou o Picadinho à Moda do Rio ou o filé mignon ensopado servido com arroz branco, feijão, farofa, ovo *poché* e banana-da-terra frita... nada mais brasileiro.

$$

Benkei – *BarraShopping, Av. das Américas 4666, Loja 1006. 21 3089 1238. www.benkei.com.br. Aberto diariamente.* **Cozinha Japonesa**. Dentro do Barra Shopping, o Benkei é perfeito para uma refeição rápida enquanto você faz compras. O bufê com preço fixo é barato e possui uma excelente seleção de sushis, sopas, saladas e quatro opções de pratos quentes. Apesar de ser teoricamente japonês, o menu também inclui pratos do Vietnã e Malásia.

In House – *Rio Design Barra, Av. das Américas 7777, Loja 304. 21 2438 7638. Aberto diariamente.* **Cozinha Internacional**. A casa oferece um extenso menu *à la carte* e um bufê com preço fixo bastante em conta. O chef/proprietário Alex Herzog viveu nos Estados Unidos e alguns de seus pratos refletem isso, como o filé de peixe Aloha, filé de dourado com panqueca de espinafre e fatias temperadas de palmito (orgânico).

Borsalino – *Av. Armando Lombardi 633. 21 2491 4288. www.borsalino.com.br. Aberto diariamente (fechado Seg no almoço).* **Cozinha Italiana**. Um restaurante grande, com uma área de varanda aberta e outra fechada, em frente a uma praça calma, cercada por coqueiros, o Borsalino está situado fora das grandes artérias da Barra da Tijuca, em um espaço que chega a lembrar Miami. As ofertas do menu *à la carte* são de confundir a cabeça. As massas, como o Farfalle alla Borsalino (com espinafre, gorgonzola, nozes e creme de leite) são particularmente boas. Se você decidir experimentar o Farfalle Mamma Ilda (com salmão, abobrinha e molho de tomate), ganhará o prato como souvenir.

BARRA DE GUARATIBA

$$

Bira – *Estrada da Vendinha 68A. 21 2410 8304. Aberto Qua–Dom.* **Cozinha Brasileira – Frutos do mar**. O Bira é para onde os cariocas vão nos fins de semana depois de um dia na praia de Grumari. Almoçar aqui é estar rodeado pela natureza. Há plataformas suspensas sobre estacas no meio da mata. Você estará rodeado por bromélias e pequenos animais da mata. À frente, há uma vista espetacular da Restinga da Marambaia e do mangue da Baía de Sepetiba. Além das deliciosas moquecas, que servem duas ou três pessoas, há uma seleção de camarão, peixe fresco, risoto de frutos do mar, massa e outros petiscos. Adicione o pôr do sol e alcance a perfeição.

Point de Grumari – *Estrada do Grumari 710, Grumari. 21 2410 1434. Aberto diariamente 11h30–18h30.* **Cozinha Brasileira – Frutos do Mar**. Um lugar ideal para comer depois de um dia na praia de Grumari, este restaurante está abrigado pelos morros, atrás da praia, onde a vista panorâmica da Restinga da Marambaia e do mar é maravilhosa. O gerente Cláudio recomenda os filés de robalo e de linguado. Outros pratos populares incluem o bobó de camarão (um cozido de camarão engrossado com aipim). Para completar o ambiente aconchegante e rústico, há música ao vivo diariamente (o couvert artístico é opcional). Durante o verão, com o horário de verão, se você encerrar seu dia de praia jantando cedo, vá para o terraço enquanto o sol mergulha sob o belo cenário tropical.

Benkei

ONDE COMER

EXCURSÕES
BAÍA DE GUANABARA E NITERÓI
$$$

Zéfiro – *Estrada General Eurico Gaspar Dutra s/n, Fortaleza de Santa Cruz da Barra, Jurujuba. 21 3611 0975. www.restaurantezefiro.com.br. Aberto diariamente.* **Cozinha Contemporânea.** Localizado dentro da Fortaleza de Santa Cruz da Barra, o espaço de dois níveis, com o bar no andar superior, tem 3 mil metros quadrados e foi construído usando madeira reciclada. O Chef Bell Melsert recomenda a Parrilhada, um prato feito com camarão, lagosta e lula sobre arroz com açafrão. Há um píer para os que vêm de barco, sem mencionar a maravilhosa vista de 360 graus da Baía de Guanabara e do Rio.

BÚZIOS
$$$

Café Atlântico – *Casas Brancas Boutique Hotel & Spa, Alto do Humaitá 10, Centro. 22 2623 1458. www.casasbrancas.com.br. Aberto diariamente.* **Cozinha Mediterrânea.** Uma caminhada curta e agradável pela Orla Bardot o levará até a bela pousada Casas Brancas. Ocupando um dos terraços, o Café Atlântico possui uma das melhores vistas de Búzios. Faça sua refeição em um local totalmente tranquilo e romântico, onde você só ouvirá o som das ondas e de uma música tranquila que completa sua experiência. A cozinha é uma fusão de receitas brasileiras e mediterrâneas que são tão suaves quanto o ambiente. O que você acha de um espeto de camarão acompanhado por arroz sete grãos e castanha de caju?

Sawasdee – *Av. José Bento Ribeiro Dantas 422, Orla Bardot, Praia da Armação. 22 2623-4644. www.sawasdee.com.br. Aberto Ter–Dom 18h00–24h00.* **Cozinha Tailandesa.** O Chef e proprietário Mark Sodré criou um menu tailandês adaptado ao paladar do brasileiro de dar água na boca. Os pratos de destaque incluem Namprik Pla (peixe inteiro frito ou no vapor coberto com molho picante salpicado de alho torrado, coentro e ervas cítricas) e Mee Krob (macarrão

Camarões fritos com alho, Bira

de arroz frito, crocante, com frango, camarão, lombinho de porco, shitake e moyashi ao molho agri doce, salpicado de cebolinha verde). O primeiro restaurante foi aberto em 1997 e fez tanto sucesso que foram abertos mais dois no Rio de Janeiro.

$$

Bar do Zé – *Orla Bardot 382, Centro. 22 2623 4986. Aberto diariamente.* **Cozinha Internacional.** O chef/proprietário Zé já passou um tempo na Austrália, seis meses em um veleiro e mais tempo em uma casa na árvore no Havaí. Os pratos neste bar litorâneo são ecléticos como suas viagens. Tropicália, com uma interpretação original, descreve o sabor de um atum marinado em vinho; cherne com maracujá; ou filé mignon com molho de quatro pimentas e arroz com gergelim. Siga o mesmo tema de praias na escolha do seu coquetel e experimente o Sex on the Beach antes, durante ou depois.

ILHA GRANDE

No continente, em Angra dos Reis, os melhores restaurantes estão nos resorts que existem na região, alguns deles com impressionantes e variadíssimos bufês.

$$

Restaurante Toscanelli Brasil –*Sagu Mini Resort, Praia Brava, Vila do Abraão. 24 3361 5660. www.saguresort.com. Aberto diariamente.* **Cozinha Italiana.** Suspenso em uma plataforma coberta aberta dos lados, a decoração deste restaurante é como uma continuação da mata do entorno. Vale a pena fazer a caminhada da Vila do Abraão para apreciar a beleza natural do local.

A seleção de frutos do mar é altamente recomendada. Eles seguem o conceito

SUA ESTADA NO RIO DE JANEIRO

de Comida Lenta, usando ingredientes frescos e preparando os pratos somente depois que são pedidos.

$

Bar e Restaurante Lua e Mar – *Praia do Canto, Vila do Abraão.* 📞*24 3361 5113. www.ilhagrande.org/luaemar. Aberto Qui–Ter.* **Cozinha Brasileira**. Literalmente na praia, este restaurante permite que você tire as sandálias e coloque os pés na areia enquanto toma uma cerveja gelada e decide se vai escolher a moqueca ou o prato famoso da casa, o Peixe com Banana da Ilha Grande.

Dom Mario – *Rua da Praia 781, Vila do Abraão.* 📞*24 3361 5349. Aberto Seg–Sáb 18h00–22h00.* **Cozinha Internacional**. As porções generosas servidas neste restaurante são para duas pessoas. A especialidade da casa é filé mignon ao molho de gorgonzola. Os simpáticos garçons e o ambiente rústico contribuem para uma refeição descontraída e agradável.

PARATY

$$$

Refúgio – *Praça da Bandeira 4, Loja 1.* 📞*24 3371 2447. Aberto diariamente.* **Cozinha Brasileira.** Este atraente restaurante está localizado logo em frente ao mar. Desfrute de uma boa refeição e histórias locais ao pedir o favorito do Nick (nome de um pirata que já viveu na área): camarões no molho de mostarda e lula ao alho e óleo.

$$

Margarida Café – *Praça do Chafariz s/n, Centro Histórico.* 📞*24 3371 2441. www.margaridacafe.com.br. Aberto diariamente.* **Cozinha Contemporânea**. Logo na entrada do centro histórico, o prédio deste café data de 1829. Todos os dias, o chef Paulo Renato recomenda um prato diferente. Entre os sugeridos estão a salada de frutos do mar de camarão, polvo, mexilhão, lula e peixe, ou peixe grelhado ao molho de vinho branco com uvas e risoto de palmito.

Restaurante Kontiki – *Ilha Duas Irmãs.* 📞*24 3371 1666. www.ilhakontiki. com.br. Aberto diariamente no verão, necessário fazer reserva. Disponível translado do cais de Paraty.* **Cozinha Mediterrânea**. A viagem de barco de dez minutos de Paraty é o início de um evento inesquecível. O entorno deste restaurante em uma pequena ilha tropical em frente à cidade, com uma espetacular vista para a região a partir do mar, não tem paralelo.

Porção

Se você quiser comer muito, o Porção é o local ideal. Esta tradicional *churrascaria rodízio brasileira*, aberta em 1975, criou um conceito brasileiro e adicionou um pouco de humor ao fornecer a cada cliente um cartão. De um lado é verde, que significa "Sim, quero mais carne", e do outro vermelho, que significa "Estou satisfeito".

Cada restaurante possui um enorme e farto bufê com saladas, frios, pães, frutos do mar, sushi e outros pratos alternativos para quem não deseja comer carne, apesar de ter ido a uma churrascaria. Por um preço fixo, que não inclui bebidas e sobremesa, você pode comer à vontade. Alguns acompanhamentos como batatas fritas, pastéis, bananas cozidas, arroz etc. são trazidos à sua mesa sempre quentinhos. Os garçons, que nunca param de circular, oferecem uma diversa seleção de carnes servidas em espetos enormes. A obrigatória *picanha* é muito popular, mas há também muitos outros cortes curiosos e excêntricos, como o coração de galinha, filé com recheio de queijo e carne de avestruz.

Av. Infante Dom Henrique, s/n, Parque do Flamengo, Glória (com a fantástica vista do Pão de Açúcar); Rua Barão da Torre 218, Ipanema; Av. Armando Lombardi 591, Barra da Tijuca; Estrada do Galeão s/n, Ilha do Governador; Av. Quintino Bocaiúva 151, São Francisco, Niterói. 📞*21 3389 8989. www.porcao.com.br. Todos os restaurantes abrem às 12h00 todos os dias, mas telefone para obter o horário de fechamento. $$.*

ONDE COMER

$

Restaurante Santa Rita – *Rua Santa Rita 335, Centro. 24 3371 1206. www.paraty.com.br/santarita/restaurante. Aberto diariamente.* **Cozinha Brasileira**. O restaurante mais antigo de Paraty fica logo ao lado da igreja de Santa Rita. As porções generosas servem facilmente duas pessoas. O menu inclui diversas opções, pratos de carne e frutos do mar frescos

Grão da Terra – *Av. Roberto Silveira 45, sala 975, Centro. Aberto Seg–Sáb (apenas almoço de meados de Mar a meados de Dez).* **Cozinha Vegetariana**. Deliciosa comida vegetariana e ótimos sucos. O bufê oferece pratos especiais e várias saladas frescas. Experimente o suco de açaí orgânico.

PETRÓPOLIS

$$$

Leopoldina – *Av. Koeller 276, Centro. 24 2103 3000. www.solardoimperio.com.br. Aberto diariamente 07h30–22h00 (Sex–Sáb 24h00).* **Cozinha Portuguesa e Contemporânea**. Este elegante restaurante no Hotel Solar do Império, com sua linda decoração de paredes pintadas, quase surrealistas, serve pratos portugueses e da cozinha contemporânea, com uma excepcional combinação de sabores. A Chef Claudia Mascarenhas vem à sua mesa ajudar na escolha do prato e depois pergunta o que você achou dele.

Bordeaux Vinhos & Cia – *Rua Ipiranga 716, Centro. 24 22425711. www.bordeauxvinhos.com.br. Aberto diariamente.* **Cozinha Internacional**. Situado na Casa de Petrópolis, o lugar é ideal para almoçar ou jantar. A picanha é assada na pedra e é o prato mais popular. A loja de vinhos possui mais de 1.200 opções em sua lista. Depois da refeição, faça uma caminhada nos agradáveis jardins da mansão ou vá até a casa para uma visita fascinante.

$

Churrascaria Majórica – *Rua do Imperador 754, Centro. 24 2242 2429. www.majorica.com.br. Aberto Seg–Sáb 08h00–20h00.* **Churrasco**.

Leopoldina
Hotel Solar do Império

No coração do Centro, esta churrascaria tradicional agrada os residentes e os turistas desde que abriu em 1961.

$$

Restaurante Paladar – *Rua Barão do Amazonas 25, Centro. 24 2243 1143. Aberto diariamente.* **Quilo**. Próximo à Casa de Santos Dumont, é um restaurante charmoso e com serviço atencioso. Bufê incluindo feijoada. Aproveite para visitar as lojinhas que ficam atrás do restaurante.

Palmito

Durante muitos anos, o povo brasileiro tem colocado o palmito em suas mesas como uma iguaria especial. Este vegetal que é obtido da parte interior de determinadas espécies de palmeiras é simplesmente arrancado da natureza. Na década de 1990, a extração do palmito colocou em risco espécies inteiras. Atualmente ele é cultivado em várias fazendas sustentáveis no estado do Rio de Janeiro e diversos restaurantes do Rio se certificam de obtê-lo de fontes legais. Entre eles estão incluídos o **Zuka**, que prepara um talharim vegetariano com palmito desfiado, o **Aquim**, que o serve cru com rúcula e salmão defumado e o **Porcão**, que o grelha com ervas e azeite de oliva e o serve em salada com alcachofra, cebola grelhada e coentro.

SUA ESTADA NO RIO DE JANEIRO

DIVERSÃO

A cidade do Rio de Janeiro transforma-se à noite, quando seus moradores e visitantes saem para tomar um chope gelado ou uma caipirinha, na orla ou na Lagoa, ou para apreciar um espetáculo na Lapa ou no Centro, desfrutando do ambiente e da música ao vivo de qualidade internacional. As principais publicações com informações sobre esses eventos são a "Veja Rio" (um suplemento da revista Veja), que chega às bancas no domingo, e que inclui eventos para o fim de semana seguinte. Às sextas-feiras, os principais jornais têm suplementos com programas para o fim de semana.

Vida noturna

Para se divertir sem hora marcada, vá ao **Centro**, ao anoitecer, por exemplo, no Arco do Teles, na Praça XV, onde os bares da *Travessa do Comércio* ficam cheios de gente, especialmente às sextas-feiras, quando o pessoal dos escritórios se encontra para o *happy hour*. Na *Av. Mem de Sá* e na *Rua do Lavradio*, na **Lapa**, estão os bares e clubes de samba, sendo os melhores dias as sextas e os sábados à noite. Nos domingos e segundas à noite, o ponto de encontro é a *Praça Santos Dumont*, na **Gávea**, com seus bares. Para aqueles que preferem lugares mais calmos, os bares em volta da **Lagoa** ou no **Leblon** são uma boa opção. Neste mesmo bairro, aqueles que preferem os bons restaurantes vão à *Rua Dias Ferreira*. Em **Ipanema**, a *Rua Farme de Amoedo* é o ponto de encontro de gays, sobretudo na praia, à tarde. Entre as *Ruas Farme de Amoedo* e *Vinicius de Moraes* um grupo mais heterogêneo frequenta a região. Na *Av. Atlântica*, em **Copacabana**, há bares e casas noturnas para todos os gostos, mas as áreas mais movimentadas são os Postos 2, 4 e 6.
Jovens, artistas e intelectuais preferem o bairro de **Santa Teresa**, sobretudo o *Largo do Guimarães* e as ruas próximas.

BARES

CENTRO HISTÓRICO E ARREDORES

Amarelinho – *Praça Floriano 55.*
🕐 *Diariamente 07h00–03h00.*
📞 *21 2240 8434. www.amarelinho dacinelandia.com.br.*
Um dos bares mais antigos do Rio de Janeiro, o Amarelinho se distingue pelos seus toldos amarelos, garçons de colete também amarelos e as mesas espalhadas pela calçada. Situado na Cinelândia, em frente à Biblioteca Nacional, este local informal foi inaugurado em 1921, numa época

Arco do Teles - vida noturna na Travessa do Comércio

248

DIVERSÃO

em que a área começava a ganhar fama. O local é bom para se tomar uma bebida e saborear uns petiscos.

Bar Luiz – *Rua da Carioca 39.* 🕐*Seg–Sáb 11h00–23h00.* 📞*21 2295 8744. www.barluiz.com.br.* O Bar Luiz, que abriu em 1887, é um dos bares mais antigos do Rio e é, sem dúvida, considerado parte de seu patrimônio. Dizem que o restaurante tem o melhor chope da cidade e o cardápio tem bons pratos alemães.

Antigamente – *Rua do Ouvidor 43.* 🕐*Seg–Sex 11h00–24h00, Sáb 12h00–18h00.* 📞*21 2507 5040.* Um dos bares do Centro, próximo à Praça XV e à Travessa do Comércio, berço da cidade do Rio. Um local popular e interessante para saborear um chope.

Botequim Casual – *Rua do Ouvidor 33.* 🕐*Seg–Sex 12h00 até o último cliente sair, Sáb 12h00–05h00.* 📞*21 2232 0250. www.casualcheffsantos.com.br.* Este bar no "velho Rio", como os cariocas o chamam, está situado na região dos prédios coloniais. Almoce lá no sábado e prove o cabrito, especialidade da casa.

Cosmopolita – *Travessa da Mosqueira 4, Lapa.* 🕐*Seg–Qui 11h00–24h00, Sex–Sáb 11h00 até o último cliente sair.* 📞*21 2224 7820.* Entre nesta casa de 1906, com seus vitrais, e você vai se sentir em um bar norte-americano. Esta é a prévia perfeita de uma noitada na Lapa. A especialidade da casa é o filé mignon.

Adega Flor de Coimbra – *Rua Teotônio Regadas 34, Lapa.* 🕐*Seg–Sáb 12h00 até o último cliente sair.* 📞*21 2224 4582.* Vá a este bar boêmio do Rio, frequentado por artistas e intelectuais desde sua abertura em 1938. Experimente os bolinhos de bacalhau com uma boa sangria.

Bar dos Descasados

Hotel Santa Teresa

AS PARTES ALTAS DO RIO

Bar dos Descasados – *Hotel Santa Teresa, Rua Felício dos Santos s/n, Santa Teresa.* 🕐*Diariamente 11h00–24h00.* 📞*21 3380 0200. www.santateresahotel.com.* Este lounge-bar faz parte do Hotel Santa Teresa e tem acesso próprio, sem passar por dentro do hotel. Prove um coquetel nesse ambiente elegante, embaixo das árvores. A caipirinha é feita com cachaça da melhor qualidade.

Armazém São Thiago – *Rua Áurea 26, Santa Teresa.* 🕐*Seg–Sáb 12h00–24h00, Dom 12h00–20h00.* 📞*21 2232 0822.* Esta instituição local, mais conhecida como Bar do Gomes, funciona desde 1919. Antigamente era uma mercearia com um bar; hoje, a maioria das pessoas procura o bar, por sua grande variedade de bebidas — incluindo mais de 60 tipos de cachaça — e por seus barmen excêntricos.

ZONA SUL PERTO DA BAÍA DE GUANABARA

Bar do Adão – *Rua Dona Mariana 81, Botafogo.* 🕐*Seg–Sáb 12h00–01h00.* 📞*21 2535 4572. www.bardoadao.com.br.* Um interior acolhedor, tetos altos, piso, mesas e cadeiras de madeira e um enorme candelabro, dá a sensação de estar em casa de amigos. Prove um dos inúmeros petiscos enquanto toma uma caipirinha, uma cerveja ou um chope

SUA ESTADA NO RIO DE JANEIRO

Bar Urca – *Rua Cândido Gaffrée, Urca.* 🕐*Diariamente 11h30–23h00.* 📞*21 2295 8744. www.barurca.com.br.*
Desde 1939 os cariocas frequentam este bar, no fim da Urca, próximo ao Forte de São João, agradável e calmo para saborear uma bebida junto à Baía de Guanabara. As "cadeiras" são a amurada da rua, em frente ao mar.

Praia Vermelha Restaurante e Bar – *Praça General Tibúrcio, Praia Vermelha.* 🕐*Diariamente 12h00–24h00.* 📞*21 2543 7284.*
Nos terraços do forte da Praia Vermelha, ouça o barulho das ondas e o canto dos passáros até a música ao vivo começar às 19h00 *(20h00 Sex e Sáb).* Saboreie um chope e observe como as cores do Pão de Açúcar mudam ao pôr do sol.

PRAIAS DA ZONA SUL

Bar d'Hotel – *Marina All Suites, Av. Delfim Moreira 696, Leblon.* 🕐*Diariamente 12h00–02h00.* 📞*21 2172 1100. www.marinaallsuites.com.br.*
Um dos lugares da moda (de quinta a sábado é preciso reservar com antecedência). O ambiente é moderno e elegante, com espelhos antigos, cortinas e candelabros. Afunde nos sofás rosa choque e prove a especialidade da casa, o coquetel "Royal", uma mistura de vodka, cointreau, granadina, limão, gengibre e gelo.

Baretto Londra – *Fasano Hotel, Av. Vieira Souto 80, Ipanema.* 🕐*Diariamente 11h30–23h00.* 📞*21 3202 4000. www.fasano.com.br.*

Baretto Londra

Uma homenagem a Londres, a cidade favorita do proprietário Rogério Fasano, foi aqui que Madonna se divertiu com seus amigos durante sua estadia na cidade. A entrada para o bar, através de um corredor longo, com luzes de néon e cortinas, dá um toque "teatral" ao ambiente. Em seu interior duas bandeiras do Reino Unido, com as cores da Itália, cobrem as paredes de tijolo, enquanto confortáveis poltronas deixam seus frequentadores à vontade.

Jobi – *Av. Ataulfo de Paiva, Leblon.* 🕐*Diariamente 10h00–05h00.* 📞*21 2274 0547.*
Um dos botequins mais famosos do Rio, tem cerveja e caipirinha excelentes, petiscos deliciosos e uma atmosfera fantástica. Às sextas e sábados terá de disputar uma mesa e, mesmo depois de sentado, não terá muito espaço, pois o local é apertado.

Cobal – *Rua Gilberto Cardoso, Leblon.* 🕐*Diariamente 12h00–04h00.* 📞*21 2239 1549.*
Esta praça, rodeada de bares, é um mercado de frutas, legumes e flores de dia, mas, à noite, vibra com a animação dos seus frequentadores.

Atlântico – *Av. Atlântica 3880, Copacabana.* 🕐*Diariamente 19h00–04h00.* 📞*21 2235 2947. www.copaclub.com.br.*
Um lounge-bar "cool" que tem uma caipirinha sensacional, preparada com a cachaça *A Tentadora*, de Ouro Preto, encomendada pelo proprietário Roberto Peres. Às segundas-feiras o bar é gay.

Botequim Informal – *Shopping Leblon, Rua Afrânio de Mello Franco 290, Leblon.* 🕐*Diariamente 12h00–24h00, fim de semana 12h00–01h00.* 📞*21 2529 2588.*
É uma cadeia de bares, presentes em alguns bairros do Rio. O do Shopping Leblon está sempre muito movimentado. Lá você encontra diversos tipos de cerveja e deliciosos petiscos.

DIVERSÃO

LAGOA E ARREDORES

Palaphita Kitch – *Av. Epitácio Pessoa s/n, Quiosque 20, Parque do Cantagalo, Lagoa.* 🕐*Diariamente 18h00 até o último cliente sair.* 📞*21 2227 0837. www.palaphitakitch.com.br.*
Relaxe nos pesados sofás de madeira enquanto vê o sol se pôr sobre o Morro Dois Irmãos, do outro lado da Lagoa. Com cachaça, saquê ou vodka são servidas várias batidas de frutas da Amazônia.

Guimas – *Rua José Roberto Macedo Soares 5, Lagoa.* 🕐*Diariamente 18h00 até o último cliente sair.* 📞*21 2529 8300.*
Bistrô tranquilo e agradável, em um ambiente elegante. A caipirinha é uma das melhores da cidade e os petiscos do bar são excelentes.

Saturnino – *Rua Saturnino de Brito 50, Jardim Botânico.* 🕐*Diariamente 18h00 até tarde.* 📞*21 3874 0064. www.saturnino.com.br.*
Um bom local para escolher uma grande variedade de bebidas num ambiente chique e contemporâneo. Experimente um coquetel "Rouge": vodka, morango, framboesa e capim-limão. A clientela fiel são cariocas modérníssimos.

Hipódromo – *Praça Santos Dumont 108, Gávea.* 🕐*Diariamente 09h00–01h00.* 📞*21 2274 9720. www.hipodromo.com.br.*
Um local bastante procurado que atrai uma clientela variada. Aqui você deve pedir um chope gelado e escolher entre uma grande variedade de petiscos.

PRAIAS DA ZONA OESTE

Academia da Cachaça – *Condomínio Condado de Cascais, Av. Armando Lombardi 800, Loja 65, Barra da Tijuca.* 🕐*Diariamente 12h00 até o último cliente sair.* 📞*21 2492 1159. www.academiadacachaca.com.br.*
Situada no começo da Barra da Tijuca, este local tem cachaça da melhor qualidade. A batida de laranja e gengibre é deliciosa, além das feitas com frutas tropicais. Há uma filial no Leblon.

Os melhores bares para caipirinha, batida ou chope

Botequim Informal: *Chope* (🕐*ver p.250*).
Jobi: *Chope* (🕐*ver p.250*).
Academia da Cachaça: *Caipirinha* — 100 cachaças (🕐*ver p.251*).
Bar do Oswaldo: *Batida* — 62 anos de experiência neste negócio (🕐*ver p.251*).

Bar do Oswaldo – *Estrada do Joá 3896.* 🕐*Ter–Dom 12h00–01h30, Seg 17h00–01h00.* 📞*21 2493 1840.*
Um encantador e excêntrico bar antigo da Barra da Tijuca, aberto há mais de 60 anos, que já é uma instituição local. A sua popularidade remonta à época em que as batidas (mistura de suco de fruta fresca e cachaça) estavam na moda, nas décadas de 1960 e 1970. O bar que fica na parte antiga da Barra, prepara uma das melhores batidas da cidade.

BOATES

CENTRO HISTÓRICO E ARREDORES

Passeio Público Dance – *Av. Rio Branco 277.* 🕐*Seg–Sex 18h00 até tarde, Sáb 22h00–05h00.* 📞*21 2220 1298. www.passeiodance.com.br.*
De segunda a sexta, há música ao vivo, que vai da música de discoteca ao samba e à MPB. Aos sábados à noite, os DJs tocam música brasileira funk, hip-hop e discoteca.

Dito e Feito – *Rua do Mercado 21.* 🕐*Seg–Sáb 18h00–01h00.* 📞*21 2222 4016. www.ditoefeito.com.br.*
A animação começa durante a semana,quando o pessoal dos escritórios se encontra para o happy hour. Nos sábados, a animação começa a partir das 23h00. A música vai de MPB a hip-hop, passando pelo funk e a axé music.

AS PARTES ALTAS DO RIO

Casa Rosa – (🕐*ver p.132*).

SUA ESTADA NO RIO DE JANEIRO

Bailes Funk

Os Bailes Funk são festas enormes, com música muito alta, onde as notas graves e o ritmo lento e marcado levam a uma dança ritmada. Estes bailes atravessam a noite e vão até o amanhecer. Estas festas começaram nas favelas na década de 1970 e acontecem em grandes espaços como armazéns, clubes desportivos e boates, sobretudo na periferia ou nas favelas. Se você quiser participar de uma delas, deverá usar uma empresa local, por exemplo, **Be A Local**, que acompanha grupos de 30 a 100 turistas estrangeiros a festas mais seguras, como o Castelo das Pedras, em Rio das Pedras, ou Fórmula do Sol, em Curicica. Por um preço razoável, que inclui a entrada e o acesso a uma área VIP, a empresa vai buscá-lo no hotel e o traz de volta às 04h00. www.bealocal.com. ☏21 9643 0366/21 7816 9581.

ZONA SUL PERTO DA BAÍA DE GUANABARA

Casa da Matriz – *Rua Henrique de Novais 107, Botafogo.* 🕐*Seg, Qua–Sáb 22h00–06h00.* ☏*21 2266 1014. http://matrizonline.oi.com.br/casadamatriz.*
Esta boate informal, com várias salas aconchegantes, em dois andares, atrai gente jovem e alternativa. O som predominante é MPB, com noites de música eletrônica, funk, jazz, rock, soul e indie. Informe-se antes de ir.

PRAIAS DA ZONA SUL

Clandestino – *Rua Barata Ribeiro 111.* 🕐*Qua–Seg a partir das 24h00.* ☏*21 3209 0348. www.clandestinobar.com.br.*
É para o porão que as pessoas se dirigem para se divertirem. Dance ao som doce da música funky-house, rock, MPB, hip-hop, soul, reggae e dance-hall. Às sextas são noites de "Black Friday", uma oportunidade para ouvir vários estilos de música negra.

Baronneti – *Rua Barão da Torre 354, Ipanema.* 🕐*Seg–Qui 21h00 até tarde, Sex–Sáb 22h00 até tarde.* ☏*21 2247 9100. www.baronneti.com.br.*
Esta boate sofisticada e compacta, com duas pistas de dança, um lounge e uma atmosfera agradável, é frequentada por jovens, que dançam funk-hop, hip-hop, funk e MPB.

Lounge 69 – *Rua Farme de Amoedo 50, Ipanema.* 🕐*Qua–Sáb 23h00m–05h00.* ☏*21 2522 0627. www.lounge69.com.br.*
O pessoal antenado local aparece aqui para dançar ao som de electro house, electro rock, acid house, rock, funk e pop. A luz projetada em cores ácidas cria um ambiente psicodélico. Há uma pista de dança no térreo e um lounge no andar superior, cheio de sofás.

Melt – *Rua Rita Ludolf 47, Leblon.* 🕐*Diariamente 20h00–06h00.* ☏*21 2249 9309.*
Comece a noite em uma mesa à luz de velas, no aconchegante lounge-bar do térreo, com um telão com vídeos de surfe. Depois suba à grande pista de dança, onde toca todo tipo de música (exceto axé e pagode).

The House – *Rua General San Martin 1011, Leblon.* 🕐*Ter–Sáb 22h00 até tarde.* ☏*21 2249 2161. www.thehousebar.com.br.*
No térreo há um restaurante japonês chique e no primeiro andar boate e pista de dança. Os moradores da Zona Sul dançam ao som de música eletrônica. Decoração contemporânea, com uma mistura sutil de madeira, tijolo e mármore.

Dito & Feito

DIVERSÃO

LAGOA E ARREDORES

Nuth – *Av. Epitácio Pessoa 1244, Lagoa.* 🕐*Diariamente 19h00 até o último cliente sair.* 📞*21 3575 6850. www.nuth.com.br.*
Aberto recentemente, o Nuth tem uma boate no primeiro andar, com restaurante no andar de cima, onde você não ouve a mistura eclética de músicas da boate e ainda pode desfrutar da vista da Lagoa e do Cristo Redentor. Decoração moderna, com estofamento branco brilhante no lounge e na pista de dança.

Zero Zero (00) – *Av. Padre Leonel Franca 240, Gávea.* 🕐*Qui–Dom 20h30 até o último cliente sair.* 📞*21 2540 8041. www.00site.com.br.*
Uma espécie de clube elegante, com uma pequena pista de dança sempre cheia de seus fiéis frequentadores. No exterior há um espaço ótimo para relaxar sob as árvores e palmeiras. Um cardápio interessante e uma seleção de música variada completam o ambiente.

PRAIAS DA ZONA OESTE

Apple Mixxx International – *Estrada da Barra da Tijuca 156, Barra da Tijuca.* 🕐*Diariamente 22h00–tarde.* 📞*21 2494 9242. www.applemixxx.com.br.*
Esta boate nova em folha, com uma área de 1.100 metros quadrados, é para os grandes frequentadores de boates. Relaxe no Deck Lounge, rodeado por quedas d'água e vegetação tropical, antes de regressar à barulhenta pista de dança.

Hard Rock Café – *Shopping Città America, Av. das Américas 700, 3º andar, Barra da Tijuca.* 🕐*Dom–Qui 12h00–01h00, Sex–Sáb 12h00–04h00.* 📞*21 2132 8000. www.hardrock.com.*
Embora pertença a uma cadeia internacional, e esta filial esteja localizada num shopping, o ingrediente vital que mantém a casa cheia todas as noites são os próprios brasileiros. Aos sábados há uma mistura de música rock americana, inglesa e brasileira.

BOATES GAY

Le Boy/La Girl – *Rua Raul Pompeia 102, Copacabana.* 🕐*Le Boy Ter–Dom 21h00 até tarde, La Girl Qua–Seg 23h00 até tarde.* 📞*21 2513 4993.*
Famosa desde 1992, a Le Boy tem quatro andares e uma variedade de espetáculos de drag queens e go-go boys. As noites "Connection", às quintas, são sempre animadas, assim como as noites das sextas e dos sábados. Às terças à noite há um show de strip-tease.

Dama de Ferro – *Rua Vinicius de Moraes 288, Ipanema.* 🕐*Ter–Sáb 23h00 até tarde.* 📞*21 2247 2330. www.damadeferro.com.br.*
O bunquer de cimento e ferro recebe diversas "tribos" que buscam música eletrônica e house music.

Cine Ideal – *Rua da Carioca 64, Centro.* 🕐*Sex–Sáb 23h30 até tarde.* 📞*21 2221 1984. www.cineideal.com.br.*
Este edifício "belle epoque", na verdade um cinema, vibra ao ritmo de sons eletrônicos e da house music. O terraço oferece uma vista da região.

The Week – *Rua Sacadura Cabral 150, Saúde, Centro.* 📞*21 2253 1020.* 🕐*Somente aos sábados (meia-noite). www.theweek.com.br. Recomenda-se ir e voltar de táxi.*
Localizada no bairro da Saúde, perto do porto, o espaço possui cinco bares, uma enorme pista de dança, um excelente sistema de som e até uma piscina. Música eletrônica, house e tech-house. Algumas vezes, personalidades famosas são anfitriões da noite — visite o website para obter mais informações.

Cabaret Casanova – *Av. Mem de Sá 25, Lapa.* 🕐*Sex–Sáb 22h00 até tarde, Dom 20h00 até tarde.* 📞*21 2221 6555. www.cabaretcasanova.vai.la.*
Uma boate estabelecida há 70 anos, Cabaret Casanova é a Grande Dama das boates gay, apresentando shows de drag queens. Está situada no coração da Lapa e é frequentada por um público variado.

SUA ESTADA NO RIO DE JANEIRO

Música brasileira ao vivo

SAMBA, CHORINHO, FORRÓ E MPB

A maior parte da música ao vivo do Rio de Janeiro é uma mistura de vários gêneros (*ver quadro p.255*), incluindo chorinho, forró, MPB e samba. Os cariocas têm paixão pela música e as relações sociais estão intimamente ligadas à música, de preferência ao vivo. A MPB e o samba são os gêneros mais populares.

Cidade do Samba – *Rua Rivadávia Correia 60, Gamboa.* 21 2213 2503. *www.cidadedosambarj.com.br. (Visite o website ou telefone para informações mais detalhadas; alternativamente, ligue para a RioTur para informações atualizadas;* 21 2542 8080.)
A maioria dos carros alegóricos e das fantasias é criada na Gamboa, junto ao porto do Rio de Janeiro, em uma vasta área de ateliês (*ver p.106*). Um espetáculo semanal ao vivo revive o espírito do Carnaval para os turistas que perderam este espetáculo.

Severyna – *Rua Ipiranga 54, Laranjeiras.* Diariamente 11h30–01h00. 21 2556 9398. *www.severyna.com.br.*
Este bar oferece comida, bebida e música do nordeste brasileiro. Os garçons simpáticos atendem os clientes nas salas decoradas com mesas de madeira simples.
A Carne de Sol é o ponto forte do cardápio. Música ao vivo (samba, forró, MPB, mas também Beatles) todas as noites a partir das 20h00.

Teatro Odisséia – *Av. Mem de Sá 66, Lapa.* Qua–Dom 21h00 até tarde. 21 2224 6367. *http://matrizonline.oi.com.br/teatroodisseia.*
O primeiro andar tem um palco para as novas bandas e cantores e o andar de cima está reservado para exposições e peças de teatro. As quintas são noites de forró e às sextas e sábados escuta-se samba e MPB.

Rio Scenarium – *Rua do Lavradio 20, Lapa.* Ter–Sáb 19h00 até tarde. 21 3147 9000. *www.rioscenarium.com.br.*
Trata-se do clube de samba mais famoso do Rio, com três andares, decorados com objetos dos séc. XIX e XX. A área principal tem um palco, com um átrio e duas galerias acima. O primeiro show começa às 19h00 e o segundo por volta das 22h00. O programa inclui MPB, samba, choro, bossa nova e forró. No anexo há outra pista de dança onde os DJs tocam MPB, música internacional e música eletrônica, às sextas e sábados à noite.

Mangue Seco – *Rua do Lavradio 23, Lapa.* Diariamente 11h00 até tarde. 21 3852 1947. *www.manguesecocachacaria.com.br.*
Escute o samba e MPB enquanto relaxa tomando uma bebida ou fazendo uma refeição. O Mangue Seco está localizado num antigo armazém de dois andares e tem um ambiente simples e rústico. Há uma cachaçaria bem sortida, onde você pode selecionar diferentes cachaças de Minas Gerais e Paraty. A música ao vivo começa diariamente a partir das 18h00 e a entrada é franca durante a semana.

Carioca da Gema – *Av. Mem de Sá 79, Lapa.* Diariamente 19h00–03h00. 21 2221 0043. *www.barcariocadagema.com.br.*
O bar é um dos locais de música ao vivo mais conhecidos da Lapa, apresentando artistas famosos ou iniciantes da MPB e do samba.

Bar do Semente – *Rua Joaquim Silva 138, Lapa.* Seg–Sáb 22h00 até tarde. 21 2509 3591.
Um pequeno e animado bar onde atuam os melhores intérpretes do chorinho do país. Este lugar minúsculo tem um ambiente fantástico e vista para os arcos da Lapa.

Lapa 40° – *Rua do Riachuelo 97, Lapa.* Diariamente 18h00–04h00. 21 3970 1338. *www.lapa40graus.com.br.*
Esta nova casa do bairro oferece música ao vivo no térreo e mesas de

DIVERSÃO

Música brasileira

Caso não saiba, o *Samba* é a música nacional do Brasil. De raízes africanas e europeias, é uma música ritmada e marcada pela percussão a que é impossível ficar indiferente. O *Chorinho*, apesar do nome, é uma música que tem, frequentemente, um ritmo rápido e alegre, tocada com bandolim e instrumentos de sopro e pandeiro. O *Forró* é uma música popular, tocada com acordeão, bumbo e triângulo, originária do nordeste brasileiro e muito dançante. O *Pagode* tem sua raiz no samba, mas é mais lento e mais sensual e tem uma letra mais elaborada. A música *Funk,* que não tem nada a ver com a versão europeia, também tem letra, deriva do hip-hop e é muito popular entre os jovens das favelas. A *Axé* music começou em Salvador, na Bahia, e é uma fusão de estilos afro-brasileiros e afro-caribenhos. *MPB* é a designação genérica da música popular brasileira, mas seu conjunto é marcadamente autoral e mais elaborado.

sinuca no segundo andar. O andar superior está reservado para a dança e em seu palco atuam grandes nomes do cenário artístico. Aos sábados, a partir das 20h00, aprenda os passos básicos da gafieira.

Estrela da Lapa – *Av. Mem de Sá 69, Lapa.* 🕐*Seg–Sáb 18h00 até tarde.* 📞*21 2507 6686. www.estreladalapa. com.br.*
Um dos novos clubes de samba, este local tem um espaço fantástico e está situado numa mansão restaurada do séc. XIX. O espaço, semelhante a uma catedral, possui dois mezaninos onde se pode desfrutar de música ao vivo, a partir das 21h00, incluindo uma mistura de choro, blues e hip hop.

Centro Cultural Memórias do Rio – *Av. Gomes Freire 289, Lapa.* 🕐*Ter–Sáb 18h00 até tarde.* 📞*21 2222 7380. www.memoriasdorio.com.br.*
Localizado em uma encantadora mansão antiga, é aqui que você encontra "as raízes do samba" às quintas. Aos sábados pode ser chorinho ou MPB; às quartas entre na onda da bossa nova.

Café Cultural Sacrilégio – *Av. Mem de Sá 81, Lapa.* 🕐*Ter–Sex 19h00–02h00, Sáb 20h30–04h00.* 📞*21 2222 7345. www.sacrilegio.com.br.*
O Café Sacrilégio é um local garantido para o bom samba. Antes de ser um clube, o músico João Pernambuco costumava organizar noites com grandes nomes brasileiros como

Pixinguinha, Villa-Lobos e Carmem Miranda. Hoje nele se apresenta a nova geração do samba. Toca-se choro, MPB e, claro, samba, e há um jardim onde você pode relaxar e tomar uma cerveja gelada.

Cinematheque Jam Club – *Rua Voluntários da Pátria 53, Botafogo.* 🕐*Ter–Sáb 19h00 até tarde.* 📞*21 3239 0488. www.matrizonline.com.br.*
Afastado da animação da Lapa, este clube procura inovação na música brasileira, onde os estilos tradicionais, incluindo o samba, rock, jazz, bossa nova e música eletrônica, se fundem. A casa de dois andares é um edifício Art Déco. Às quartas e sextas, o tema é principalmente choro e jazz e não é cobrado *couvert* artístico.

Modern Sound – *Rua Barata Ribeiro 502D, Copacabana.* 🕐*Seg–Sex 09h00– 21h00, Sáb 09h00–20h00* 📞*21 2548 5005. www.modernsound.com.br.*
Esta loja de CDs e DVDs apresenta música ao vivo diariamente, a partir das 17h00. Duas vezes por semana há shows ao vivo com os melhores artistas brasileiros, sendo que alguns atuaram aqui no lançamento de seus álbuns. E os shows são grátis! Telefonar para reservar uma mesa.

😊 Dica 😊

Os brasileiros não bebem sem comer algo, nem que seja um petisco. Para eles, a bebida é um verdadeiro prazer, mas raramente bebem demais.

SUA ESTADA NO RIO DE JANEIRO

Festivais de Verão

Os festivais de verão do Rio de Janeiro são realizados em dois locais: no Pão de Açúcar e no Pier Mauá. Os dois eventos acontecem no verão, de janeiro a fevereiro. O "Verão do Morro" inclui espetáculos de música (samba e jazz brasileiro com artistas como Jorge Ben Jor e Gilberto Gil), cinema e DJs.
O preço da entrada inclui a viagem no bondinho. *(Os eventos começam às 21h30 e terminam às 04h30, saindo o último bondinho do morro da Urca às 05h00. www.veraodomorro.com.br. ☏ 21 2461 2700.)* O "Noites Cariocas" tem lugar no Píer Mauá, na praça Mauá, centro do Rio. Este espetáculo inclui principalmente bandas de música rock e popular brasileiras como Skank, Nando Reis, Titãs e Lulu Santos. (*http://oinoitescariocas.oi.com.br.*)

Espaço BNDES – *Av. República do Chile 100, Centro.* 🕐 *Os shows começam diariamente às 19h00.* ☏ *21 2172 7770. www.bndes.gov.br/cultura.*
Ouça MPB, chorinho ou jazz brasileiro, todas as quintas-feiras às 19h00.
Pegue o bilhete de entrada a partir das 17h00, pois os shows são gratuitos.

GAFIEIRA

Estudantina Musical – *Praça Tiradentes 79–81, Centro.* 🕐 *Qui 20h00–01h00, Sex 20h00–02h00, Sáb 22h00–04h00.* ☏ *21 2232 1149. www.estudantinamusical.com.br.*
Salão de dança envolvente, mas um pouco desarrumado, criado na década de 1920, onde os bons dançarinos de dança de salão rodopiam, ao som de uma pequena orquestra. Há aulas de Samba de Gafieira (samba de salão) para residentes e turistas.

Gafieira Elite – *Rua Frei Caneca 4. Centro.* 🕐 *Qui–Dom 22h00–06h00.* ☏ *21 3902 9364. www.gafieiraelite.com.* ☻ *Recomendamos que tome um táxi para chegar e sair deste local.*
Em um antigo prédio, este clube funciona desde a década de 1930 e aqui atuaram grandes nomes como Grande Otelo, Pixinguinha e Elza Soares. De quinta a sábado, o som é MPB, samba-groove e eletrônica.
O importantíssimo *Samba de Gafieira* é aos domingos.

BOSSA NOVA E JAZZ

Bar do Tom – *Rua Adalberto Ferreira 32, Leblon.* 🕐 *Seg–Dom a partir das 20h00–22h00 dependendo do horário do show.* ☏ *21 2274 4022. www.plataforma.com.*
O local tem um ambiente bastante turístico, mas apresenta uma boa seleção de jazz, bossa nova e samba todos os dias da semana.

Vinicius Piano Bar – *Rua Vinicius de Moraes 39, Ipanema.* 🕐 *Música ao vivo Seg–Ter 21h30, Qua 22h30, Qui–Dom 23h00.* ☏ *21 2523 4757. www.viniciusbar.com.br.*
Seu nome foi dado em homenagem a Vinicius de Moraes. Este bar é conhecido com o "templo da bossa nova". O Show Bar, um espaço íntimo com cadeiras e mesas de madeira, tem música ao vivo, onde se pode ouvir a alma do Brasil.

Drink Café – *Parque dos Patins, Av. Borges de Medeiros, Lagoa.* 🕐 *Os shows começam diariamente a partir das 19h00.* ☏ *21 2239 4136. www.drinkcafe.com.br.*
Relaxe neste quiosque-bar-restaurante, bem junto à Lagoa. Aqui geralmente se ouve bossa nova, jazz, samba-jazz e também chorinho, samba e MPB.

Esch Café – *Parque dos Patins, Av. Borges de Medeiros, Lagoa.* 🕐 *Diariamente 12h00–24h00.* ☏ *21 2512 5651. www.esch.com.br.*

DIVERSÃO

Ambiente aconchegante, um pouco "enfumaçado", onde se ouve jazz e bossa nova. Música ao vivo às sextas e sábados, a partir das 22h00. Sala climatizada para fumar charutos. Decoração em tijolo e madeira, com luz ambiente. Garçons de chapéu Panamá dão um toque ao ambiente.

CASAS DE ESPETÁCULOS

O **Circo Voador** *(Rua dos Arcos, Lapa; ℘21 2533 0354; www.circovoador.com. br)* é popular entre as bandas de rock brasileiras, como Skank, e os grandes nomes da música, como Chico Buarque.

A **HSBC Arena** *(Av. Embaixador Abelardo Bueno 3401, Barra da Tijuca; ℘21 3035 5200; www.hsbcarena.com)* é a maior arena esportiva e casa de espetáculos do Rio; megaestrelas como Seal, Ozzy Osbourne e Andrea Bocelli atuaram aqui.

O **Canecão** *(Av. Venceslau Brás; ℘21 2105 2000, Botafogo 2000; www. canecao.com.br)* abriu em 1967, é a mais conhecida casa de shows do Rio e está localizada no bairro de Botafogo, próximo ao Túnel Novo e ao Shopping Rio Sul. É o palco de artistas de rock, hip-hop e MPB.

O **Vivo Rio** *(Av. Infante Dom Henrique 85, Parque do Flamengo; ℘21 2272 2907; www.vivorio.com.br)* é uma sala de espetáculos novíssima, que foi especialmente construída para shows, com uma acústica excelente, para atrair para seu palco a elite musical como por exemplo Joss Stone e Gilberto Gil.

O **Citybank Hall** *(Av. Ayrton Senna 3000, Barra da Tijuca; ℘21 4003 1212; www.clarohall.com.br)* é uma sala grande no interior do Shopping Via Parque, que apresenta MPB, bandas de rock e ocasionalmente números de circo/teatro.

A **Fundição Progresso** *(Rua dos Arcos 24, Lapa; ℘21 2220 5070; www.fundicaoprogresso.com.br)* é um espaço de dimensão média, com dois palcos, aberto a todos os gêneros de música. Franz Ferdinand, Marilyn Manson e Nando Reis se apresentaram aqui.

Artes cênicas

MÚSICA CLÁSSICA E ÓPERA

Theatro Municipal *(ver p.109)*

Sala Cecília Meireles – *Largo da Lapa 47, Lapa.* Bilheteria Seg–Sex 13h00–18h00. ℘21 2332 9160. *www.salaceciliameireles.com.br.* A principal sala de concertos do Rio de Janeiro, localizada em um encantador edifício do fim do séc. XIX, um dos primeiros cinemas do Rio. Seu nome é uma homenagem à poetisa brasileira Cecília Meireles. Embora as apresentações sejam quase exclusivamente de concertos de música clássica, aqui também há shows de música contemporânea e MPB. A Sala Cecília Meireles possui uma sala menor para pequenos recitais.

Escola Nacional de Música – *Salão Leopoldo Miguez, Universidade Federal do Rio de Janeiro, Rua do Passeio 98, Lapa.* Os concertos começam em geral às 18h30. ℘21 2240 1391. *www.musica.ufrj.br.* A Escola de Música recebe e promove concertos, organizados pelo Departamento de Música da Universidade Federal do Rio de Janeiro. Estudantes, professores e artistas visitantes internacionais se apresentam nesse tradicional espaço de cultura. Para obter informações sobre o programa, visite *www. vivamusica.com.br* ou adquira o guia "Guia Viva Música" em qualquer centro cultural, como o do Banco do Brasil *(ver p.102).*

Sala Villa-Lobos – *Av. Pasteur 436, Centro de Letras e Artes, Unirio.* Concertos Ter 17h20. ℘21 2542 3311. www.unirio.br. Pequena sala da Universidade Federal do Rio de Janeiro, com 80 lugares, no conjunto arquitetônico da UFRJ. Talentos promissores atuam lado a lado com grandes artistas brasileiros, como Eduardo Monteiro, Edino Krieger e Camerata Quantz.

257

SUA ESTADA NO RIO DE JANEIRO

Música nas igrejas e museus

A música clássica tocada fora de teatros (em igrejas, museus, centros culturais, espaços abertos...) começou em 1997. Numa só visita você pode desfrutar de dois programas culturais, admirando o museu ou a igreja e, antes ou depois, assistir a um recital. A Igreja da Candelária realiza concertos periodicamente, de dezembro a março. Os programas podem ser consultados nos websites e muitos dos concertos têm entrada franca.

www.musicanomuseu.com.br
www.musicanasigrejas.com.br

Centro Cultural Municipal Laurinda Santos Lobo – *Rua Monte Alegre 306, Santa Teresa.* Centro aberto Ter–Dom 09h00–20h00. 21 2242 9741. *www.rio.rj.gov.br/cultura.*
Apesar do nome do Centro Cultural fazer referência à grande mecenas Laurinda Santos Lobo, esta linda mansão de 1907 pertenceu à Baronesa de Parina. Neste local se realizam concertos, tanto na sala de música de 80 lugares, como em seus aprazíveis jardins. Entrada franca.

Centro Cultural Municipal Parque das Ruínas – *Rua Murtinho Nobre 169, Santa Teresa.* Centro aberto Ter–Dom 08h00–20h00. 21 2252 1039. *www.rio.rj.gov.br/cultura.*
Desfrute os concertos ao ar livre nas ruínas da antiga residência de Laurinda Santos Lobo, hoje adaptadas para serem um espaço de espetáculos (ver p.129). A imponente mansão foi restaurada nos anos 90. Nela foi construído um palco para shows ao ar livre e um auditório. Tome um coquetel enquanto se deixa envolver pelos sons de artistas como a cantora/ harpista Cristina Braga e a soprano Dorina Mendes. O espaço oferece uma vista espetacular sobre o Centro da cidade, a Baía de Guanabara e o Pão de Açúcar.

DANÇA

Centro Coreográfico da Cidade do Rio de Janeiro – *Rua José Higino 115, Tijuca.* Seg–Dom 09h00–20h00. 21 2268 7139. *www.rio.rj.gov.br/ cultura.*
Dedicado à promoção da dança, este espaço, afastado do Centro e da Zona Sul, é onde se pode ver uma variedade de danças todos os fins de semana, desde samba até a dança contemporânea.

TEATRO

Teatro do Centro Cultural Banco do Brasil – *Rua Primeiro de Março 66, Centro.* Centro aberto diariamente 10h00–21h00. 21 3808 2000. *www.bb.com.br.*
O teatro foi palco de grandes produções de artistas brasileiros, como Fernanda Montenegro e Marília Pera. A sala apresenta óperas e concertos, assim como shows.

Teatro João Caetano – *Praça Tiradentes, Centro.* Bilheteria Ter–Sáb 14h00–18h00, espetáculos a partir das 20h00–21h00. 21 2332 9166. *www.funarj.rj.gov.br.*
Este teatro, inaugurado em 1813, cujo nome é em homenagem ao grande ator dramático português **João Caetano** (1808–1863), é considerado o primeiro teatro oficial do Rio de Janeiro. Aqui foram representadas todas as formas possíveis de artes cênicas, do drama à ópera e da dança aos musicais.

Teatro Odisséia – *Av. Mem de Sá 66, Lapa.* Ter–Sáb 21h00–03h00. 21 2224 6367.
Este espaço dedicado às artes, está instalado em uma mansão de 1907. Com uma extraordinária variedade de eventos, promove a fusão de culturas. No térreo possui um espaço para novos artistas e um bar; no mezanino, um restaurante que apresenta shows; o andar superior é um espaço para exposições, palco e também um restaurante.

DIVERSÃO

Teatro Oi Casa Grande – *Rua Afrânio de Melo Franco 290, Leblon.* ◑*Bilheteria Ter–Dom 15h00–22h00, shows a partir das 20h00–21h00.* ℘*21 2511 0800 http://oicasagrande.oi.com.br.*
Este grande teatro, instalado em um espaço que, no passado, teve papel importante na vida cultural e política do Brasil, hoje está aberto para montagens teatrais, musicais e de dança clássica e contemporânea.

Teatro Municipal Carlos Gomes – *Praça Tiradentes 19, Centro.* ◑*Bilheteria Ter–Sáb 14h00–18h00, shows a partir das 20h00–21h00.* ℘*21 2232 8701. www.rio.rj.gov.br/cultura.*
O prédio foi o elegante Hotel Richelieu em 1868. Em 1904 foi transformado e recebeu o nome atual e, em 1993, foi totalmente renovado. Hoje, o Teatro Carlos Gomes se orgulha de possuir equipamento de som e de iluminação dos mais moderno. Seu interior é em estilo Art Déco. O teatro oferece cursos de música, teatro e dança.

Teatro da Casa de Cultura Laura Alvim – *Av. Vieira Souto 176, Ipanema.* ◑*Bilheteria Ter–Dom 16h00–21h00.* ℘*21 2267 1647. www.funarj.rj.gov.br.*
Este teatro apresenta peças de teatro, eventos de música clássica e possui várias pequenas salas de cinema. (◑*ver ao lado*). Nele são realizadas oficinas, ensaios e exposições, inclusive no seu simpático pátio interno.

Espaço Tom Jobim de Cultura e Meio Ambiente – *Rua Jardim Botânico 1008, Jardim Botânico.* ◑*Bilheteria Ter–Dom 15h00–18h00, shows começam às 10h30.* ℘*21 2274 7012.*
Um teatro novíssimo, de 500 lugares, situado no coração do Jardim Botânico, é palco para música e teatro, sendo o primeiro "teatro ecológico" do Brasil — tem painéis solares e foi construído com madeira certificada. Gilberto Gil, Caetano Veloso, Milton Nascimento e Tereza Cristina são alguns dos aclamados artistas que atuaram aqui.

CINEMAS

Todos os grandes shopping centers no Rio têm cinemas.

Odeon Petrobras – *Praça Mahatma Gandhi 2, Cinelândia.* ◑*Sessões a partir das 12h00.* ℘*21 2240 1093.*
O último dos grandes cinemas que dominaram a área da Cinelândia. Criado em 1926, tem uma ampla sala Art Déco com cerca de 600 lugares. Agora é uma instituição carioca e exibe filmes independentes, documentários e longas metragens. Também exibe maratonas de filmes na primeira sexta-feira do mês, assim como, aos domingos, reproduz montagens de óperas gravadas no Metropolitan.

Roxy – *Av. Nossa Senhora de Copacabana 945, Copacabana.* ◑*Sessões a partir das 14h00.* ℘*21 3221 9292.*
O Roxy é o único cinema de rua de Copacabana e é uma herança da época Art Déco, da geração dos grandes cinemas com plateia e balcão e capacidade para centenas de pessoas. O cinema atual foi convertido em três salas confortáveis e os lugares são marcados.

Estação Laura Alvim – *Av. Vieira Souto 176, Ipanema.* ◑*Sessões a partir das 13h00.* ℘*21 2267 4307. www.estacaovirtual.com.br.*
Um centro cultural encantador com uma atmosfera vibrante, situado num edifício antigo na Praia de Ipanema. Três salas pequenas em um pátio com um café, este é o local perfeito para se encontrar com os amigos.

Kinoplex Leblon – *Shopping Leblon, andar superior, Av. Afrânio de Melo Franco 290, Leblon.* ◑*Sessões a partir das 14h00.* ℘*21 2461 2461. www.kinoplex.com.br.*
Esse conjunto de quatro cinemas confortáveis está situado no Shopping Leblon, todas as salas com excelente acústica e boa visibilidade. Um espaço de café agradável tem vista para o Cristo Redentor.

SUA ESTADA NO RIO DE JANEIRO

COMPRAS

O cenário de compras no Rio de Janeiro reúne grandes shoppings, para onde os cariocas gostam de ir em dias chuvosos, galerias, butiques, joalherias e cadeias de lojas, especialmente na Zona Sul, nas ruas principais. No Centro da cidade existe uma área de comércio popular: o SAARA. Não se esqueça das lojinhas dos museus, onde se compram maravilhosos objetos e lembranças.

Antes de comprar

HORÁRIO DE FUNCIONAMENTO

O horário para as compras no Rio de Janeiro é tão variado quanto as próprias lojas.
As lojas de rua da Zona Sul permanecem abertas das 10h00–19h00, com algumas indo até as 20h00 ou 21h00. Aos sábados, elas abrem das 10h00–13h00 ou 14h00, algumas fechando mais tarde.
No Centro, elas funcionam das 09h00–18h00, de segunda a sexta-feira; algumas lojas abrem aos sábados, das 09h00–13h00.
Os grandes shopping centers funcionam de segunda a sábado, das 10h00–22h00, com os maiores abrindo aos domingos, das 15h00–21h00.
Vale a pena conferir nos sites antes de sair, porque os horários podem variar.

Sandálias havaianas à venda em uma loja no Rio de Janeiro

ÁREAS DE COMÉRCIO

Mais parecido com um bazar, a região da SAARA, nas Ruas da Alfândega, Senhor dos Passos e adjacências, no **Centro**, é o lugar para encontrar mercadorias baratas, coloridas e alegres.
A **Lapa** e arredores são ideais para achar antiguidades.
A principal rua de **Copacabana**, a Avenida Nossa Senhora de Copacabana, é uma longa faixa de comércio, com uma mistura eclética de lojas populares e cadeias de lojas de porte médio e também camelôs; existem várias lojas vendendo moda praia.
Da mesma forma, em **Ipanema**, há a Rua Visconde de Pirajá, onde a mistura é mais refinada, com cadeias populares, butiques de grife e joalherias lado a lado. Nas ruas Garcia D'Ávila e Nascimento Silva é onde as lojas de marcas são mais fortes, tais como Cartier e Louis Vuitton.
A Avenida Ataulfo de Paiva, no **Leblon,** tem padrão semelhante a Ipanema. Alguns dos melhores shopping centers (ver à direita) encontram-se na **Zona Sul** e na **Barra da Tijuca**.

DICAS SOBRE COMO COMPRAR

Sinais como "4x" ou "10x" nos preços nas vitrines indicam produtos que os brasileiros podem pagar em prestações, usando cartões de crédito. Os clientes de fora do Brasil devem pagar à vista, em dinheiro ou cartão de crédito.
Alguns cartões internacionais de débito e crédito não funcionam nas máquinas brasileiras, de forma que é uma boa ideia ter mais de um cartão. Se houver algum problema com o pagamento, os funcionários podem reservar um produto para você até o fim do dia.

COMPRAS

Em algumas lojas, os vendedores só recebem comissão e, por isso, insistem em fechar a venda.
Peça sempre uma nota fiscal pelas suas compras. Normalmente, o pagamento das compras é feito em um caixa na loja.

DESCONTOS

No Brasil, é comum conseguir um desconto de 5% a 10% se você pagar à vista, o que pode fazer diferença em itens mais caros. Algumas lojas grandes não oferecem isto, mas sempre se pode perguntar.
A "pechincha" é comum em lojas menores, principalmente se você vai pagar com dinheiro vivo. Também vale a pena tentar em lojas tradicionais, ainda mais se você for gastar muito. Se não conseguir uma redução nos preços, você pode tentar obter algum item de graça, um brinde. Nas lojas de rua, isso faz parte da prática comercial e os vendedores já esperam por isso, então, não tenha medo de arriscar.

DEVOLUÇÕES

Por lei, o prazo para devoluções é de 30 dias, embora muitas lojas ofereçam somente 15 dias para devolver a mercadoria. Se o artigo que você comprou apresentar defeito, eles são obrigados a substituí-lo ou a lhe dar uma nota de crédito para gastar na loja.
Se você simplesmente decidiu que não gostou do que comprou, não tem direito nem a nota de crédito nem a devolução. Porém, por cortesia, algumas lojas podem permitir que você troque o artigo.
Alguns produtos não podem ser trocados, como artigos de moda íntima. Normalmente os vendedores avisam no momento da compra.
A maioria das lojas brasileiras não dá, automaticamente, a nota fiscal, então certifique-se de pedir a sua.

Dica
Com o aumento das fraudes com cartões de crédito ou bancários, algumas lojas pedem uma prova de identidade com foto quando se paga com cartão; portanto leve uma peça de identidade quando for fazer compras mais importantes.

Onde comprar

CENTROS COMERCIAIS

Os **shopping centers** tornaram-se parte do lazer dos cariocas, já que incluem compras, cinemas, bares, restaurantes, uma creche e uma área de recreação infantil — tudo fora da rua e num lugar seguro. Embora eles existam em toda a cidade, os melhores shoppings centers estão na Zona Sul e na Barra da Tijuca. A Barra tem muitos shoppings por ser uma parte da cidade que está se expandindo em função de quem tem carro, pois esses shoppings têm grandes estacionamentos.

Botafogo Praia Shopping – *Praia de Botafogo. Alimentação e lazer:*
Aberto Seg–Dom 10h00–23h00.
21 3171 9559. www.botafogo-praia-shopping.com.br.
Este shopping center (170 lojas, a maioria de roupas e artigos para casa, em oito andares) é compacto comparado com os demais. Há um cinema multiplex, lanchonetes e restaurantes no andar superior, com terraço com vista para a Enseada de Botafogo e o Pão de Açúcar.

Shopping Leblon – *Av. Afrânio de Melo Franco 290, Leblon. 21 3138 8000. www.shoppingleblon.com.br.*
Nele existem cerca de 200 lojas, a maioria de marcas internacionais, embora também estejam presentes as grandes cadeias e grifes brasileiras. No andar superior há várias salas de cinema e restaurantes, bares e cafés, além de uma vista panorâmica da Lagoa e do Cristo Redentor.

SUA ESTADA NO RIO DE JANEIRO

> **Dica**
>
> Muitas das lojas desta lista encontram-se em shopping centers, o que significa que, aos domingos, elas geralmente abrem às 15h00 *(as exceções estão listadas com as informações da loja)*. No entanto, as praças de alimentação e estabelecimentos de lazer dos shoppings tendem a abrir de manhã.

Rio Sul – *Rua Lauro Müller 116, Botafogo.* 📞 *21 2122 8070. www.riosul.com.br.*
Em Botafogo, do outro lado do Túnel Novo, que faz a ligação de Botafogo com Copacabana, este shopping fica próximo se você estiver hospedado em Copacabana. O Rio Sul é o maior shopping do Rio de Janeiro fora da Barra da Tijuca. Reformado recentemente, conta com mais de 400 lojas espalhadas por quatro andares. Há também bares, cafés, restaurantes, academias de ginástica e diversos serviços, assim como salas de cinema.

Rio Design Leblon – *Av. Ataulfo de Paiva 270, Leblon.* 📞 *21 3206 9110. www.riodesign.com.br.*
Há mais ou menos 70 lojas (a maioria de estilistas e de artigos para casa) espalhadas pelos quatro andares. Os restaurantes ficam no térreo e no terceiro andar.

Shopping da Gávea – *Rua Marquês de São Vicente 52, Gávea.* 📞 *21 2294 1096. www.shoppingdagavea.com.br.*
Um shopping center com mais de 200 lojas, em três andares. Os restaurantes ficam no térreo. Há cinema multiplex, quatro teatros e duas áreas de recreação infantil.

BarraShopping – *Av. das Américas 4666, Barra da Tijuca.* 📞 *21 4003 4131. www.barrashopping.com.br.*
O maior shopping center da América do Sul. Com mais de 500 lojas, em três andares, provavelmente, após as compras, você vai sentir fome. Felizmente, há vários cafés, restaurantes e bares para você recuperar as energias. Ao lado há outro shopping, o **New York City Center**.

Rio Design Barra – *Av. das Américas 7777, Barra da Tijuca.* 🕐 Aberto diariamente (abre Dom 12h00). 📞 *21 2430 3024. www.riodesign.com.br.*
Irmão do Rio Design Leblon, este é mais um shopping de estilo, com muitas lojas de moda e artigos para casa. No andar superior (terceiro) há uma excelente seleção de restaurantes. Há também três salas de cinema.

MERCADOS

Os mercados do Rio de Janeiro são locais interessantes para comprar lembranças, quinquilharias... não são locais para comprar artigos de marca porque estes não são autênticos! Por ser um local com muitas pessoas, fique atento a seus objetos pessoais. Para conseguir os melhores preços, negocie de maneira educada e amigável.

Feira do Rio Antigo – *Rua do Lavradio, Centro.* 🕐 Aberta 10h00–19h00 primeiro Sáb do mês. *www.polonovorioantigo.com.br.*
No primeiro sábado de cada mês, a Rua do Lavradio e arredores se enche de gente procurando e comprando antiguidades, mas também artesanato e objetos diversos como discos antigos, livros usados, bijuterias, roupas etc. Quase 100 barracas se instalam nesse dia e os restaurantes da área abrem suas portas. Moradores e visitantes podem apreciar os músicos que tocam samba e chorinho.

Feira de Arte de Ipanema (Feira Hippie) – *Praça General Osório, Ipanema.* 🕐 Aberta Dom 07h00–17h00. *www.feirahippieipanema.com.*
A feira de arte e artesanato mais conhecida do Rio de Janeiro oferece grandes oportunidades. Funcionando desde 1968, este mercado vibrante não é mais para os hippies venderem o seu artesanato. Hoje, as barracas vendem bijuterias, bolsas, artigos para casa, lembranças, moda, arte e artesanato. O lugar perfeito para escolher um presente para levar para casa.

COMPRAS

Feira de Música – *Rua Pedro Lessa, Centro.* ⏰*Aberta 09h00–17h00 Seg–Sex e Sáb de manhã.*
Numa travessa bem ao lado da Biblioteca Nacional, é aqui que se compram e vendem CDs e discos. Se você é fã de música, com certeza encontrará algumas joias.

Mercado SAARA – *Rua da Alfândega e Rua Senhor dos Passos.* ⏰*Aberto Seg–Sex 09h00–18h00, Sáb 09h00–14h00.* ✆*21 3852 8790. www.saararario.com.br.*
Bem na estação do Metrô Uruguaiana fica o mercado mais vivo e colorido da cidade. Há lojas e barracas vendendo eletrônicos, artigos para casa, lençóis, roupas — inclusive de ginástica — moda praia e fantasias de Carnaval por preços muito razoáveis — especialmente para quem sabe pechinchar.

Centro de Tradições Nordestinas – *Campo de São Cristóvão s/n, São Cristóvão.* ⏰*Aberta Ter–Qui 10h00–16h00, Sex 10h00–Dom 22h00 (24 horas).* ✆*21 3860 9976. www.feiradesaocristovao.com.br.*
Uma feira permanente, a princípio realizada para os imigrantes nordestinos do Rio de Janeiro, mas frequentada por todos, esta é uma excursão fascinante. Um enorme grupo de barracas instalado dentro de um pavilhão, vende artesanato, redes de dormir, roupas, produtos alimentícios nordestinos etc. enquanto outras servem refeições e bebidas regionais ao som de forró.

Feira da Avenida Atlântica – *Av. Atlântica perto da Rua Djalma Ulrich, Copacabana.* ⏰*Aberta diariamente 19h00–24h00.*
Embora seja um mercado paralelo, ele já está estabelecido há tanto tempo que já é praticamente oficial. Lucrando abertamente com os turistas, ele tem biquínis, lembrancinhas clássicas, cangas, bolsas, bijuterias e alguns quadros. Pechinche bastante, já que os preços são inflacionados para turistas.

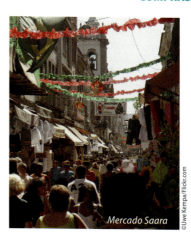

Mercado Saara

O que comprar

ANTIGUIDADES

O Rio de Janeiro tem muitas antiguidades e há duas áreas da cidade boas para se procurar esses objetos: a **Rua do Lavradio** e arredores da Lapa e o Shopping Copacabana, na **Rua Siqueira Campos 143**, Copacabana. Você também pode acompanhar um leilão numa das mais antigas casas de leilão da cidade, **Century's Arte e Leilões**, na Rua Bartolomeu Mitre 370, Leblon. Aos sábados, pela manhã, embaixo do Viaduto da Perimetral, na Praça XV, existe um mercado (Feira da Troca) de coisas antigas, onde se vende de tudo.

Pancotto Antiguidades – *Rua do Senado 43, Centro (Lapa).* ⏰*Aberta Seg–Sáb (fecha 15h00 Sáb).* ✆*21 2221 0927. www.pancottoantiguidades.com.br*
O proprietário Julio tem coisas lindas. Do Barroco aos anos 1950, ele recolhe tudo (incluindo muita mobília) do Espírito Santo, Minas Gerais, Bahia e Pernambuco. Suba a escada em espiral até a sobreloja para investigar mais.

Casa do Brazão – *Rua do Lavradio 60, Centro (Lapa).* ⏰*Aberta Seg–Sáb (fecha 15h00 Sáb).* ✆*21 2232 2670.*
Há 40 anos neste negócio, o Ricardo agora trabalha com seu filho Gustavo. Eles têm relógios de pulso, de bolso e

SUA ESTADA NO RIO DE JANEIRO

de parede e joias do séc. XIX até os anos 40. São especialistas em móveis dos anos 50 e 60, incluindo peças de alguns dos designers de móveis mais famosos do Brasil, como Joaquim Tenreiro e Sérgio Rodrigues.

Mercado Moderno – *Rua do Lavradio 130, Centro (Lapa).* ⓝ*Aberto Seg–Sáb (fecha 15h00 Sáb).* ℘*21 2508 6083.* *www.mercadomodernobrasil.com.br.* Esta loja é especializada em clássicos dos anos 50 a 80. Dois andares de mobília retrô, incluindo os designers Joaquim Tenreiro, Zalszupin, Sérgio Rodrigues, Zanini e Oscar Niemeyer.

Ernani – *Rua São Clemente 385, Botafogo.* ⓝ*Aberta Seg–Sáb (fecha 15h00 Sáb).* ℘*21 2539 2637.* *www.ernanileiloeiro.com.br.* Casa de leilões desde 1906, o Horácio já é a quinta geração no ramo. É melhor telefonar antes para verificar o horário de funcionamento. Eles negociam com pintura, escultura, prata e porcelana, do séc. XVII ao XIX.

Onze Dinheiros – *Rua Siqueira Campos 143, lojas 144–146, Copacabana.* ⓝ*Aberta Seg–Sáb (fecha 15h00 Sáb).* ℘*21 2256 1552.* *www.onzedinheiros.com.br.* Um verdadeiro achado em prata, móveis e cristal Baccarat, dos séc. XVIII e XIX, escondida neste canto de Copacabana. O acervo é especializado também em joalheria escrava da Bahia, uma antiguidade rara no Brasil.

GALERIAS DE ARTE

A Gentil Carioca – (ⓒ*ver p.119*)

Silvia Cintra e box4 – *Rua das Acácias 104, Gávea.* ⓝ*Aberta Seg–Sáb (abre 12h00 Sáb).* ℘*21 2521 0426.* *www.silviacintra.com.br.* Representando o melhor da arte, Silvia Cintra expõe Nelson Leirner e o fotógrafo Miguel Rio Branco. A galeria também tem vendido trabalhos de Amílcar de Castro, um dos mais famosos escultores brasileiros. Eles têm um segundo espaço, **box4**, que exibe trabalhos de artistas jovens.

Galeria Laura Marsiaj – *Rua Teixeira de Melo 31c, Ipanema.* ⓝ*Aberta Ter–Sáb.* ℘*21 2513 2074.* *www.lauramarsiaj.com.br.* Na quadra da praia, você pode dar uma parada, na ida ou na volta do seu banho de sol. A galeria tem dois espaços para arte contemporânea. Eles representam os premiados artistas Carlos Melo e Lucia Laguna e também uma ampla gama de trabalhos de jovens artistas brasileiros.

Anita Schwartz – *Rua José Roberto Macedo Soares, Gávea.* ⓝ*Aberta Seg–Sáb (abre 12h00 Sáb).* ℘*21 2274 3873.* *www.galeria.anitaschwartz.com.br* Galeria de arte contemporânea há 12 anos que abriu um novo espaço com três andares na Gávea. As exposições mudam a cada dois meses e ela representa Gonçalo Ivo, Abraham Palatnik e Carlos Vilio, entre outros.

Mercedes Viegas – *Rua João Borges 86, Gávea.* ⓝ*Aberta Seg–Sex 13h00–19h00, Sáb 16h00–20h00.* ℘*21 2294 4305. www.mercedesviegas.com.br.* Um espaço pequeno, mas famoso no mundo das artes, tanto pela arte contemporânea quanto pelos trabalhos modernos. A Mercedes representa onze artistas, incluindo Angela Venosa. A galeria também trabalha com revenda, incluindo os trabalhos de Anna Maria Maiolino.

LIVROS

Livraria da Travessa – *Av. Afrânio de Melo Franco 290, Shopping Leblon, loja 205.* ⓝ*Aberta diariamente (abre Dom 12h00).* ℘*21 3138 9600.* *www.travessa.com.br.* Uma ampla e agradável livraria para se perambular e se perder. Há um café-restaurante para descansar e comer rapidinho. A loja promove eventos e noites de autógrafos.

Argumento – *Rua Barata Ribeiro 502* ⓝ*Aberta Seg–Sáb.* ℘*21 2255 3783.* *www.livrariaargumento.com.br.* Pertence a uma cadeia de livrarias (existem lojas também no Leblon e na Barra da Tijuca) e fica numa das

COMPRAS

principais ruas de Copacabana. Fique de olho no site deles para os dias de autógrafos e outros eventos.

Siciliano – *Av. Nossa Senhora de Copacabana 766, Copacabana.* Aberta diariamente (fecha Sáb 17h00 e Dom 16h00). 21 2548 2683. www.siciliano.com.br.
Parte de uma enorme cadeia nacional, com filiais em Botafogo, Centro, Barra da Tijuca e São Conrado.

Saraiva – *Rua do Ouvidor 98, Centro.* Aberta Seg–Sáb (fecha Sáb 14h00). 21 2507 3785. www.livrariasaraiva.com.br.
Esta cadeia de livrarias foi fundada em 1928 e agora vende CDs e DVDs (*ver também MÚSICA*), eletrônicos, informática e jogos.

ARTESANATO E LEMBRANÇAS

Brasil & CIA – *Rua Maria Quitéria 27, Ipanema.* Aberta Seg–Sáb. 21 2267 4603. www.brasilecia.com.br.
A uma quadra da praia, esta loja tem artigos de arte e artesanato que são presentes e lembranças fantásticos. Você encontrará espelhos emoldurados em papel machê, feitos pelo grupo "Boracea" de um abrigo para "sem-teto" em São Paulo, assim como os famosos bonecos de barro pintados de Caruaru, Pernambuco, feitos pela família do Mestre Vitalino.

Brindes e Recordações

O Rio de Janeiro tem muitas lojas de souvenirs, mas tem também lojas específicas com uma variedade de itens autênticos, de artistas e artesãos de todo o Brasil. Alguns destes trabalhos são considerados obras de arte, então é importante saber diferenciar entre estas peças e as que são vendidas nas lojas de souvenirs.

Pé de Boi – *Rua Ipiranga 55.* Aberta Seg–Sex 09h00–19h00, Sáb 09h00–13h00. 21 2285 4395. www.pedeboi.com.br.
Esta loja interessante está cheia de peças artesanais, originárias de todos os pontos do país. Para os que apreciam artesanato de boa qualidade, assim como os que colecionam souvenirs, é difícil resistir à tentação de adquirir peças únicas como vasos decorados, artigos têxteis, redes finamente tecidos e cestos de vime, práticos e bonitos.

La Vereda – *Rua Almirante Alexandrino 428, Santa Teresa.* Aberta diariamente 10h00–21h00 (abre Seg 13h00). 21 2242 9434.
A proprietária Maria Victoria é apaixonada por arte brasileira. A loja de arte mais simpática de Santa Teresa é cheia de peças inovadoras, feitas por

Pé de Boi

SUA ESTADA NO RIO DE JANEIRO

Lola Atelier Café

artistas locais, como bijuterias feitas pelo grupo "Ação Comunitária do Brasil", da favela da Maré, além de roupas feitas à mão e excelentes CDs de música brasileira. Há muitas ideias para presentes e lembranças e, com certeza, você não sairá de mãos vazias.

Museu de Folclore Edison Carneiro (ver p.149)

Lola Atelier Café – *Rua Almirante Alexandrino 342, Santa Teresa. Aberto diariamente 10h30. 21 2224 7909. www.lolaateliercafe.com.br.*
Cheio de pinturas coloridas, cadernos, descansos para copos e pratos com a imagem do Cristo Redentor, esta linda lojinha para turistas oferece ideias de presentes para levar para casa.

Produzir – *Rua Real Grandeza 293, Botafogo. Aberta Seg–Sáb. 21 2332 4901. www.rioartesanato.com.br.*
Esta loja fica fora da área turística, mas vale a pena visitar. O trabalho dos artistas e artesãos é exposto de forma um tanto caótica, num espaço fornecido pelo governo e administrado por uma cooperativa de artesãos do Rio de Janeiro. Confira os jacarés de madeira feitos pelos índios de Paraty e Angra, além de imagens religiosas feitas de jornais e flores de palha.

Artíndia – *Museu do Índio, Rua das Palmeiras 55, Botafogo. Aberta Ter–Dom (abre Sáb–Dom 13h00). 21 3214 8719. www.museudoindio.gov.br.*
Adquira algo autêntico no Museu do Índio que vai fazê-lo recordar a sua viagem. Depois de cada exposição de arte e artesanato indígena, os objetos são postos à venda pela tribo retratada: máscaras, bolsas, vasos decorados e esculturas.

JOIAS

H.Stern – (ver p.164).

Amsterdam Sauer – *Rua Garcia D'Ávila 105, Ipanema. Aberta Seg–Sáb. 21 2525 0033. www.amsterdamsauer.com*
Conheça o mundo das pedras preciosas no Museu da Amsterdam Sauer. É emocionante ver um colar de topázio azul, ametista e citrino, de 188 quilates, por US$ 28.000. A origem da loja está ligada à descoberta de uma mina de esmeraldas na Bahia pelo Sr. Sauer nos anos 60. Porém a loja comercializa todos os tipos de pedras preciosas e semipreciosas.

Fantasias de Carnaval

Você vai precisar se equipar para entrar no espírito do Carnaval. Então, vá direto para o SAARA (ver p.263), onde a **Casa Turuna**, na Rua Senhor dos Passos 122–124, vende tecidos, bijuterias, fantasias e plumas. É Carnaval o ano todo também no **Babado da Folia**, na Rua da Alfândega 365, onde há uma seleção de máscaras, fantasias prontas, balangandãs e outros, tanto nesse endereço quanto na loja-irmã, na Rua Buenos Aires 287–300, que também vende biquínis de lantejoulas para as sambistas mais ousadas. Compre uma fantasia pronta e transforme-se em Fred Flintstone ou num faraó nas **Lojas de Bijuterias Silmer Ltda.**, na Rua da Alfândega 171–173. Outra opção é pedir à Norma que lhe faça um traje sob medida — ela está no ramo carnavalesco há 35 anos — na **Fantasia da Norma**, na Rua Regente Feijó 22. Bom Carnaval!

COMPRAS

Antonio Bernardo – *Rua Garcia D'Ávila 121, Ipanema.* Aberta Seg–Sáb. 21 2512 7204. www.antoniobernardo.com.br.
Joias contemporâneas absolutamente únicas. Dê uma olhada nos extravagantes pingentes de ouro 18 quilates, com acabamento fosco, pendurados numa tira de couro. Aproveite para dar uma olhada numa das peças expostas, "Explosion" (feita especificamente para o show "Sexo e Romance").

Sara – *Rua Garcia D'Ávila 129, Ipanema.* Aberta Seg–Sáb (fecha Sáb 16h00). 21 3202 4500. www.sarajoias.com.
Esta loja existe há 35 anos e tem sólida reputação no Rio de Janeiro. Há lojas também no Leblon e em São Conrado. Laja Zilberman é a desenhista que faz peças únicas com materiais de alta qualidade e também vende grandes marcas como Rolex e Cartier.

Natan – *Rua Vinicius de Moraes 111, Ipanema.* Aberta Seg–Sáb. 21 2525 5555. www.natan.com.br.
Considerada uma das maiores no mundo das joias, esta rede é voltada para o desenho tradicional e é conhecida pela alta qualidade dos materiais e pedras.

VESTUÁRIO

Estilistas e Butiques

Isabela Capeto – *Rua Dias Ferreira 217, Leblon.* Aberta Seg–Sáb. 21 2540 5232. www.isabelacapeto.com.br.
Cada peça é uma obra-prima. Feitas à mão, são também de estilo muito romântico, com bordados, rendas clássicas, lantejoulas e enfeites.

Contemporâneo – *Rua Visconde de Pirajá 437, Ipanema.* Aberta Seg–Sáb. 21 2287 6204.
É uma butique que abriga uma seleção das últimas coleções dos melhores estilistas brasileiros como Alexandre Herchcovitch, Fause Haten e Reinaldo Lourenço. Há também no local uma galeria de arte e um café.

Andrea Saletto – *Rio Design Leblon, Av. Ataulfo de Paiva 270, loja 205.* Aberta diariamente (abre Dom 12h00). 21 2274 7713. www.permanenteas.com.br.
Uma das etiquetas femininas mais caras do Rio de Janeiro; é discreta, de estilo personalizado e muito sutil.

Maria Bonita – *São Conrado Fashion Mall, loja 223, Estrada da Gávea 899.* 21 3324 5465. www.mariabonita.com.br.
Uma das etiquetas mais antigas do Rio de Janeiro, a Maria Bonita é muito conhecida entre os cariocas pelo corte impecável, pela elegante moda feminina e pelos tecidos de primeira classe. Há filiais em Ipanema, Leblon e Barra da Tijuca.

Osklen – *Rua Maria Quitéria 85, Ipanema.* Aberta diariamente (abre Dom 11h00). 21 2227 2911. www.osklen.com.
Roupas confortáveis, divertidas e casuais. O desenho é extravagante e descolado e atrai pessoas que querem mais um pouco de estilo. Há coleções femininas e masculinas que incluem roupas de banho, sapatos, bolsas, chapéus e carteiras. Há lojas no Leblon, Gávea, Barra da Tijuca e Botafogo.

Mixed – *Rua Garcia D'Ávila, Ipanema.* Aberta Seg–Sáb. 21 2259 9544. www.mixed.com.br.

Isabela Capeto

SUA ESTADA NO RIO DE JANEIRO

Serviços de Lavanderia

Algumas lavanderias oferecem somente a lavagem, em que se paga por quilo de roupa. Outras têm preço fixo por um número específico de itens.

A forma mais barata é você mesmo pôr e tirar a roupa da máquina, porque neste caso você paga por cada carga de roupa.

Lav e Lev – *Rua Bolívar 21a, Copacabana.* 📞 *21 2549 3996.*

Laundromatt – *Rua Farme de Amoedo 55, Ipanema.* 📞 *21 2267 2377.*

Laundry Service – *Rua Humberto Campos 827 loja F, Leblon.* 📞 *21 2274 2711.*

O nome perfeito para esta butique chique. O pessoal da Mixed desenha sua própria coleção, que é principalmente roupa elegante para se usar de dia e à noite. Há lojas na Barra da Tijuca e São Conrado.

Complexo B – *Rua Francisco Otaviano 67, loja 42, Copacabana.* 📞 *21 2521 7126. www.complexob.com.br.* Esta moderna butique vende e cria moda contemporânea para os jovens antenados do Rio. Eles têm muitas roupas com temas e figuras do sincretismo religioso afro-brasileiro, principalmente São Jorge. A loja fica em uma galeria especializada em roupas e material para surfistas e praticantes de skate.

Drako – *Rua Francisco Otaviano 55, Copacabana.* 📞 *21 2227 7393.* Preferida pelos brasileiros e pelos turistas, e bem estabelecida no grupo gay, esta loja vende roupas e acessórios modernos. No Rio, você verá nas ruas de Ipanema pessoas usando suas camisetas com as palavras "Ipanema" ou "Carioca". A loja tem uma filial da Rua Visconde de Pirajá, próximo à Praça General Osório.

Roupa casual

Richards – *Shopping Leblon, Av. Afrânio de Melo Franco 290, loja 208.* 📞 *21 2294 4036. www.richards.com.br.* Informal clássico masculino e feminino em linho e algodão de qualidade. Esta loja é o carro chefe, mas há outras em Ipanema, Botafogo, Barra da Tijuca, Centro, Gávea e uma segunda loja no Leblon.

Eclectic – *Shopping Leblon, Av. Afrânio de Melo Franco 290, loja 111.* 📞 *21 2239 3242. www.eclectic.com.br.* As garotas cariocas adoram esta loja, onde a roupa é bastante informal: jeans, shorts, calças, camisetas, jaquetas, vestidos e blusas que têm aquele jeito fashion. Também em Ipanema, Gávea, Botafogo, Centro e Barra da Tijuca.

Sandpiper – *Rua Visconde de Pirajá 514, Ipanema.* 🕐*Aberta Seg–Sáb.* 📞 *21 2511 6406. www.sandpiper.com.br.* Muito popular entre os cariocas, a Sandpiper tem roupas tanto para mulheres quanto para homens. Esta rede de lojas é considerada uma das marcas mais em conta do Rio. A maior loja fica em Botafogo, mas também há lojas na Barra da Tijuca e no Centro .

Wöllner – *Rua Visconde de Pirajá 511, Ipanema.* 🕐*Aberta diariamente (abre Dom 15h00).* 📞 *21 2239 3222. www.wollner.com.br.* Informal masculino e feminino, a preços acessíveis, adorados pelos cariocas. Há também uma boa seleção de bolsas e mochilas. Este é o endereço principal, mas existem outras lojas em Botafogo, Gávea, Barra da Tijuca, Centro e Niterói.

Farm – *Rua Visconde de Pirajá 365, lojas C e D, Ipanema.* 🕐*Aberta diariamente (abre Dom 15h00).* 📞 *21 3813 3817. www.farmrio.com.br.* A Farm tem estilo, com muitas cores. Os vestidos e conjuntos têm um estilo pós-praia que se vê nas ruas de Ipanema e Leblon. Esta loja é a principal, mas você encontra outras na Barra da Tijuca, Leblon e Gávea.

COMPRAS

Clássicos

Eu Amo – *Rua Monte Alegre 374, Santa Teresa.* Aberta Seg–Sáb. 21 2221 2855. www.euamovintage.com.br.
Flavia Monteiro e Deborah Niemeyer são apaixonadas por clássicos, então não foi surpresa chamarem a loja de "Eu amo". Elas compram e restauram roupas masculinas e femininas autênticas dos anos 20 aos 80.

Anexo Vintage – *Shopping da Gávea, Rua Marquês de São Vicente 52.* Aberta Seg–Sáb. 21 2529 8253.
Escondida atrás do shopping, no anexo, esta loja chique tem bolsas clássicas de Chanel, Gucci, Cartier, Dior, Lacroix e Montana. De vez em quando, também estocam roupas dos anos 50 e 60.

Moda praia

Blue Man – *Rio Sul, Rua Lauro Müller 116, loja 201, Botafogo.* Aberta Seg–Sáb. 21 2541 6896. www.blueman.com.br.
A coleção feminina tem diferentes classes, onde se pode misturar e combinar a parte de cima com a de baixo e compor o estilo desejado. Alguns modelos têm um corte maior, para agradar ao gosto europeu e americano. Há coleções masculinas com uma grande variedade de sungas e bermudas. Existe também uma coleção infantil e vários acessórios para praia, incluindo guarda-sóis e saídas de praia.

Lenny – *Rua Visconde de Pirajá 351, loja 114, Ipanema.* Aberta Seg–Sáb. 21 2523 3796. www.lenny.com.br.
Importante cadeia do Rio de Janeiro para senhoras chiques que gostam de usar moda praia e pós-praia discreta. A Lenny desenha biquínis e maiôs discretos e de muito bom gosto. Existem lojas em Ipanema e na Gávea.

Salinas – *Rua Visconde de Pirajá 547, loja 204–5, Ipanema.* Aberta Seg–Sáb. 21 2274 0644. www.salinas-rio.com.br.
O verdadeiro biquíni baixo, feito com imaginação e uma pitada de humor, é considerado pelas cariocas como uma peça obrigatória.

Bum Bum – *Shopping Leblon, Av. Afrânio de Melo Franco 290, loja 108K.* 21 3875 1021. www.bumbum.com.br.
Você pode escolher qualquer sutiã e qualquer calcinha. Há uma excelente seleção de saídas de praia para a sua caminhada de volta ao hotel, além de sacolas de praia, chapéus, cangas,

Maracatu Brasil

Instrumentos Musicais

A arte da música ao vivo vai muito bem no Brasil e há inúmeras lojas de instrumentos musicais para se escolher, especialmente na **Rua da Carioca**, no Centro, onde vem surgindo uma nova geração de lojas especializadas.

A **Acústica**, no nº 54, é uma daquelas onde você pode experimentar um instrumento num dos três estúdios que eles têm. Outra boa opção é o **Sax de Ouro**, no nº 24. A **Casa Oliveira**, no nº 70, existe há mais de 50 anos e dizem que o Caetano Veloso já passou por lá para comprar instrumentos. Mais à frente, no nº 43, a **Acústica Perfeita** já vendeu para a sambista Alcione, enquanto que a **Sonic Som**, no nº 25, viu o Seu Jorge e The Doors entrarem lá. Para o que há de melhor em percussão, vá à **Maracatu** nas Laranjeiras (ver p.132).

269

SUA ESTADA NO RIO DE JANEIRO

bijuterias grandes e cintos. Para os homens há uma escolha limitada de sungas, pois a loja se concentra na sua coleção feminina. A loja do Leblon é a maior, com filiais em Ipanema, Botafogo e Barra da Tijuca.

ACESSÓRIOS

MG Bazar – *Rua Figueiredo Magalhães 414, Copacabana.* Aberto Seg–Sáb *(fecha Sáb 16h00).* 21 2548 1664.
Local perfeito para comprar Havaianas, uma verdadeira caverna de Ali Babá, com chinelos de borracha até onde a vista alcança e preços razoáveis.
As sandálias Havaianas têm várias séries e modelos: algumas são lisas, com uma só cor, outras têm desenhos temáticos, com animais e flores da Amazônia, ou até ligados a esportes, como o surfe.
Existem modelos femininos, com salto mais alto. Algumas têm cores diferentes nas tiras. Lojas de marcas esportivas já possuem séries especiais.

Fiszpan – *Rua Visconde de Pirajá 580, Ipanema.* Aberta Seg–Sáb.
21 2274 7834. www.fiszpan.com.br.
Os brasileiros, especialmente os cariocas, adoram um acessório. Aqui você encontrará uma ampla seleção de bijuterias, incluindo alguns artigos em madeira. Há bolsas, echarpes, chapéus de caubói e pulseiras grossas. Originariamente era uma loja de perucas e nela ainda é possível encontrar esses produtos da mais alta qualidade.

Parceria Carioca – *Rua Visconde de Pirajá 351, loja 215, Ipanema.* Aberta Seg–Sáb *(fecha Sáb 15h00).* 21 2267 3222. www.parceriacarioca.com.br.
Fantásticas bijuterias, bolsas e sandálias coloridas. Tudo começou em 1997, quando a designer Flávia Torres começou a ensinar técnicas artesanais no Projeto São Cipriano, no Rio de Janeiro, o que a levou para a loja no Jardim Botânico. Agora há também uma loja na Gávea.

Peach – *Rio Design Leblon, Av. Ataulfo de Paiva 270, loja 116.* 21 2511 8801.
www.constancabasto.com.br.
A versão mais jovem e informal dos sapatos Constança Basto (como os que Nicole Kidman e Cameron Diaz usam), alguns destes calçados confortáveis e de classe têm que estar na sua sapateira.

Glorinha Paranaguá – *Rua Visconde de Pirajá 365, loja 2, Ipanema.* Aberta Seg–Sáb. 21 2267 4295.
www.glorinhaparanagua.com.br.
O paraíso das bolsas tropicais, onde o bambu, o tecido, o couro e o crochê têm estilo. Você encontrará também carteiras e bijuterias. Tradicional entre as pessoas de bom gosto e da sociedade.

Jelly – *Rua Visconde de Pirajá 529, Ipanema.* Aberta Seg–Sáb.
21 3813 9328. www.jellyweb.com.br.
Levando calçados sintéticos coloridos muito além dos chinelos, a Jelly tem sapatos plásticos aos montes, num caleidoscópio de matizes. Não apenas o que você usa para caminhar na areia, mas também atraentes sapatos altos. Mochilas, bolsas e carteiras coloridas à venda. Mais lojas em Botafogo, Centro e Barra da Tijuca.

LOJAS DE DISCOS

Modern Sound – *Rua Barata Ribeiro 502D.* Aberta Seg–Sáb. 21 2548 5005. www.modernsound.com.br.
A insuperável loja de discos que é considerada uma das melhores do Rio. A entrada estreita não corresponde à enorme loja que está atrás Todos os gêneros da música brasileira estão representados, além de uma grande seleção de rock, jazz e música clássica. Alguns vendedores da loja trabalham há muitos anos no local e conhecem os títulos disponíveis.
Há música ao vivo grátis a partir das 17h00, todos os dias, e vários eventos com música ao vivo. Se você ficar confuso sobre o que comprar, vá ao bistrô Allegro para um café ou uma refeição e reveja a sua lista de CDs.

COMPRAS

Modern Sound

CD Centro Music – *Rua da Quitanda 3, loja B, Centro.* Aberta Seg–Sáb (fecha Sáb 12h00). 21 2524 5338.
Uma loja pequena, mas bem abastecida, em que o dono está no ramo da música há 40 anos. O Pelé e o Milton Nascimento vieram para a inauguração uma década atrás. Embaixo, há um agradável café onde se pode buscar abrigo do burburinho do Centro. Trata-se de uma loja tradicional, onde, por vezes, pode-se encontrar produtos especiais.

FNAC – *BarraShopping, Av. das Américas 4666, loja B 101–114.* 21 2109 2000. www.fnac.com.br.
Parte de uma cadeia internacional que vende livros, DVDs e CDs, assim como material eletrônico. Esta é a única loja no Rio de Janeiro. Nela podem ser encontrados todos os gêneros de música, embora a seção maior seja a de MPB, além de música clássica e rock/popular internacional. A FNAC também conta com uma grande oferta de revistas e livros, separados por temas. Na loja existe um café.

Saraiva – *Rua do Ouvidor 98, Centro.* Aberta Seg–Sáb (fecha Sáb 14h00). 21 2507 3785. www.saraivajur.com.br.
A Saraiva é uma livraria que expandiu com sucesso suas atividades para a área de CDs e DVDs.
O grande departamento de música no primeiro andar (*ver também LIVROS*) se orgulha de suas abrangentes seções de MPB e rock brasileiro, além de uma seção muito boa de jazz e bossa nova. Todos podem ser ouvidos em vários pontos da loja. Por ser uma cadeia nacional, também há lojas no Rio Sul e em shoppings da Barra da Tijuca.

Livraria da Travessa – *Shopping Leblon, Av. Afrânio de Melo Franco, 290, loja 205.* Aberta diariamente (abre Dom 14h00). 21 3138 9600. www.travessa.com.br.
Dentro da livraria, nos fundos, há uma sobreloja com excelente departamento de música, com CDs e DVDs. Existe uma oferta diferenciada de documentários e depoimentos de intelectuais, assim como coleções científicas. As melhores seções são a de jazz e a de MPB. Existem filiais na Barra da Tijuca, Ipanema e no Centro, sendo que a maior em música é esta. A loja aceita encomendas para importação de CDs e DVDs.

Plano B – *Rua Francisco Muratori 2A, Lapa.* Aberta Seg–Sáb (abre 12h00). 21 2509 3266. www.planob.net.
Uma loja boêmia onde os funcionários podem salvá-lo se você não souber o que é samba-funk. Há uma diversificada seleção de jazz e misturas eletrônicas e muito vinil. Por se encontrar em uma região boêmia, a loja fica aberta até bem tarde.

271

SUA ESTADA NO RIO DE JANEIRO

ESPORTE ESPETÁCULO

De longe o esporte mais popular do Rio de Janeiro é o futebol, que, para os cariocas, é tão essencial como o samba e o Carnaval. Assistir a um jogo no Maracanã é uma oportunidade imperdível. Pode-se assistir partidas de futebol, vôlei e futevôlei (uma hábil combinação de futebol e vôlei) nas Praias de Copacabana e Ipanema. Em junho, a beleza da cidade também é palco para a espetacular Maratona do Rio (ver Calendário de Eventos).

Futebol

O único país vencedor de cinco Copas do Mundo, o Brasil é conhecido como a capital mundial do futebol.
A impressionante habilidade dos principais jogadores justifica a reputação do Brasil como o país de onde surgiu o estilo que melhor explica o futebol brasileiro: o "futebol arte". O Rio de Janeiro, com o **Estádio do Maracanã**★, um dos maiores e mais famosos do mundo, e com quatro famosos times da primeira divisão: Botafogo, Flamengo, Fluminense e Vasco, pode ser considerado a capital do futebol brasileiro.
O inglês, nascido no Brasil, Charles Miller é reconhecido como a pessoa que introduziu o futebol no Brasil e que levou o jogo para o Clube Atlético de São Paulo, no final do séc. XIX.
No Rio, o futebol foi introduzido pelo anglo-brasileiro, Oscar Cox, que organizou o primeiro jogo no Rio Cricket & Associação Atlética, em 1901, e depois criou o Fluminense Football Club em 1902.

O Fluminense foi o primeiro clube dedicado somente ao futebol mas, nos dez anos seguintes, outros clubes desportivos fundaram seus próprios times: Flamengo, Vasco da Gama e Botafogo; os quatro times ainda dominam o cenário atual. No início, devido à sua origem inglesa e voltado para a classe média, o futebol era reservado à elite. Somente na década de 1930, o futebol se tornou um esporte mundial e adquiriu a popularidade que tem até hoje.
Desde a década de 1950, principalmente depois de o Brasil vencer a Copa do Mundo pela primeira vez, em 1958, muitos dos melhores jogadores do país ou eram cariocas ou, pelo menos, jogaram e se notabilizaram no gramado do Maracanã, incluindo recentemente os famosos Ronaldo, Ronaldinho, Kaká e Dida. Jogadores célebres também jogaram no Rio como Garrincha e Nilton Santos, no Botafogo; Zico e Romário, no Flamengo; Telê Santana e Didi, no Fluminense; e Roberto Dinamite, Ademir e Vavá, no Vasco da Gama.

Estádio do Maracanã

ESPORTE ESPETÁCULO

CLUBES DE FUTEBOL
do Rio de Janeiro

Os quatro times do Rio de Janeiro: Botafogo, Flamengo, Fluminense e Vasco da Gama têm tido presença dominante nos campeonatos de futebol nos últimos anos; na verdade, a última vez em que um outro time venceu um campeonato, o Campeonato Carioca, foi o Bangu, em 1966. O Flamengo e o Fluminense são os grandes rivais e cada um mantém um recorde de 30 campeonatos estaduais. Muitas das estrelas do futebol de todos os tempos jogaram nos clubes do Rio, incluindo Garrincha, Zico e Roberto Dinamite.

A maioria dos jogos entre os clubes do Rio de Janeiro é realizada no Maracanã. Porém, alguns times possuem seus próprios estádios, onde são realizadas outras partidas e que são utilizados para treinamento. O segundo estádio da cidade é o Estádio Olímpico João Havelange, também conhecido com Engenhão, que foi construído para os Jogos Pan-Americanos de 2007 e, atualmente, é o campo do Botafogo.

A estrutura dos campeonatos de futebol no Brasil é complexa. Existem dois campeonatos: um estadual e outro nacional. No Rio de Janeiro, o Campeonato Carioca, ocorre de janeiro/fevereiro até abril/maio. Os vencedores seguem então para o Campeonato Brasileiro, realizado de maio a dezembro. Existem outros campeonatos disputados com diversos clubes de outros países do continente.

BOTAFOGO
Clube fundado em 1891 e time de futebol criado em 1904
Cores: Camisa com listras verticais em preto e branco
Títulos: 18 campeonatos estaduais, campeões nacionais em 1995
Jogadores famosos: Garrincha, Nilton Santos, Jairzinho
Estádio: Engenhão
Website: www.botafogo.com

FLAMENGO
Clube fundado em 1895 e time de futebol criado em 1911
Cores: Camisa com listras horizontais em preto e vermelho
Títulos: 30 campeonatos estaduais; cinco campeonatos brasileiros
Jogadores famosos: Zico, Romário, Bebeto
Estádio: Gávea
Website: www.flamengo.com.br

FLUMINENSE
Clube de futebol fundado em 1902
Cores: Camisa com listras verticais em vermelho, branco e verde
Títulos: 30 campeonatos estaduais, campeões nacionais em 1984
Jogadores famosos: Castilho, Telê Santana, Didi
Estádio: Estádio das Laranjeiras
Website: www.fluminense.com.br

VASCO DA GAMA
Clube fundado em 1898 e time de futebol criado em 1915
Cores: Camisa branca com uma faixa diagonal preta
Títulos: 22 campeonatos estaduais, quatro campeonatos brasileiros
Jogadores famosos: Bellini, Roberto Dinamite, Vavá
Estádio: Estádio São Januário
Website: www.crvascodagama.com

SUA ESTADA NO RIO DE JANEIRO

Futebol

"A exuberância e a alegria dos torcedores brasileiros é parte do patrimônio do futebol. Esta é uma mistura cantante e dançante de raças, sexos e idades. Eles fazem muito barulho, usam e abusam das cores e estão sempre prontos para uma festa. Os brasileiros… levaram o carnaval para os campos de futebol."

Alex Bellos De Futebol: O Brasil em Campo, Jorge Zahar, 2003, tradução de Jorge Viveiros de Castro.

Mesmo se você não for um fanático por futebol, não deve perder a oportunidade de assistir a uma partida no Maracanã, principalmente se for um clássico, como um "Fla–Flu". Não é só o jogo, mas também a batucada, os fogos, as torcidas e as bandeiras coloridas nas arquibancadas que criam a atmosfera mágica do futebol. Sobretudo é a paixão dos torcedores que, em um minuto, gritam com o árbitro e, no outro, explodem de emoção com um gol.

Mas a paixão dos cariocas não é somente por causa do Maracanã ou dos jogadores famosos. Para os brasileiros, o futebol faz parte do dia a dia, pode ser jogado em qualquer espaço, seja na rua ou nas areias de Copacabana. Até o vôlei de praia foi adaptado, criando uma fusão com o futebol: o *futevôlei* (ver quadro, ao lado), que você pode ver nas praias do Rio.

ESTADIO DO MARACANÃ ★

Rua Professor Eurico Rabelo e Av. Maracanã, Portão 18. Ingressos vão de R$ 20–100. Fechado 2010–2013 para reforma. 21 2334 1705/2566 7800/2569 3346.

Um dos maiores estádios de futebol do mundo e ainda o mais famoso, sem discussões, o Maracanã é o cenário das principais partidas do Rio de Janeiro e é considerado uma atração imperdível por muitos visitantes, sejam eles fãs de futebol ou não (*ver p.121 para detalhes sobre o tour*).

O estádio foi finalizado para a Copa do Mundo de 1950, com capacidade para 183 mil pessoas. Na final dessa Copa, em que o Brasil perdeu para o Uruguai, o Maracanã recebeu quase 200 mil pessoas.

Devido ao seu tamanho monstruoso, os bilhetes para as partidas dificilmente se esgotam e é possível adquiri-los nas bilheterias. Como alternativa, os bilhetes podem ser adquiridos também na recepção da maioria dos hotéis e nas agências de turismo do Rio.

O preço vai depender do jogo e do local onde você desejar se sentar. Há uma área do estádio reservada para fãs "neutros", para onde geralmente as famílias e os turistas vão. E um aviso: os bilhetes para esta área mais tranquila são mais caros *(cerca de R$ 40)* do que os ingressos comuns R$ 25–30.

Vôlei de praia na Praia de Ipanema

ESPORTE ESPETÁCULO

Jockey Club Brasileiro

Vôlei

No Rio, o vôlei é jogado em áreas de lazer, em quadras internas e na praia. Depois do futebol, o vôlei é o esporte favorito dos cariocas, tanto para assistir como para jogar. Duplas ou times, femininos e masculinos, frequentemente, ganham medalhas de ouro.

O Rio é o berço do vôlei de praia e é a cidade onde o campeonato mundial foi introduzido em 1987. Existe um Campeonato Internacional anual que é realizado no Rio, no final de janeiro e início de fevereiro. Os campeonatos em quadra coberta são realizados no Estádio Gilberto Cardoso, conhecido como **Maracanãzinho**. Situada ao lado do Maracanã, esta arena foi inaugurada em 1954 e foi reformada em 2007. Tem capacidade para 12.600 pessoas e o preço das entradas depende do jogo (as entradas para o campeonato mundial custam R$ 100).

Rei e Rainha da Praia
21 2495 7426/3154 7944
www.reidapraia.com.br

Maracanãzinho
Rua Professor Eurico Rabelo s/n,
Complexo Esportivo do Maracanã
21 2299 2917. http://www.suderj.rj.gov.br/maracanazinho.asp

Corrida de cavalos

O elegante Jockey Club Brasileiro é o único hipódromo do Rio de Janeiro, muito bem localizado entre a Lagoa e o Jardim Botânico, com vista para o Parque Nacional da Tijuca e o Corcovado.

Aberto em 1926, a magnífica arquibancada do clube acomoda 35 mil espectadores. As corridas são nas segundas *(18h30)*, sextas *(16h30pm)* e sábados e domingos *(14h00)*. A entrada é franca e os visitantes são bem vindos na área fechada para sócios, onde há restaurantes e bares. O maior evento anual do clube é o Grande Prêmio do Brasil, realizado no primeiro domingo de agosto.

Jockey Club Brasileiro
Praça Santos Dumont 31, Gávea
21 3534 9000. www.jcb.com.br

Futevôlei

Na década de 1960, os jogadores de futebol transferiram para as quadras de vôlei de praia essa modalidade esportiva que mistura futebol e vôlei. Hoje em dia, ele é jogado nas praias do Rio; a regra geral é que os jogadores podem usar qualquer parte do corpo, menos as mãos e os braços. Os jogos são geralmente em duplas e, quando os principais jogadores estão na quadra, muitas pessoas se juntam para observar suas habilidades com a bola.

SUA ESTADA NO RIO DE JANEIRO

SAÚDE E BEM-ESTAR

Com o clima quente o ano todo, as praias e as montanhas do Rio de Janeiro são lugares ideais para fazer exercícios ao ar livre. Entretanto, se o clima estiver chuvoso, há diversas academias particulares de ginástica e clubes que oferecem todos os tipos de atividade que você possa imaginar.

Academias

Os bairros da Zona Sul e da Zona Oeste têm uma grande população que mora à beira mar. Os moradores do Rio vão à praia para pegar sol, mergulhar, malhar, fazer jogging, andar de bicicleta ou somente para se desestressar. Os cariocas utilizam a praia mais próxima como uma academia ao ar livre. As praias possuem áreas para exercícios, ciclovias, calçadas para correr, além dessa enorme piscina de água salgada: o Oceano Atlântico.

No entanto, há diversos clubes na cidade que oferecem várias atividades, desde boxe até ioga; os principais hotéis geralmente também possuem salas de ginástica para seus hóspedes, algumas abertas a pessoas de fora. Todas as academias têm um professor de educação física, mas muitas pessoas têm personal trainers.

A! Body Tech

www.abodytech.com.br

- ◆ *Av. N. S. de Copacabana 801* Copacabana – ☎ *21 3816 1791*

- ◆ *Rua Visconde de Pirajá 365B* Ipanema – ☎ *21 2523 3898/1796*

Estação do Corpo

www.estacaodocorpo.com.br
R$ 60.00 por dia ou R$ 30.00 após as 13h00. Também possui piscina e sauna.

- ◆ *Av. Borges de Medeiros 1426* Lagoa – ☎ *21 2108 3902/2108 3903*

Spas

Não há muitos Spas no Rio de Janeiro, o que chega a ser uma surpresa, levando-se em consideração a preocupação dos cariocas com o corpo.

Muitos hotéis do Rio possuem Day Spas e fora da cidade existem alguns Spas bastante confortáveis.

Copacabana Palace

Av. Atlântica 1702
☎ *21 2548 7070*
www.copacabanapalace.com.br

Espaço Nirvana

Jockey Club do Rio de Janeiro
Praça Santos Dumont 31
Gávea
☎ *21 2187 0100*
www.enirvana.com.br

Le Spa

Hotel Santa Teresa
Rua Felício dos Santos
Santa Teresa
☎ *21 3380 0200*
www.santateresahotel.com

Spa Lancome

Hotel Fasano,
Av. Vieira Souto 80
Ipanema
☎ *21 3202 4000*
www.fasano.com.br

Saison Spa

Rua Ministro Armando Alencar 40
Itaipava — Petrópolis
☎ *24 2222 2380*
www.saison.com.br

Spa Posse do Corpo

Av. Noêmia Alves Rattes 134
Posse — Petrópolis
☎ *24 2259 3333*
www.spapossedocorpo.com.br

Spa Maria Bonita

Rodovia Teresópolis–Friburgo km 56
Nova Friburgo
☎ *22 2543 1212*
www.spamariabonita.com.br

SAÚDE E BEM-ESTAR

Ioga

Várias academias e clubes oferecem cursos de ioga, uma atividade cada vez mais popular no Rio. Também há centros de Ioga que possuem cursos especializados.

Academia Hermógenes de Yoga
Rua Uruguaiana 118
Centro
☏ 21 2224 9189
www.profhermogenes.com.br

Blyss Yoga
Rua Visconde de Pirajá 318
Ipanema
☏ 21 3627 0108
www.blyss.com.br

Kailasa Filosofia Yoga Terapias
Travessa Angrense 14/304
Copacabana
☏ 21 2549 1707
www.tantrayoga.com.br

Outras atividades esportivas

CAPOEIRA

Este jogo em forma de dança foi introduzido por escravos angolanos no Brasil. Os *capoeiristas* giram e jogam capoeira em pares, no centro de um círculo, chamado de *roda de capoeira*, acompanhados de percussionistas e de alguém que toca o berimbau. O berimbau, com seu som metálico, é o instrumento que cadencia a capoeira, acompanhado pelo atabaque, o pandeiro, o caxixi (espécie de chocalho), entre as palmas e cânticos. Os jogadores se enfrentam de forma acrobática ao som hipnótico da música. Eles não devem ter contato físico durante o jogo.
Apesar da Bahia continuar sendo a capital da capoeira no Brasil, há diversos instrutores e academias no Rio, onde os residentes e visitantes podem praticar. No final das tardes de sexta-feira e finais de semana, você pode ver treinos informais nas ruas.

Centro de Capoeira Angola do Rio de Janeiro
Rua do Catete 164
Catete *(em frente à estação de Metrô Catete)*
☏ 21 9954 3659/2558 8015
http://ccarj.magaweb.com.br

Associação Lagoa Azul Capoeira
Av. Borges de Medeiros
Lagoa
☏ 21 2539 1809
www.lagoaazulcapoeira.com

Grupo de Capoeira Angola e Centro Cultural Senzala
Clube Copa Leme
Ladeira Ary Barroso 1
Leme
☏ 21 3209 2518/8232 8745

JIU-JÍTSU

Muitas artes marciais são populares no Rio, entre elas o Jiu-jítsu. Os melhores lugares para encontrar aulas são as academias (🕓 *ver lista nestas duas páginas*) ou através de especialistas ou guias turísticos esportivos, incluindo:

Fightzone
Rua Francisco Sá 36
Copacabana (Posto 6)
☏ 21 2287 1423

Academia Brazilian Fight
Rua Rodrigo de Brito 11
Botafogo
☏ 21 2591 7893/9393 1200

Gracie Barra Rio Sport Center
Av. Ayrton Senna 2541
Barra da Tijuca
☏ 21 2480 8420/7845 7492

Rio Sports Tours
Rua Buenos Aires 57
Centro
Skype: talkto_francis
www.riosportstour.com

277

A

Abolição dos escravos	.61
Academia Brasileira de Letras	.110
Academias de Ginástica	.276
Acessibilidade	.18
Aeroportos	.19
Alfândega	.17
Aluguel de Bicicletas	.24
Angra dos Reis	200
Ano Novo	.37
Antiguidades	263
Apartamentos	.217
Arco do Teles	.101
Arcos da Lapa	122
Arquitetura	.68
Arquitetura Colonial	.68
Arpoador	164
Arte e Cultura	.68
Artes Cênicas	257
Artesanato e Lembranças	265
As Partes Altas do Rio	**.126**
Onde Comer	236
Onde se Hospedar	218
Aterro do Flamengo	146
Atividades Esportivas	277
Atividades para Crianças	.34
Avenida Niemeyer	166
Avião	.19

B

Baía de Guanabara	192, 195
Bailes Funk	252
Baixo Bebê	166
Banda de Ipanema	165
Bandeira do Brasil	.63
Banheiros	.43
Barão d'Escragnole	.142
Barcas	.21
Barroco e Rococó	.69
Barra da Tijuca	184
Barra de Guaratiba	189
Barra do Piraí	.212
Bares	248
Bem-Vindo ao Rio de Janeiro	.45
Biblioteca Nacional	111
Bicicleta	.24
Boates	251
Bom Retiro	141
Bondinho	129
Bossa Nova e Jazz	256
Botafogo	.150
Botequins	233
Bruno Giorgi	75
Burle Marx	74, 187
Búzios	196

C

Cachaça	206
Calendário de Eventos	.36
Câmbio	.40
Caminhadas	.32
Caminho do Ouro	207
Caminho dos Pescadores	.158
Caminho Niemeyer	194
Campo de Santana	.119
Palácio Capanema	.73
Capela Mayrink	.141
Capoeira	277
Carros	.22
Cariocas	.48
Carlos Gomes	.78
Carmem Miranda	.79
Carnaval	82, 106
Casa da Avenida Ipiranga	.211
Casa da Cultura de Paraty	206
Casa das Canoas	183
Casa de Arte e Cultura Julieta de Serpa	.73
Casa de Santos Dumont	.210
Casa França-Brasil	103
Casa Villarino	.110
Casas de Show	257
Casas de Sucos	167, 232
Cascatinha do Taunay	.141
Castelo	106
Catedral de São Pedro de Alcântara	.210
Catedral Metropolitana	.113
Catete	148
Cavalgadas	.33
Central do Brasil	.118
Centro Cultural Carioca	.117
Centro Cultural da Justiça Eleitoral	.102
Centro Cultural do Banco do Brasil (CCBB)	103
Centro Cultural dos Correios	105
Centro Cultural Justiça Federal	111
Centro Cultural Oduvaldo Vianna Filho	72
Centro Cultural Parque das Ruínas	.129
Centro Histórico e Arredores	**.94**
Onde Comer	234
Onde se Hospedar	218
Centro de Visitantes do Parque Nacional da Tijuca	.141
Centros de Informação Turística	.16
Chafariz das Saracuras	165
Centro Nacional de Folclore e Cultura Popular	.149
Chafariz do Mestre Valentim	100
Chico Buarque de Holanda	.80
Churrasco	233
Cidade da Música	73, 185
Cidade do Samba	106
Cinelândia	106

ÍNDICE

Cinema 259
Cinema e Televisão 77
Cinema Novo 77
Cinemas
  Cine Santa Teresa 130
  Estação Laura Alvim 259
  Kinoplex Leblon.................... 259
  Odeon Petrobras 259
  Roxy 259
Circo Voador 123
Clima 86
Colonização........................58
Comércio de Escravos 57
Como Chegar e Passear na Cidade.....19
Comunicações 38
Clubes de Futebol 273
Confeitaria Colombo 112
Consulados 17
Convento e Igreja de Santa Teresa....131
Copacabana 159
Copacabana Palace..................161
Corcovado 134
Corridas de Cavalo 275
Cristo Redentor 134
Ciclismo e Mountain Biking 32
Condições de Entrada no País 17

D

Dança 258
Debret.......................... 61, 76
Democracia.........................64
Desfile das Escolas de Samba 83
Dia de São Jorge 119
Ditadura...........................64
Diversão ao Ar Livre 31
Descubra o Rio de Janeiro 93
Dinheiro 42
Diversão 248
Dois Rios.......................... 202
Dirigir no Rio......................23

E

Eckhout............................75
Ecletismo 70
Economia 47
Edifício Biarritz....................73
Edifício Seabra 72
Eletricidade.......................39
Emergências 39
Escadaria Selarón 123
Escola Nacional de Música 123
Escultura..........................74
Espaço Cultural do Corcovado 137
Espaço Cultural da Marinha 105
Esportes de Aventura...............31
Esporte Espetáculo................ 272

Esportes Aquáticos 34
Estádio das Laranjeiras 133
Estádio do Maracanã 274
Eva Klabin 171
Excursões 190

F

Fantasias de Carnaval.............. 266
Fauna..............................89
Favela Bairro 167
Fazendas 212
Fazendas de Café................ 68, 212
Feira de Artezanato de Ipanema 165
Feira Hippie...................... 165
Feiras 262
Feriados Estaduais 43
Festivais de Verão 256
Filmes 35
Flamengo......................... 148
FLIP Festa Literária de Paraty........ 207
Flora..............................86
Floresta da Tijuca................... 140
Futebol 272
Fortaleza de Santa Cruz da Barra 193
Forte de Copacabana...............161
Forte Defensor Perpétuo 207
Forte Duque de Caxias..............158
Fortes e Fortalezas de Niterói 193
Frans Post.........................75
Freguesia de Santana.............. 202
Frei Domingos da Conceição 75
Frei Ricardo do Pilar 75
Fumo 41
Fundação Eva Klabin 171
Fundição Progresso 124
Fusos Horários 43
Futebol 272
Futevôlei.......................... 275

G

Gafieira 256
Galerias de Arte
  A Gentil Carioca 119
  Anita Schwartz..................... 264
  Durex Arte Contemporânea......... 119
  Galeria de Arte Ipanema 164
  Galeria Laura Marsiaj 264
  Mercedes Viegas 264
  Silvia Cintra & box4................. 264
Gastronomia.......................51
Gávea.............................172
Gay 253
Getúlio Vargas 64, 149
Glaziou 119
Glória.............................125
Golfe 32

Gorjetas 43
Governo 47
Grandjean de Montigny 61, 173
Guaratiba 187

H

História 53
Horário Comercial 38
Horários de funcionamento 25

I

Iemanjá 161
Igrejas
Igreja da Candelária 105
Igreja da Ordem Terceira de Nossa
    Senhora do Monte do Carmo 104
Igreja da Ordem Terceira de
    São Francisco da Penitência 114
Igreja da Santa Cruz dos Militares 102
Igreja de Nossa Senhora da
    Glória do Outeiro 125
Igreja de Nossa Senhora da Lapa
    dos Mercadores 101
Igreja de Nossa Senhora
    de Bonsucesso 107
Igreja de Nossa Senhora do
    Carmo da Antiga Sé 104
Igreja de Nossa Senhora do
    Carmo da Lapa 122
Igreja de Santa Rita 206
Igreja de São Jorge 119
Igreja e Convento de Santo Antônio . .115
Igreja e Mosteiro de São Bento 103
Igrejas e Mosteiros 28
Ilha de Paquetá .195
Ilha Fiscal 195
Ilha Grande 200
Independência 61
Informações Básicas 38
Informe-se Antes de Ir 16
Instituto Moreira Salles 172
Internet 40
Ipanema 162

J

Jardim Botânico 174, 175
Jardim de Alá 171
Jardim Zoológico 121
Joalheria 267
José de Anchieta 107
Jiu-jítsu 277
Joaquim José da Silva Xavier . . 60, 99, 116
João Zeferino da Costa 76
Jockey Club Brasileiro 173
John Luccock 80

L

Lagoa 170
Lagoa e Arredores 168
    Onde Comer 242
    Onde se Hospedar 225
Lagoa Rodrigo de Freitas 170
Lapa 122
Laranjeiras 132
Largo da Carioca 112
Largo do Boticário 138
Leblon 166
Le Corbusier 73
Leme 158
Lima Barreto 81
Linhas Aéreas 19
Livros 35
Literatura 80
Lojas de Acessórios 164
Luiz Inácio Lula da Silva 67
Lula 67

M

Machado de Assis 81
Manuel de Araújo Porto Alegre 76
Maracanã 121, 274
Marina da Glória 125
Mercados 262
Marsupiais 90
Celso Antônio 75
Mesa do Imperador 140
Mestre Valentim .75
Metrô 21
Mirante do Leblon 167
Mirante Dona Marta 140
Missão Francesa 69, 70
Modernismo 73
Monarquia 61
Monumento aos Heróis de Laguna
    e Dourados 153
Monumento aos Mortos da Segunda
    Guerra Mundial 147
Morro da Urca 152
Morro Dois Irmãos 167
Morro do Leme .158
Montanhismo e Escalada 32
Museus
    Museu Carmen Miranda 147
    Museu Casa de Benjamin Constant . . . 131
    Museu Casa de Rui Barbosa 150
    Museu Casa do Pontal 186
    Museu da Chácara do Céu 130
    Museu da República 149
    Museu de Arte Contemporânea (MAC) 192
    Museu de Arte Moderna (MAM) 146
    Museu do Açude 142
    Museu do Bonde 131

ÍNDICE

Museu do Índio 151
Museu do Primeiro Reinado 120
Museu H. Stern 164
Museu Histórico Nacional 108
Museu Imperial 209
Museu Internacional de Arte Naïf 138
Museu Mauro Ribeiro Viegas 125
Museu Nacional de Belas Artes 110
Museu Naval e Oceanográfico 106
Museu Villa-Lobos 151
Museus e Galerias 26
Música 78
Música Brasileira 255
Música Brasileira ao Vivo 254
Música Clássica 123, 257, 258

N
Natureza 84
Navio 20
Neo-classicismo 70
Nova República 66
Niterói 192

O
O Que Ver e Fazer 25
O Que Visitar no Rio 14
Observadores de Pássaros 89
Off Road 33
Oi Futuro 149
Onde Comer 232, 245
Onde se Hospedar 216, 227
Ônibus 21
Ônibus do Surfe 188
Ópera 257
Orla Bardot 197
Os Esquilos 141
Oscar Niemeyer 73, 194

P
Paço Imperial 100
Padre José Maurício 78
Paisagem 84
Paisagismo 74
Palacete da Ilha Fiscal 72
Palácio das Laranjeiras 133
Palácio de Cristal 211
Palácio do Catete 149
Palácio Guanabara 133
Palácio Imperial de Petrópolis 209
Palácio Itamaraty 117
Palácio Quitandinha 208
Palácio Tiradentes 99
Palmito 247
Panteão de Osório 99
Pão de Açúcar 152
Paraty 204

Parques e Jardins 27
Parque da Catacumba 171
Parque da Cidade 194
Parque do Cantagalo 170
Parque do Flamengo 146
Parque do Penhasco Dois Irmãos 167
Parque dos Patins 170
Parque Ecológico Chico Mendes 186
Parque e Museu Histórico da Cidade . . 173
Parque Garota de Ipanema 165
Parque Guinle 133
Parque Lage 177
Parque Nacional da Serra dos Órgãos . . 87
Parque Nacional da Tijuca 139
Parque Nacional de Itatiaia 87
Parques Nacionais e Estaduais 87
Passeio Público 124
Passeios 29
Passeios a Pé 15
   Ipanema 163
   Jardim Botânico 175
   Praça XV 99
   Santa Teresa 129
Passeios de Carro 12
Passeios nas Favelas 29
Passaportes 17
Paulo Coelho 81
Pedro Álvares Cabral 53
Petrópolis 208
Pico da Tijuca 141
Pico do Papagaio 201
Pintura 75
Pista Cláudio Coutinho 153
População 48
Planetário da Gávea 172
Planeje Sua Viagem 11
Porção 246
Porto 20
Pousada 219
Praça da República 116
Praça General Osório 165
Praça Nossa Senhora da Paz 163
Praça Santos Dumont 173
Praça Tiradentes 115
Praça XV 98
Praias
Praia Azeda/Azedinha 199
Praia da Barra da Tijuca 185
Praia da Ferradurinha 198
Praia da Gávea 183
Praia da Tartaruga 198
Praia de Copacabana 160
Praia de Geribá 198
Praia de Grumari 189
Praia de Ipanema 163
Praia João Fernandes 199

Praia João Fernandinho............ 199
Praia de Manguinhos.............. 198
Praia de São Conrado............. 183
Praia de Tucuns 198
Praia do Abricó.................. 189
Praia do Arpoador............... 165
Praia do Aventureiro............. 203
Praia do Diabo 165
Praia do Leblon 166
Praia do Leme...................158
Praia do Pepê 185
Praia do Pepino 183
Praia Lopes Mendes 201
Praia Vermelha...................153
Praias...........................25
Praias da Zona Oeste............178
Passeio de Carro.................. 180
Onde Comer 243
Onde se Hospedar................. 225
Praias da Zona Sul 154
Onde Comer 239
Onde se Hospedar................. 220
Praias de Niterói 194
Prainha 189
Primeiros Habitantes 54
Projeto Pedala Rio................24

Q
Quando e Onde Ir 13
Quinta da Boa Vista 120
Quiosques 156

R
Real Gabinete Português de Leitura ..118
Recreio dos Bandeirantes........... 186
Religião..........................50
República Velha...................62
Reserva Tauá..................... 198
Restaurantes a Quilo 233
Rio de Janeiro Hoje...............46
Rio Pass..........................39
Rocinha......................... 183
Rodolfo Bernardelli...............75
Roupas 267
Rua das Pedras...................197
Rui Barbosa 150
Ruínas do Archer 141
Ruínas do Lazareto 202

S
Segurança 39
Sala Cecília Meireles..............123
Samba, Chorinho, Forró e MPB 254
Santa Teresa 128
São Conrado 181
Saúde 18

Saúde e Bem Estar.................276
Seguro...........................23
Semana de Arte Moderna...........74
Serviços de Lavanderia 268
Shopping 260
Lojas de Acessórios................. 270
Antiquários 263
Galerias de Arte 264
Moda Praia...................... 269
Antes de Comprar 260
Livros............................ 264
Roupa Casual 268
Artesanato e Lembranças.......134, 265
Estilistas e Butiques 164, 267
Descontos 261
Empório da Cachaça............... 207
Lojas de Jóias 267
Shoppings 261
Mercados 262
Lojas de Discos 132, 163, 271
Horário de Funcionamento 260
Dicas sobre Como Comprar 260
Devoluções 261
Rua Teresa (Petrópolis) 211
São Conrado Fashion Mall 183
Áreas de Comércio 260
Clássicos 269
Onde Comprar 261
Shopping Centers
BarraShopping..................... 262
Botafogo Praia Shopping 261
Rio Design Barra.................. 262
Rio Design Leblon 262
Rio Sul 261
Shopping da Gávea................ 262
Shopping Leblon.................. 261
Sítio Burle Marx 187
Solar da Marquesa de Santos........120
Solar Grandjean de Montigny 173
Spas............................276
Souvenires...................... 265
Sugestão de Itinerários 14
Surfe 34

T
Taunay..........................76
Táxi.............................24
Tênis............................33
Terra Brasil 141
Teatro 80, 258
Teatros
Espaço Tom Jobim de Cultura
e Meio Ambiente 259
Teatro da Casa de Cultura Laura Alvim 259
Teatro do Centro Cultural
Banco do Brasil................... 258

282

ÍNDICE

Teatro João Caetano 258
Teatro Municipal Carlos Gomes 259
Teatro Odisséia 258
Teatro Oi Casa Grande 259
Theatro Municipal 109
Traslado do Aeroporto 19
Trem 21
Travessa do Comércio 101
Trenzinho do Corcovado 137
Trindade 207
Túnel Rebouças 169

U
Paisagem Urbana 50
Urca 152

V
Vale do Café 212
Valença 212
Vassouras 213
Vestuário 267
Victor Meirelles .76
Vida Noturna 123, 248

Vidigal 167
Vila do Abraão 201
Villa-Lobos 151
Villa Riso 182
Visitantes Internacionais 17
Vistas 28
Vistos 17
Vista Chinesa 140
Vôlei 275

W
Websites 16

Y
Yoga 277
Sua Estada no Rio de Janeiro 215

Z
Zona Norte 120
**Zona Sul Perto da Baía
de Guanabara .144**
Onde Comer 238
Onde se Hospedar 219

ONDE SE HOSPEDAR

Angra dos Reis 200
Arpoador 222
Barra da Tijuca 226
Barra de Guaratiba 226
Botafogo. 220
Búzios 227
Centro 218
Copacabana 220
Flamengo. 219
Gávea. 225
Ilha Grande 228
Ipanema 222
Itatiaia 231
Lapa. 218
Leblon 224

Leme 222
Niterói 227
Paquetá. 227
Paraty 229
Petrópolis. 230
Recreio 226
Santa Teresa 218
São Conrado 225
Teresópolis. 231
Vale do Cuiabá 230
Apartamentos. 217
Motéis 231
Escolha de um Bairro 216
Descontos 217
Preços de Temporada. 217

ONDE COMER

Barra da Tijuca 185, 244
Barra de Guaratiba 244
Botafogo. 238
Búzios 245
Catete 238
Centro 234
Copacabana 239
Flamengo. 238
Gávea. 242
Glória. 235
Ilha Grande 245
Ipanema 240
Jardim Botânico. 243
Lagoa. 243
Lagoa e Arredores. 176
Lapa. 235

Laranjeiras 237
Leblon 241
Niterói 245
Paraty 246
Petrópolis. 247
Santa Teresa 236
São Conrado 182, 243
As partes Altas do Rio. 134
Parque Nacional da Tijuca 237
Urca 239

Cafés e Padarias 233
Escolha de um Bairro 232
Restaurantes Internacionais 233
Porcão 246
Especialidades 233

MAPAS E LEGENDAS

CAPAS

Principais locais . . . . .capa interna
Mapa do Metrô. . . . . .contra-capa interna

RIO DE JANEIRO

Centro Histórico e Arredores 96
As Partes Altas do Rio. 127
Santa Teresa 127
Parque Nacional da Tijuca 142
Zona Sul Perto da Baía de Guanabara.145

Copacanana 155
Ipanema e Leblon 159
Lagoa e Arredores. 169
Praias da Zona Oeste 178

RIO DE JANEIRO—EXCURSÕES

Excursões a partir do Rio. 190
Búzios 197
Paraty 205

Símbolos de lugares

Itinerários recomendados com um ponto de partida

- Igreja, capela
- Cidade descrita
- Outros pontos de interesse
- Forte
- Praia

- Prédio descrito
- Outro prédio
- Estátua, Monumento
- Informação aos Visitantes
- Panorama, Vista

Outros símbolos

- 071 Outra rota
- Auto-estrada, ponte
- Auto-estrada com pedágio, interseção
- Auto-estrada compartilhada
- Rota principal, secundária
- 40 Distância em Km
- 2149 Viaduto
- △6288 Pico da montanha, elevação
- Aeroporto, Aeroclube
- Balsas: Carros e passageiros
- Balsa: Apenas passageiros
- Fronteira internacional
- Fronteira estadual, Fronteira municipal

- Avenida, rua principal
- Rua dividida em duas direções
- Rua de mão única
- Rua de pedestres
- Túnel
- Correios
- Hospital
- Ponto de ônibus
- Estação de metrô
- Internet Café
- Banco
- Cemitério
- Pântano

Recreação

- Bondinho
- Estádio, Campo de Golfe

Todos os mapas são orientados para o norte, exceto quando indicados por uma seta direcional.

285

NOTAS

Agradecimentos:
Instituto Terra Brasil, Metrô Rio, Lily Bingley,
Vinicius Brandão, Paulo Celani, Etienne Frans, Gabriel Kelly,
Iain MacIntyre, Petra Van de Velde, João Vicente Ribeiro.

Michelin Apa Publications Ltd

A joint venture between Michelin and Langenscheidt

58 Borough High Street, London SE1 1XF, United Kingdom

Nenhuma parte desta publicação pode ser reproduzida, sob qualquer forma sem autorização prévia da editora.

© 2010 Michelin Apa Publications Ltd
ISBN 978-1-906261-98-6
Impresso em maio de 2011
Impresso no Brasil